L'ENFANT DE L'ÉTRANGER

Considéré comme l'un des plus grands romanciers anglais contemporains, Alan Hollinghurst est notamment l'auteur de *La Piscine-bibliothèque* et de *La Ligne de beauté*, Man Booker Prize, et finaliste du National Book Critics Circle Award. Les plus prestigieux prix littéraires anglais lui ont aussi été décernés. *L'Enfant de l'étranger* a reçu le Prix du meilleur livre étranger 2013. Il vit à Oxford.

Paru dans Le Livre de Poche :

LA LIGNE DE BEAUTÉ

ALAN HOLLINGHURST

L'Enfant de l'étranger

ROMAN TRADUIT DE L'ANGLAIS PAR BERNARD TURLE

ALBIN MICHEL

Titre original :

THE STRANGER'S CHILD
publié par Picador, 2011.

PREMIÈRE PARTIE

« Deux Arpents »

1

Allongée dans le hamac, elle lisait de la poésie depuis plus d'une heure. Ce n'était pas facile : elle ne cessait de penser à l'arrivée prochaine de George, qui était allé chercher Cecil, et elle glissait constamment, par petits abandons à demi consentis, au point de finir tassée sur elle-même, le recueil au-dessus de la tête, au bout de son bras ankylosé. Comme la lumière faiblissait, les mots s'étaient mis à se fondre les uns dans les autres. Elle espérait avoir l'occasion d'observer Cecil de loin, d'absorber sa présence pendant un instant au moins avant qu'il ne l'aperçoive, qu'il ne lui soit présenté, qu'il ne la questionne sur sa lecture. Il devait avoir manqué son train ou, du moins, sa correspondance : elle le vit arpentant le long quai de la gare de Harrow et Wealdstone, regrettant d'avoir fait le déplacement. Cinq minutes plus tard, sous le ciel crépusculaire qui rosissait au-dessus de la rocaille, l'hypothèse d'un incident bien pire lui semblait déjà envisageable. Soudain, à la fois grave et excitée, elle se représenta l'arrivée d'un télégramme, la propagation de l'effroyable nouvelle ; elle s'imagina en proie à des sanglots incontrôlables, puis, des années plus tard, décrivant l'épisode à un tiers – sans pour autant avoir décidé en quoi consistait ladite nouvelle.

On allumait les lampes au salon ; à travers la fenêtre ouverte, elle entendit sa mère en conversation avec Mrs Kalbeck, venue prendre le thé, et qui avait tendance à s'éterniser car elle n'avait plus personne auprès de qui retourner. La lumière faiblissante qui éclairait l'allée accentua soudain le caractère solitaire du jardin. Daphné descendit du hamac, mit ses souliers et oublia ses livres. Elle dirigea ses pas vers la maison mais fut retenue par un je-ne-sais-quoi dans ce moment particulier de la journée, cette pointe de mystère à laquelle, jusque-là, elle n'avait pas prêté attention ; cela l'attira vers la pelouse, la poussa à dépasser la rocaille, au pied de laquelle l'étang où se reflétaient les silhouettes des arbres eut tout à coup la profondeur du ciel blanc. C'était l'heure paisible où haies et bordures s'assombrissent et où leurs contours se délitent mais tout ce qu'elle observa alors de près, rose, bégonia ou feuille luisante de laurier, paraissait s'accrocher au jour en une secrète palpitation colorée.

Elle entendit un vague bruit familier, le choc du portail cassé contre le pilier au fond du jardin, puis une voix inconnue, aiguë, et ensuite le rire de George. Il avait dû arriver avec Cecil par l'autre chemin, par le prieuré et les bois. Après avoir gravi les marches étroites et en partie cachées de la rocaille, elle entraperçut les deux jeunes gens dans le bosquet en contrebas. Si elle ne put vraiment comprendre ce qu'ils disaient, elle fut déconcertée par la voix de Cecil, une voix qui parut s'approprier très vite et très résolument leur jardin, leur maison et le week-end à venir, une voix nerveuse, prompte, semblait-il, à proclamer qu'elle se moquait de qui l'entendait, une voix dont les intonations étaient teintées en outre d'un brin d'ironie et de la certitude de sa supériorité. Se retournant vers la maison, la masse sombre de la toiture, les hautes cheminées qui se détachaient sur le ciel et les fenêtres éclairées sous les débords, Daphné songea soudain au lundi, au train-train qu'on reprendrait volontiers dès le départ de Cecil.

Sous les arbres, les ombres étaient plus denses et le petit bois paraissait, chose curieuse, plus vaste. Les garçons traînassaient malgré l'impatience perceptible dans le ton de Cecil. Leurs vêtements clairs et le bord du canotier de George accrochaient la lumière faiblissante tandis qu'ils avançaient lentement entre les troncs des bouleaux, mais Daphné eut du mal à distinguer leurs visages. George, s'étant arrêté, taquina quelque chose par terre avec la pointe de son soulier et Cecil, plus grand, se tint tout près de lui comme pour partager son point de vue sur la question. Daphné approcha avec précaution, il lui fallut un certain temps pour comprendre que les deux garçons n'avaient pas remarqué sa présence; elle se figea et, avec un sourire gêné, étouffa un petit cri inquiet, sur quoi, à la fois confuse et excitée, elle réfléchit à l'attitude à prendre. Cecil étant un invité et plus un enfant, elle ne pouvait lui jouer un tour même si son frère, lui, sans conteste, était en son pouvoir. Or, de ce pouvoir, elle ne sut que faire. Cecil posa la main sur l'épaule de George, comme pour le consoler, alors qu'il riait, quoique plus discrètement qu'avant; les bords de leurs couvre-chefs se frôlèrent, se chevauchèrent. Daphné trouva le rire de Cecil plaisant, malgré tout : un petit hennissement de qui s'amuse bien même si, comme c'était trop souvent le cas, elle était exclue de la plaisanterie. Enfin, Cecil leva la tête et, l'apercevant, lâcha un « Ah, bonjour, vous ! » qui aurait pu faire croire qu'ils s'étaient déjà rencontrés plusieurs fois, et qu'ils avaient bien aimé ça.

Troublé, George la dévisagea et, reboutonnant vite sa veste, annonça, d'un ton plutôt sec : « Cecil a manqué son train.

— Je vois ! répliqua Daphné, optant pour une équivalente sécheresse de ton, censée la prémunir contre sa constante et pénible propension à devenir l'objet de taquineries.

— Et puis, n'est-ce pas, je devais visiter le Middlesex ! renchérit Cecil, avançant pour lui serrer la main. Nous avons dû traverser une grande partie du comté !

— Il vous a amené par la campagne. Ici, il y a le côté campagne et le côté banlieue, qui ne donne pas une impression aussi bonne. On remonte tout bêtement Stanmore Hill. »

George respira bruyamment, à la fois gêné et soulagé. « Voilà, c'est fait, Cess, tu as rencontré ma sœur. »

D'une manière franche et directe, Cecil garda la main de la jeune fille dans la sienne, chaude et ferme. Il avait de grandes mains. Sa poigne, cependant, était... neutre. Il était davantage habitué à tenir des avirons et des cordes que les doigts frêles d'une jeune fille de seize ans. Laquelle inhala son odeur, d'herbe et de sueur, l'âcreté de son haleine. Quand elle tenta de retirer ses doigts, il les serra derechef pendant une ou deux secondes avant de les libérer. Elle n'aima pas cette sensation mais, dans la minute qui suivit,

14

s'apercevant que sa main gardait le souvenir de celle qui l'avait serrée, elle eut presque envie de la tendre dans l'ombre pour toucher encore celle du visiteur.

« Je lisais de la poésie, expliqua-t-elle, mais l'obscurité a fini par avoir raison de ma vue.

— Ah ! » s'exclama Cecil, se mettant à rire, de son rire vif et haut perché, qui fleurait le sarcasme ; mais elle devina qu'il posait sur elle un regard bienveillant. À la nuit presque tombée, ils devaient plisser les yeux pour être certains de bien voir leurs expressions respectives : aussi aurait-on pu croire qu'ils s'intéressaient particulièrement l'un à l'autre. « Et quel poète lisiez-vous ? »

Daphné avait emporté un recueil de Tennyson et le dernier numéro de la revue *Granta*, qui contenait trois poèmes de Cecil, respectivement « Corley », « Aube à Corley » et « Corley : crépuscule ». Elle se contenta de répondre : « Oh… Alfred, lord Tennyson. »

Cecil hocha la tête lentement et parut s'amuser à chercher une réplique à la fois gentille et pétillante. « Vieillit-il bien, d'après vous ?

— Oh oui », répondit Daphné sans hésiter, avant de se demander si elle avait bien compris la question. Elle regarda entre la ligne des arbres mais pensa à d'autres perspectives inquiétantes : au type de conversations prisé à Cambridge, dont George les régalait souvent et au cours desquelles le causeur s'attardait sur certaines choses dont il était impossible, vraiment, qu'il pût y croire. Ces conversations atteignaient des sommets de taquinerie, puisqu'on ne vous disait jamais pourquoi votre réponse était fausse. « Nous adorons tous Tennyson ici, affirma-t-elle, à Deux Arpents. »

Sous la large visière de sa casquette, le regard de Cecil se fit joueur. « Nous allons donc bien nous entendre, déclara-t-il. Je suggère que nous lisions tous nos poèmes préférés... si vous aimez lire en public.

— Oh oui ! » s'exclama Daphné, déjà tout excitée, même si tout ce qu'elle avait jamais entendu Hubert, par exemple, lire à haute voix était une lettre du *Times* dont le contenu lui avait plu. « Quel est votre poème préféré ? » s'enquit-elle non sans inquiétude – et si elle n'en avait jamais entendu parler ?

Souriant à tous deux, savourant le pouvoir que lui donnait l'embarras du choix, Cecil répondit : « Vous le saurez quand je vous le lirai !

— J'espère que ce n'est pas "La Dame de Shalott", dit Daphné.

— J'aime "La Dame de Shalott".

— En fait, je voulais dire que... c'est *mon* poème préféré. » George, écartant les bras afin de les englober tous deux dans son étreinte, intervint alors : « Fort bien. Maintenant, je vais te présenter à Mère.

— Au fait, Mrs Kalbeck est là aussi, précisa Daphné.

— Il nous faudra donc tenter de nous débarrasser d'elle, dit George.

— Hum, tu peux toujours essayer...

— Je suis désolé d'avance pour Mrs Kalbeck, dit Cecil, qui que cette personne puisse être.

— C'est un gros cloporte noir, dit George. Elle a emmené Mère en Allemagne l'an passé et ne l'a plus lâchée depuis.

— C'est une veuve allemande », expliqua Daphné avec un réalisme navré et un hochement de tête compatissant. Elle s'aperçut alors que Cecil, lui aussi, avait passé le bras autour de la taille de son frère et, sans vraiment réfléchir, elle fit de même ; pendant un moment, ils parurent ainsi unis par un pacte un tantinet rebelle.

2

Quand la bonne desservit après le thé, Freda Sawle louvoya entre tous les guéridons et les petits fauteuils jusqu'à la porte-fenêtre. Quelques traînées de nuages roses embrasaient le ciel tout là-haut au-dessus de la rocaille et le jardin était figé dans les premières grisailles du crépuscule. Cette heure du jour affectait toujours son humeur. « Je suppose que ma chère enfant s'abîme les yeux quelque part là-bas, dit-elle, revenant à la lumière plus chaleureuse du salon.

— Si elle a pris ses recueils de poésie, précisa Clara Kalbeck.

— Elle étudie des poèmes de Cecil Valance. Elle dit qu'ils sont très beaux mais pas autant que ceux de Swinburne ou de lord Tennyson.

— Swinburne…, dit Clara, avec un petit rire rétif.

— Tous les poèmes de Cecil que j'ai lus ont trait à sa propriété, bien que George prétende qu'il en a composé d'autres d'un intérêt plus général.

— J'ai l'impression, en effet, de connaître par cœur la demeure de Cecil Valance », confirma Clara avec la légère aspérité qui ajoutait comme une pointe de sarcasme à ses remarques, même les plus aimables.

Freda parcourut la courte distance qui la séparait du « salon de musique », le recoin de la pièce où se trouvaient le piano et le meuble sombre du gramophone. Depuis qu'il s'était rendu à Corley Court, George affichait un certain scepticisme à l'égard de Deux Arpents : n'avait-il pas déclaré que la maison familiale avait une façon bien à elle de « se perdre dans ses renfoncements » ? Ce recoin-là était doté de sa propre petite fenêtre et son plafond était traversé par une imposante poutre en chêne. « Ils sont très en retard, fit remarquer Freda, mais il est vrai que George m'a prévenue que Cecil ne se souciait guère des horaires. »

Clara jeta un regard tolérant à la pendule sur le manteau de la cheminée. « Je suis certaine qu'ils font tout simplement un petit tour.

— Oh, qui sait ce que George fait avec lui ! » Freda fronça les sourcils en se rendant subitement compte du ton qu'elle avait employé.

« Et s'il avait manqué sa correspondance à Harrow et Wealdstone ? suggéra Clara.

— C'est tout à fait possible. » L'espace d'un instant, les deux noms de villes, les voyelles pincées, le « r » guttural, le « w » atténué au point de devenir presque un « f », semblèrent concentrer dans l'esprit de Freda toutes les prétentions de son amie sur l'Angleterre, sur Stanmore et sur elle-même. Elle s'arrêta pour réagencer sur un guéridon les cadres disposés en un demi-cercle qui semblait fait pour capter le regard : son cher Frank dans un studio de photographe, la main sur un autre guéridon ; Hubert faisant de l'aviron ; George monté sur un poney. Elle écarta les deux frères afin de mieux mettre Daphné en évidence. D'ordinaire, elle appréciait la compagnie de Clara et sa propension à accepter tout naturellement de rester assise pendant des heures d'affilée. Clara n'était pas une amie moins estimable pour la seule raison qu'il était aisé de la prendre en pitié. Freda avait trois enfants, le téléphone et une salle de bains à l'étage ; Clara ne possédait aucun de ces agréments et il était difficile de lui en vouloir lorsque, en quête de conversation, quittant son modeste et humide « Lorelei », elle grimpait le coteau clopin-clopant. Mais, ce soir, le dîner suscitant des tensions en cuisine, sa façon de s'incruster témoignait d'une certaine insensibilité.

« On voit bien que George est fort heureux que son ami vienne ici, dit Clara.

— Je le sais, répondit Freda, se rasseyant avec un brusque regain de patience. Et, cela va de soi, je suis heureuse aussi. Avant, il ne voyait jamais personne.

— Qui sait si la perte de son père ne l'a pas amené à se renfermer sur lui-même ? Il ne souhaitait être qu'avec vous.

— Hum, vous avez sans doute raison », répondit Freda, vexée par la sagesse de Clara, et émue en même temps par la dévotion de George. « Mais, ces temps-ci, il change : je le vois à sa démarche. Et il siffle beaucoup, ce qui, d'ordinaire, montre qu'un homme est dans l'expectative… Bien sûr, il adore Cambridge. La vie des idées l'enchante. » Elle se représentait les allées qui traversaient et entouraient les cours centrales des *colleges* comme des idées suivies par les jeunes gens selon un parcours ponctué d'arches et d'escaliers. Au-delà se trouvaient les jardins, les berges de la rivière et l'éclat embrumé de la liberté sociale :

George et ses camarades s'y allongeaient sur l'herbe ou glissaient à bord de barques à fond plat. Sur le ton de la cachotterie, elle ajouta : « Vous savez qu'il a été élu à la Société de *Conversazione*…

— Ah bon…, dit Clara, dodelinant de la tête d'un air incertain.

— Nous ne sommes pas censées le savoir. Mais il s'agit de philosophie, je crois. C'est Cecil Valance qui l'a parrainé. Ils échangent des idées. Je crois que George nous a dit qu'ils discutaient de problèmes comme : "Ce tapis existe-t-il ?" Oui, ce genre de sujets…

— Bref, les grandes questions de l'existence. »

Freda partit d'un rire coupable : « À ce que je comprends, c'est un honneur insigne que d'être admis à la Société.

— Cecil est plus âgé que George.

— De deux ou trois ans, à ce qu'il me semble, et déjà expert sur je ne sais plus quel aspect de la Mutinerie indienne. Apparemment, il espère obtenir une chaire dans son *college*.

— Il se propose d'aider George.

— Je crois qu'ils sont les meilleurs amis du monde.

— Quelle qu'en soit la raison, dit Clara après avoir ménagé une pause, George s'épanouit. »

Saisissant au vol l'image de son amie, Freda eut un grand sourire. « Je le sais, dit-elle. Enfin, il éclot ! » L'image était à la fois belle et vaguement dérangeante. C'est alors que Daphné, passant la tête par la fenêtre, cria : « Ils arrivent ! » d'un ton qu'on aurait dit furibond – comme si elle leur avait reproché de ne pas être au courant.

« Ah, bien, fit sa mère en se levant à nouveau.

— Il était temps », fit remarquer Clara Kalbeck, avec un petit rire sec, comme si sa patience avait été malmenée par l'attente.

Daphné se retourna avant d'annoncer : « Il est extrêmement charmant, voyez-vous, mais sa voix porte beaucoup.

— Tout comme la tienne, ma chérie, répondit sa mère. Va donc le chercher et amène-le ici.

— Permettez-moi de vous dire au revoir, dit Clara à voix basse, l'air grave.

— Vous n'y songez pas ! » rétorqua Freda, cédant, comme elle avait su qu'elle le ferait ; puis elle se rendit dans le vestibule. Or il se trouva que, rentrant tout juste du travail, Hubert était justement à la porte d'entrée, coiffé d'un chapeau melon et les mains prises par deux valises brunes qu'il jeta – quasiment – sur le sol, s'exclamant :

« J'ai rapporté ça avec moi dans la camionnette.

— Oh, elles doivent appartenir à Cecil, dit Freda. Ah oui, regarde : "C.T.V." Prends-en soin… » Son aîné, un garçon bien découpé, avait une surprenante moustache rousse mais, à la lumière de la dernière conversation, sa mère comprit instantanément qu'il n'avait pas encore éclos, lui, et serait sans doute complètement chauve avant que cela n'arrive. « Un très curieux paquet est arrivé pour toi, dit-elle. Bonsoir, tout de même, Hubert.

— Bonsoir, Mère », répondit ce dernier, se penchant au-dessus des valises pour l'embrasser sur la joue. Telle était la petite comédie plutôt acerbe de leurs rapports qui tournait plus ou moins toujours autour du fait qu'ils n'amusaient pas le moins du monde Hubert, lequel ignorait peut-être même qu'ils étaient légèrement comiques. « Est-ce cela ? » s'enquit-il, prenant un petit paquet enveloppé dans un papier rouge brillant. « On le dirait plutôt destiné à une dame.

— C'est exactement ce que j'avais espéré… cela vient de chez Mappin… », renchérit sa mère tandis que, dans son dos, là où la porte du jardin était restée ouverte toute la journée, les autres arrivaient : patientant un instant dehors, dans la douce lumière qui baignait l'allée, bras dessus bras dessous, George et Cecil chatoyaient sur fond de crépuscule et, juste derrière, yeux écarquillés, venait celle qui avait eu son rôle à jouer, celle qui les avait trouvés : Daphné. Freda éprouva l'impression fugace que c'était Cecil qui entraînait George plutôt que George qui venait leur présenter son invité ; passant le seuil dans sa tenue de lin clair, sa casquette à la main et rien d'autre, Cecil paraissait bizarrement détendu. On aurait dit qu'il arrivait de son propre jardin.

3

Dans la chambre d'amis à l'étage, Jonah posa sur le lit la première valise et caressa son cuir épais et lisse ; au centre du couvercle étaient gravées en or mat les initiales C.T.V. Enferré dans son dilemme intime et prêtant l'oreille aux bruits de l'invité dans la demeure, Jonah changea de pied d'appui et poussa un soupir. Les éclats de rire des maîtres, qui plaisantaient au rez-de-chaussée, montaient à l'étage dépourvus de sens. Entendant le rire de Cecil Valance, tel un chien enfermé dans une pièce, il se le remémora, dans le vestibule, avec sa veste couleur crème maculée de taches d'herbe aux coudes. Il avait les yeux foncés, le regard vif et les joues empourprées comme s'il avait couru. Mr George l'avait appelé Cess, diminutif que Jonah prononça en silence, juste en bougeant les lèvres, tout en suivant la lettre C avec la pointe de l'index. Puis il se redressa, appuya sur les fermoirs et libéra l'entêtante, l'authentique odeur d'un gentleman : eau de Cologne, amidon et senteur forte du cuir longue à s'estomper.

En règle générale, Jonah ne montait à l'étage que pour y porter une valise ou changer les lits de place ;

l'hiver précédent, son premier à Deux Arpents, il avait également monté le charbon pour les cheminées. À quinze ans, il était petit pour son âge, mais fort ; il coupait le bois, se chargeait des courses, effectuait des allers-retours à la gare dans la camionnette de Horner. C'était le garçon « à tout faire » mais jamais, jusque-là, il n'avait joué le rôle de valet de chambre. George et Hubert, apparemment, s'habillaient et se déshabillaient sans l'aide de personne et Mustow, la femme de chambre de Mrs Sawle, descendait le linge sale. Toutefois, ce matin-là, George l'avait appelé après le petit déjeuner pour lui dire de s'occuper de son ami Valance qui, chez lui, avait-il précisé, était servi par une cohorte de domestiques. À Corley Court, il y avait un homme exceptionnel du nom de Wilkes qui, s'étant également occupé de George pendant son séjour là-bas, lui avait donné de bons conseils sans en avoir l'air. Lorsque Jonah demanda de quels conseils il s'agissait, George rit en répondant : « Contente-toi de lui demander s'il a besoin de quoi que ce soit. Déballe ses bagages dès son arrivée et, veux-tu, arranges-en le contenu *avec méthode*. » Telle fut l'expression démesurée, insaisissable que Jonah ne cessa de se répéter mentalement toute la journée, supplantée à l'occasion par quelque autre tâche qu'il devait accomplir mais prompte à revenir le hanter pour éveiller en lui un effroi insidieux.

Or le voilà qui débouclait des courroies et soulevait maladroitement des feuilles de papier de soie. Certes, il aurait apprécié d'être aidé, mais il était content d'être seul. La valise, qui avait été préparée par un domestique expert, sans doute par Wilkes en personne, semblait exiger qu'il la défît avec un art tout aussi accompli. Il s'y trouvait une tenue de soirée avec deux gilets, l'un noir, l'autre fantaisie, et, sous une feuille de papier de soie, trois chemises de soirée et un coffret en cuir, de forme arrondie, pour les cols. Lorsque Jonah traversa la pièce en portant les vêtements, il surprit son reflet dans la glace de l'armoire et vit son ombre portée, projetée par la lampe de chevet, se cabrer sur l'inclinaison du plafond. George avait signalé que le domestique Wilkes avait fait une chose étrange : à son arrivée à Corley, il lui avait pris toute sa monnaie et la lui avait lavée. Jonah se demanda comment il réussirait à prendre celle de Cecil sans le lui demander et sans qu'on l'accuse de vol. Il lui vint à l'esprit que George pouvait s'être moqué de lui mais, comme d'ailleurs Mrs Sawle l'avait fait remarquer elle-même, ces derniers temps, avec George, il était difficile de savoir.

Dans la seconde valise se trouvaient des tenues de cricket et de natation, ainsi qu'un assortiment de chemises en tissus légers et de couleur, que Jonah trouva peu communes. Il les répartit en tas égaux sur les étagères disponibles, comme à l'étalage d'un drapier. Le linge de corps qui venait ensuite était aussi fin que des dessous féminins – les pouces rêches du garçon accrochèrent l'étoffe des caleçons ivoire légèrement lustrés et il dut les lisser à nouveau. Pendant un moment, il écouta le ton de la conversation au rez-de-chaussée, avant de profiter de l'occasion qui lui était donnée d'en déplier un et de l'appliquer contre son visage juvénile pour le plaisir de voir la lumière filtrer à travers. Le pouls de l'excitation qui battait sous son inquiétude lui fit monter le sang à la tête.

Le couvercle de la valise était lourd ; dans ses deux grandes poches fermées à l'aide de boutons-pression étaient glissés des livres et des documents. Un peu plus sûr de lui, Jonah les sortit, ayant appris par George que son hôte écrivait. Lui-même savait écrire joliment et pouvait presque tout lire, si on lui accordait le temps nécessaire. Dans le premier volume qu'il ouvrit, dont l'écriture, très laide, montait vers la droite, les « g » et les « y » nouaient les lignes ensemble. Jonas supposa qu'il s'agissait d'un journal intime. Un autre volume, écorné comme le registre de comptes des cuisines, contenait ce qui ne pouvait être que de la poésie. « Oh, ne me souris pas si enfin… », parvint-il à déchiffrer : l'écriture était assez lâche au début mais, après quelques lignes, là où commençaient les ratures, elle se resserrait, les mots en pattes de mouche finissaient par monter les uns sur les autres dans le coin en bas à droite. Y avaient également été glissés des bouts de papier cornés et une enveloppe adressée à « Cecil Valance Esquire, King's College » : l'écriture appliquée, cette fois-ci, et immédiatement reconnaissable, n'était autre que celle de George. Jonah entendit des bruits de pas pressés dans l'escalier et Cecil qui demandait à la galerie : « Ohé, où est ma chambre ?

— Ici, Monsieur, répondit Jonah, glissant la lettre à sa place et mettant vite de l'ordre dans les livres sur la table.

— Ah, as-tu donc été affecté à mon service ? fit Cecil, prenant instantanément possession de la pièce.

— Oui, Monsieur, confirma Jonah, éprouvant comme un sentiment de trahison.

— Je ne requerrai pas souvent ton aide. En fait, le matin, tu n'auras pas à t'occuper de moi », précisa

Cecil en ôtant tout de suite sa veste pour la tendre au garçon, qui la pendit dans l'armoire sans toucher aux coudes maculés. Il avait l'intention de revenir plus tard, lorsque les maîtres dîneraient, pour nettoyer les vêtements sales sans être vu. Il serait très occupé par le service de Cecil jusqu'au lundi matin. « Voyons, comment vais-je t'appeler ? s'interrogea ce dernier presque comme s'il s'apprêtait à choisir un nom dans une liste.

— Je m'appelle Jonah, Monsieur.

— Jonah, ah bon…. ? » Comme son prénom suscitait parfois de drôles de commentaires, Jonah se mit à changer la disposition des livres sur le bureau – voyait-on qu'il les avait feuilletés ? Au bout d'un moment, Cecil déclara : « Ça, ce sont des carnets de notes pour mes poésies. Veille à ne jamais les toucher.

— Très bien, Monsieur. Vous ne souhaitiez peut-être pas que je les sorte de la valise ?

— Si, si, parfait », répondit Cecil d'un air absent. Il ôta sa cravate et commença à déboutonner sa chemise. « Travailles-tu ici depuis longtemps ?

— Depuis Noël dernier, Monsieur. »

Esquissant un léger sourire comme s'il avait déjà oublié la question à laquelle Jonah venait de répondre, Cecil dit : « Drôle de chambrette, n'est-ce pas ? » En l'absence de réponse de la part de Jonah, il ajouta : « Mais charmante, oui, charmante… » Il accompagna sa remarque de son rire si particulier, plutôt un glapissement, et Jonah eut l'étrange sensation de partager l'intimité de quelqu'un qui, de son côté, l'ignorait totalement. En un sens, c'était ce qu'on recherchait, en qualité de domestique. Mais on ne lui avait jamais adressé la parole dans les autres chambres plus

28

modestes. Il garda respectueusement les yeux rivés sur le plancher, devinant qu'il ne fallait pas se faire surprendre en train de regarder les épaules et le torse nus de Cecil. Lequel sortit la monnaie de sa poche et, d'un geste brusque, la posa sur la table de toilette; Jonah jeta un coup d'œil à l'argent et se mordit la joue. « Peux-tu me faire couler un bain ? demanda Cecil, débouclant sa ceinture et tortillant des hanches pour faire tomber son pantalon.

— Oui, Monsieur. Tout de suite, Monsieur », répondit Jonah en contournant Cecil, avec un soupir de soulagement.

4

Ce soir-là, Hubert renonça à son bain et se contenta de se débarbouiller dans sa chambre, quelque insatisfaisant que ce fût. Il souhaitait que leur invité admire la maison et il prit plaisir à entendre les formidables bruits d'éclaboussures de l'autre côté de la cloison; mais il fronça les sourcils en nouant sa cravate devant la glace, songeant que le sacrifice de sa demi-heure quotidienne dans la baignoire passerait très certainement inaperçu.

Ayant un peu de temps devant lui, il descendit dans la petite pièce lugubre jouxtant la porte d'entrée, qui avait été le bureau de son père et où lui aussi aimait rédiger son courrier. En vérité, sa correspondance était fort restreinte, et il était vaguement conscient de manquer de dons épistolaires. Quand il lui fallait écrire une lettre, il le faisait avec une rapidité professionnelle. Il s'installa au bureau en bois de chêne, sortit son tout récent cadeau de la poche de sa veste de smoking et, avec une légère gêne, le posa sur le buvard. Il prit une feuille de papier à en-tête dans un tiroir, plongea la plume dans l'encrier en étain et écrivit d'une écriture arrondie qui penchait vers l'arrière :

Mon cher vieux Harry,

Je ne saurais jamais assez vous remercier pour l'étui à cigarettes en argent. Il est absolument fantastique, vieille branche. Je n'en ai encore parlé à personne mais je le ferai passer après dîner & vous verrez leurs têtes ! Vous êtes trop généreux, je suis sûr que personne n'a jamais eu un si bon ami, Harry. Bien, c'est presque l'heure du dîner, & nous avons un invité, un jeune ami de George, un poète ! Vous le rencontrerez demain quand vous viendrez, il a l'air de ce qu'il est. Je dois avouer que je n'ai pas lu une ligne de ce qu'il a écrit ! Mille fois merci, vieille branche, & amitiés sincères, vôtre à jamais,

Hubert

Hubert retourna la feuille sur le buvard et la tamponna délicatement avec le poignet. En écrivant gros, il avait réussi à ce que les derniers mots arrivent en haut du troisième volet de la petite feuille pliée en deux, signe qu'il n'avait pas écrit seulement par devoir ; la missive était de lecture plaisante et, en la relisant, il fut satisfait de ses pointes d'humour. Il la glissa dans une enveloppe, sur laquelle il écrivit : « Harry Hewitt Esq., Mattocks, Harrow Weald » et « En ville » dans le coin ; il la posa sur le plateau dans le vestibule afin que Jonah la porte le lendemain matin. Il resta planté là à la contempler longuement, frappé par la justesse presque solennelle qu'il y avait dans le fait que lui-même vivait précisément ici, que Harry vivait là où il vivait, et que des lettres circulaient entre eux avec une si noble efficacité.

5

George fut le dernier à descendre, ce qui ne l'empêcha pas de faire une pause dans l'escalier. Ils étaient quasiment prêts. Il vit la bonne traverser le vestibule une salière à la main, huma le fumet du poisson, reconnut le rire aigu de Cecil, qui couvrait les autres, et eut un frisson dans le dos en songeant à son audace : amener cet homme sous le toit de sa mère. Puis, repensant à ce que Cecil lui avait dit dans le parc, au cours de la demi-heure qu'ils s'étaient accordée en prétendant que Cecil avait raté son train, il sentit son cuir chevelu, ses épaules et toute la longueur de sa colonne vertébrale le picoter dans l'anticipation de la promesse de son invité, aussi secrète que radicale. Il descendit les marches restantes à pas de loup et se glissa dans le salon avec une conscience vertigineuse des dangers à venir. « Ah, George », dit sa mère tout bas, un brin de reproche dans la voix ; il haussa les épaules et esquissa un petit sourire en coin comme si son seul manquement avait été de les faire attendre. Hubert, dos tourné à la cheminée vide, les avait tous piégés avec un discours sur les transports locaux. « Alors, vous êtes tombés en rade à Harrow et Wealdstone ? »

Il arborait une mine réjouie au-dessus de son verre de champagne levé, aussi fier des rigueurs de la vie à Stanmore qu'il l'était de ses bienfaits.

« Absolument aucune importance, répondit Cecil, croisant le regard de George, un étrange sourire aux lèvres.

— Comme un bel esprit l'a dit un jour, on dirait le nom d'une torture médiévale. Harrow et Wealdstone… vous ne trouvez pas ?

— Ah, épargnez-moi le supplice du Wealdstone ! s'exclama Daphné d'un ton théâtral.

— Quoi qu'ait pu en dire ce bel esprit, déclara sa mère, nous adorons tous Harrow et Wealdstone. »

George posa un instant sa main à plat au bas du dos de Cecil, le regard plongé dans le verre de son ami. Ses doigts tapotèrent quelques notes secrètes d'excuse et de promesse. « Eh bien, la devise des Valance, dit Cecil, est "Jouis de l'instant". Nous avons été habitués à ne pas perdre notre temps. Vous seriez surpris de savoir tout ce qu'on peut faire dans une gare de banlieue. » Il adressa à la compagnie un sourire radieux et, lorsque Daphné demanda « À quoi pensez-vous exactement ? », il continua de sourire comme s'il ne l'avait pas entendue.

« Je parie que vous êtes montés par le prieuré, dit Hubert, amicalement déterminé à suivre pas à pas le trajet de Cecil.

— En effet, par le prieuré, répondit celui-ci, d'une voix suave.

— Saviez-vous que la reine Adelaide y a habité ? dit Hubert avec un léger froncement des sourcils pour montrer qu'il ne voulait tout de même pas en faire grand cas.

— C'est ce que j'ai appris, dit Cecil, le verre déjà vide.

— Plus tard, c'est devenu un hôtel excellent, déclara Mrs Kalbeck.

— Ce n'est plus aujourd'hui qu'une école, dit Hubert, avec un petit reniflement sinistre.

— Quel triste sort ! » se lamenta Daphné.

Pour l'amour de Dieu ! s'écria George en son for intérieur, ne lâchant toutefois en traversant le salon qu'une sorte de gloussement distrait. Il se versa les dernières gouttes du Pommery et posa son regard sur la vitre, où se reflétait la pièce éclairée, idéalisée, deux fois plus grande, étalée d'un air engageant sur le jardin assombri. Comme ses doigts tremblaient, il tourna le dos à la compagnie, serrant d'une main le pied de son verre presque plein, le stabilisant avec l'autre. Semblable faiblesse était inimaginable chez Cecil : la constatation ne fit qu'ajouter, d'une manière subtile, à la honte de George. Il se retourna et les regarda tous, et tous parurent le regarder, comme s'ils s'étaient réunis sur son invitation et attendaient des explications. Or il n'avait eu en vue qu'un simple dîner en famille, dans le but de leur présenter son ami. Il allait de soi qu'il n'avait point escompté la présence de la vieille Kalbeck, qui semblait prendre Deux Arpents aussi pour un hôtel : c'était à peine acceptable, la façon dont cette vieille fourbe avec ses airs faussement innocents avait réussi à s'octroyer une invitation à rester, sans compter que la mère de George, magnanime, lui avait prêté une étole et l'avait aspergée de son parfum Coty. George l'observa avec horreur tandis que, la tête penchée de côté, elle interrogeait Cecil sur les Dolomites ; ses grandes dents marron lui faisaient un sourire à la fois gauche et menaçant. Mais bientôt Cecil conversait gaiement avec elle en allemand et transformait presque sa présence en vertu. Cela dit, Cecil vivait dans le Berkshire : il y avait peu de chances que *Frau* Kalbeck se présente juste avant l'heure du repas à Corley Court. Cecil parlait un allemand précis, gardait en permanence un œil pédant et amusé sur la perspective de ses fins de phrase amenées posément. Lorsque la bonne annonça le dîner, à voir l'air de Mrs Kalbeck, on eût cru à une intrusion inopportune dans la joyeuse rencontre de leurs deux esprits.

« Veuillez vous asseoir ici, Mrs Kalbeck », dit Hubert, debout à côté de sa chaise à la tête de la table, un mince sourire aux lèvres tandis qu'il regardait les autres prendre place. George souriait aussi, un peu troublé, sous l'effet du champagne. Il ressentit un pincement de honte et de regret à n'avoir pas de père et à devoir constamment s'en accommoder. Peut-être était-ce seulement le souvenir de Corley, de son immense salle à manger orientale, qui rendait cette réunion sous son propre toit étriquée, étouffante. Cecil se courba lorsqu'il entra dans la pièce, réaction peut-être inconsciente aux dimensions intimistes de Deux Arpents. Un père comme celui de Cecil instillait à un dîner une ambiance rassurante, du fait de son immense fortune et de ses connaissances sur la shorthorn laitière. Ses gigantesques rouflaquettes poivre et sel coiffées vers l'extérieur donnaient l'impression qu'il avait une brosse accrochée à chaque joue. Hubert avait vingt-deux ans et arborait une fine moustache rousse. Tous les jours, il se rendait au bureau en train. Naturellement, c'est ce qu'avait fait leur père. George tenta de se représenter ce dernier assis à la place d'Hubert, dix ans plus vieux qu'il ne l'avait vu pour la dernière fois ; l'image demeura floue et stérile, souvenir trop manipulé, les yeux bleu clair bientôt effacés au milieu des fleurs et des bougies dont la tablée était encombrée.

À l'inverse, sa mère était fort jolie, et même d'une grande beauté en comparaison de lady Valance, « La Générale », ainsi que la surnommaient Cecil et son frère, quand ce n'était pas « Le Duc de fer » en raison de sa lointaine ressemblance avec le premier duc de Wellington. Ce soir, Freda portait ses pendeloques en améthyste et ses cheveux d'un roux aux reflets dorés chatoyaient comme le faisait le vin dans son verre à la lueur des bougies. La Générale, bien sûr, ne buvait jamais une goutte d'alcool : Cecil avait-il été choqué, se demanda George, de voir son hôtesse boire avant le dîner ? Eh bien, il devrait s'y habituer ! En son honneur, les Sawle avaient mis les petits plats dans les grands : serviettes artistement enroulées comme des lis, menues babioles en argent, coupelles et coffrets à l'usage incertain astiqués, disposés entre les verres et les bougeoirs. George se pencha en avant pour déplacer légèrement sur la gauche un vase de roses blanches et de longues tiges de lierre qui lui cachait l'invité d'honneur, face à lui. Cecil soutint son regard très longuement – George se sentit électrisé, rassuré et pétrifié à la fois. Il continua à observer son ami lorsque, clignant lentement des paupières, celui-ci se tourna vers sa droite pour répondre à Daphné.

« Y a-t-il des coupoles en forme de moule à gelée ? désirait-elle savoir.

« — À Corley, voulez-vous dire ? Oui. En fait, oui. »
Il prononçait « Corley » comme d'autres disaient
« Angleterre » ou « Le roi », avec une vivacité respectueuse, et une foi simple et entière dans la cause.

« Qu'est-ce, exactement ?

— Hum, c'est tout bonnement extraordinaire. »
Cecil déplia son lis de coton empesé. « Mais ce ne
sont pas, me semble-t-il, à proprement parler, des
coupoles.

— Ce sont des espèces de petites alvéoles au
plafond, n'est-ce pas ? » fit George, se sentant plutôt
bête de les avoir vantées auprès de sa famille.

Hubert émit un marmonnement distrait en dévisageant la femme de chambre qui, appelée en renfort
pour aider la bonne à servir, distribuait à ce moment-
là des petits pains, déposant chacun sur l'assiette
prévue à cet effet, en poussant chaque fois un petit
soupir de soulagement.

« J'imagine qu'ils sont peints de couleurs plutôt
voyantes ? fit Daphné.

— Allons, mon enfant », dit sa mère.

Cecil adressa un regard comique à l'autre côté de
la table. « Ils sont rouge et or, je crois… n'est-ce pas,
Georgie ? »

Daphné poussa un soupir et observa la soupe
dorée se déverser de la louche dans le bol de Cecil.
« J'aimerais tant que nous ayons ici des coupoles en
forme de moule à gelée, dit-elle. Ou des alvéoles.

— Elles auraient sans doute l'air déplacé, ma
vieille, fit George, adressant une grimace aux poutres
en chêne pas très haut au-dessus de leurs têtes. Dans
l'atmosphère Arts and Crafts de 2A.

— Je préférerais que vous évitiez ce "2A", dit sa mère. À vous entendre, on croirait que nous vivons dans un appartement au-dessus d'une boutique. »

Avec un sourire hésitant, Cecil dit à Daphné : « Eh bien, il vous faudra venir à Corley et vérifier par vous-même.

— Tu vois, Daphné ! s'exclama sa mère, sur un ton de reproche mâtiné de triomphe.

Avez-vous des frères et sœurs ? s'enquit Mrs Kalbeck, envisageant peut-être déjà une visite.

— Nous ne sommes que deux, j'en ai bien peur.

— Cecil a un jeune frère, expliqua George.

— S'appelle-t-il Dudley ? demanda Daphné.

— Exactement.

— Je crois qu'il est fort séduisant », affirma Daphné avec un tout nouvel aplomb.

George fut consterné de se sentir rougir. « Hum… », fit Cecil, prenant une première cuillerée chagrine de soupe mais, Dieu merci, sans le regarder. En fait, n'importe qui aurait dit de Dudley qu'il était d'une beauté renversante mais George eut honte d'entendre son propre jugement ainsi répété à Cecil. « Un frère cadet peut vous empoisonner la vie », dit ce dernier.

Hubert fit oui de la tête, rit et se cala dans sa chaise comme s'il avait lâché la plaisanterie lui-même.

« Dud a une tournure d'esprit très satirique. Qu'en dis-tu, Georgie ? reprit Cecil, lui adressant un regard entendu par-dessus les roses blanches.

— Il met à mal la patience de ta mère », dit George en soupirant comme s'il avait connu les Valance depuis des lustres, conscient, aussi, que ce « Georgie », plusieurs fois répété alors que sa famille ne l'employait jamais, le montrait aux siens sous un jour nouveau.

« Votre frère est-il également à Cambridge ? demanda la mère de George.

— Non, Dieu merci, il est à Oxford.

— Ah vraiment, quel *college* ?

— Voyons, lequel, vraiment ? Je crois… quelque chose comme… *Balliol* ?

— C'est en effet un *college* d'Oxford, dit Hubert.

— Alors, c'est ça. »

George ricanait, contemplant avec une admiration nerveuse le visage pensif de Cecil, son col haut, amidonné, son smoking lustré, le scintillement de ses boutons de chemise à la lueur des bougies, lorsqu'il reçut un coup de pied sous la table. Il eut un petit hoquet puis s'éclaircit la gorge mais Cecil, le visage tourné, adressait déjà un sourire neutre à Mrs Kalbeck. Hubert dit une idiotie et George sentit la semelle du soulier de Cecil pousser sa cheville avec insistance : comme c'était souvent le cas avec Cecil, la frasque secrète se mua en quelque chose de plus rude et, après plusieurs secondes d'expérimentation gênée, à regret, George retira son pied. « Je suis sûr que vous avez entièrement raison », dit Cecil, avec encore un hochement de tête empreint de gravité. Que Cecil soit déjà en train de se moquer de son frère emplit George d'une excitation qui le mit fort mal à l'aise, comme si on allait bientôt exiger de lui un renversement de loyauté. Les domestiques étant totalement perdues, il se leva pour s'occuper du vin censé accompagner le poisson.

Mrs Kalbeck fit un sort à une petite truite avec son appétit coutumier. « Chassez-vous ? demanda-t-elle à

Cecil, directe, presque débonnaire, un peu comme si elle-même était constamment en selle.

— Je chasse de temps à autre dans la vallée du Cheval blanc d'Uffington, mais je crains que mon père n'approuve guère.

— Ah, vraiment ?

— Il élève du bétail, voyez-vous, et entretient des relations affectueuses avec les animaux.

— Oh, que c'est charmant », dit Daphné, hochant la tête pour signifier son approbation naissante.

Cecil soutint son regard avec l'affable supériorité que George ne pouvait que s'efforcer d'imiter, en vain. « Comme il ne chasse pas, il s'est acquis dans les environs une réputation de grand érudit. » Daphné sourit, comme hypnotisée, ne comprenant manifestement rien à ce qu'il racontait.

« Voyons, Cess, c'est tout de même un érudit à sa manière, intervint George.

— En effet. *Foins et Soins des bestiaux* en est à sa quatrième édition, c'est de très loin le plus grand succès littéraire des Valance.

— Jusqu'à présent, précisons-le…, fit George.

— Votre mère partage-t-elle ses opinions sur la chasse ? demanda Mrs Sawle d'un ton taquin, ignorant sans doute quel parti elle devait prendre.

— Oh, Dieu, non… non, elle adore le massacre. Elle aime que je sorte mon fusil à la moindre occasion, bien que nous le cachions à Père de notre mieux. Je suis un assez bon tireur », précisa Cecil, leur adressant collectivement, à la lueur des bougies, un regard matois, afin de vérifier qu'il tenait bien tout son auditoire dans ses rets : « La Générale m'a mis un fusil dans les mains dès mon plus jeune âge, pour que je décime un vol de freux trop bruyants… J'en ai tué quatre…

— Ah bon…? s'interrogea Daphné tandis que George attendait la suite.

— Mais, le lendemain, j'ai écrit un poème sur eux.

— Ah! On ne se refait pas… » Encore une fois, la tablée ne sut à quoi s'attendre. George en profita donc pour expliquer que la Générale était le surnom qu'ils donnaient à la mère de Cecil, considérablement gêné de la chose même mais aussi de devoir faire semblant de ne pas en avoir informé sa famille plus tôt.

« J'aurais dû vous expliquer, dit Cecil. Ma mère est une meneuse d'hommes. Mais au fond c'est une bonne pâte, quand on la connaît. N'es-tu pas de mon avis, George? »

George était d'avis que lady Valance était la personne la plus terrifiante qu'il eût jamais rencontrée : dogmatique, pieuse, inexcusablement directe et imperméable à toute plaisanterie, même quand on la lui expliquait. Ses fils avaient d'ailleurs appris à chérir son sérieux comme la meilleure des plaisanteries. « Ta mère consacre l'essentiel de son temps et de son énergie à des œuvres charitables, n'est-ce pas? » dit George avec la piété prudente qui était la sienne.

Lorsque furent servis le plat de résistance et un nouveau vin, George songea soudain que le dîner se passait bien : ce qui s'était annoncé comme un défi sans précédent se révélait être un succès. De toute évidence, tous les membres de sa famille admiraient Cecil, et la confiance qu'il avait en la parfaite maîtrise de son ami quant à ce qu'il pouvait dire et faire l'emportait sur la peur que Cecil fasse ou dise quelque chose de scandaleux dans le simple but de divertir ses hôtes. À Cambridge, Cecil était fréquemment scandaleux ; quant à ses lettres... elles apparurent indistinctement à George à ce moment-là comme un aréopage de silhouettes masquées, obscénités pompéiennes cachées tout près, là, derrière les rideaux et dans les ombres de la cheminée. Mais, pour l'heure, tout se passait bien. Un peu comme les profondeurs dans le poème de Tennyson[1], Cecil possédait maintes voix...

Le petit orteil de George, qui, épisodiquement, traquait celui de son ami, était reçu par un frétillement joueur plutôt que par un coup brusque. Il s'inquiétait du fait que sa mère bût trop mais le clairet, dont Hubert fit l'éloge, était bon et une convivialité sensiblement inédite à Deux Arpents avait gagné toute la tablée. Seuls les regards appuyés et les sourires insistants de sa sœur en direction de Cecil, et la façon espiègle qu'elle avait de pencher la tête de côté agaçaient considérablement George. Mais alors, à son plus grand désarroi, il entendit Mrs Kalbeck s'exclamer : « J'ai appris que George et vous faisiez partie d'une vénérable société !

— Oh... Euh... », lâcha George, même si ce fut surtout un test pour Cecil, dont l'incapacité à croiser le regard de son camarade constitua déjà un reproche.

Après un moment, avec un tressaillement, presque d'excuse, Cecil déclara : « Après tout, ma foi, ce n'est pas si grave... que vous soyez au courant.

---

1. Référence au poème « Ulysse » de Tennyson. *(Les notes sont du traducteur.)*

— D'autant plus que notre devise est : "La franchise avant tout !" » renchérit George en fusillant du regard sa mère, qui avait juré de garder le secret. Cecil, de son côté, avait dû se rendre compte qu'affronter la situation avec grâce était plus sage que se dérober en prenant de grands airs.

« Ah oui, une franchise absolue.

— Je vois…, dit Hubert, pour qui tout cela, de toute évidence, était du chinois. Et sur quoi porte votre franchise ? »

Alors, Cecil regarda George. « Ah, répondit-il, je crains fort que nous ne puissions vous le révéler.

— Secret absolu, précisa George.

— Parfaitement, confirma Cecil. En fait, c'est notre autre devise. Vous n'auriez même pas dû être informés que nous étions membres. C'est un manquement très grave. » L'acier tranchant d'un véritable déplaisir transparut sous son ton badin.

« Membres de quoi ? s'enquit Daphné, se prenant au jeu.

— Exactement ! dit George, avec un soulagement presque excessif. Il n'existe aucune société. J'ose espérer que vous n'en avez parlé à personne d'autre, Mère. »

Celle-ci arbora un sourire hésitant. « Je pense que seule Mrs Kalbeck…

— Oh, Mrs Kalbeck ne compte pas.

— Vraiment, George… ! » Sa mère manqua de renverser son verre avec son ample mouvement de manche. Par chance, il ne restait qu'un fond. George sourit à Clara Kalbeck : échantillon mutin d'une candeur qui, à Cambridge, primait sur les principes de gentillesse et de respect, mais n'était peut-être pas si aisément compréhensible ici, dans la banlieue.

« Vous comprenez bien ce que je veux dire, dit-il d'un ton onctueux à sa mère en lui lançant un regard mi-sourire, mi-froncement de sourcils.

— La Société est entourée de secret, expliqua Cecil patiemment, de sorte que personne ne puisse faire des pieds et des mains pour y entrer. Mais, naturellement, dès que j'ai été élu, je l'ai dit à la Générale. Et elle en aura informé mon père, puisqu'elle est elle-même adepte de la franchise avant toute chose. Mon grand-père en était membre aussi, dans les années 1840. Des tas de gens éminents l'ont été.

— Cela dit, nous ne nous mêlons absolument pas de politique, précisa George. Ni de mondanités. Nous sommes résolument démocratiques.

— Parfaitement, dit Cecil, un brin de regret dans la voix. Quantité de grands écrivains ont été membres, cela va de soi. » Il baissa le regard et cligna modestement des yeux, en s'avançant sur son siège afin de donner un méchant coup de pied à George sous la table. « Oh, mille pardons ! » fit-il car George glapit de douleur. Avant que les autres comprennent ce qui s'était passé, la conversation s'engagea dans une autre voie, laissant George en proie à un ressentiment coupable et, au-delà, à une mystérieuse vision : des écrans, comme un train filant à la suite d'un autre, le grand secret collectif de leur société secrète de Cambridge, et l'autre, indicible encore, assurément bien gardé.

Au moment où le dessert fut servi, George, impatient qu'on en termine, se demandait combien il devrait laisser s'écouler de temps avant de pouvoir décemment chercher à rester seul avec Cecil. Son ami et lui mangeaient à une vitesse vorace, alors que les autres traînassaient, sciemment, sans nul doute, et par pur caprice. George savait fort bien qu'à la fin du repas sa mère était susceptible de déployer des trésors de ruses, frissonnant de plaisir au simple fait d'être à table, recourant à des supplications badines pour qu'on lui servît une dernière goutte de vin. S'ensuivrait une demi-heure insupportable autour d'un verre de porto. Les aimables banalités de Hubert étaient aussi pénibles que le babillage indiscret de Daphné : « Je vais vous raconter une histoire qui va vous intéresser », annonçait-il par exemple avant de se lancer dans le récit bâclé d'un événement déjà connu de tous. Peut-être, ce soir, comme ils étaient peu nombreux, pourraient-ils tous se lever en même temps ; à moins que Cecil ne trouve cela par trop discourtois. S'ennuyait-il terriblement ? Ou était-il possible qu'il fût éperdument heureux, tout à fait à l'aise, déconcerté voire gêné par le désir évident qu'avait George d'en terminer avec le dîner et de se débarrasser de sa famille au plus tôt ? Quand, avec un sourire prudent à Mrs Kalbeck, sa mère repoussa sa chaise et dit : « Voulez-vous… ? », George lança un coup d'œil à Cecil, qu'il découvrit lui souriant… quelqu'un d'autre aurait sans doute ajouté mentalement « affectueusement », mais George savait que cet air-là exprimait son absolue détermination à n'en faire qu'à son idée. Dès que les trois femmes furent passées dans le vestibule, Cecil adressa un hochement de tête à Hubert, à qui il dit : « J'ai une habitude effroyable, une abomination en société, à laquelle on ne peut décemment s'adonner qu'à l'extérieur, à la faveur de l'obscurité. »

Accueillant avec un sourire inquiet cette confession inattendue, Hubert sortit de sa poche un étui à cigarettes en argent, qu'il posa sur la table d'un geste plutôt emprunté. À son tour, Cecil sortit un étui en cuir contenant, telles deux cartouches de fusil, une paire de cigares. Ils paraissaient, de façon presque choquante, conçus pour une séance exclusive *à deux*[*1]. « Mais, mon cher ami…, dit Hubert, avec un soupçon de perplexité dans la voix et une timide envolée de la main pour montrer qu'il était libre de faire à sa guise.

— Non, vraiment, je ne pourrais décemment pas enfumer un lieu aussi… (Cecil eut du mal à trouver le mot)… *intime*. Quelle opinion votre mère aurait-elle alors de moi ! Je polluerais tout son intérieur. Même à Corley, voyez-vous, nous sommes très à cheval sur ce point. » Il adressa à Hubert un petit sourire malicieux, pour suggérer que c'était aussi pour lui un moment excitant, un moyen de rompre avec les conventions tout en respectant les convenances. George n'étant pas certain que Hubert vît les choses ainsi, sans attendre une autre proposition de sa part, il dit : « Nous aurons une véritable conversation demain soir, Huey, quand Harry sera là.

— Ah, bien sûr, répondit Hubert, qui ne sembla que très légèrement offusqué, intrigué mais peut-être aussi soulagé, consentant promptement au pacte

---

1. Les mots en italique suivis d'un astérisque sont en français dans le texte.

passé entre les étudiants de Cambridge. Vous vous rendrez vite compte que nous ne sommes pas formalistes ici, Valance ! Sortez empuantir le jardin à votre aise ; quant à moi, je… je vais simplement m'éclipser et fumer une tige avec les dames. » Et il brandit son étui à cigarettes sous leur nez en signe de joyeuse indépendance.

6

Après avoir quitté la salle à manger, Daphné monta un instant à l'étage puis redescendit avec, sur les épaules, le châle cramoisi à pompons noirs de sa mère et, dans la tête, la sensation de faire des choses tout juste tolérées. Elle surprit un coup d'œil de la bonne, qu'elle devina réprobateur. Comme on avait apporté café et liqueurs, elle demanda d'un air absent un verre de liqueur de gingembre, que sa mère lui passa, le sourcil levé et les lèvres esquissant un sourire moqueur qu'elle peina à réprimer. Debout sur le tapis devant la cheminée, Hubert triturait son étui à cigarettes, en tapotant une sur le couvercle, les muscles du visage frémissant comme s'il avait été sur le point de se plaindre, de raconter une blague ou, en tout cas, de dire quelque chose qui, finalement, ne vint pas. Cecil, souhaitant, semblait-il, ne pas polluer la maison, avait profité de l'instant de pause pour ouvrir la porte-fenêtre et sortir avec son cigare ; George l'avait suivi. Avec un sourire préoccupé, Mrs Kalbeck s'assit dans un fauteuil et fredonna l'un de ses leitmotive préférés en contemplant les différentes bouteilles. Tout le monde paraissait ivre. Pour Daphné, la leçon de ces dîners entre adultes résidait dans la manière dont tous se précipitaient sur l'alcool et dans les conséquences de cette précipitation. Elle n'était pas gênée par l'accroissement global du degré d'amabilité ou du volume sonore, ni par le fait que les gens disaient alors ce qu'ils pensaient, même si les choses que George pensait pouvaient être assez bizarres ; non, ce qui la troublait, c'était quand sa mère s'empourprait et se mettait à trop parler, une volubilité qui toutefois ne semblait guère perturber les autres également ivres. Son ascendance galloise ressortait alors dans sa voix d'une façon légèrement embarrassante. S'ils écoutaient de la musique, elle se mettait souvent à pleurer. Or, à ce moment précis, elle lança : « Et si nous écoutions de la musique ? J'ai envie de faire entendre à Cecil mon Emmy Destinn.

— La fenêtre est ouverte, dit Daphné, il l'entendra du dehors. » Elle-même avait envie de sortir, raison pour laquelle, d'ailleurs, elle avait mis le châle de sa mère, avec plus ou moins le projet romantique de se promener au jardin.

« Viens m'aider à faire fonctionner cet appareil, mon enfant. »

Freda traversa vite la pièce, effleurant le guéridon sur lequel trônaient les photos de famille : elle avait les hanches larges, son corset était serré et le dos froncé de sa robe ondulait, tel le souvenir d'une tournure. Daphné l'observa pendant quelques secondes distraites, au cours desquelles la silhouette de sa mère, qu'elle connaissait mieux et plus intimement que toute autre chose dans sa vie, lui sembla appartenir à une inconnue, à une petite femme énergique dans une boutique ou au théâtre. « Bon… J'ai plusieurs lettres à écrire », annonça Hubert. Mrs Kalbeck lui adressa un vague sourire pour lui signifier qu'elle serait encore là quand il reviendrait.

Le gramophone, sous son déguisement de meuble droit en acajou, était un cadeau récent de leur voisin Harry Hewitt ; seule la manivelle qui dépassait sur le côté le distinguait d'un bon vieux cabinet Sheraton et, d'ailleurs, une partie du plaisir qu'on éprouvait à le faire fonctionner pour des invités consistait à soulever le couvercle et à ouvrir les tiroirs pour dévoiler sa véritable nature. On ne voyait pas le pavillon et les tiroirs étaient en réalité de petites portes qui dissimulaient le compartiment d'où sortait la musique.

Freda se pencha pour extraire les disques des casiers ; elle recherchait la « Ballade de Senta ». Les Sawle n'avaient qu'une douzaine de disques, mais, bien évidemment, les pochettes se ressemblaient toutes et elle n'avait pas ses lunettes.

« Allons-nous écouter le *Holländer* ? s'enquit Mrs Kalbeck.

— Si Mère peut le trouver, dit Daphné.

— Ah, bien. » La vieille femme s'enfonça dans son fauteuil, un verre de sherry à la main, et un sourire patient aux lèvres. Elle avait entendu tous leurs disques plusieurs fois, le John McCormack et le Nellie Melba, de sorte que son excitation était mêlée d'une impression de routine, qu'elle trouvait presque aussi plaisante.

« Est-ce celui-ci… ? demanda Freda, louchant sur les petits caractères difficiles à lire de l'étiquette ronde.

— Laisse-moi faire », dit Daphné, s'affaissant à côté d'elle et la poussant du coude pour la déloger.

C'était le 78-tours préféré de Daphné, car il se passait quelque chose d'indescriptible quand elle l'entendait, une impression très différente de celle que provoquaient en elle le grand air de *La Traviata* ou « Linden Lea ». Chaque fois, elle était impatiente de revivre l'intense et presque douloureuse nouveauté de ces émotions particulières. Elle plaça le 78-tours sur le plateau, but une autre gorgée de sa liqueur de gingembre, toussa honteusement, puis activa la manivelle de toutes ses forces.

« Attention, mon enfant… ! s'exclama sa mère, avançant la main vers le manteau de la cheminée, le regard fixe comme si elle allait elle-même se mettre à chanter.

— Cette demoiselle a de la force », dit Mrs Kalbeck.

Daphné abaissa l'aiguille et regagna tout de suite la fenêtre afin de vérifier si elle pourrait voir les garçons dehors.

L'orchestre, chacun en convenait, laissait à désirer. Les cordes crissaient comme un sifflet en fer-blanc et les cuivres résonnaient comme un objet volumineux dévalant les escaliers. Daphné savait se montrer indulgente. Elle avait entendu un véritable orchestre au Queen's Hall ; on l'avait emmenée à Covent Garden écouter *L'Or du Rhin*, pour lequel il y avait six harpes, des enclumes et un énorme gong. Avec un 78-tours, on apprenait à ignorer les défauts si on savait ce qu'on aurait dû entendre à la place des sifflements et des coups sourds.

Dès que Senta se mettait à chanter, elle vous *ensorcelait* – Daphné prononça mentalement ce mot avec un nouveau frisson de plaisir. Elle s'assit sur la banquette de fenêtre, le châle ramené sur les épaules, un sourire mystérieux aux lèvres trahissant sa première intimité avec la liqueur de gingembre. Il lui était déjà arrivé de boire de l'alcool, un demi-verre de champagne, le jour où Huey avait atteint sa majorité et, une fois, bien plus tôt, quand Georgie et elle avaient fait une expérience aussi brève qu'impulsive avec le cognac de la cuisinière. Comme la musique, l'alcool était à la fois merveilleux et inquiétant. Daphné était captivée par les appels mystérieux de Senta, *Jo... ho... hoe, Jo... ho... hoe*, clairement annonciateurs de la tragédie à venir ; mais, en même temps, elle éprouvait la délicieuse sensation de n'avoir absolument rien à craindre. Elle laissa glisser son regard sur les autres, sa mère tendue comme pour recevoir le choc des embruns, Mrs Kalbeck inclinant la tête en signe d'une appréciation plus mûre. Daphné, adepte de la spontanéité, dut réfréner son envie de faire un certain nombre de commentaires. Elle fronça les sourcils en direction du tapis persan. La musique comportait deux passages récurrents : la folle musique de la tempête évocatrice de marins pendus au gréement, suivie, dans le calme plus ou moins revenu, par l'air le plus beau que Daphné eût jamais entendu, avec ses montées en puissance et ses ralentis, frénétique, libre, néanmoins intensément triste, et, quoi qu'il en fût, inévitable. Elle ignorait ce que Senta disait, au-delà du son récurrent du mot *Mann*, mais elle ressentait toute la force d'un amour passionnel et l'atmosphère de légende à laquelle elle était tout spécialement sensible. Elle se représentait Emmy Destinn comme une orpheline à la longue chevelure brune, marquée au fer de son extraordinaire patronyme. Presque instantanément, la cantatrice poussa une note aiguë, les cuivres dégringolèrent l'escalier et Daphné se précipita pour soulever le bras du gramophone.

« Quelle pitié qu'ils aient raccourci l'air, dit Mrs Kalbeck. En réalité, il y a deux strophes supplémentaires.

— Certes, ma chère, vous nous l'avez déjà dit, répliqua Freda d'un ton plutôt sec, avant de se radoucir, comme toujours. Ils ne peuvent enregistrer que tant de minutes par disque. Je trouve déjà prodigieux ce qu'ils accomplissent.

— Alors, nous le repassons ? demanda Daphné en se retournant vers les deux femmes.

— Pourquoi pas ? » fit sa mère avec un air d'inoffensive conspiration féminine, dont la fanfaronnade fut accrue par ce que Daphné vit comme une cohorte de verres vides. Mrs Kalbeck opina du chef : aveu d'impuissance ; les disques étaient, soit, de petites merveilles, mais ils n'étaient qu'une goutte dans l'océan musical.

Au cours de la deuxième écoute, Daphné traversa lentement la pièce, prit son verre, le vida et le reposa avec un mélange complexe de tristesse et de satisfaction parfaitement exprimé par la ballade inquiète de Wagner. Elle s'esquiva dans le jardin au moment où la musique se hâtait vers sa fin. « Oh, ma chérie, crois-tu que c'est raisonnable… ? » objecta sa mère d'un air plaintif. Mais l'attrait de l'autre conspiration, celle dans laquelle la jeune fille avait pénétré avec les garçons dans le bois, était tellement plus urgent que l'obligation de tenir compagnie à deux vieilles femmes… « Et si la rosée était en train de tomber ! admonesta Freda sur un ton qui suggérait plutôt une avalanche.

— Je sais, répondit Daphné, sautant sur l'excuse. J'ai laissé Tennyson dehors ! » Les choses avaient une manière heureuse de voler à son secours.

Elle dépassa les fenêtres et s'immobilisa à l'orée de la pelouse. L'herbe était sèche lorsqu'elle se pencha pour vérifier : il faisait encore trop chaud pour qu'il y ait de la rosée. Chaud mais pas tant que cela. Voyant la demeure de l'extérieur, Daphné se rappela son précédent accès de solitude, lorsque, le soleil se couchant, on avait allumé les lumières à l'intérieur. Elle devait pourtant retrouver ses livres, qu'elle avait laissés près du hamac. Elle voulait se préparer pour la lecture de Tennyson proposée par Cecil, elle l'imaginait déjà… « Je vais être reine de Mai, ma mère. Je vais être reine de Mai… » ou « "La malédiction est sur moi !" cria la Dame de Shalott… » Complètement différents, bien sûr. Daphné ne savait que choisir. Mais où étaient donc les garçons ? La nuit semblait les avoir engloutis pour laisser place aux seuls murmures de la brise dans les cimes des arbres. Elle ne vit que de vagues silhouettes noires sur fond gris, ne sentit que l'odeur des arbres et de l'herbe qui emplissait l'atmosphère. Elle eut l'impression que la nature se restaurait dans le flot secret des senteurs tandis que les gens, la plupart des gens, restaient bêtement cloîtrés entre quatre murs. On sentait l'odeur des troènes, des odeurs terriennes, des odeurs de rose que Daphné absorbait sans les nommer dans son entêtante traversée de la pelouse. L'audace indéniable d'être dehors, légèrement à la dérive, faisait battre son cœur lorsqu'elle arriva abruptement sur le banc de pierre et s'arrêta pour regarder alentour. Tout là-haut, les étoiles se réunissaient constamment, glissaient entre de hautes et indistinctes traînées de nuées comme si elles s'étaient habituées à elle. Daphné entendit, un peu plus loin, une sorte de gémissement, vite étouffé, et une cascade de gloussements reconnaissables ; et, bien sûr, l'odeur plus lointaine, distincte de celle de l'herbe et de la végétation sèches, des aristocratiques bouffées du cigare de Cecil.

Elle avança de quelques pas vers le bosquet d'arbres où était tendu le hamac. Elle ignorait si on l'avait vue. Il lui sembla revivre, comme c'était bizarre, la minute d'incertitude, plus tôt dans le bois, lorsque Cecil venait juste d'arriver et où elle n'aurait su dire si elle épiait ou pas. Maintenant, l'obscurité interdisait tout espionnage. Elle entendit Cecil dire quelque chose d'amusant à propos d'une moustache, « une moustache parfaitement adorable » ; George répondit tout bas et son compagnon répliqua : « Je suppose qu'il la porte pour se vieillir mais, bien sûr, elle a précisément l'effet inverse : on dirait un gamin qui joue à cache-cache. » « Hum… Je ne suis pas certain que quelqu'un se lance à sa recherche… », dit George. « Hum… », fit Cecil, suivi par un chahut étouffé de gloussements et grognements qui durèrent dix secondes, jusqu'à ce que George affirme, trop fort et hors d'haleine : « Non, non, d'ailleurs, Hubert est à cent pour cent un homme à femmes. »

« Un homme à femmes… ! » L'expression resta lovée, sinueuse, venimeuse, dans les franges pleines d'ombres du vocabulaire de Daphné. Elle tenta de l'imaginer et, derrière cette vision, une autre, encore plus vague, d'un homme dansant avec une femme dans une robe au décolleté plongeant. L'ivresse de sa propre soirée bascula, intensifiée dans cette salle de bal imaginaire, où elle se représenta surtout la femme, certainement pas Hubert, car il n'y avait pas plus piètre danseur. S'ensuivit un étrange silence, au cours duquel elle entendit le flux de son sang dans son oreille. Une partie d'elle-même, s'aperçut-elle, avait besoin d'en apprendre davantage. Et puis voilà que :

« Qu'est-ce, Daphné ? demanda George.

— Ah, êtes-vous là ? dit-elle, avançant sous les branches basses qui, de ce côté, dissimulaient le hamac. J'ai laissé mes livres ici, sous la rosée.

— Je ne les ai pas vus », répliqua George. Elle entendit la corde du hamac se déplacer, grincer contre le tronc de l'arbre.

« Non, tu ne peux guère les voir puisqu'il fait nuit. » Elle partit d'un rire moqueur et avança encore le pied sur le sol invisible. « Mais je sais où ils sont. Je les revois fort bien.

— Soit. »

Approchant encore, Daphné parvint tout juste à discerner la panse du hamac, qui s'inclina et s'immobilisa. Elle se pencha à nouveau pour tâter l'herbe et manqua tomber en avant, surprise et amusée par son ivresse. « Cecil n'est-il pas avec toi ? demanda-t-elle avec malice.

— Ah… ! » fit Cecil, doucement, juste au-dessus d'elle, tirant sur son cigare ; elle leva les yeux, distingua l'incandescence écarlate et, au-delà, fugitivement, l'éclat nimbé d'ombre du visage de leur invité. Puis l'extrémité incandescente bondit, s'estompa et l'obscurité s'engouffra là où avaient été les traits de Cecil, tandis que l'arôme âcre et sec se répandait alentour.

« Êtes-vous tous deux installés dans le hamac ? » Elle se releva, persuadée d'avoir été bernée ou, du moins, ignorée, dans ce nouveau jeu que les garçons avaient inventé. Elle avança une main à la recherche de la toile, là où elle s'évasait vers leurs pieds. Il serait facile, et amusant, de les pousser pour les faire se balancer, voire tomber – alors qu'elle avait envie de grimper tout bonnement à côté d'eux. Plus jeune, elle avait déjà partagé le hamac avec sa mère, qui lui faisait la lecture, mais elle craignait la brûlure de cigare. « Eh bien, dites donc… », fit-elle. La pointe du cigare, tout juste visible, tergiversa en l'air comme un insecte luisant à peine, avant de revenir à la vie dans un rougeoiement : or, ce coup-ci, c'est le visage de George que la jeune fille vit éclairé par la lueur diabolique. « Oh, je croyais que c'était le cigare de Cecil », dit-elle simplement.

George gloussa, relâchant trois brèves bouffées de fumée. Et Cecil s'éclaircit la gorge – exprimant son soutien, son approbation, eût-on dit. « C'est le cas, dit George de son ton le plus paradoxal. Je fume aussi le cigare de Cecil.

— Ah bon… » Daphné ne sut quel ton prendre. « Hum, il vaudrait mieux que Mère ne le découvre pas.

— La plupart des jeunes hommes fument, dit George.

— Ah, vraiment ? » Daphné avait subitement décidé que le sarcasme était sa meilleure option. Affligée et en même temps émoustillée, elle scruta l'obscurité percée alors par le rougeoiement suivant, qui éclaira les joues de Cecil et ses yeux attentifs à travers une éphémère bouffée de fumée. Sans crier gare, *Le Hollandais volant* reprit, étonnamment sonore avec les portes-fenêtres ouvertes.

« Quoi, une troisième fois… ! lâcha George.

— Bigre, dit Cecil. Elles aiment ça.

— C'est la Kalbeck, c'est sûr, dit George, comme pour exonérer les Sawle de ce comportement obsessionnel. Dieu sait ce que nos voisins les Cosgrove doivent penser.

— Mère vénérait Wagner bien avant de rencontrer *Frau* Kalbeck, précisa Daphné.

— Nous vénérons tous Wagner, ma chère. Mais il est assez répétitif en soi pour qu'on ne repasse pas l'un de ses disques dix fois d'affilée.

— C'est la "Ballade de Senta" », les informa Daphné qui, de son côté, n'était pas insensible à cette redite. En fait, elle était plus émue par le morceau en plein air, comme si, habitant l'atmosphère, la nature, il les avait tous invités à l'écouter, à y participer. L'orchestre rendait mieux à l'extérieur : on aurait cru une formation en chair et en os entendue de loin, et Emmy Destinn paraissait encore plus déchaînée et possédée. Daphné imagina la maison dans leur dos devenue navire dans la nuit. « Cecil, dit-elle d'un ton affectueux et l'appelant pour la première fois par son prénom, je suppose que vous comprenez les paroles ?

— *Ja, ja*, claires comme de la purée de pois, répondit-il avec un grognement qui, pour être amical, n'en fut pas moins déconcertant.

— C'est une fille follement amoureuse d'un homme qu'elle n'a jamais vu, expliqua George. L'homme est victime d'un sort dont il ne peut être sauvé que par l'amour d'une femme. Elle se voit bien dans le rôle de cette femme-là. C'est tout.

— On a le sentiment que rien de bon n'en sortira, dit Cecil.

— Oh, mais écoutez donc…, dit Daphné.

— Vous voulez essayer ? » demanda Cecil.

Daphné, engrangeant ce qu'elle venait d'apprendre sur Senta, se pencha sur la corde. « Le hamac… ?

— Le cigare.

— Cecil, vraiment…, fit George tout bas, un peu choqué.

— Oh, non, ça ne se fait pas ! »

Cecil aspira une bouffée exemplaire. « Je sais que les jeunes filles ne sont pas censées… »

La belle mélodie palpitait dans le jardin, chargée de désir, de défi, de l'effet exacerbé d'une beauté rencontrée dans un décor inattendu. Daphné ne voulait vraiment pas essayer le cigare mais elle craignait en même temps de rater une occasion. Aucune de ses amies n'avait fait l'expérience, elle en était convaincue.

« C'est une jolie mélodie », dit Cecil d'un ton dont Daphné saisit toute la négligence, l'indifférence. Le cigare repassa à George.

« Oh, d'accord, fit-elle.

— Pardon ?

— Je veux dire… oui, s'il vous plaît. »

Elle se pencha sur George, sentit la secousse qu'elle imprima au hamac tout entier, et prit appui sur le bras de son frère afin de saisir entre pouce et index l'objet tabou, déjà un tantinet répugnant. Elle distingua alors les deux garçons collés l'un contre l'autre d'une manière plutôt absurde, ivres, sans nul doute : mais l'image bien réelle, officielle, pour ainsi dire, lui rappela un ancien souvenir de ses parents assis dans leur lit. L'odeur de l'objet approchant ses narines, Daphné toussa presque avant de l'avoir goûté et, serrant vite les lèvres autour du cylindre, éprouva un sentiment où se mêlèrent honte, sens du devoir et regret.

« Oh », fit-elle, l'éloignant vivement de son visage et prise d'une quinte de toux après l'infime inhalation de fumée. L'âcreté était affreuse, de même que le contact inattendu de l'objet, sec au toucher, mouillé sur les lèvres et la langue. George le lui reprit avec un rire dans lequel pointait le remords. Lorsqu'elle eut toussoté à nouveau, elle se retourna et fit une chose moins digne d'une dame : elle cracha par terre. Car il lui fallait absolument chasser cette chose d'elle-même. Heureuse qu'il fît nuit, elle s'essuya la bouche avec le dos de la main. Derrière elle, dans la demeure familière et accueillante, Emmy Destinn chantait encore, dans sa noble ignorance du comportement de Daphné.

« Une autre bouffée ? demanda Cecil, comme s'il avait été satisfait de sa réaction à la première.

— Je ne crois pas, non !

— Vous aimerez bien mieux la deuxième.

— J'en doute.

— La troisième sera encore meilleure.

— Avant de pouvoir dire "ouf", s'exclama George, tu paraderas dans Stanmore, un bon vieux cheroot puant coincé entre les dents.

— N'est-ce pas le cigare de Miss Sawle que je sens là ? s'amusa Cecil, facétieux.

— Cela ne risque pas d'arriver », dit Daphné.

Elle n'en était pas moins très heureuse, après tout, plantée dans l'herbe, à scruter avec une certaine perplexité l'obscurité enfumée. « La liqueur de gingembre est-elle censée être un alcool fort ? » s'enquit-elle. N'était-ce pas lui qui conférait une délicieuse spontanéité à toute chose, si bien qu'elle parlait et agissait en dehors de sa volonté.

« Holà, Daph », fit George. Et, avant même de s'apercevoir de ce qu'elle faisait, elle se hissa, riant, le souffle coupé, sur le hamac, tout au bout, là où se trouvaient les pieds des garçons.

« Attention ! dit George. C'est mon pied, ça…

— Vous allez tout casser, ajouta Cecil.

— Bonté divine… ! » lâcha George, se penchant pour tenter de sauter du hamac. L'instant d'après, Daphné tombait en arrière et Cecil, roulant de côté, lui donnait à son insu un coup de pied plutôt rude entre les côtes.

« Aïe ! » cria-t-elle, puis encore « Aïe… ». Mais elle fit peu de cas et du coup et de sa peur ; elle rit alors que les garçons tentaient maladroitement de se raccrocher l'un à l'autre. Sur quoi, elle se laissa relever. Elle avait entendu le châle se déchirer quand elle était tombée : voilà un aspect de son escapade que sa mère ne lui pardonnerait pas ; mais elle s'en moquait plus ou moins, comme du reste.

« Sans doute devrions-nous rentrer, proposa Cecil, avant qu'il ne se passe quelque chose de vraiment scandaleux. »

Ils se poussèrent les uns les autres jusqu'à la pelouse à coups de petites tapes et de murmures. George passa un certain temps à remettre sa chemise dans son pantalon qu'il tenta de défroisser. « À Corley, bien sûr, vous avez un fumoir, dit-il. Ce genre de chose ne pourrait pas arriver.

— En effet », répondit Cecil, l'air sérieux. Emmy Destinn en avait terminé et, à sa place, Daphné aperçut sa mère s'approchant de la fenêtre éclairée et regardant vainement dehors.

« Nous sommes tous ici ! » cria-t-elle. Dans l'obscurité, sous les millions d'étoiles, entre les deux garçons, elle se sentit autorisée à parler en leur nom à tous : elle éprouvait un sentiment hilarant de sécurité, renouvellement du pacte tacite passé à l'arrivée de Cecil.

« Eh bien, dépêchez-vous de rentrer ! ordonna Mrs Sawle d'un ton pressant. Je tiens à ce que Cecil nous fasse la lecture.

— Ah », fit Cecil en rajustant son nœud papillon. Daphné leva les yeux vers lui. Résolument, George pressa le pas. Et, derrière lui, Cecil mit sa grande main chaude autour des hanches de Daphné, et la laissa là, à l'endroit exact où il lui avait donné un coup de pied, jusqu'à ce qu'ils atteignent la porte-fenêtre ouverte.

7

Le lendemain matin, après le petit déjeuner, Daphné découvrit Cecil installé dans une chaise longue sur la pelouse : il écrivait dans un petit carnet marron. Elle s'assit à son tour, sur un muret non loin, heureuse d'observer un poète à l'œuvre, et assez près pour le déranger ; après un instant, il se retourna, lui sourit et referma son carnet, crayon coincé entre les pages. « Qu'avez-vous là ? » demanda-t-il.

Elle aussi avait un petit carnet à la main, un carnet d'autographes relié en soie mauve. « J'ignore si je pourrais vous convaincre…

— Puis-je voir ?

— Si vous voulez, vous pouvez simplement écrire votre nom. Bien que, de toute évidence… »

Le long bras de Cecil, sa main veinée de bleu semblèrent l'attirer à lui. Elle lui tendit le carnet en rougissant, éprouvant un sentiment ambigu dans lequel se mêlaient fierté et maladresse. « Je ne l'ai que depuis un an, avoua-t-elle.

— Qui avez-vous donc là-dedans ?

— J'ai Arthur Nikisch. Je suppose que c'est mon morceau de choix.

— Excellent ! » la félicita Cecil, avec le genre d'assurance ravie qui trahit toujours une bonne dose d'incertitude. Daphné se pencha sur le dossier de la chaise longue pour le guider jusqu'à la bonne page. Ce matin, il était comme un oncle, un confident sans une once d'intimité. La bagarre de la veille, apparemment, n'avait jamais eu lieu. Daphné remarqua à nouveau l'odeur particulière de leur invité, comme s'il revenait perpétuellement de l'une de ses randonnées ou de ses échappées qu'elle imaginait assez turbulentes. C'était typique des garçons : ils se drapaient dans leur dignité, refermaient constamment la porte sur une scène intéressante qu'ils vous avaient dévoilée l'instant d'avant. À moins que Cecil eût indiqué ainsi qu'il lui faisait reproche de ses bêtises de la veille.

« J'ai eu sa dédicace quand nous sommes allés écouter *L'Or du Rhin*.

— Ah oui… C'est un grand nom, n'est-ce pas ?

— *Herr* Nikisch ? Voyons, c'est le chef d'orchestre par excellence !

— Oui, j'en ai entendu parler. Mais, soit dit en passant, prenez pour un fait acquis que je n'ai pas d'oreille.

— Oh… » Daphné scruta l'oreille gauche de Cecil, le sommet du pavillon bruni et même brûlé par le soleil. « J'aurais pourtant cru qu'un poète devait avoir l'oreille musicale, déclara-t-elle en fronçant les sourcils, surprise par la pertinence de ce qu'elle venait de dire.

— Je m'y entends en poésie. Mais je crains que tous les Valance manquent totalement d'oreille. Sur ce point, la Générale est plutôt bizarre : un jour, elle est allée voir *Les Gondoliers* et a juré qu'on ne l'y reprendrait plus. Elle avait cru que ça n'en finirait jamais.

— Dans ces conditions, il est sûr que votre mère n'aimerait pas Wagner », répondit Daphné, piochant au milieu de sa déception une supériorité bienveillante. Mais, doutant d'avoir épuisé le sujet, elle insista : « Hier soir, pourtant, vous avez dit apprécier le gramophone.

— Oh, ça ne me déplaît pas, disons plutôt que c'est peine perdue avec moi. J'appréciais la compagnie. » Comme son oreille rougit alors légèrement, Daphné se demanda s'il ne venait pas de lui adresser un compliment, et elle rougit à son tour. « Avez-vous aimé l'opéra quand vous y êtes allée ? demanda Cecil.

— Ils avaient inventé un nouveau système pour la baignade des "Vierges du Rhin" mais je ne l'ai pas trouvé très convaincant.

— Ce doit être ardu de nager et de chanter en même temps, dit Cecil en tournant la page. Voyons, qui est cet individu à la signature fleurie ?

— C'est Mr Barstow.

— Suis-je censé le connaître ?

— C'est le vicaire de Stanmore, répondit Daphné, se doutant que, peut-être, elle était la seule à en admirer la calligraphie.

— Je vois… Ensuite, ah : Olive Watkins. On pourrait lire sa signature à vingt pas !

— Je ne voulais pas vraiment l'inclure, dans la mesure où je ne veux que des dédicaces d'adultes, mais comme elle m'a demandé mon autographe pour son carnet… » Sous sa signature, Olive avait écrit : « C'est dans le besoin qu'on reconnaît ses vraies amies » : sa plume avait troué plusieurs pages à la suite. « Elle a la meilleure collection, en tout cas de celles que je connais. Elle a Winston Churchill.

— Grands dieux… ! dit Cecil avec grand respect.

— Je sais. »

Cecil tourna une page ou deux. « Mais vous avez Jebland, regardez. C'est très bien, dans un autre domaine.

— C'est mon autre autographe préféré, admit Daphné. Il me l'a envoyé une semaine seulement avant que son hélice ne lâche. Ça m'a appris que, avec les aviateurs, il ne fallait pas traîner. Ce n'est pas comme pour les autres autographes. C'est comme ça qu'Olive a raté Stefanelli.

— A-t-elle Jebland ?

— Non, répondit Daphné, tentant d'atténuer la note de triomphe dans sa voix au profit d'un ton respectueux à l'égard de l'aviateur défunt.

— Tout cela est plutôt morbide. Je suis un peu inquiet, tout à coup.

— Oh, mais tous les autres sont encore vivants ! »

Cecil referma le carnet. « Laissez-le-moi et je vous promets de concocter quelque chose avant mon départ.

— Ne vous retenez pas si vous voulez écrire quelques vers pour l'occasion. » Elle contourna la chaise longue pour venir le regarder droit dans les yeux. Il tritura son propre carnet tout en la regardant, le sourire crispé, les yeux plissés face au soleil. Elle ressentit le léger avantage momentané qu'elle avait sur lui et scruta avec une licence inédite ses lèvres entrouvertes, son cou puissant et bruni là où il émergeait du col de sa chemise à l'étoffe souple et bleue. Sans doute composait-il un poème à l'instant même, crayon en attente dans la pliure du carnet. Elle comprit qu'elle ne pouvait pas l'interroger sur ce point-là. Mais elle fut incapable de le laisser tranquille. « Avez-vous eu l'occasion d'admirer le jardin ?

— En fait, oui. Nous nous y sommes promenés, Georgie et moi, tôt ce matin.

— Oh…

— Bien avant que vous ne soyez levée. Je suis allé le tirer du lit.

— Je vois…

— Je suis un païen, voyez-vous, je vénère l'aube. J'essaie d'inculquer le culte à votre frère.

— Y parviendrez-vous ? » Cecil ferma les yeux, avec un sourire languide, et Daphné eut à nouveau l'impression d'être confrontée à des mystères voilés. « Peut-être demain pourriez-vous venir me tirer du lit moi aussi.

— Croyez-vous que votre mère approuverait ?

— Oh, ça ne la dérangera pas.

— Eh bien, nous verrons.

— Je pourrais vous montrer un tas de choses. » Elle tâta l'herbe avant de s'asseoir à côté de la chaise longue de Cecil. « Je suis certaine que George ne vous a pas montré tout ce que Deux Arpents a à offrir.

— Hum, sans doute pas… », répondit Cecil en ricanant.

Daphné contempla la vue pour l'encourager à l'imiter : la pelouse bien tondue mais jaunie, la modeste butte de la rocaille, la rangée de conifères sombres qui cachait la remise et le garage de leurs voisins, les Cosgrove. Le « Deux » du nom de sa maison l'avait toujours rassurée : vantardise gentiment emphatique auprès de celles de ses camarades qui vivaient en ville ou dans une maison mitoyenne ; signe d'une généreuse surabondance. Mais, en présence de Cecil, elle ressentit les premiers frémissements du doute. Comme ils étaient assis côte à côte, elle avait espéré lui faire partager son point de vue, or elle se demanda si, au contraire, elle ne commençait pas à partager le sien. « Savez-vous que la rocaille est la contribution de mon père à ce lieu ?

— Il a dû y consacrer du temps.

— Oui, il y a beaucoup travaillé. Ces gros rochers viennent de loin, du Devon… comme lui, bien sûr !

— Ils constitueront une énigme géologique pour les époques futures.

— Oui, sans doute.

— Comme les monolithes de Stonehenge.

— Hum… » Daphné devina de la taquinerie là où elle avait espéré mieux. Elle insista donc : « Mon père n'avait pas le sens artistique de ma mère mais elle lui a laissé carte blanche pour la rocaille. D'une certaine façon, c'est son mausolée. »

Cecil le contempla avec un air penaud. « J'imagine que vous ne vous rappelez pas vraiment votre père, dit-il. Vous deviez être trop jeune.

— Au contraire, je me souviens très bien de lui. En rentrant du travail, il prenait un Old Smuggler quand j'étais dans mon bain.

— Il buvait du whisky dans la salle de bains ?

— Oui, il me racontait toujours une histoire. Nous avions une nounou, bien sûr, qui nous donnait le bain. Franchement, je crois que nous étions plus riches alors que nous ne le sommes aujourd'hui. »

Cecil lui adressa une grimace fugitive, d'une compassion toute abstraite, qu'elle avait déjà remarquée chez

lui lorsqu'il était question d'argent ou de domesticité.
« Je n'imagine pas mon père faisant cela, dit-il.

— Voyons, votre père ne travaille pas, n'est-ce
pas ?

— C'est vrai, dit Cecil avec un petit rire charmant.

— Bien sûr, Huey travaille dur. Notre mère dit que
l'un de nous doit se marier.

— Aucun doute que cela vous arrivera vite », dit
Cecil, ses yeux foncés soutenant le regard de son interlocutrice, un sourcil légèrement relevé pour appuyer
son propos et indiquer une pointe d'amusement, de
sorte que le cœur de Daphné se mit à battre à tout
rompre et qu'elle se hâta de poursuivre :

« Un jour, oui. Nous verrons bien. À mon avis, nous
nous marierons, tous les trois. » Par là, elle entendait qu'elle avait surpris leur conversation et voulait
lui signifier qu'ils avaient tort, George et lui ; Hubert
n'était pas du tout un « homme à femmes », c'était un
garçon éminemment respectable. Mais elle avait peur
de ce sujet nouveau pour elle et craignait d'avoir mal
compris.

« George n'a sans doute pas de petite amie attitrée ?
fit Cecil après un instant.

— Nous pensions tous que vous seriez au courant »,
répliqua-t-elle. Instantanément, elle regretta d'avoir
ainsi révélé que les Sawle avaient parlé de lui en son
absence. Cela dit, il y avait chez Cecil un je-ne-sais-quoi
qui exigeait qu'on parlât de sa personne. Daphné arracha quelques brins d'herbe et lui jeta un coup d'œil,
éprouvant encore toute la nouveauté, tout l'intérêt de
sa présence. Il bougea dans la chaise longue, ramena
sa cheville gauche sur son genou droit : vision fugitive de son mollet bruni. Il portait des souliers en toile

blanche, au talon éraflé. Il aurait été amusant qu'ils puissent s'expliquer George mutuellement, derrière son dos. « Nous pensions tous qu'il y avait anguille sous roche quand il a commencé à recevoir des lettres, mais, bien sûr, c'étaient les vôtres ! »

Cecil, qui parut à la fois satisfait et gêné, se retourna pour regarder la maison. « Et votre mère, pensez-vous… ? » fit-il, sur un ton plein d'une délicatesse soudaine. « Elle est encore jeune, et vraiment très séduisante. Elle pourrait se remarier. Elle doit avoir de nombreux admirateurs… ?

— Oh, non, je ne crois pas ! » Daphné fronça les sourcils et la question la fit rougir. Parler de l'avenir de George était une chose, mais c'en était une autre que d'évoquer celui d'une dame d'âge mûr que leur invité connaissait à peine. C'était extrêmement malvenu ; sans compter qu'elle n'avait pas du tout envie d'avoir un beau-père. Elle se représenta Harry Hewitt debout sur la rocaille de son père : ou, pis, ordonnant sa démolition. Quoique, en réalité, il était presque certain qu'ils devraient tous déménager à Mattocks, avec ses tableaux et ses sculptures bizarres. Contemplant les souliers blancs de Cecil, elle réfléchit. Il n'insista pas pour qu'elle réponde. Elle crut comprendre que s'engageait entre eux un nouveau type de conversation, pour lequel elle n'était pas tout à fait prête, tels certains livres, rédigés, certes, dans sa langue maternelle mais trop adultes pour elle.

« Je ne voulais pas être indiscret, dit Cecil. Vous savez combien Georgie, moi-même et nos semblables aimons nous exprimer en toute franchise.

— Cela ne pose aucun problème.

— Dites-moi que ce ne sont pas mes affaires.

— Eh bien, il y a un homme qui vient dîner ce soir et dont je pense qu'il apprécie beaucoup ma mère », dit Daphné. La sensation d'avoir trahi décolora les secondes suivantes.

« Est-ce Harry ?

— Exactement, précisa-t-elle, avec un sentiment croissant de honte.

— L'homme qui a offert le gramophone à votre famille.

— Oui, hum, en fait, il nous a offert un tas de choses. À Hubert il a donné un fusil et… beaucoup d'autres choses. Les *Œuvres complètes* de Sheridan.

— Je suppose que Huey apprécie certains de ces présents plus que d'autres, dit Cecil, redevenu familier et décontracté.

— Hum… Harry m'a offert un nécessaire à coiffure, avec un flacon de parfum, bien que je n'aie pas l'âge, et des brosses à manche en argent.

— C'est le père Noël », dit Cecil, ajoutant, avec un regard alentour, l'air de s'ennuyer un peu : « Quel joyeux drille.

— Je ne dirais pas cela… Il est très généreux, je suppose, mais pas le moins du monde joyeux. Vous jugerez par vous-même. » Daphné leva les yeux vers son interlocuteur, encore bizarrement indignée par lui et par Harry. Cecil observait les cimes du bosquet dans lequel ils s'étaient rencontrés la veille, comme s'il avait été bien plus intéressant. « Il se rend souvent en Allemagne, parce qu'il est dans l'import-export, le saviez-vous ? Il nous rapporte des choses.

— Et vous pensez que tous ces présents sont une façon de… faire la cour à votre maman…

— Je le crains. »

Le splendide profil de Cecil – son nez aquilin, ses yeux légèrement proéminents – paraissait sur le point d'émettre une critique; mais lorsqu'il se retourna et lui sourit, Daphné devina un brusque regain de son attention et de sa gentillesse. « Ma chère enfant, vous n'avez aucune crainte à avoir, à moins d'être certaine qu'elle éprouve les mêmes sentiments pour lui.

— Oh, je l'ignore…! » Elle était troublée : à la fois d'être allée si loin, et par ce terme inattendu d'*enfant*, qu'employait aussi sa mère, de façon très naturelle mais souvent avec un soupçon de critique. Elle se l'était entendu dire une ou deux fois la veille, quand elle avait essayé de mettre Cecil à l'aise en le questionnant. Il avait dû entendre sa mère le prononcer. Elle eut l'impression qu'il avait pris sur elle un avantage rhétorique plutôt déplaisant : il l'avait humiliée au moment précis où il aurait dû lui remonter le moral.

Il sourit. « Je vais vous dire quelque chose. Je l'observerai attentivement, en parfait étranger, et vous donnerai mon avis.

— D'accord, acquiesça-t-elle, ne sachant pas du tout comment prendre ce compromis.

— Ah! » dit Cecil en s'avançant sur son siège. George traversait la pelouse, veste sur l'épaule, sifflotant, l'air joyeux. Il vint se planter devant eux et les observa, une question affleurant derrière son sourire.

« Quel est cet air que tu siffles tout le temps? demanda Daphné.

— Je n'en ai aucune idée. Mon domestique à Cambridge le chante : "Quand j' te vis, mon cœur fit boom-badadi."

— Vraiment…! s'exclama Daphné. J'aurais cru que, s'il te fallait siffler, tu aurais choisi quelque chose de mieux. » Voyant une chance de les ramener tous deux au sujet de la veille, elle précisa : « *Le Hollandais volant*, par exemple. »

Portant la main au cœur, George entonna le plus beau passage de la « Ballade de Senta », sourcils levés, hochant lentement la tête, le regard fixé sur sa sœur comme pour rejeter sa gêne sur elle. Son sifflement était aigu, doux, enlevé mais il y ajoutait tellement de vibrato qu'il rendait l'air plutôt ridicule ; bientôt, il fut incapable de garder les lèvres pressées l'une contre l'autre et son sifflement dégénéra en un rire voilé.

« Ah… », grommela Cecil, légèrement embarrassé. Il se leva et glissa son carnet dans sa poche de veston. Avec un sourire froid, il déclara : « Moi… je ne sais pas siffler.

— C'est logique, avec votre manque d'oreille ! dit Daphné.

— Je vais emporter à l'intérieur ce précieux volume », déclara-t-il en brandissant le petit carnet de Daphné. Son frère et elle l'observèrent traverser la pelouse et entrer dans la maison par la porte du jardin.

« Alors, de quoi parliez-vous, Cess et toi ? » demanda George, sans se départir de son étrange sourire.

Cueillant des brins d'herbe ici et là devant elle, Daphné, taquine, prit son temps pour répondre. Sa première pensée, d'une force étonnante, fut que sa relation avec Cecil, menée indépendamment de celle que George entretenait avec lui, si elle n'était pas entièrement satisfaisante, devait être gardée secrète dans la mesure du possible. À son avis, il y avait là quelque chose qui ne devait pas être exposé à la raison ou à la moquerie. « Nous parlions de toi, bien sûr.

— Oh, voilà qui devait être fascinant. »

Daphné rétorqua par un grognement. « Veux-tu savoir ? Cecil demandait si tu avais une petite amie.

— Oh, dit George avec plus de désinvolture. Qu'as-tu répondu ? » Il se détourna pour dissimuler sa rougeur, en vain. Il observa le jardin comme s'il venait tout juste d'y distinguer un détail intéressant. C'était assez inattendu et il fallut même à Daphné, avec son intuition sororale, un bon moment pour comprendre, puis pour s'exclamer : « Oh, George, tu en as bien une !

— Quoi ? Oh… balivernes. Tais-toi donc !

— Mais si, mais si ! » en conclut Daphné, dont la joie de la découverte fut hélas instantanément gâchée par la conscience d'avoir une fois de plus été laissée pour compte.

8

Quand ces messieurs furent sortis, Jonah gravit l'escalier ; il arrivait quasiment au dernier étage lorsqu'il s'aperçut qu'il avait oublié les souliers de Mr Cecil : il redescendit donc les chercher. C'est alors qu'il entendit des voix dans le vestibule en bas. Ils avaient dû se rendre un instant dans le bureau à droite de la porte d'entrée ; ils approchaient du portemanteau, ils prenaient leurs chapeaux. Jonah resta sur place, sans intention de se cacher mais tout de même dans la pénombre de la courbe de l'escalier.

« Est-ce le tien ? demanda Cecil.

— Idiot. Viens, sortons. Je vais mettre celui-ci, je crois, au cas où.

— Bonne idée... De quoi ai-je l'air ?

— Tu as fière allure, pour une fois. Jonah doit savoir y faire avec toi.

— Oh, Jonah est un ange. T'ai-je dit que je l'emmenais à Corley ?

— Non, tu n'oseras pas ! » Jonah entendit des bruits comme d'une petite bagarre, qu'il ne put voir, des ricanements, des halètements, des murmures. « ... Aïe ! pour l'amour de Dieu, Cecil... » Puis le bruit de la porte d'entrée qu'on ouvrait. Jonah gravit trois marches et regarda par la petite fenêtre. Il vit Cecil sauter par-dessus le portail ; de son côté, George donna l'impression de réfléchir, très brièvement, avant de l'ouvrir et de sortir à la suite de son ami, qui était déjà loin.

Jonah attendit un instant, contempla les trois dernières marches de l'escalier, le palier, la porte de la chambre d'amis. *Jonah est un ange* : les expressions que ces gens employaient ! N'empêche, c'est que ça devait bien se passer : manifestement, il devait bien travailler. Il ne croyait pas que Mrs Sawle laisserait Cecil l'emmener et lui-même ne souhaitait fichtre pas partir. Il était allé à Harrow plusieurs fois, bien sûr, et à Edgware, et une fois à Alexandra Palace pour entendre le grand orgue… Il gravit les dernières marches. Le palier était sombre, avec ses boiseries en chêne et son épais tapis turc, mais les chambres étaient grandes ouvertes pour laisser entrer l'air et la lumière. Il entendait Veronica, la femme de chambre, dans la pièce de Hubert, ses grognements tandis qu'elle secouait et tapotait les oreillers ; elle parlait toute seule, dans un marmonnement plaisant, régulier : « … Vous voilà… allons… c'est bien aimable de votre part… » Jonah eut l'impression d'avoir compris quelque chose : ses maîtres avaient décidé qu'il était prêt. Il était content à l'idée de ranger la chambre et de pouvoir prendre son temps pour s'occuper des affaires de Cecil, pour mieux examiner ses boutons et ses poches. Il ne l'aurait jamais avoué aux employés des cuisines mais il pensait que, s'il apprenait le métier de valet, l'emploi lui correspondrait, certainement dans un an ou deux. Un jour, qui sait, il laisserait

Mr Cecil, ou quelqu'un dans son genre, l'emmener : pourquoi pas, après tout ?

Il poussa la porte et s'aperçut tout de suite que, pour l'heure, il ne connaissait rien à rien : on ne lui avait absolument rien appris sur ce qui se passait entre le coucher et le petit déjeuner. C'était comme entrer dans une autre maison. Ou alors, songea-t-il, avançant de deux ou trois petits pas dans la pièce, ou alors… ou alors ce Mr Cecil Valance était fou ; à cette idée, il partit d'un petit rire médusé. Qu'à cela ne tienne, il devrait attendre Veronica. Le matelas avait glissé du lit, les draps étaient par terre, froissés, en boule, comme si on s'était battu. Jonah regarda l'eau froide et sale du rasage dans la cuvette, le blaireau sur le rebord de la bibliothèque, dans un petit rond mouillé. Il fronça les sourcils en voyant les vêtements éparpillés par terre et sur le petit fauteuil, éprouvant un sentiment inédit, et douloureux, de les avoir connus en des temps meilleurs, des temps où la logique régnait encore. Et les roses étaient pour ainsi dire fanées : Cecil avait dû renverser le vase, puis remettre les fleurs dedans, sans eau, forçant pour faire entrer les tiges. Abandonnées depuis des heures, les fleurs avaient baissé la tête. Et une tache sur le tapis à motifs était humide au toucher. Sur la table de toilette, les feuilles de papier griffonnées dépassèrent ses espérances. Il lut : « Quand tu étais ici, et moi parti là-bas, / Humant dans l'air alpin les roses d'un mai d'Albion. » Jonah prit le blaireau et contempla le cercle gras qu'il avait dessiné sur le bois.

Il alla jusqu'à la corbeille à papier comme l'aurait fait un domestique habitué à nettoyer une pièce à peine occupée, et en sortit une poignée de bouts de papier. Sur l'un d'eux, il reconnut l'écriture de George et fut gêné pour son maître de voir ce que son hôte en avait fait. Qu'il était difficile à déchiffrer… « Veines », devait-il avoir écrit mais on aurait plutôt cru lire : « *Viens*.* » Le carnet de poésies, que Cecil avait bien recommandé à Jonah de ne jamais toucher, était à portée de sa main, sur la table de chevet. Il se dit qu'il lui jetterait très certainement un coup d'œil, plus tard.

« Je constate qu'il a pris possession des lieux », dit Veronica depuis la porte. Son intonation compétente requinqua considérablement Jonah. « La cuisinière a dit qu'il ferait du désordre mais qu'il te donnerait dix shillings… et même une guinée, avec un peu de chance.

— Je l'espère bien », répondit Jonah comme s'il avait été habitué à un tel traitement ; il fourra maladroitement les morceaux de papier dans sa poche de pantalon. Puis il ne put s'empêcher de sourire. « La cuisinière a dit ça ? »

Veronica retira les oreillers. « Hum, c'est un aristocrate, déclara-t-elle de l'air de qui en connaît plus d'un. S'ils font du désordre, ils peuvent payer la casse. » Elle tira sur le drap de dessous tout emmêlé et l'observa, le sourcil levé, la bouche étrangement tordue. « Hum, Jonah, tu vois ce que je vois ?

— Ah oui.

— Ton monsieur a eu une *mission*.

— Oh », lâcha Jonah avec son air de désarroi rentré.

Veronica lui lança un regard futé mais pas hostile. « Tu ne sais pas ce que c'est, n'est-ce pas ? On appelle ça une "mission nocturne". C'est une chose à laquelle les jeunes messieurs sont très sujets. » Elle arracha le drap avec une force surprenante, au point que le matelas frémit quand il se libéra. « Tiens, sens, ça ne trompe jamais.

— Non, je ne veux pas ! » répliqua Jonah, songeant que ce n'était pas correct, tout en rougissant parce qu'il fit soudain le lien avec un de ses problèmes.

« Tu apprendras tout ça bien assez tôt, mon petit, dit Veronica, qui venait à l'instant de prendre dans l'esprit de Jonah le caractère d'une femme dangereusement plus âgée que lui et plutôt pernicieuse. Bah ! Ne t'inquiète donc pas. Tu devrais voir ceux de Mr Hubert ! Je dois changer ses draps deux ou trois fois par semaine. Mrs S. est au courant... elle n'a rien dit de précis, mais seulement : "Si vous voyez n'importe quelle marque, n'importe quelle tache sur les draps des garçons, Veronica, veuillez les changer." C'est la nature, mon petit, j'en ai bien peur. »

Jonah s'affaira à ramasser et plier les vêtements, sans savoir si ceux qui avaient déjà été portés devaient être replacés dans l'armoire ou discrètement mis de côté jusqu'au départ de Cecil, prêts à être empaquetés au moment voulu ; il fut incapable de demander quoi que ce soit à Veronica tant que son petit laïus dérangeant résonnait encore à ses oreilles. Là se trouvaient la chemise du dîner de la veille mise au rebut, une tache grisâtre en travers du plastron blanc amidonné, peut-être de la cendre de cigare, et les beaux maillots de corps et caleçons, aussi fins que des sous-vêtements de dame, désormais tachés d'une façon que Jonah ne pourrait vérifier que plus tard, lorsqu'il serait seul. Sortant la cuvette de la pièce, il traversa le palier pour aller la vider avec précaution dans le cabinet de toilette. Un millier d'infimes poils coupés dans la mousse de savon sale restèrent accrochés à la surface incurvée; Jonah les observa comme il observait tout ce qui venait de Cecil, avec un atroce mélange d'inquiétude et de fierté.

Un peu plus tard, il se rendit aux cabinets; dans la lumière grise qui filtrait par le carré en verre dépoli inséré dans la porte, il sortit de sa poche les bouts de papier et, assis sur le siège, les tourna et les retourna, tentant de déchiffrer les mots raturés. Il eut la nette sensation de s'adonner à la « curiosité oisive » que condamnait sévèrement la cuisinière. La puanteur collective en pleine macération sous lui, finement étouffée par une couche de cendre de charbon de la cuisine, lui donna encore plus le sentiment d'accomplir furtivement une mauvaise action. Il n'était même pas certain de savoir pourquoi il faisait cela. Les messieurs parlaient autrement que tout le monde et George aussi était différent depuis l'arrivée de son ami… « "Un hamac dans l'ombre", réussit-il à lire. "Mélèze à ta tête, à tes pieds saule blanc." » Il lui fallut longtemps pour faire le lien avec des éléments familiers et c'est seulement lorsqu'il eut poursuivi la lecture que la désagréable vérité lui sauta aux yeux. Mr Cecil évoquait le hamac du jardin, que Jonah avait aidé Mr Hubert à installer au début de l'été. Il se demanda ce que Mr Cecil allait écrire sur ce hamac. « Un bouleau à tes pieds. / Au-dessus un saule pleureur » : il n'arrivait donc pas à se décider! Jonah se rappela que c'était de la poésie, mais il ignorait si cela signifiait que la chose était plus ou moins susceptible d'être vraie. Une autre feuille avait été déchirée en deux parties, qu'il rapprocha l'une de l'autre, se demandant si Wilkes agissait parfois ainsi lorsqu'il vidait les corbeilles de son maître.

Dans les bois mélodieux ~~peuplant~~ enserrant
Deux arpents bénis de sol anglais,
~~Menant~~ Jusqu'aux lointaines bornes rôdant,
Entre les ~~cyprès~~, ~~myrtes~~, troènes formant haie,
Sous les longs festons de noisettes,
Prenons le ~~secret long sombre fou~~, le noir chemin de l'amour
Dont nul n'entendra la joie secrète,
Du couvre-feu au premier tambour.
Amour vital comme le printemps
Amour secret comme… *??? (quelque chose !)*
Vrai, jovial, vigoureux, entraînant,
Mais craignant de clamer son honneur…

Suivaient des ratures très virulentes comme s'il avait fallu effacer non seulement les mots mais aussi les idées. Jonah entendit alors le raclement reconnaissable de la porte de l'arrière-cuisine et des pas sur l'allée de brique : l'instant d'après, la masse d'une personne imposante (la cuisinière ou Miss Mustow ?) lui bloqua la lumière et sa main trembla quand on agita la poignée ; il fourra précipitamment les papiers dans sa poche. « Un instant ! » cria-t-il, se demandant, l'espace d'un éclair, s'il devait jeter les papiers dans les toilettes, avant de se raviser.

9

Freda leva son verre et contempla la tablée avec le sourire indulgent de qui n'a pas suivi la conversation. Pourtant oui, on parlait bien encore de l'Allemagne, et Harry déclarait que « chaque journée qui passe nous rapproche d'une guerre allemande ». Cette rengaine commençait à l'irriter. « Je n'arrête pas d'aller à Hambourg pour mes affaires, expliqua-t-il, et, croyez-moi, je sais ce que j'y ai vu. » Freda n'aimait pas du tout l'idée d'une guerre allemande et s'impatientait d'entendre Harry la prédire avec une telle insistance ; mais Cecil semblait prêt à prendre les armes sur l'heure : il déclara qu'il sauterait sur l'occasion. Il était touchant et légèrement comique de voir l'hésitation de George. Il eût été difficile d'imaginer quelqu'un de moins enclin à se battre mais, de toute évidence, il répugnait à décevoir Cecil. « Je suppose que j'irai, n'est-ce pas ? concéda-t-il. Si on en arrive là.

— Aucun doute là-dessus, vieille branche », affirma Cecil, réussissant, grâce à un discret pivotement de la tête, à leur présenter à tous son fameux profil. Il leur avait déjà dit combien il aimait tuer, or des Allemands, ce serait nettement plus excitant que des renards, des faisans et des canards. Freda était contente que Clara ne fût pas des leurs : son frère, apparemment toute la famille qui lui restât, était dans l'armée du Kaiser, quoique, Dieu soit loué, il occupât quelque poste administratif.

« Je ne suis pas persuadée d'avoir envie que mes garçons soient réduits en bouillie », dit-elle sur un ton cocasse, mais l'image les surprit tous – y compris les garçons eux-mêmes, dont les visages luisaient à la lueur des bougies. Huey nettoyait sa moustache avec une serviette blanche. L'air sévère mais bienveillant, il dit : « Espérons, Mère, que nous n'en arriverons pas là.

— Je crois que nos garçons sont prêts à se battre, dit Elspeth.

— Certes, mais vous n'avez pas de garçon susceptible de se joindre à la mêlée, ma chère », répondit Freda. Elspeth était la sœur, vieille fille, de Harry, et l'on ne pouvait que se demander où elle irait si Harry devait se marier. Elle tenait l'intérieur de son frère depuis si longtemps qu'il était difficile de l'imaginer vivre dans une maison qui fût la sienne en propre. Il faudrait bien, cependant, qu'elle aille quelque part… Cela dit, Harry… se marier ? N'y avait-il pas quelque chose d'absurde dans l'idée même ?

Au dessert, on servit une macédoine de fruits, dont les pommes venaient du verger. À la droite de Freda, Cecil mangea vite et sans plaisir apparent, voire avec un soupçon d'ennui. C'était, bien sûr, décourageant pour une hôtesse, mais n'était-ce point un gage de bonne éducation que de ne pas s'attarder sur la nourriture ? Quelque chose vous était mis sous le nez par les domestiques, quelque chose qui vous empêchait, fût-ce brièvement, de parler des grands thèmes de l'existence. George, placé à côté de Cecil, semblait vouloir faire bande à part avec lui : régulièrement, il posait une main sur sa manche et lui parlait tout bas, en parallèle à la conversation officielle. Cecil, de son côté, préférait s'adresser à la tablée entière. Lui aussi avait visité l'Allemagne et, sur un ton plutôt cinglant, il fournit une série d'informations d'ordre militaire et économique dont une grande partie apparemment intraduisible. Freda, dont la maîtrise de l'allemand se bornait à des expressions héroïques d'amour, de loyauté et de vengeance ou à la façon de commander un cognac à l'eau, fut bientôt envahie par la tristesse et la sensation d'être comme anéantie. Son Allemagne à elle était étouffante, conventionnelle, bien que mal organisée, un labyrinthe inextricable d'arrangements à jamais imprégnés et rachetés par l'amour des Völsung, des Murmures de la forêt et de l'Adieu de Wotan, les dix minutes les plus enthousiasmantes de ses dix ans de veuvage. À cette seule pensée, un frisson parcourut sa colonne vertébrale et sa lèvre inférieure se rétracta.

Le plan de table était gênant : face aux deux garçons, Daphné était flanquée de Harry et Elspeth, et avait l'air aussi abattu que Freda, mais elle était revigorée dès que Cecil lui accordait la moindre attention. D'ordinaire, la présence de Harry allumait une lueur chez Huey, allant presque, parfois, jusqu'à lui conférer un certain éclat : c'était le seul des amis de Freda à accorder au jeune homme une quelconque attention. Mais, ce soir-là, Huey paraissait préoccupé : était-il par hasard un tantinet jaloux de la fascination que Harry exerçait sur Cecil ? Harry qui semblait être au courant de toutes les nouvelles parutions et ne manquait pas de questions à poser à Cecil sur les personnalités marquantes de Cambridge : « Je me demandais... connaissez-vous le jeune Rupert Brooke ?

— Ah, Rupert Brooke, lâcha Freda. Adonis incarné ! »

Cecil arbora le genre de sourire méprisant qu'il eût opposé à une erreur plutôt fréquente. « Mais oui, je connais Brooke. Nous le voyions beaucoup au *college* naguère... désormais beaucoup moins, bien sûr.

— Mère trouve les œuvres de Rupert très avant-garde, dit George.

— Vraiment, ma chère ? » s'enquit Elspeth, d'une voix cristalline et moqueuse.

Freda jugea bon de ne pas protester : le rôle de mère exigeait qu'on jouât de temps à autre celui d'idiote. « Pour être parfaitement honnête, répliqua-t-elle, je dois avouer que je n'ai guère aimé apprendre qu'il avait eu le mal de mer en traversant la Manche.

— Ah ! "Des glaires brunes je rends", récita Daphné.

— Je t'en prie, mon enfant, j'ai dit que je n'ai guère aimé ça. » En réalité, c'était l'une des citations favorites des Sawle : entre eux, elle les faisait pleurer de rire – mais de telles puérilités n'étaient absolument pas censées sortir du cercle familial. Freda adressa à sa fille un sévère froncement (ou, plutôt, pincement) de sourcils, en partie pour s'empêcher de sourire. Cecil aurait risqué de se faire une trop mauvaise opinion de sa famille.

« Je ne suis guère expert en poésie, avoua Hubert, délicieusement redondant et prêt, semblait-il, à emmener la conversation sur une autre voie.

— Quant à moi, je ne suis pas tout à fait au point en matière de poésie anglaise contemporaine, expliqua Elspeth.

— J'apprécie toujours ce que Strachey écrit dans le *Spectator*, dit Harry. Vous le connaissez, j'imagine ? »

N'en revenait-on pas à cette affaire du Club des garçons, cette fameuse *Conversazione Society* qu'on n'avait pas le droit d'évoquer ? « En effet, nous voyons Lytton de temps à autre, reconnut Cecil d'un air confidentiel.

— Voilà quelqu'un d'extrêmement intelligent, dit Elspeth.

— Qui, ma chère ? demanda Freda.

— Lytton Strachey. Vous avez dû lire ses *Repères de littérature française.*

— Oh… je… ?

— Harry l'a moins aimé que moi.

— Je préfère une proportion supérieure de faits à tout ce brassage de vent.

— Nous pensons tous que Lytton produira un livre génial un de ces jours, dit Cecil d'un ton suave.

— Il ne me plaît pas, dit George.

— Voyons, pourquoi, mon chéri ? demanda Freda, moqueuse, alors qu'il lui semblait ne jamais avoir entendu parler de ce Strachey avant le début de cet échange.

— Oh, je ne sais pas…, grommela George en rougissant – et de prendre un air contrarié.

— Personne ne saurait nier, expliqua Cecil, que la voix de ce pauvre Strachey est des plus navrantes.

— Ah… ? » Freda savait devoir éviter à tout prix de croiser le regard de Daphné.

« Le genre d'organe que vous, les musiciens, appelez une voix de fausset. Cela lui interdit de parler en public.

— Même lors de conversations privées, sa voix est insupportable, dit George.

— Fort heureusement, nous n'avons pas à écouter cet homme-là, dit Harry, ni même, dans le cas de votre mère, à le lire. » Il jeta un regard de biais, de collusion quasi parentale, d'abord à Freda, assise à côté de lui, puis à Hubert, qui partit d'un rire hésitant. Il faudrait pourtant bien s'y habituer, à son humour pince-sans-rire prompt à virer au sarcasme. C'était un homme bon et généreux (d'une générosité surprenante, d'ailleurs, pour un homme aussi posé), mais comment être certaine qu'il se montrerait toujours ainsi en société ?

« Puisque nous en sommes aux allocutions… semi… publiques, commença Cecil d'un air malicieux et lançant un regard complice à Daphné.

— Oh, oui ! dit celle-ci, avec une vivacité enfantine face à ce brin d'attention qu'il lui accordait. Nos lectures, Cecil !

— Oh, ma chérie, qu'est-ce ? demanda Freda, craignant que Daphné n'allât ennuyer leurs hôtes.

— C'est une idée de Cecil.

— Sans doute n'a-t-il fait cette proposition que par gentillesse.

— Pas le moins du monde, répliqua l'intéressé.

— Mère, Cecil a proposé de nous faire la lecture ! cria Daphné, comme si sa mère avait été sourde, ou folle d'ignorer une telle proposition.

— Dans ce cas, c'est très aimable à vous, Cecil, quoi que vous en disiez. Êtes-vous vraiment certain… ? » Bien sûr, elle-même, la veille, avait proposé plus ou moins la même chose, dans l'espoir de faire revenir les garçons du jardin.

« Peut-être aurez-vous l'obligeance de nous lire certains de vos vers ? » suggéra Harry en adressant au poète un regard solennel, pour bien montrer à Cecil que sa renommée l'avait précédé.

Cecil sourit et, de nouveau, baissa les yeux. « Eh bien, Daphné et moi avons conçu un plan, voyez-vous : il s'agirait que chacun d'entre nous lise son poème préféré de Tennyson.

— Mon Dieu, je ne saurais ! » s'exclama Freda, pensant qu'elle en serait incapable sans ses lunettes.

Hubert dit, avec feu : « Oh non, mon vieux, nous préférerions de beaucoup que vous lisiez votre propre poésie.

— Bon, si c'est vraiment ce qui vous ferait plaisir... », consentit Cecil, avec une habile petite démonstration de gêne.

Freda regarda Daphné, dont le désir de lire devant l'assistance sembla se dissoudre à l'instant dans sa fascination pour Cecil. Pour une hôtesse, ce genre de lecture pouvait être un pensum mais elle pouvait tout aussi bien tourner au triomphe, et ce serait alors un moment dont tous se souviendraient pendant des années. Harry l'avait demandé lui-même et elle ne voulait pas le décevoir. Freda redoutait par-dessus tout qu'il s'ennuie.

« Soit. Après dîner ? dit-elle, avant d'ajouter : Vous savez que nous l'avons rencontré ?

— Cela vous intéressera, Cecil, dit Hubert.

— Rencontré qui, ma chère ? demanda Elspeth.

— Lord Tennyson. Qui d'autre ! » Freda était tellement excitée qu'elle alla jusqu'à poser un instant sa main sur la manche de Cecil. Ce dernier adressa un sourire courtois à cette main qu'elle retira après lui avoir serré le bras. « Nous étions en voyage de noces, cela nous parut être de bon augure », commença Freda. Elle adressa un regard circulaire à la tablée, l'air satisfait d'avoir attiré l'attention de tous mais inquiète de l'expression de George : sourcils levés trahissant une indulgence mâtinée de moquerie. Souhaitait-il l'empêcher de raconter son histoire alors qu'elle en avait enfin l'occasion ! Elle était capable de bien la raconter mais savait d'expérience qu'elle était aussi susceptible d'en sauter une partie cruciale. « C'était pendant notre lune de miel », répéta-t-elle afin de se donner du courage. Elle posa sur Harry un regard interrogatif tandis que l'expression « lune de miel », si particulière, flottait dans la pièce à la lueur des bougies. Elle pensait ne lui avoir jamais raconté cette histoire, mais n'en était pas complètement sûre. « Nous sommes allés à l'île de Wight, Frank avait dit qu'il voulait m'emmener sur l'eau !

— C'est tout lui, lâcha Hubert avec un hochement de tête affectueux.

— Vous savez qu'on prend le bac à… Lynmouth, c'est bien cela, n'est-ce pas ?

— Lymington, me semble-t-il…, corrigea Harry.

— Pourquoi me trompé-je toujours ?

— On peut le prendre à Portsmouth également, dit George, mais c'est un peu plus loin.

— Laisse Mère raconter son histoire », rétorqua Daphné, agacée autant par l'histoire que par les interruptions.

Freda autorisa Harry à emplir son verre puis elle but une longue, profonde gorgée de vin. « Ce devait être en tout début de soirée. Avez-vous déjà pris ce bac? Il semble glisser paresseusement vers l'île, comme s'il avait tout son temps! À moins que nous ayons été impatients... Je me rappelle que la reine séjournait à Osborne et Frank affirma avoir vu l'écuyer avec les fameux coffres rouges : naturellement, tous les documents devaient faire l'aller-retour sur le bac... ce devait d'ailleurs être tout un chambardement pour eux!

— J'imagine que cela ne les tracassait guère, dit Hubert. C'était la reine, après tout, et c'était leur travail.

— Non... ça ne les tracassait sans doute pas, en effet. Quoi qu'il en soit, nous avions pris place dans la cabine, j'avais froid, mais Frank était fasciné par les bateaux...

— On pourrait même dire que mon père était fasciné par tous les moyens de transport, quels qu'ils fussent, précisa Hubert.

— Et il a dit : "Est-ce que cela vous gênerait, même si c'est notre lune de miel, que je sorte inspecter le bateau?" Et...

— Et il est tombé sur Tennyson, la coupa Cecil, penché au-dessus de son assiette, le buste incliné pour mieux suivre le récit.

— En fait, j'ignorais que c'était lui! dit Freda, plutôt démontée par le raccourci narratif de Cecil. Voyez-vous, Frank était le genre d'homme à toujours vouloir parler au capitaine et... ce genre de chose. Eh bien, au bout d'un moment, j'ai regardé par le hublot et je l'ai vu accoudé à la rambarde en compagnie d'un personnage très extraordinaire.

— Sans aucun doute, fit Cecil. Il devait souvent prendre le bac pour se rendre à Farringford.

— Oui, sans aucun doute… mais je me suis inquiétée ! » Et Freda de se lancer, en proie à un vague sentiment de panique, dans la partie de son récit qu'elle maîtrisait le mieux, qu'en réalité elle connaissait par cœur pour l'avoir racontée si souvent : « C'était un vieil homme de très grande taille, encore plus grand que Frank à l'époque, même à quatre-vingts ans, l'âge qu'il avait alors, je crois. Je le revois encore, il portait une cape et… (à ce moment-là, elle faisait toujours de grands mouvements de bras au-dessus de sa tête)… et un chapeau extravagant, à très large bord. Ses cheveux…

— Un chapeau de berger, précisa George.

— Oui… Ses cheveux lui tombaient sur la nuque… (À ce moment-là du récit, elle baissait toujours la voix :) Ah, qu'ils étaient sales, *répugnants* ! Je le revois encore. Ma première pensée fut que cet inconnu importunait mon Frank, voyez-vous. J'ai cru que c'était un mendiant ou je ne sais quoi ! Imaginez donc !

— Le Poète Lauréat, le poète de la reine ! s'extasia Hubert.

— Eh bien, ils ont parlé pendant un long moment. Apparemment, le capitaine lui avait appris que nous étions jeunes mariés. » Elle but une autre gorgée de vin, tout en regardant Harry par-dessus le verre. Son cœur palpitait d'une façon absurde.

« De quoi parlaient-ils, Mère chérie ? l'encouragea George, avec un sourire plutôt pincé.

— Oh, j'ai oublié…

— Comme c'est dommage ! » s'exclama Cecil, s'affaissant sur sa chaise comme s'il avait payé cher une marchandise qui ne valait pas son prix mais aussi, de façon surprenante, comme s'il connaissait assez Freda pour la taquiner. Elle rit d'elle-même et posa à nouveau la main sur sa manche.

« Lord Tennyson a dit… je ne devrais vraiment pas le rapporter… » Elle sentit se nouer dans sa poitrine un nœud d'incohérence.

« Cela restera entre nous », l'assura Elspeth, du ton apaisant qu'on emploie avec les enfants difficiles.

Daphné dit tout fort, d'une voix rustre et avec un accent campagnard approximatif : « "Nous avons besoin de plus de *foutrement*, jeune homme." »

— Voyons, mon enfant…, dit Freda, riant et rougissant.

— "Moins d'*extrêmement*, jeune homme, plus de *foutrement* !" dit Daphné.

— Vous pouvez me croire, il était très plébéien ! » confirma Freda.

Cecil rit franchement, de son rire bref et sonore, et la tablée, comme soulagée, fut gagnée par une douce gaieté, les rires fusant en partie en réaction au petit numéro saugrenu de la jeune fille.

« C'est tout ce que mes parents soutirèrent au grand poète, expliqua Daphné reprenant sa voix normale. Pas de vers de circonstance, juste… (une fois encore, elle rentra le menton)… "Plus de *foutrement*, jeune homme !"

— Suffit, mon enfant… ! gronda Freda.

— On peut le comprendre, dit Harry.

— À l'époque, il en avait assez du langage châtié », dit Hubert, de toute évidence fier de cette anecdote familiale, et saisissant tout son intérêt.

« Le pauvre Frank fut un peu déconcerté », dit Freda, ressentant que l'hilarité faiblissait, tout en se rendant compte qu'elle avait manqué cette fois le commentaire de Tennyson sur les lunes de miel. Cela aussi, c'était un peu déconcertant, mais elle jugea préférable de ne pas y revenir.

« Il pouvait être très abrupt, dit Cecil, cassant une noix du Brésil avec les mâchoires en argent du casse-noix.

— Foutrement abrupt, tu peux le dire, fit George, arrosant l'assistance de son sourire satisfait.

— Si on ne peut pas être abrupt à quatre-vingts ans, alors…, dit Daphné.

— Il pouvait être très abrupt, oh! là, là! » affirma Cecil, la bouche pleine de morceaux de noix et avec, brusquement, la mine fruste d'un convive qui est fin saoul. « Je me rappelle que mon grand-père le disait… Car il le connaissait fort bien.

— Ah, bon? s'exclama Freda – on eût presque dit un gémissement.

— Mais oui! » répondit Cecil, avec une bruyante insistance suivie d'une perte brutale et totale d'in-térêt : son visage se vida de toute expression et il se détourna.

Lorsque, au moment du café, ces dames se reti-rèrent, on referma les portes mais les sons les plus forts venus du quartier des hommes ne s'en réper-cutèrent pas moins à travers le vestibule : les jappe-ments de Cecil et, de loin en loin, la note empruntée du rire de Huey. Les femmes ne savaient jamais ce qui se passait tandis que les hommes faisaient passer les carafes : quoi que ce fût, cela ne sortait pas de la pièce. Tout ce que les hommes rapportaient ensuite, c'était une impression de solidarité fair-play et une confor-table puanteur de fumée de cigares. Par opposition, l'équipe féminine manquait manifestement de concentration et de tactique.

« Bonté divine…, dit Freda, indiquant vaguement à Elspeth de prendre une chaise.

— Je préfère rester debout », répondit celle-ci, prenant sa tasse de café et déclinant l'offre d'une liqueur avec un infime frisson, après quoi elle se dirigea vers le fond de la pièce pour s'adonner à une rapide inspection des ornements et des tableaux. À Mattocks, bien sûr, il y avait une collection de tableaux avant-gardistes : d'étranges œuvres emblématiques de différentes écoles du continent. On y jetait autour de soi des coups d'œil pleins d'une certaine appréhension.

« Et toi, mon enfant, demanda Freda. Un peu de liqueur de gingembre, peut-être ?

— Non, non merci, Mère.

— Évidemment non ! dit Elspeth.

— Oh, après tout, fit Daphné, se ravisant, peut-être juste un fond, Mère, merci infiniment. »

De tempérament belliqueux, Elspeth n'était pas femme à se laisser aisément ébranler. Elle revint sur ses pas et alla se percher sur le rebord de la banquette de fenêtre. Droite, dans sa tenue tout en camaïeu de gris élégante mais guindée, elle avait un peu de la beauté acérée de Harry et, il fallait bien l'admettre, un certain toupet. « Je trouve votre jeune poète très remarquable, dit-elle.

— Oui, n'est-ce pas ? » répondit Freda, aspirant une petite gorgée de Cointreau dans son verre périlleusement rempli à ras bord. Elle s'assit avec précaution. « Il nous a fait forte impression.

— Il a du charme, mais pas trop.

— Moi, je le trouve *très* charmant », avoua Daphné.

Freda jeta un coup d'œil à sa fille, qui avait les joues rouges et paraissait légèrement téméraire, comme si elle avait déjà bu tout son verre. Prise d'un vague désir d'être déplaisante, elle déclara : « Daphné le trouve charmant mais aussi trop beau parleur.

— Oh, Mère ! Ça, c'était avant que j'aie appris à mieux le connaître.

— Il n'est arrivé qu'hier soir, mon agneau, rétorqua Freda. Personne parmi nous ne le connaît très bien pour l'instant.

— Mais si, moi je crois le connaître.

— Il est évident que George est très attaché à lui, dit Elspeth. Comme cela arrive souvent à ces étudiants de Cambridge.

— Bien sûr, il lui est très dévoué, répondit Freda. Cecil a tant fait pour lui. Il l'a aidé, voyez-vous, et que sais-je, vous me comprenez… »

Elspeth s'empressa de boire une gorgée de café. « George succombe un tantinet au culte du héros, dirais-je, n'êtes-vous pas de mon avis ? »

Cette remarque semblait faire passer son fils pour un simplet. « Oh, George n'est pas stupide, voyons ! » Elle vit alors s'épanouir lentement sur le visage de Daphné une expression de plaisir : cette façon qu'ont les adolescents de saisir au vol, malicieusement, sans arrêt, de nouvelles formules, de nouvelles idées.

« Je crois en effet qu'il voue un culte à Cecil », dit la jeune fille, avec un franc hochement de tête. Elles entendirent, de l'autre côté du vestibule, un grand rire collectif qui dénigra d'un coup les maigres efforts fournis par ces dames pour se divertir. « Je me demande de quoi ils parlent, s'interrogea Daphné à voix haute.

— À mon avis mieux vaut ne pas le savoir, vous ne croyez pas ? demanda Freda.

— Mais de quoi pourrait-il s'agir que nous ne pourrions pas entendre ? insista Daphné.

— Je crois que ce sont des bêtises, dit Elspeth.

— Mais quoi, ma chère ?

— Vous le savez bien.

— Parleraient-ils... des femmes ? demanda Daphné.

— Ils doivent connaître des femmes fort amusantes, dans ce cas », dit Freda, tandis que retentissait un nouvel éclat de rire. Elle avait la fâcheuse impression que Harry, toujours si grave en sa compagnie, arborait un caractère très différent en l'absence des dames. « Frank prétendait toujours que leur secret consistait en ce qu'ils ne voulaient pas nous ennuyer mais que cela ne les gênait pas de s'ennuyer entre eux. Il s'efforçait toujours de raccourcir ces réunions. Il était pressé de retrouver la compagnie des femmes. » La pensée était ô combien poignante.

Feignant l'indifférence, Daphné demanda : « Miss Hewitt, organisez-vous de nombreux dîners de votre côté ?

— À Mattocks ? Oh, pas beaucoup, non. Le pauvre Harry est tellement occupé et, naturellement, il voyage souvent.

— Vous dînez donc dans un "splendide isolement", pauvre créature ! dit Freda, dans votre palais...

— Cela ne me gêne pas le moins du monde, répliqua Elspeth d'un ton sec.

— Au milieu de vos merveilleux tableaux », dit Daphné.

Freda trouva que sa fille en faisait un peu trop : « Harry doit fort bien se débrouiller... », dit-elle. La fierté d'Elspeth sembla alors reprendre le dessus et, se levant pour aller reposer sa tasse de café, de fait, elle mit de côté la question des perspectives de son frère. Freda reprit, sur un ton qui sonna faux même à ses oreilles : « Votre robe, ma chère, je voulais vous demander : vient-elle de notre merveilleuse Madame Claire ? »

Elspeth fronça le nez, feignant de s'excuser : « Lucille.

— Ah, bien !

— Je ne peux nier que mon Harry s'occupe superbement de moi.

— Non, en effet ! » répondit Freda, avec le sentiment vite croissant d'avoir été remise à sa place. Bien sûr, Elspeth aurait pu vouloir dire qu'il ferait la même chose pour son épouse mais Freda était à peu près persuadée qu'elle lui signifiait plutôt qu'elle n'avait aucune chance.

Quand elles entendirent une porte s'ouvrir, Daphné s'exclama : « Voici ces messieurs.

— Ah, oui », dit Freda, les regardant réapparaître en groupe, avec leurs drôles de sourires en coin. On aurait dit qu'ils avaient pris une décision qu'ils n'avaient pas le loisir de dévoiler. Sur le pas de la porte, Harry s'effaça devant Cecil puis attendit un instant pour s'effacer à nouveau devant Hubert, sur les épaules duquel il passa un bras léger avant d'entrer à son tour immédiatement derrière lui, comme pour le remercier et en même temps le rassurer. Huey, qui avait bu plus que d'ordinaire, avait l'air fiévreux et indécis d'un hôte dont les trois invités sont tous plus intelligents que lui. « Voyons donc… », dit-il, certainement aussi content que son père l'aurait été d'avoir survécu à cette première partie de la soirée. « Bien, comment allons-nous nous y prendre ? »

On discuta brièvement de l'endroit où Cecil devrait s'asseoir et de la façon dont il fallait disposer les chaises. George s'interrogea : ne faisait-il pas horriblement chaud à l'intérieur ? Il ouvrit donc les portes-fenêtres. « Et si nous nous installions dehors ? proposa Daphné.

— Ne sois pas absurde », rétorqua Freda. La lecture était déjà assez hasardeuse en l'état. Elle observa Harry, espérant qu'à l'issue de la réorganisation des chaises, il serait assis à côté d'elle. Il prit un petit fauteuil à bras-le-corps, produisant, lorsqu'il le souleva, un plaisant effet de tension de ses jambes élégamment gainées par son pantalon. On forma une espèce de demi-cercle devant la fenêtre. Cecil posa une lampe sur un guéridon qu'on avait sorti sur l'allée en brique, et une chaise à côté. C'était un théâtre miniature. La lampe éclaira les buissons, les roses trémières aux hampes courbées et les amours en cage, juste derrière, ce qui eut pour effet de faire paraître d'autant plus ténébreux tout ce qui était plus loin ou au-dessus.

« Puisque cela m'a été demandé si courtoisement, dit Cecil en adressant un regard confiant à Harry, je vais d'abord lire un ou deux de mes poèmes, *avant* de m'attaquer aux sommets de… euh… du Mont Tennyson. » Il s'assit, un numéro de *Granta* tendu à bout de bras sous la lampe. « J'espère qu'il ne vous semblera point présomptueux que je vous lise un poème sur Corley. Cet endroit semble inspirer les poèmes… Allez savoir ! » On entendit des murmures indulgents et respectueux. Cecil leva le menton, les sourcils, puis, comme s'il s'adressait à un attroupement ou, plutôt, à une congrégation d'une centaine de fidèles, il entonna : « Lumières du foyer ! Lumières du foyer ! / Vives au fond du grand parc clair après la plaine, / Et les bois ténébreux, le terreau parfumé. / Sous ma leste monture aperçu à peine, / Je trace, en traversant les bois de Corley, / Mon bienheureux chemin dans ton obscurité. » L'effet était si prétentieux, Cecil psalmodiant les mots tel un prêtre, et faisant ressortir si peu leur sens, que Freda ne comprit absolument pas de quoi il était question. Son regard se posa spontanément sur Daphné, qui souriait et papillonnait des paupières, éprouvant soudain, de toute évidence, le besoin de maîtriser ses émotions. Hubert eut l'air abasourdi pendant plusieurs secondes, avant de vite froncer habilement les sourcils, comme pour confronter cette lecture à d'autres qu'on lui aurait déjà faites. Harry et Elspeth, plus véritablement habitués aux soirées littéraires, esquissaient des sourires sereinement appréciateurs. George, s'étant retourné pour fixer le jardin, avait de ce fait le visage caché ; ses oreilles paraissaient-elles rouges sous l'effet de la seule lumière de la lampe ?

Freda but furtivement une fortifiante gorgée de Cointreau et eut un sourire approbateur en direction de Cecil. C'était toujours la même chose quand on lui faisait la lecture, même lorsque la lecture était plus recueillie et tranquille ; au début, comme étonnée par sa propre concentration, elle n'arrivait pas à comprendre ce qui était lu. Dans le cas présent, cependant, elle s'habitua et parvint à vraiment se concentrer. Mais, après environ dix minutes, le temps lui parut infiniment long, la voix de Cecil, comme c'était le cas de tout le monde, avait son rythme propre qui, hélas, demeurait plus ou moins le même dans les monts et les vaux du poème, de sorte que les mots finirent par tous se confondre : « Les frôlements du svelte faon dans les fougères » : certes, elle comprenait ce qu'il voulait dire, mais elle n'en eut pas moins envie de pouffer. « L'amour n'entre pas toujours par la porte d'entrée », déclama Cecil, comme s'il avait donné une homélie. Freda renversa la tête en arrière et en profita pour observer le profil de Harry, sévère mais beau ; sa jambe gauche, tendue en avant, tressautait à son insu, au rythme de son pouls. Avait-il été blessé, avait-il eu le cœur brisé par un amour passé ? Ce devait être ça, songea-t-elle. On avait du mal à imaginer l'adorer – pas précisément ; mais il était riche, et généreux de surcroît, elle y revenait encore, à ses délicates attentions envers Hubert : rares étaient ceux qui comprenaient ce pauvre Huey comme Harry y parvenait. Mais il n'avait pas une personnalité facile, aucun doute là-dessus : sa singularité était sans doute autant avertissement qu'invitation. Un sourire mélancolique aux lèvres, elle détourna le regard. Rien n'avait été dit sur l'ampleur de l'événement ; tandis que chaque limite probable était atteinte puis dépassée sans que personne exprimât ni surprise ni attente, Freda s'agita, puis fut le contraire d'agitée... elle ferma les yeux pour tenter de savourer le sens des vers sans avoir à regarder Cecil : le flux électrique et chaud de sons, l'enchaînement confiant de situations entièrement nouvelles avec leur logique préexistante... Elle bavardait avec Miriam Cosgrove sur une plage de Cornouailles ; elles devaient faire leurs bagages, et il restait peu de temps avant le départ du train, or elles se trompaient de chemin en rentrant à l'hôtel, elles étaient complètement perdues, et puis... Avait-elle été réveillée par l'étrange tension d'un silence ? Quoi qu'il en soit, elle se redressa sur son siège et avança de nouveau la main vers son verre vide. « Tout simplement merveilleux », murmura-t-elle, légèrement désorientée et prise de tournis. Elle se força à s'extraire de son assoupissement. « Quelle soirée mémorable !

— Je vais vous lire maintenant mon passage préféré », annonça Cecil avant de saisir son verre et de boire une gorgée, l'air préoccupé (buvait-il de l'eau ou du whisky ?) : « "Loin des yeux, la branche au jardin se balance"...

— Ah oui, j'adore celui-là », dit Freda, en faisant trop ; sa fille lui décocha un regard assassin.

« "Les tendres floraisons chutent en voltigeant..."

— Ah...

— "Dédaigné, ce hêtre-là vire au garance / Et cet érable se consume entièrement." » Cecil engloba tout le jardin dans un geste large de son bras droit levé.

Se sentant tout à coup délicieusement éveillée, Freda sourit à la galerie, lançant un regard, pour ainsi dire de conspiratrice, à Harry, qui lui adressa en retour un hochement de tête infime quoique aimable. Ayant surpris cet échange, Elspeth baissa le regard. C'était un beau poème, beau et triste. « "Dédaigné, le tournesol radieux, de flammes / Effilées ceint son disque de graines dorées..." » Une fois encore, Freda imagina le poème récité avec plus de sensibilité – ou voulait-elle dire : avec *moins* de sensibilité –, en tout cas, débarrassé de ce ton par trop évocateur de l'abbaye de Westminster. Le pauvre Huey dormait à poings fermés, comme s'il avait subi un long et impitoyable sermon. Elle se demanda si elle devait lui donner discrètement un coup de coude ou le réveiller par n'importe quel autre moyen ; ce faisant, elle découvrit, dissimulée par sa consternation, une nouvelle envie de rire. Eh bien, qu'il dorme ! Ses deux autres enfants, exprimant leur soutien par leur posture, flanquaient le protagoniste, George tel un subtil reflet de l'importance de Cecil, alors que dans l'expression idiote de Daphné transparaissait toute son envie de réagir. Freda voyait bien qu'elle n'absorbait pas le moindre mot prononcé par Cecil.

Sans amis, le ruisseau sur ses barres de sable
   Roulera dans la plaine et ses voix et son flot,
   Soit dans le jour, soit quand le petit Chariot
Tourne à l'entour du pôle où dort l'astre immuable ;

Une fois de plus, les longs doigts puissants de Cecil requirent l'attention de son auditoire et, se contorsionnant, justement, devant lui, plongèrent son visage dans une ombre fantasmagorique.

Nul œil ne le verra borner le frais bocage,
   Inonder le séjour du râle et du héron,
   Changer en traits d'argent flottants chaque tronçon
De la lune, qui vogue en un ciel sans nuages ;

À cet instant-là, Cecil leva les yeux au ciel (surprenante note d'autodérision) tout en continuant résolument :

Jusqu'à ce qu'au jardin, comme au champ déserté,
  Pour d'autres le parfum des souvenirs s'exhale,
  Et que, de jour en jour, cette scène natale
Emplisse de bonheur l'enfant de l'étranger,

Hésitantes, les premières gouttes de pluie, tels
des pas délicats ou un discret raclement de gorge,
gagnèrent vite en assurance : s'ensuivit une ruée crépitante, et Cecil, loin d'être étranger aux éléments, se
rua de même dans sa récitation, levant la voix juste au
moment où il eût fallu au contraire conclure le poème
en toute sérénité, et finit avec emphase :

Quand les ans successifs verront les laboureurs
  Fendre la glèbe aimée, ou tailler les clairières,
  Et que se faneront nos mémoires dernières
Sur tout ce sol qu'enferme un cercle de hauteurs[1].

Alors, tous se levèrent pour rentrer la lampe et
fermer les fenêtres, et les derniers vers se muèrent
en un cri acharné contre le grondement insistant de
l'orage.

---

1. Alfred Tennyson : *In Memoriam*, d'après la traduction
française de Léon Morel (1898).

10

Hubert se réveilla tôt avec une douleur vive au-dessus de l'œil gauche, où plusieurs pensées oppressantes semblaient massées et emmêlées. Son pyjama était entortillé et mouillé de sueur. La vie mondaine, certes, avait son importance, mais elle avait aussi tendance à le déboussoler, voire à le rendre malade. La pluie sur la toiture l'avait bercé, endormi puis réveillé et il s'était retrouvé fébrile. Il avait eu une sensation vague de gens qui allaient et venaient ; sa mère, il le savait, passait des nuits agitées et, tandis qu'il s'assoupissait puis se réveillait, ses inquiétudes à son sujet s'étaient mises à louvoyer entre ses souvenirs d'instants particuliers du dîner et de ce qui avait suivi. Puis le soleil se leva avec un éclat impitoyable. Comme Cecil Valance, Hubert détestait perdre son temps mais, à la différence de Cecil Valance, il lui arrivait parfois de ne pas savoir comment l'employer. Il se convainquit donc qu'il devait assister à matines ; les autres pourraient aller sans lui à l'office plus tard. Vingt minutes après, il refermait le portail et descendait le coteau avec un air de droiture bougonne. La matinée était calme et fraîche ; immuable, la vallée du Nord Middlesex s'étendait devant lui, bornée au loin, dans la brume, par les hauteurs de Muswell Hill, mais il chercha en vain le plaisir simple qu'il éprouvait d'ordinaire à appartenir à ce paysage.

Il ne fut guère attentif à l'office célébré par Mr Barstow, le vicaire laborieux, mais il éprouva une certaine satisfaction à occuper son banc habituel et à s'agenouiller sur le tapis rêche des marches de l'autel. Pour rentrer à Deux Arpents, il passa par le prieuré et, lorsqu'il rejoignit les autres au petit déjeuner, il avait encore chaud d'avoir gravi la montée. Cecil, bien sûr, était aux commandes, à sa façon éprouvante quoique divertissante, et, bien que Hubert pût adresser ses salutations aux uns et aux autres en bonne et due forme, et leur demander s'ils avaient bien dormi, il comprit instantanément que leur hôte monopolisait déjà l'attention de tous.

« J'ai bien dormi, au point que cela en est presque suspect », déclara Cecil, montrant par le froncement de sourcils qu'il adressa à son œuf qu'il s'attendait à ce qu'on éclate de rire, avant de reprendre là où il avait été interrompu. « Non, je vous laisserai y aller seuls, si cela ne vous gêne pas.

— Vous savez bien, Mère, que Cecil est un païen invétéré, dit George.

— Il vénère l'aube, précisa sa sœur.

— Je vois…, dit leur mère, avec la vivacité forcée de ses débuts de matinée.

— J'avoue avoir été soulagé lorsque Georgie m'a dit que l'église de Stanmore était une ruine dépourvue de toit.

— Il a sans doute oublié d'en parler, intervint Hubert, mais il y a une nouvelle église de premier ordre juste à côté. Je la recommande.

— Je crois que je préfère la ruine, risqua Daphné.

— Voyons, mon enfant, dit sa mère en se versant du thé d'une main hésitante. Mais soit, nous irons à l'office sans vous.

— Oh ! s'exclama Daphné.

— Je veux dire sans Cecil, pas sans toi, naturellement.

— Tu dois savoir que nous espérions parader avec toi dans le village, plaisanta George.

— Daphné vous répétera le sermon mot pour mot à déjeuner, dit sa mère.

— Et que fera Cecil quand nous serons à l'office ? » s'enquit Daphné.

Esquissant un sourire incertain, Cecil ne réussit qu'à marmonner : « Oh, je suppose que je vais travailler à l'un de mes poèmes…

— Parfait », concéda Daphné. George, lui aussi, parut réconcilié avec l'idée.

Hubert, qui avait l'estomac barbouillé, se versa une tasse de café et se leva. « J'espère que vous ne m'en voudrez pas, dit-il, mais je vais vous demander de m'excuser. » Et il quitta la pièce avec la nette impression que personne ne lui en voudrait. Il traversa le vestibule et entra dans l'ancien bureau de son père, dont il referma la porte derrière lui. Il écrivit :

Mon cher Harry,

Je porterai certainement l'étui à cigarettes chez Kingsley afin qu'on y grave votre nom dessus mais je ne pense pas que je leur demanderai d'imiter mon écriture qui, ainsi que l'a fait remarquer un bel esprit, fait penser à un homme qui essaierait de faire du tricot !

Morose, il regarda à travers le petit vantail à vitrail, à moitié obscurci par des feuilles, avant de reprendre :

Vous étiez un peu fâché contre moi hier soir, Harry, mais je ne crois pas que vous ayez été très juste à mon égard. J'évite toujours, j'en ai bien peur, les démonstrations d'affection entre hommes.

Il marqua une nouvelle pause, puis, avec une fermeté contredite par son expression hésitante, inséra « et n'aime pas » après « évite toujours ». Transformant son point en virgule, il poursuivit ainsi sa lettre :

je les trouve peu viriles et seulement dignes des « esthètes ». Je sais que le reste du clan Sawle penche plutôt de ce côté-là mais ça n'a jamais été dans ma nature. Vous savez que personne n'a jamais eu meilleur ami que vous, vieille branche. Je n'aurais pas dû vous raconter ce qu'il en était de notre situation, elle n'est pas aussi « désespérée », loin de là, et il me semble que nous nous en sortons plutôt bien. Nous n'avons pas encore « hypothéqué jusqu'au dernier arpent », comme vous dites ! Mais les petits luxes de la vie font toute la différence, n'est-ce pas, quoi qu'on veuille en dire. Je ne suis pas du genre démonstratif, Harry, comme vous devez le savoir maintenant, mais nous vous sommes tous infiniment reconnaissants.

Hubert se cala contre le dossier de la chaise et, contrarié, lissa sa moustache vers le bas, contre sa lèvre supérieure. Il avait la nette impression que quelque chose clochait dans sa lettre. Il regarda brièvement la photographie de son père accrochée au-dessus de la bibliothèque et se demanda s'il avait jamais eu à traiter un problème semblable. C'était très difficile, quand on avait enfin un ami, tellement prêt à aider, et puis qu'il arrivait ce genre de chose. Sans compter qu'en fait, il ne savait pas *vraiment* ce qui arrivait. Il se dit qu'il devait réagir avant que Harry ne l'emmène faire un tour en automobile à Saint-Albans, comme il était prévu. Ignorant encore s'il enverrait sa lettre, il la termina, quoi qu'il en fût, avec une touche de froideur : « Sincèrement, Votre dévoué Hubert. » Se rappelant une idée qu'il avait eue, dont il espérait qu'elle n'offenserait pas Harry, lequel lui trouverait peut-être d'ailleurs une certaine élégance, il ajouta : « P.S. Je me demandais hier soir si un simple "H" ne pourrait pas faire l'affaire, sur l'étui à cigarettes, puisque cela nous représenterait ainsi tous les deux, vous et moi… »

Avant de se dire qu'il ferait mieux de réécrire entièrement sa lettre.

11

Ils sortirent du jardin par le portail et remontèrent l'allée vers le terrain communal. Cecil, instinctivement, ouvrait la marche. « Alors, demanda George, qu'as-tu fait pendant que nous ânonnions et somnolions ? » Il avait été surpris de trouver étonnamment douloureuse l'heure passée à l'église, loin de Cecil.

« Oh, à peu près la même chose. J'ai somnolé sur la pelouse et ânonné avec la femme de chambre.

— La petite Veronica ?

— Pauvre fille, oui. Nous avons discuté des possibilités de guerre avec l'Allemagne.

— Nul doute qu'elle ait été un puits de points de vue pertinents.

— Elle avait l'air de dire que c'était probable.

— Bigre !

— Je crains que la petite soit éprise de moi.

— Mon cher Cecil, il faut que tu saches que tout le monde à Deux Arpents n'est pas amoureux de toi. » George esquissa un sourire de satisfaction intime, teinté toutefois d'un soupçon de méfiance. Il se demanda même si Cecil n'avait pas déjà remporté un *trop* vif succès.

« C'est une jolie fille, dit Cecil sur son ton le plus raisonnable.

— Ah oui ?

— À mon goût, en tout cas, précisa Cecil avec un sourire neutre. Mais il est vrai que je ne partage pas ta pointilleuse horreur de tout ce qui peut ressembler à un con.

— Non, en effet », répondit George sèchement – et il rougit soudain. Son visage était brûlant et ses traits figés. Il ne vit que trop clairement comment Cecil pourrait gâcher la promenade, la journée et tout le week-end, s'il en avait envie, avec ses piques insouciantes. « Elle n'a que seize ans, dit-il.

— Exactement, répondit Cecil, mais il s'adoucit et passa son bras sous celui de George pour le serrer contre lui tout en continuant d'avancer. N'étais-tu pas assailli par des tas de pensées perverses à seize ans ?

— Je n'avais jamais eu la moindre pensée perverse avant de te rencontrer. Plus précisément : jusqu'à ce que je te voie me dévisager de façon si éhontée de l'autre côté de la pelouse et comprenne que tu avais envie de moi. » C'était l'une de leurs scènes, l'un de leurs thèmes préférés, leur mythe des origines, au charme érotique duquel participait son artificialité. « Si j'avais su qu'un jour tu deviendrais mon "père" ! » Ils se retrouvèrent à la hauteur du *cottage* de Miss Nichols. George se redressa, sachant qu'on les épierait mais sans être sûr de l'image qu'il souhaitait donner. Malgré son envie à demi assumée de choquer Miss Nichols, il se contenta en fin de compte d'ôter son chapeau et de l'agiter d'un geste vaguement désinvolte.

110

« Tu avais l'air si… *apte*, expliqua Cecil, baissant soudain son bras pour pincer subrepticement – mais avec vigueur – les fesses de George.

— C'est le terme que tu emploierais ? demanda ce dernier, gigotant pour lui échapper tout en jetant des regards anxieux alentour.

— Je ne dirais pas que ton frère Hubert soit particulièrement *apte*.

— Non, répondit George avec fermeté.

— Bien qu'il soit difficile de ne pas tomber juste un peu amoureux de sa moustache.

— N'en rajoute pas. Tu ne dis ça que parce que j'ai dit, moi, que Dudley avait des jambes superbes. Je ne suis pas certain que quiconque ait jamais admiré ce pauvre Hubert. D'ailleurs, de la tête aux pieds, c'est un… "homme à femmes". » À nouveau, ils rirent aux éclats et, d'une certaine façon, amoureusement, de leur langage codé de potaches. George se sentit envahi par une bouffée de bonheur. Mais bientôt, Cecil reprit :

« Sur ce point, cela dit, je crains que tu ne te trompes.

— Quel point ? »

Ce fut au tour de Cecil de regarder subrepticement autour de lui. « Je pense que ton frère Hubert a un fervent admirateur… en la personne de Mr Harry Hewitt.

— Quoi ! Harry ? Ne sois pas idiot. Harry courtise ma mère.

— Je sais que c'est censé être l'idée… Ta sœur s'inquiète beaucoup d'une éventuelle idylle, d'ailleurs. Mais je te promets qu'elle n'a aucune raison de le faire.

— J'ignore comment tu as pu te mettre ça dans la tête.

— Eh bien, il y a son penchant artistique… vois-tu, il m'a raconté le genre de choses qu'il collectionne. Mais, surtout, je dois admettre qu'il y a sa tendance à malmener ton frère à la moindre occasion.

— Comment ça ? » George fronça les sourcils, signe qu'il rejetait l'idée tout en reconnaissant déjà mollement sa pertinence. « Il est vrai qu'il se montre tout spécialement généreux à son endroit.

— Mon cher, cet homme-là doit être le sodomite le plus assidu de tout Harrow.

— Et ce n'est pas peu dire ! répliqua George, souhaitant s'engager dans une joute oratoire pour gagner du temps.

— Il se trouve qu'après le dîner, j'ai été témoin d'un incident peu banal : je jure que ce vieux satyre a essayé de l'embrasser, sur la banquette de cheminée. Ils ignoraient que je pouvais les voir. Le pauvre Hubert en a été tout chaviré. »

George en resta bouche bée puis se mit à rire. « Tu le traites de vieux alors que je crois qu'il n'a pas quarante ans. » Le genre de choc dont Cecil était spécialiste, sa légère brutalité suscitèrent chez son ami l'habituel cortège de réactions : résistance, puis concession et, enfin, dans ce cas précis, soulagement amusé. Cecil avait toujours raison. Et, bien sûr, la situation avait quelque chose de perversement délicieux. Néanmoins, quelques instants après, George se rendit compte du danger que courait sa mère. « Ça alors, j'en reste pantois.

— Il y a de quoi. » Cecil adressa à son ami un regard étrangement dur, un peu comme s'il le trouvait idiot. Ils dépassèrent les grilles surmontées de griffons de

Stanmore Hall, une demeure presque aussi imposante que Corley Court ; Cecil jeta un coup d'œil au bâtiment à l'extrémité de la pelouse mais s'il ressentit la moindre curiosité à son égard, il la réfréna. Son menu triomphe au sujet de Harry l'avait rendu suave et inattentif. Les Sawle connaissaient à peine les Hadleigh ; leurs amis dans le haut du village étaient Mrs Wye, qui était couturière à domicile, et les Catto, qui élevaient des oiseaux de concours dans un fouillis de cabanes et d'enclos derrière leur *cottage* : des gens que George aimait bien, depuis son enfance, mais inutiles, voire gênants en ces circonstances. Il considéra les sentiers et les trottoirs qu'il connaissait comme sa poche, les arbres, les murs, les barrières blanches, avec un nouvel intérêt, mi-affectueux mi-critique, et désirait ardemment que Cecil, avec son regard de poète, leur donnât sa bénédiction.

« Voici le premier étang », expliqua George en attirant son compagnon sur la cale sèche boueuse, où une petite sauvageonne en chapeau de toile s'évertuait à faire couler son bateau miniature.

Cecil scruta le cercle d'eau brune et de lentilles d'eau avec un sourire absent, lèvres retroussées. « Je crois que même moi, je ne pourrais pas me déshabiller ici, déclara-t-il, si près de ces *cottages* et de tout le reste.

— Oh, nous ne nagerons pas ici. J'ai en tête un endroit bien plus joli et beaucoup plus isolé.

— Vraiment, Georgie ? répondit Cecil avec un mélange d'affection et de grivoiserie, mais aussi de suspicion, car il aimait tout organiser lui-même.

— Exactement. Nous avons la chance ici d'avoir trois étangs. Je suis certain que les garçons du village nagent dans le grand en ce moment même, derrière ces arbres, là-bas. Veux-tu jeter un coup d'œil… ? »

Cecil adressa un regard plein de pitié à la petite fille, sans doute encore trop jeune pour penser que flotter valait mieux que couler ; le bateau, en bois, remontait sans cesse à la surface et le triangle trempé de sa voile tentait éperdument de revenir d'aplomb. « Il se trouve que je n'ai envie que de te regarder, toi », répondit Cecil d'un air distrait. Ensuite, il se tourna vers George et lui sourit, de sorte que sa remarque parut avoir décrit une ellipse dans l'air, s'être dirigée d'abord vers une cible plus évidente et peut-être plus méritoire, avant d'atteindre merveilleusement son but premier.

Ils traversèrent le champ en direction des bois, mais non plus bras dessus bras dessous cette fois, Cecil ayant pris de l'avance comme à l'accoutumée, si bien que la délicieuse certitude de l'instant d'avant sembla être plus ou moins remise en question. Cette infime séparation préfigura aux yeux de George ce qui se passerait le lendemain matin. Il avait l'intention d'accompagner Cecil à la gare avec la camionnette, mais était perturbé et malheureux dès qu'il se représentait la scène : ils n'auraient pas le temps, pas l'occasion de… Vraiment, tout reposait sur ce dernier après-midi. « Attends-moi ! » cria-t-il.

Cecil ralentit, se retourna et arbora un sourire si large et pourtant si intime que George faillit défaillir tant il était rassuré. « Je meurs d'impatience », dit Cecil sans cesser de sourire ; ils poursuivirent côte à côte, avec une tacite et savoureuse concordance d'objectif. George était à l'écoute de sa respiration, de son pouls, lorsque la rangée de chênes aux silhouettes torturées se dressa devant eux. Ses sentiments l'absorbaient si entièrement qu'il eut l'impression de flotter vers eux, affaibli par son excitation, dans un paysage purement symbolique. Loin sur leur droite, un couple d'âge mûr qu'il ne reconnut pas approchait également des bois, accompagné par deux épagneuls qui se reniflaient et se chamaillaient. George les vit distinctement mais sans éprouver leur *réalité* d'aucune façon. La femme portait un chemisier en soie bleu vif et un chapeau brun à bord rabattu dans lequel était plantée une plume ; l'homme, en costume de flanelle campagnard, avec une casquette à bouton comme celle de Cecil, leva son bâton et les salua cordialement. George hocha la tête et hâta le pas, dans un accès de culpabilité et d'exultation. Il éviterait aisément ces gens. Les promeneurs ordinaires étaient si prévisibles… Une piste équestre longeait les bois sur quinze cents mètres ; d'autres allées menaient d'une clairière à l'autre sur toute la largeur du terrain communal. Des sentes plus étroites, sous les branches basses, avaient été créées par les cerfs. George emprunta l'une d'elles, plongeant dans un tunnel de verdure dense à travers les chênes et les jeunes pousses de hêtre ; Cecil dut suivre, avec un étrange toussotement de soumission. « Je vois, dit-il, que tu connais bien le chemin. »

La vérité était que George, pendant des années, avait joué dans ces bois avec son frère et sa sœur mais, tout autant, dès qu'il en avait eu l'âge, lors de promenades solitaires. Il avait découvert une demi-douzaine de grands arbres dans lesquels il avait appris à monter tout seul, au prix d'audaces fébriles et de longues heures à retenir son souffle ; là se trouvaient cachettes et trésors enterrés. Les montrer à Cecil, c'était avouer une réalité bien différente de Cambridge et de la Société. Débouchant dans la clairière à laquelle aboutissait le tunnel de verdure, il se retourna pour à la fois aider Cecil et lui bloquer le chemin quand il sortirait à sa suite.

Cecil étouffa son habituel rire proche du jappement, donna une petite tape sur le flanc de George et saisit son avant-bras afin de le tenir à distance sans le laisser échapper. Il tendit l'oreille, menton levé, jetant un œil de côté avec méfiance, toute son attitude trahissant son embarras. Ils entendirent tout près les chiens aboyer et se chercher noise. Les deux garçons entraperçurent en même temps le chemisier bleu de la femme à travers les feuillages ; l'homme appela « Mary ! Mary ! ». George crut d'abord que c'était le nom de la femme jusqu'à ce qu'elle aussi se mette à crier « Mary ». Il était légèrement comique d'appeler un chien Mary : qui sait, peut-être en hommage à la reine ; George rit en son for intérieur. Sous la poigne de Cecil, son bras lui brûlait mais ce n'était rien face à la douleur que son excitation lui causait à l'arrière des cuisses et dans le torse, effet de la proximité musculeuse de Cecil, de ses lèvres qui lui imposaient le silence, de l'évidence de son érection. George respirait presque distraitement, par soupirs successifs, alors que son cœur battait la chamade. Ils entendirent les chiens aboyer encore, un peu plus loin qu'avant, et la musique, sinon les paroles de la conversation du couple, l'étrange ton monocorde propre au mariage. Cecil avança de quelques pas sur le sol jonché de feuilles, avec précaution, tenant toujours George à bout de bras, scrutant encore les alentours. Ils étaient tout près de l'orée du bois – on voyait le champ à travers les ramées des hêtres, d'un vert translucide. Mais les précautions de Cecil n'étaient-elles pas un peu absurdes ? Si les propriétaires de la chienne Mary songeaient à eux, ce serait leur silence qui les étonnerait et leur disparition soudaine leur paraîtrait louche.

« Allons un peu plus loin », conseilla Cecil. George le suivit, poussant un soupir et frottant son poignet avec un air de reproche. Il savait que ce numéro de prudence, cet air de connaisseur de la forêt n'était pour Cecil qu'un moyen de reprendre l'avantage et le contrôle de l'excursion que, pour une fois, George avait planifiée. Certes, il s'agissait de rêves tout autant que de projets, souvenirs mêlés à de folles idées de choses qu'ils n'avaient pas encore faites ensemble, et ne feraient d'ailleurs peut-être jamais. En d'autres circonstances, Cecil était hardi jusqu'à l'imprudence. George le laissa mener la danse, et pousser de côté des branches élastiques, les retenant à peine pour faciliter l'avancée de son camarade, comme pour signifier que ce dernier n'avait qu'à se débrouiller seul. Tout était si neuf, le plaisir mêlé à son contraire, les menues douleurs et les contradictions qui semblaient appartenir à l'amour autant que le clair regard de l'acceptation. Observant le dos de Cecil, sa veste ample en lin gris, ses boucles brunes tirebouchonnant en dessous de sa casquette, George eut l'impression momentanée de suivre un inconnu. Il ne savait que dire, son désir étant teinté d'appréhension, car Cecil était exigeant et, parfois, frisait la violence. Ils émergèrent enfin près

de l'immense chêne tombé auquel George, s'il avait
conduit la marche, les aurait amenés beaucoup plus
vite. Il était tombé lors des tempêtes plusieurs hivers
auparavant, et il l'avait vu s'enfoncer au fil du temps,
écrasant ses branches sous son poids, tel un énorme
monstre difforme étendu là depuis des lustres, vautré
dans ses décombres et sa décomposition. Cecil s'arrêta et haussa les épaules de plaisir ; il ôta sa veste et
la pendit sur la griffe levée au-dessus de lui. Puis il se
retourna et tendit les bras d'un geste impatient.

« C'était très bien », marmonna Cecil, se relevant
déjà, avant de s'éloigner de quelques pas pour lisser
ses habits d'un geste assez rude. Il regardait par-delà
l'écran dense des ronces, et il sourit doucement à la
vue d'un écureuil, tourna le cou d'un côté, de l'autre,
se passa la main dans les cheveux. Il avait sa façon
bien à lui de prendre instantanément ses distances, et
semblait presque neutraliser la brève et sombre minute
de tristesse irrationnelle en prétendant qu'il ne s'était
rien passé. Il aurait pu faire le même commentaire
à la fin d'un repas tout juste acceptable, ses pensées
voguaient déjà vers quelque chose de plus important. Il
redressa les épaules, sourit et renifla. L'écureuil remua
fébrilement sa queue brune, escalada sa branche,
l'observa derechef. Peut-être avait-il observé la tota-
lité de sa performance. On aurait dit qu'il applau-
dissait avec ses pattes minuscules. George, encore
allongé sur les feuilles, les observa tous deux. Il était
chaque fois éberlué par le détachement de Cecil, incapable de deviner si c'était le signe d'une vertu ou d'un
manque. Sans doute Cecil trouvait-il fort malséant

de sa part d'être à ce point ébranlé par l'expérience. La tendre comédie de la récupération de George, sa grimace d'invalide, son grognement de protestation face à la possession : tout était ignoré. Un jour, au *college*, moins d'une minute après l'acte, Cecil, reprenant place à sa table de travail, était retourné directement à une dissertation qu'il devait terminer ; il avait même paru en colère lorsque, se retournant, il avait découvert George encore étendu là, comme maintenant dans les bois, fourbu mais tendre, n'espérant rien tant que le toucher patient et le simple sourire du savoir partagé.

« Drôle de petite créature, dit Cecil de but en blanc.

— Oh... merci, répondit George.

— Pas toi », dit Cecil, levant le menton et imitant la mastication saccadée du rongeur.

George eut un rire triste et s'assit, mains autour des genoux. Il avait envie que Cecil sache ce qu'il ressentait mais craignait que ce qu'il ressentait ne soit pas convenable ; d'ailleurs, tout avouer reviendrait à faire son éloge puisque c'était Cecil qui avait produit cet effet délirant sur lui. « Veuillez m'aider, monsieur », dit-il simplement.

Cecil revint vers lui, saisit ses mains tendues et l'aida à se relever. Et il ne fut plus aussi distant : ils s'embrassèrent, pendant une seconde ou deux, assez longtemps pour que George soit rassuré mais pas assez pour qu'ils recommencent quoi que ce soit.

En deux ou trois endroits dans les bois, des ruisseaux serpentaient, formaient des flaques et s'écoulaient encore entre les gigantesques racines des chênes.

Ils ne faisaient guère de bruit, on était surpris quand on tombait dessus, juste au moment où on entendait leur clapotis affairé. Ils charriaient des feuilles qui se prenaient dans des brindilles ou des racines et formaient de menus barrages d'un gris doré qui retenaient des mares. En contrebas, près de la lisière du bois, deux ruisseaux qui se rejoignaient derrière le barrage d'un arbre qui était tombé, envasé et à moitié submergé, créaient un véritable étang ; souvent, en plein été, il n'y avait pas assez d'eau pour s'y baigner mais les pluies récentes l'avaient rempli.

« L'étang du bas est plus profond qu'il n'y paraît, dit George.

— Aha…

— Si un petit bain te tente… » George songea qu'il ne devait pas montrer à quel point il désirait revoir Cecil nu. Il ne se jetterait à l'eau qu'après lui. Jusque-là, le week-end avait été entravé, gêné par les pantalons qu'il avait fallu baisser et les chemises à moitié déboutonnées.

« Vas-y en éclaireur et fais-moi un rapport », commanda Cecil.

George lui adressa un sourire de biais, prêt à obtempérer mais un peu déçu. « D'accord, dit-il, commençant à dénouer ses lacets.

— Prends ton temps. Et regarde-moi », ordonna Cecil en se déplaçant vers le grand chêne penché au-dessus de l'étang, scrutant son tronc noueux et bulbeux, en quête d'appuis où poser les pieds ; ensuite, en l'affaire de quelques secondes, il grimpa sur ce ponton naturel à l'endroit où il se divisait en deux, et glissa sur les fesses le long d'une large branche presque horizontale. Il s'assit là, prenant soudain possession du bois, exactement comme George avait cru le faire lui-même. « Je te vois maintenant, dit Cecil.

— Moi aussi, je te vois, répliqua George, déboutonnant les premiers boutons de sa chemise, avant de l'ôter par la tête.

— J'ai dit "Prends ton temps." »

George ralentit donc son déshabillage lorsqu'il en vint au pantalon. Sa timidité tempéra son désir de plaire. Cecil garda aux lèvres l'esquisse de son sourire provocant, son excitation masquée par l'amusement. « On dirait, dit-il, une créature sylvestre effarouchée, peu habituée au regard indiscret des hommes. Au fond, peut-être es-tu une hamadryade ?

— Les hamadryades sont des femmes, et il me semble que tu peux voir que ce n'est pas mon cas.

— Non, je ne vois encore rien du tout. Pour l'instant, tu ressembles vaguement à une hamadryade. Je crois que tu habites ce chêne sur lequel je suis assis. »

George plia tant bien que mal son pantalon et le posa sur une vieille souche ; se retournant pour ôter son caleçon blanc, il s'aperçut avec un pincement de regret qu'il était taché de boue à la suite de leur culbute, dix minutes plus tôt. « Oh, que tu es farouche ! » fit Cecil, avec un brin d'humeur. George se retourna, oublia son inquiétude quant à la boue, face au défi plus grand et plus étrange de sa nudité dans les bois tachetés de lumière, où n'importe quel promeneur pourrait le voir offert au regard attentif d'un Cecil tout habillé. Il fit quelques pas sur les feuilles mortes et le mât du chêne, en direction de l'ellipse imprécise de l'eau. La journée était chaude mais, lorsqu'il passait des trous de lumière à l'ombre, il frissonnait en sentant l'air sur son dos. Il vit qu'il était excité par le rôle qu'il jouait : cette scène inédite de soumission, dans laquelle néanmoins son mérite et sa beauté étaient mis en valeur. Il était inouï de savoir qu'il était ce que Cecil désirait le plus au monde. George s'accroupit, de dos, et observa l'eau, brunâtre, glaiseuse, remuée doucement, constamment par le ruisselet qui s'y déversait. Le soleil scintillait à l'autre bout, à six ou sept mètres. George glissa une jambe à travers la surface froide puis, d'un coup, lorsqu'il eut ressenti le frais enserrement de l'eau, il se jeta dedans. Il décrivit des cercles, se stabilisa puis, hors d'haleine, s'exclama : « Elle est délicieuse ! »

Après quoi, ce fut à son tour de regarder Cecil, plus prompt et plus aguerri dans l'art de se dévêtir. La manière de Cecil consistait à tirer sur ses vêtements, gigoter et s'en débarrasser d'un coup de pied. Il se pavana tel un satyre en descendant la pente, bronzé, musclé, mollets et avant-bras couverts de poils noirs. Il sauta dans l'étang, sur le dos de son ami, qu'il enfonça sous l'eau pendant une ou deux secondes, leurs jambes s'entremêlant avec violence lorsque George l'agrippa, effrayé et excité à la fois. Il voulait calmer Cecil et le garder pour lui. Ils se tournèrent autour, crachant de l'eau, en riant aux éclats. Sous l'eau, ils donnèrent des coups de pied dans des branches, remuèrent feuilles et gadoue. Cecil l'attrapa, passa son bras autour de son épaule, puis inexorablement le pressa contre lui sous l'eau.

Ils s'allongèrent pour se sécher pendant quelques ultimes minutes à l'orée du bois, où le soleil se glissait sous la haute frange de branchages. Le champ avait été labouré, les touffes d'herbe à ses abords étaient jaunies et piétinées. Le bruit du ruisseau qui, se déversant de l'étang où ils avaient nagé, coulait derrière eux dans un long fossé disparaissant sous les ronces, couvrait les différents chants d'oiseaux. George avait enfilé son caleçon mais Cecil était encore nu : appuyé sur ses coudes, il fronçait légèrement les sourcils en observant sa nudité. George raffolait de l'assurance avec laquelle il s'exhibait, même si elle l'effrayait un peu, une frayeur presque agréable ; se rappelant l'épagneul affublé du nom de Mary, il scruta la courbe de la lisière du bois, s'attendant presque à apercevoir le chemisier bleu et à entendre, porté par la brise, le bavardage sec du couple de promeneurs. C'est tout juste s'il osa se retourner vers Cecil : comment pourrait-il jamais cesser de le contempler ! Il raffolait de son port fier et droit, visible par tous, mais aussi de tant d'autres détails qui chez lui flirtaient avec la beauté ou la redéfinissaient, des détails le plus souvent cachés, les taches de rousseur sur ses épaules musclées, les articulations de ses genoux noueux, ses poils noirs aplatis, les auréoles des morsures de moustiques de l'été s'estompant sur ses bras et sa nuque. Derrière lui se dressaient les sombres piliers et l'ombre tachetée des bois, le terrain communal qui, aux yeux de George, incarnaient le paysage magique de sa solitude. Tel était l'homme qui, en en ignorant les secrets, avait pénétré le paysage : il l'avait évalué et possédé ; et il s'y retrouvait, étendu de tout son long. Il était bien là, roulant sur le côté avec un regard absent. Il grimpa sur George et, cherchant comment l'agripper, il l'écrasa de tout son poids, de grosses gouttes d'eau froide coulant de ses cheveux sur le visage tressaillant de George, hors d'haleine.

C'est le chapeau qu'il aperçut d'abord, au-dessus de l'épaule de Cecil, tandis que celui-ci s'agitait en rythme sur lui ; rouge et blanc, au loin, mais s'approchant manifestement, au-dessus des fougères, là où la lisière du bois décrivait une courbe à l'extrémité du champ. « Non… non ! » Il essaya de remonter les genoux, repoussa Cecil avec les poings, tenta de le retourner, de le renverser.

« Non ? fit Cecil, avec un rictus haletant.

— Non, arrête, Cess… Non ! Arrête ! – George souleva d'un coup la tête pour mieux voir.

— Oui ? fit Cecil, libertin, cette fois.

— C'est ma sœur… elle descend l'allée.

— Oh, mon Dieu. » Cecil s'affaissa puis se dégagea habilement. « Nous a-t-elle vus ?

— Comment savoir… mais je ne crois pas, non. » George s'assit et roula sur le côté en même temps pour tendre la main vers son pantalon. Les habits de Cecil, plus loin, requirent un rampement de soldat, fesses blanches gigotant dans les hautes herbes.

« Quel mal y a-t-il à prendre un bain de soleil, tu n'es pas d'accord ? Où est-elle ? » Le chapeau rouge avait disparu. Cecil enfila son caleçon en soie et s'assit, l'air insouciant mais les joues rouges et encore visiblement excité.

« Tu ferais mieux de remettre ton pantalon.

— Je prends un bain de soleil, rien de plus, voyons.

— Tout de même... », répondit George sèchement, affolé d'être passé très près d'une scène fort délicate.

« Une petite culbute ? lança Cecil avec un sourire en coin. Quand bien même, qu'était-ce donc ? Une simple galipette à la manière d'Oxford, pas pour de vrai, Georgie.

— Ton pantalon ! » protesta ce dernier.

Cecil claqua la langue mais baissa les armes : « Hum, tu as peut-être raison. Nous ne pouvons permettre à ta sœur d'être exposée à mon *membrum virile*.

— Un gentleman aurait présenté les choses dans l'autre sens.

— Qu'est-ce à dire ? Je suis un gentleman jusqu'au bout des... orteils. » Et de remonter son pantalon, accroupi par terre, scrutant l'horizon à travers les hautes herbes. « Je ne vois nulle part cette sacrée gamine.

— C'était elle, j'en suis sûr. Je reconnaîtrais son chapeau à des *miles* à la ronde.

— Quoi, une espèce de chapeau de marin ?

— C'est un chapeau de paille rouge, avec une fleur en soie blanche sur le côté.

— Il a l'air affreux.

— Elle l'aime bien. Et le principal, c'est qu'il se remarque. »

George ne cessait d'imaginer différentes explications : tout en boutonnant sa chemise, il répéta plusieurs mimiques suggérant la confusion et la surprise face aux questions présumées de sa sœur. « Hum, peut-être ne nous a-t-elle pas vus... », finit-il par dire.

Cecil le fixa en plissant les paupières. « Tu n'as pas inventé cette histoire, n'est-ce pas, Georgie, simplement pour m'empêcher de faire un peu d'Oxford avec toi ? Parce que tu sais que ce genre de stratagème ne marche jamais, jamais.

— Non, mon très cher Cess, je n'ai rien inventé, répondit George, cédant brièvement à la colère. Pour l'amour de Dieu, je te perds demain, je veux profiter de toi… au maximum.

— Ah bon… bien », dit Cecil, un peu décontenancé. Il se leva et s'étira avant de se pencher pour aider son compagnon à se relever.

Lorsqu'ils eurent remis leurs souliers et leur veste, Cecil dit : « Permets-moi. » Il l'embrassa subrepticement sur les lèvres, échangea alors leurs couvre-chefs, et s'enfonça le canotier de George sur la tête malgré ses cheveux bouclés et mouillés, en lançant sa casquette en tweed vert sur la caboche de George, plus grosse et plus ronde, sur laquelle elle resta perchée selon un angle qu'il trouva cocasse. Ils repartirent, dépassèrent l'étang et le ruisseau dont le bruit s'estompa bientôt. George se mit à parler très fort de l'université, pures fadaises en réalité mais, lorsqu'ils rejoignirent le sentier, marchant à l'allure de deux amis sortis faire une promenade et bénéficiant des bois pour eux seuls, ils repérèrent Daphné, et il fut alors clair qu'elle en faisait autant de son côté : elle feignait de n'être sortie que pour prendre l'air alors qu'elle avait espéré, par-dessus tout, tomber sur les garçons et pouvoir se joindre à eux. Elle savait qu'elle ne devait pas donner l'impression d'être partie expressément à leur recherche. À l'intersection du chemin qu'elle suivait et du leur, elle obliqua vers eux avec une timidité feinte, son chapeau rouge dépassant des buissons, tel un personnage de conte de fées. George était furieux mais ressentit le besoin de déployer avec elle tout le tact possible. Un je-ne-sais-quoi dans sa démarche lui fit penser qu'elle ne les avait pas vus allongés dans l'herbe. Cecil l'appela « Daphné ! » et lui adressa un signe de la main. Elle leva la tête, parut sincèrement étonnée, lui fit signe en retour et se hâta de venir à leur rencontre. « Qu'en penses-tu ? souffla Cecil à son compagnon.

— Je pense qu'il n'y a pas de problème. Quoi qu'il en soit, elle ne connaît rien à ces choses-là. » L'inquiétude de George ne tenait pas au fait qu'elle eût pu deviner ce qu'ils étaient en train de faire mais plutôt que, compte tenu de son ignorance des choses de la vie, elle ne sût absolument pas de quoi il retournait. Il l'imaginait rapportant la chose à leur mère, qui, elle, en aurait instantanément une vision plus froide et plus perspicace.

— Miss Sawle... ! s'exclama Cecil, ôtant son canotier d'emprunt.

— Daphné ! » dit George, tapotant du doigt la visière de la casquette de Cecil en arborant un sourire facétieux.

Daphné s'arrêta à quelques mètres d'eux pour les dévisager. « Tiens, c'est amusant, dit-elle. Vous me paraissez bizarres.

— Ah ?... » Les deux hommes se regardèrent avec des yeux ronds, se tâtèrent le corps avec des airs comiques, alors que George était mort d'inquiétude, redoutant que sa sœur perçoive un autre détail bizarre. Cecil tout entier rayonnait d'une inavouable lubricité. Mais Daphné se contenta de les regarder en retour, avant de se détourner, en proie à une brûlante incertitude : la taquinait-on, une fois de plus ? « Eh bien, je ne sais pas, moi. » Il était très étrange et, à sa façon, rassurant, qu'elle fût incapable de deviner ce qui se voyait comme le nez au milieu de la figure.

« Ce chapeau est absolument ravissant, si je puis me permettre », déclara Cecil, tandis qu'ils revenaient tous les trois sur leurs pas.

Levant les yeux, Daphné lui adressa un sourire idiot. « Oh, merci, Cecil ! Merci. » Et, tandis qu'ils poursuivaient : « Il est vrai qu'on m'a fait un tas de compliments sur ce chapeau. »

George trouvait particulièrement assommant d'avoir à supporter Daphné ainsi sur le chemin du retour : vingt minutes que Cecil et lui auraient pu passer seuls ! Il se demanda quelles autres occasions ils auraient avant le départ de la camionnette le lendemain matin. Après le dîner, peut-être serait-il possible de sortir fumer un cigare. Et, bien sûr, ils pourraient partir très tôt, se rendre à pied à la gare, tandis que Jonah emporterait les bagages de Cecil dans la camionnette. George réfléchit intensément à la manière dont il pourrait proposer cet arrangement, ne se joignant à la conversation que pour donner le change. Chaque fois qu'ils s'arrêtaient pour se laisser mutuellement le passage dans une trouée du sous-bois, il tapotait l'épaule de Cecil qui parfois lui tapotait l'épaule en retour, d'un air absent. Bientôt, empruntant une autre sente, ils quittèrent les bois et finirent par déboucher sur la route : une charrette chargée d'une montagne de foin roulait là en grinçant, une automobile coincée derrière, pétaradant et fumant. George trouva que Cecil s'intéressait beaucoup trop à Daphné ; penché vers elle, il la protégea quand l'automobile malodorante les effleura ; mais il était aussi parfaitement conscient de sa jalousie stupide, traînant les pieds derrière ce couple comique, le grand athlète brun, oreilles décollées par un canotier trop grand, et la petite fille avec son chapeau rouge vif trottant, empressée, à son côté.

Mais voici qu'apparaissait déjà la toiture rouge et pentue de Deux Arpents, le mur bas, le portail, la rangée de cerisiers aux feuilles sombres devant la fenêtre de la salle à manger. La porte d'entrée ouverte, comme c'était l'habitude en été, donnait sur le vestibule obscur. La porte du jardin étant également ouverte de l'autre côté (on distinguait le chêne au feuillage ciré, telle une tasse de porcelaine, qui accrochait la douce lumière de l'après-midi), on pouvait traverser la maison du regard comme une brise. Au-dessus de la porte était cloué un fer à cheval et, au-dessous, se trouvait la vieille croix palmée. George ressentit le choc invisible de magies différentes, de divers systèmes de porte-bonheur. C'était extraordinaire, ce qu'ils faisaient, Cecil et lui : aventure folle, vertigineuse. Au portemanteau était pendu l'irréprochable chapeau melon de Hubert, et le vieux chapeau Coke de leur père qu'on n'avait jamais retiré, comme s'il avait pu revenir un jour ou, étant rentré, avait pu éprouver le besoin de ressortir. Cecil regarda autour de lui et, lançant le canotier de George en le faisant vriller sur lui-même, réussit à atteindre une patère libre. « Ha ! » fit-il, avec un sourire en coin adressé autant à George qu'à lui-même. George s'aperçut que sa propre main tremblait quand, à son tour, il accrocha la casquette de Cecil à la patère voisine.

12

« Cecil, vous avez accompli un miracle, déclara Daphné.

— Ma chère demoiselle…, dit-il d'un ton suffisant.

— Vous avez changé l'eau en vin.

— Eh bien, dit Hubert tout bas, lançant un regard de biais à sa mère : "C'est une occasion très spéciale !"

— Il n'est pas rare que nous buvions du vin le dimanche, précisa George.

— Une occasion bien triste, dit leur mère, levant son verre. Nous ne pouvions servir de l'eau à Cecil alors que c'est son dernier soir parmi nous. Qu'aurait-il pensé de nous !

— Je vous aurais trouvé bigrement insensibles », dit Cecil. Et il vida son verre.

« En effet ! » dit Daphné, contrainte, elle, de respecter leur habituel régime dominical. Comme le dimanche était le jour de congé de la cuisinière, on avait servi un dîner frugal, poulet en gelée et salade. Les Sawle avaient renoncé à l'atmosphère festive, l'humeur était à la projection dans l'avenir : après le champagne et le Tennyson des précédents dîners, la table, ce soir-là, paraissait les préparer délicatement à la prose du lundi matin.

« Nous serons tristes de te voir partir, vieux frère, dit George.

— Quel dommage… », confirma sa mère en adressant à sa fille un sourire vague.

Daphné, à son tour, fixa George, qui paraissait bizarrement abattu : elle savait que ses traits se figeaient quand il éprouvait certains sentiments, et avait souvent surpris son froncement de sourcils irrité lorsqu'il découvrait qu'on l'observait. « Vous serez de retour à Cambridge dans une quinzaine à peine, dit-elle.

— Oh, je crois que nous survivrons, répondit Cecil d'un air absent.

— Je voulais dire que George n'a pas à se plaindre, dit Daphné, alors que nous ne vous reverrons pas avant des lustres, et peut-être plus jamais ! » Cecil parut goûter cette déclaration théâtrale et ses yeux sombres soutinrent le regard de la jeune fille quand, riant, il répliqua : « Vous devez venir à Cambridge, vous aussi. N'est-ce pas, Georgie ?

— Oh, bien sûr…

— Humm, fit Daphné.

— Bien sûr, tu dois venir », confirma George, avec toute l'apparence de la sincérité, alors qu'elle savait fort bien qu'il ne souhaitait pas qu'elle vienne « leur coller aux basques », interrompre ses importantes discussions avec Cecil et faire tout ce qu'elle n'aurait pas manqué de faire alors.

« Vous pourriez tous venir assister à notre représentation de la pièce de théâtre française, suggéra Cecil.

— C'est une possibilité », dit Daphné, malgré l'impression qu'elle eut de discerner dans cette invitation collective le soupçon d'un sentiment qui ne lui était pas encore apparu : un ennui général.

« Qu'allez-vous jouer ? demanda sa mère.

— Le *Dom Juan* de Molière », répondit Cecil d'un air qui semblait impliquer que tout le monde était censé connaître la pièce. Daphné en savait assez pour en connaître le sujet : un séducteur, un « homme à femmes », en fait ! « Je joue Sganarelle… plutôt un bon rôle, malgré la longueur de son texte.

— Nous jouons la pièce en français, dit George, précision qui, si elle visait à rebuter sa sœur, atteignit son but.

— Je vois, dit-elle. Je ne suis pas certaine d'être capable de suivre toute une pièce en français. » La possibilité de contempler Cecil se pavanant sur scène, sans doute avec cape et épée, ne paraissait pas lui suffire. Mais elle éprouva aussitôt un serrement de cœur à l'idée de manquer cette occasion.

« C'est merveilleux », dit sa mère d'un air affable mais en déclinant l'offre.

Un peu plus tard, Cecil dit à George, comme si les autres n'avaient pas été là, « Je vais devoir bûcher ma dissertation sur Havelock cette semaine », afin de bien faire comprendre à Daphné qu'il les avait déjà quittés, qu'il aurait peut-être même préféré partir le jour même, après le déjeuner.

À la fin du repas, George fut envoyé en mission chez les Cosgrove, mission que, de toute évidence, il trouva indigne de lui. Hubert prétendit avoir des lettres à écrire et leur mère entra d'un pas traînant dans le salon, s'arrêta, leva l'index et ressortit sans un mot. Cecil et Daphné restèrent seuls, debout sur le tapis devant la cheminée. La jeune fille vit là le signal de la partie de la soirée réservée aux adultes, pleine d'impératifs sociaux qu'elle ne maîtrisait pas.

« Je suppose que vous ne voulez pas écouter le gramophone », dit-elle. Son sens de l'à-propos était rendu plus incohérent encore par sa nouvelle crainte d'ennuyer Cecil.

« Pas spécialement », répondit-il, d'un ton désinvolte mais sans malice, avec un sourire franc qu'elle ne lui connaissait pas et qui l'étonna un peu : sans doute encore une habitude de Cambridge. Elle avait du mal à s'y reconnaître mais, à Cambridge, être irrespectueux dans n'importe quelle circonstance semblait presque être un signe de respect. Certes, la franchise était leur devise ! Cecil fouillait dans sa poche de gilet, dont il sortit un petit coupe-cigare. « Je me demande si Miss Sawle daignerait me tenir compagnie, dit-il, pendant que je fume un cigare…

— Oh, bien sûr ! Ah ! Je vais chercher une veste. » Et elle courut jusqu'à la penderie sous l'escalier. L'idée était si excitante qu'il y avait forcément de bons arguments contre. Mais cela faisait partie de l'aura et du charme de Cecil. Lorsque Daphné revint, elle avait passé sur ses épaules non pas son manteau terne mais une vieille veste en tweed qui appartenait à George. Elle aimait cet air improvisé : une veste d'homme semblait afficher son envie de s'amuser et traduire discrètement son besoin chevaleresque de protection. « Elle sent un peu, dit-elle, même si elle pensait que cela ne gênerait sans doute pas Cecil.

— Oh, de mon côté, je vais aussi vous empuantir.

— Oui, c'est exact.

— Je fais peut-être trop le délicat quand on en vient à ce sujet, dit Cecil, jetant un coup d'œil à la porte. La

Générale exècre tant le tabac que, chez nous, nous nous réfugions tous au fumoir. Elle a transformé ça en un plaisir tout à fait coupable.

— Non, non ! »

Cecil sortit un cigare d'une poche cachée. « J'en ai deux, si cela vous tente d'essayer encore », dit-il. Il ouvrit l'étui en cuir dur pour lui montrer les pointes des deux cigares. Daphné pensa à des soldats, aux cartouches du fusil de Hubert. Elle comprit qu'il pourrait paraître plus spirituel de s'abstenir de répondre, et Cecil sembla amusé par son sourire hautain. Elle savait qu'elle aurait dû appeler sa mère mais, poussant un soupir à l'idée des objections que celle-ci lui opposerait, elle suivit Cecil dans le jardin, laissant la porte-fenêtre entrouverte.

Il faisait nettement plus frais que la veille mais Daphné n'avait pas l'intention d'en faire la remarque. « Cecil, avoua-t-elle, je crois que j'associerai toujours *In Memoriam* avec vous !

— Ah bon… » Cecil, penché sur la flamme d'une allumette, émettait des petits sons de plaisir en tirant sur son cigare. La fumée, apparue comme par magie, les enveloppa bientôt.

« Et si nous nous asseyions ici ? proposa Daphné.

— Avançons », dit Cecil, la poussant le long des fenêtres du salon. « Allons voir ce que font les étoiles, d'accord ?

— D'accord. » Et, quand il plia le coude, elle lui prit le bras. En plus de tout le reste, Cecil était éminemment comme il faut : peut-être n'était-il même pas conscient du sentiment joyeux qu'elle avait de jouer un rôle, de son mouvement brusque de la tête, dans le noir, lorsqu'elle avait pris son bras. C'est alors que la veste de George, qu'elle avait simplement passée sur ses épaules, glissa.

« Laissez-moi vous aider. » Dans la pénombre à la lisière de la pelouse, Cecil tendit la veste à Daphné et lui tapota le dos une fois qu'elle l'eut enfilée.

« Je dois avoir l'air d'une clocharde », dit-elle, ses mains disparaissant dans les manches, la doublure en soie froide sur ses bras nus – enserrée par le poids et l'odeur du vêtement.

« Boutonnez-la », dit Cecil, cigare entre les dents. À nouveau, ses grandes mains parurent prendre soin d'elle, plus grandes et plus capables que jamais. Il lui offrit encore son bras.

Ils firent quelques pas à une allure tranquille : Daphné paraissait joyeuse malgré son air emprunté, Cecil légèrement sur la réserve, même si elle ne voyait pas son visage – peut-être essayait-il seulement de reconnaître les étoiles. Elle se demanda s'il pensait encore au hamac et fut gênée de son côté d'y penser après ce qui était arrivé. Elle savait qu'il avait bu trois ou quatre verres de vin ; les décisions lui viendraient aisément, même si, aux yeux d'une personne sobre, elles pourraient paraître saugrenues et tardives. Elle porta le regard au-dessus de la cime des arbres. « Je crains que le temps soit trop nuageux, ce soir, Cecil. »

Il souffla un nouveau nuage de fumée velouteuse et âcre. Il émit un petit rire. « Êtes-vous restée long-temps dans les bois, cet après-midi ?

— Cet après-midi ? Oh, non, pas vraiment.

— Votre promenade a été courte.

— Eh bien, après vous avoir croisés, je suis rentrée, naturellement. »

Elle sentit Cecil presser davantage son bras contre lui. Sa belle présence adulte, sa carrure, sa chaleur musculeuse sous sa tenue de soirée et jusqu'à ses inflexions que, naguère, elle trouvait encore cassantes et aristocratiques, lui faisaient légèrement tourner la tête. « J'ai dit à George : "Ce doit être quelqu'un d'autre que nous avons vu tout à l'heure. N'est-ce pas Daph maintenant ?" Mais le temps qu'il regarde, la personne avait disparu.

— C'est possible. Avez-vous appelé ?

— Eh bien, je n'étais pas certain, voyez-vous…

— Beaucoup de gens vont se promener par là-bas.

— Bien sûr. Quoi qu'il en soit, vous ne nous avez pas vus. »

À nouveau, Daphné eut l'impression de manquer quelque chose mais, emportée par le désir de s'entretenir avec Cecil, elle serra son bras pour le rassurer. « Je vous aurais fait signe si je vous avais vus.

— C'est ce que j'ai pensé.

— Pour être franche, c'est… à cause de George. Il n'aime pas que je vous… "colle aux basques". »

Cecil lâcha un murmure de réprobation, et ils revinrent sur leurs pas. « On y voit un peu mieux maintenant, dit-il. Voici la fameuse rocaille !

— Je sais… » Daphné eut l'impression qu'il se moquait encore de la rocaille, ce qui l'enhardit. « Cecil, dit-elle, quand pourrai-je venir à Corley ?

— Hum… ? Corley ? » On aurait cru qu'il n'avait jamais entendu parler de l'endroit, n'avait aucun souvenir de l'invitation qu'il avait lancée. Il se mit à rire. « Ma chère enfant, quand vous voudrez.

— Oh… merci.

— Quand vous voudrez… », répéta-t-il, appuyant sa décision d'un ton qui, bizarrement, parut contradictoire. « Je suppose que ce ne sera pas avant les vacances de Noël, n'est-ce pas… ? »

Ce qui, aux yeux de Daphné, signifiait : jamais. « Non, en effet.

— Demandez à Georgie de vous y amener. »

Ils poursuivirent leur chemin vers la sombre silhouette de la rocaille qui, de nuit, pouvait passer pour un tertre plus lointain et plus élevé. « Je suppose que je pourrais venir seule, dit Daphné d'un ton désinvolte, la voix rauque.

— Votre mère vous y autoriserait-elle ?

— Je suis une grande fille, voyez-vous. »

Cecil s'abstint de répondre. Il avançait avec son assurance coutumière. Ayant à peine le temps de songer qu'elle aurait dû l'avertir, Daphné cria, ou presque, « Il y a une marche ici ! », lorsque, trébuchant, il partit en avant, se reçut rudement sur la jambe droite, parvint à éviter la chute mais l'entraîna avec lui, avant de tituber à nouveau dans sa tentative pour l'agripper et l'empêcher de tomber.

« Oh mon Dieu, tout va bien ?

— Très bien… ! » répondit-elle, grimaçant à cause de la douleur dans son pied sur lequel il s'était réceptionné pesamment.

« Dès que nous sortons ensemble, nous semblons toujours finir par nous retrouver par terre, non ?

— Je sais !

— J'ai perdu mon satané cigare. »

Ils se retrouvèrent face à face, le cœur de Daphné continuant à battre très fort après le choc. Cecil lui passa le bras autour de la taille pour l'attirer à lui, de sorte qu'elle dut détourner le visage et appuyer sa joue contre la fraîcheur de son revers. Il faisait glisser sa main dans son dos sur le tweed chaud de la veste de George. « Maudites marches…, lâcha-t-il.

— Je vais bien. » Daphné redoutait le moment où elle devrait vérifier l'état de ses souliers en rentrant, mais Cecil était en position de faiblesse et elle sut par avance qu'on ne pourrait jamais l'accuser de rien. « J'ignore comment ces marches se sont retrouvées là », dit-elle. Et, même, elle surenchérit : « Ces foutues marches ! »

Cecil lâcha contre les cheveux de Daphné un rire qui était comme un soupir. « Oh, mon enfant, mon enfant… », dit-il avec une douceur et une tristesse qu'elle n'avait jamais entendues auparavant, même de la part de sa mère. « Qu'allons-nous faire ? »

Daphné se libéra en partie de son étreinte. Elle voulait jouer son rôle, elle reconnaissait le privilège de l'attention que lui portait Cecil, c'était des plus agréable d'être ainsi serrée par lui, mais quelque chose dans son intonation l'inquiéta. « Eh bien, je suppose que vous allez devoir faire vos bagages.

— Ah… »

Il y eut du désespoir dans ce son unique, comme lorsqu'il lisait de la poésie.

« Je crois que… Et si nous rentrions ?

— Oui, oui. Savez-vous garder un secret, Daph ?

— En général.

— Gardons tout cela secret.

— D'accord. » Elle n'était pas certaine de bien comprendre. Trébucher sur une marche n'était pas un grand secret or Cecil était, à l'évidence, gêné.

Il relâcha légèrement sa pression et ses mains descendirent presque jusqu'aux fesses de Daphné, à qui il sourit en disant tout bas : « Ça a été chic de vous rencontrer.

— Oh… hum… » Daphné était comme paralysée par les mains posées sur elle. « C'est ce que nous disons tous à votre sujet. Nous n'avions jamais eu un hôte comme vous à la maison ! »

Baissant la tête, il déposa un baiser sur son front, comme s'il l'envoyait se coucher, sauf que le bout de son nez descendit sur sa joue et qu'il l'embrassa tout près de la bouche, avec son haleine qui sentait le cigare. Puis, sans la moindre expression, sur les lèvres. « Voilà, dit-il.

— Cecil, ne soyez pas bête, vous avez bu », répliqua-t-elle. Il pencha la tête de côté et imposa sa bouche ouverte à la sienne, et ensuite sa langue contre ses dents, d'une façon tout à fait stupide et déplaisante. Elle réussit à se libérer à demi ; quoique inquiète, elle garda son sang-froid et lâcha même un rire non dénué de sarcasme.

« Cela ne vous gêne pas que je vous embrasse ? demanda-t-il d'un air rêveur.

— Je n'appelle pas ça "embrasser", Cecil !

— Ah bon ? Et qu'appelleriez-vous "embrasser", Daphné ? » Le ton était bêta et moqueur, légèrement agacé. Il la ramena dans son étreinte, tel un danseur, avec une démonstration de sa force soudain inéluctable. « Plutôt quelque chose dans ce genre ? » Et il se remit à la besogne, dardant sa langue partout sur le visage de la jeune fille, comme un jeu de torture, l'autorisant à esquiver, à tourner légèrement la tête, mais la serrant tellement fort à la taille qu'il lui labourait le ventre avec la forme de l'étui à cigares qu'il avait dans sa poche secrète. Elle se mit à glousser mais, sans qu'elle pût rien y faire, ses hoquets rapides et superficiels se muèrent en petits sanglots chauds, suivis par un gémissement étouffé d'échec et de soumission enfantine.

« Ohé… ? » Ce devait être George qui, de retour de chez les Cosgrove, venait les chercher. À un timide et infantile soulagement se mêla aussitôt la fierté. Mais non, c'était Huey, qui, d'une voix étrange, à la fois porteuse d'excuses et de colère, lança : « Dites-moi… »

Cecil relâcha son étreinte et poussa un soupir d'acceptation, bien que son petit rire à l'intention de Daphné semblât suggérer qu'il n'avait pas renoncé. Il se retourna pour regarder au-dessus des buissons et vérifier qui c'était : peut-être avait-il cru lui aussi que c'était George et, une fois de plus, elle ressentit la teneur particulière du secret qu'elle partageait avec Cecil. Ils devaient faire attention tous les deux et il avait beau lui avoir fait peur, elle avait encore l'impression qu'il saurait comment réagir. « Nous sommes par ici, dit-elle, la voix pleine de sanglots.

— Tout va bien ?

— J'ai trébuché sur cette satanée marche, dit Cecil d'une voix traînante. Il semble que j'aie marché sur votre sœur. »

Hubert resta planté là, silhouette découpée sur fond noir, donnant l'impression d'une attitude indignée mais hésitante. « Pouvez-vous marcher ? demanda-t-il, très distinctement, comme s'il avait parlé au téléphone.

— Bien sûr, je peux marcher. Nous arrivons.

— Il fait un peu sombre pour se promener.

— C'était fait exprès. Nous voulions observer les étoiles. »

Hubert leva vers le ciel un regard dubitatif. « C'est un peu nuageux pour ça », fit-il en pénétrant dans la maison.

Daphné se tourna d'abord d'un côté, puis de l'autre, fatiguée par ses pensées, qui la tenaient éveillée. Elle avait, pour preuve, des élancements impressionnants au pied droit, où s'étalait déjà un bleu.

Régulièrement, elle sombrait dans une semi-inconscience, pour se réveiller d'un coup, avec une accélération des battements de son cœur à l'idée de la proximité de Cecil, de sa force, de son haleine. Son corps était d'une dureté exceptionnelle, son haleine chaude, humide, âcre.

Cecil était ivre, bien sûr, elle avait vu que, au cours du dîner, la tablée avait fait un sort à deux bouteilles de vin du Rhin, avec leur lettrage gothique noir. Daphné connaissait les effets de l'alcool sur les gens : depuis la soirée du vendredi et l'épisode où elle-même avait été un peu grise après avoir bu de la liqueur de gingembre, elle en savait davantage sur les étonnantes libertés des buveurs. Elles étaient fort intéressantes mais vaines, et, à vrai dire, le plus souvent plutôt répugnantes. Ensuite, on n'en parlait plus, à cause du vague sentiment de honte qui leur était attaché. On dessoûlait. Cecil aurait probablement mal à la tête le lendemain matin, mais il s'en remettrait. Le comportement de sa mère était souvent absurde à l'heure du coucher mais parfaitement raisonnable au petit déjeuner. Ce serait sans doute une erreur que d'en faire un trop grand cas.

Néanmoins, tout cela jetait sur Cecil un bien piètre éclairage ou plutôt une bien piètre pénombre, tant de leurs échanges s'étant déroulés dans le noir, de sorte qu'elle l'avait surtout vu à la lueur d'une pointe de cigare ou dans la faible clarté de la nuit suburbaine. À son arrivée, il les avait tous mis à l'épreuve, par sa distinction, son ton cassant, son intelligence et sa fortune. Pour l'heure, roulant de l'autre côté du lit, tout excitée, désespérant de jamais pouvoir s'endormir, Daphné se demanda ce que George dirait si elle lui racontait la chose extraordinaire et malsaine que son ami avait tenté de faire. Elle se repassa mentalement la scène, dans l'ordre où tout était arrivé, afin d'en savourer adéquatement le choc.

Eh bien, elle n'était pas naïve, elle savait parfaitement que les membres de la haute société pouvaient avoir un comportement consternant. Devrait-elle révéler à son frère qui était vraiment son précieux ami ? Non, sans doute était-il préférable de garder cela pour elle, se réservant l'option d'en informer son frère plus tard. Il lui parut bientôt plus adulte de ne pas faire de vagues. Elle se mit à penser à lord Pettifer dans *Le Plateau d'argent* et, son esprit pourchassant, confirmant et perdant le fil de l'histoire au milieu des fragments pittoresques de sa mémoire, elle s'égara à travers des pièces illuminées, jusque dans l'accueillant jacassement des rêves, avant de parvenir au seuil du réveil en grognant, et de se rabattre aussitôt sur la septième ou huitième répétition de sa propre histoire dans le jardin avec Cecil Valance.

Chaque fois qu'elle se racontait cette histoire, avec son fond de scandale, son cœur s'emballait un peu moins et son impact imaginé sur George, sa mère ou Olive Watkins, leur fureur et leur stupéfaction, s'amplifiaient en proportion. Elle sentit le flot chaud de l'histoire fuser à travers elle et s'emparer de sa personne ; chaque fois, la vague paraissait un peu moins forte que la précédente, mais son soulagement légitime face à cette évolution se teintait d'un soupçon d'indignation.

À moins qu'embrasser ait vraiment été cela. Elle crut davantage à un pari d'enfant : fourrer sa langue dans la bouche de quelqu'un requérait une bonne dose de tolérance de la part de ce quelqu'un, même s'il vous aimait beaucoup. Hélas, auprès de qui pouvait-elle se renseigner ? Si elle abordait le sujet avec sa mère, celle-ci se douterait qu'il y avait anguille sous roche. Hubert aurait-il embrassé une femme de cette façon ? Peut-être George, s'il avait vraiment une amie, s'y était-il essayé. Daphné s'imagina le lui demandant, et le secret autour du fait que cela lui était arrivé, à elle, avec son meilleur ami, à lui, rendit la chose légèrement amusante.

Ce qu'elle était en quelque sorte consciente de ne pas vouloir se remémorer, c'était la façon dont il s'était frotté en rythme contre elle. Toutes ses émotions se concentraient sur les libertés plus faciles et après tout plutôt comiques qu'il avait prises : lui lécher la bouche et lui palper le derrière.

Plus tard, elle s'aperçut qu'elle avait tout de même dormi, et que le rêve dont elle avait émergé conservait sa magie même quand elle restait allongée les yeux ouverts dans la pénombre grise. Ensuite, elle se dit qu'elle n'avait été qu'une enfant et une idiote. « Mon enfant, mon enfant » : c'est ainsi qu'il l'avait appelée, et c'est ce qu'elle était. Elle songea à ce qu'il avait dit : qu'il avait été merveilleux de faire sa connaissance : elle se laissa retomber sur le dos et se demanda très froidement s'il était tombé amoureux d'elle. Elle fixa la zone sombre du plafond, le premier rai poudreux de lumière au-dessus des rideaux, qui figura à ses yeux comme une image de son innocence. De quelles preuves disposait-elle ? Cecil avait une façon très particulière de la regarder, même en présence de tiers, de soutenir son regard lors de conversations, de sorte qu'une autre conversation tacite semblait avoir lieu en même temps. Elle n'avait jamais rien connu de tel : cette hardiesse, cette intimité absolue. Il n'en restait pas moins affreux que Cecil ait agi dans le dos de George, mais son choix du secret emplissait tout de même Daphné d'une joyeuse fatuité. Mais pouvait-il faire autrement ? Son amour devait à la fois demeurer caché et se manifester d'une manière ou d'une autre. La passion de Cecil avait un aspect très touchant, autant qu'alarmant. Portée au pardon, Daphné sauta la scène confuse du jardin et songea à la vie qu'ils mèneraient ensemble. Voudrait-il recommencer ? Pas lorsqu'ils seraient mariés, certainement. Une autre perspective, de lieux lumineux, s'ouvrit devant elle : elle se vit assise à l'heure du dîner sous les dômes, du moins les alvéoles en forme de moules à gelée, de Corley Court.

Exceptionnellement, elle fit la grasse matinée, au son de rares chuchotements, froufrous et coups mats sur le palier, ainsi que de voix à l'étage inférieur; lorsque, enfin, elle revint confusément à elle, son réveil indiquait qu'il était neuf heures moins le quart. Ensuite, après trois minutes supplémentaires d'un sommeil hébété, elle s'aperçut que son esprit s'était fixé sur quelque chose ou, plutôt, la perte de quelque chose dont elle fut stupéfaite de découvrir qu'elle s'y était déjà habituée : le bruit que faisait Cecil à Deux Arpents. Il était parti! La qualité ténue de l'air le lui indiqua, la tonalité de la matinée, la texture des mouvements des domestiques, les bribes de conversations. Tous ses projets avec lui étaient donc déjoués, les propos spirituels qu'elle allait tenir lorsqu'il grimperait dans la camionnette de Horner... Il s'écoulerait des semaines, des mois peut-être, avant qu'elle ne le revoie. Gémissant, en proie aux serrements de cœur d'une amante autant qu'à un certain soulagement bougon face à cet ajournement tragique, elle sauta hors de son lit, posant par terre son pied droit immédiatement douloureux.

Au milieu de son petit déjeuner solitaire, la bonne venant vérifier à tout bout de champ si elle avait terminé, voici qu'elle aperçut George passant devant la fenêtre, revenant de la gare, où il avait fait ses adieux à Cecil. L'air morose, il semblait perdu dans ses pensées, ce qui l'agaça instantanément car elle en comprit la signification. Pour lui, c'était le moment de vérité : son hôte, le premier qu'il eût jamais eu, étant parti, les Sawle allaient pouvoir le récupérer et lui révéler, plus ou moins, le fond de leur pensée. Il serait de mauvaise humeur, fragile, ne saurait quel parti prendre. C'est alors qu'elle se rappela son carnet d'autographes. Qu'en avait fait Cecil? Y avait-il inscrit quelques lignes ? Où l'avait-il mis ? Brusquement, elle se sentit furieuse contre Jonah, qui ne pouvait que l'avoir rangé avec les livres de Cecil. Son carnet d'autographes devait être coincé à l'insu de tous entre ses livres dans sa valise, au milieu d'une foule d'autres bagages à la gare de Harrow et Wealdstone.

« Ah, Veronica…

— Désolée, Miss !

— Non, pas ça. Avez-vous vu si Mr Valance a laissé quelque chose pour moi, mon carnet d'autographes… ?

— Oh, non, Miss. » Faisant un nœud à son chiffon à poussière d'un air faussement concentré : « Est-ce celui où il y a le vicaire dedans ?

— Quoi… ? Eh bien, en fait, il y a plusieurs hommes célèbres dedans. » Elle ne faisait pas entièrement confiance à Veronica, qui avait plus ou moins son âge, et la traitait plus ou moins comme une idiote.

« Dois-je faire mon enquête, Miss ? » C'est alors que George passa la tête par la porte et lui adressa un sourire contrit :

« Cecil te dit au revoir. » Et il resta planté là, à évaluer l'atmosphère, se demandant, sembla-t-il, s'il devait continuer sur le sujet.

« J'ai eu du mal à m'endormir, déclara Daphné, consciente du ton adulte qu'elle avait adopté. Et ensuite, j'ai dormi plus que j'aurais dû…

— Il s'est levé extrêmement tôt. Tu connais Cecil !

— C'est peut-être Mr George qui l'a, Miss, dit Veronica.

— Oh, vraiment, ça n'a pas d'importance, dit Daphné, rougissant de voir étalées ainsi ses inquiétudes intimes.

147

— Qui... a... quoi ? » demanda George, avec un regard inquiet.

Sa sœur dut donc s'expliquer : « Je me demandais si Cecil avait trouvé le temps d'écrire un mot dans mon carnet, c'est tout.

— J'imagine qu'il a écrit quelque chose. Cecil est rarement à court de mots.

— Je suppose qu'il l'a laissé quelque part », répliqua Daphné en étalant le beurre sur son toast, alors que son inquiétude rentrée avait réduit son appétit à néant. Elle adressa à son frère un sourire froid. « Que vas-tu donc faire aujourd'hui, George ? dit-elle, consciente de couper court à la conversation qu'ils auraient dû avoir.

— Pardon ? Oh, je trouverai bien à m'occuper », répondit-il, une note de pathos dans la voix. Il s'était appuyé au chambranle de la porte, ni dedans ni dehors ; la bonne l'effleura en ressortant dans le vestibule. Daphné le vit sur le point de parler, et au moment où il commençait, « Vraiment quel dommage que Cecil n'ait pas pu rester plus longtemps... », elle dit : « J'ai invité Olive à venir prendre le thé demain, je ne l'ai pas revue depuis que sa famille est revenue de Dawlish. » Elle savait bien qu'Olive Watkins était du menu fretin après Cecil, de même que la côte du Devon après les Dolomites, et elle se sentit honteuse et triste autant que provocatrice en parlant de son amie. Mais elle ne pouvait conforter George dans son humeur du moment. Qui ressemblait trop à la sienne.

« Ah bon, vraiment... », dit George, étonné et las. Daphné s'aperçut qu'elle avait créé une espèce particulière d'atmosphère familiale, ce qui en soi était déprimant après les plus vastes horizons ouverts par la visite de Cecil. Et puis, elle voulait absolument récupérer son carnet, pour montrer à Olive ce que Cecil y avait écrit, quoi que ce fût. C'était la raison principale pour laquelle elle avait invité Olive.

Veronica revint et, avec une certaine obstination blasée, annonça : « J'ai demandé à Jonah, Miss. Il vérifie.

— Merci. » Daphné se sentit oppressée parce que sa quête était désormais connue de tous.

« Jonah cherche dans sa chambre. Je veux dire… dans la chambre de Mr Valance ! »

George, sans prononcer un mot de plus, s'éloigna ; Daphné l'entendit monter à l'étage, plutôt subrepticement, trouva-t-elle, gravissant les marches deux à deux. Elle se dit, sans y croire vraiment, qu'après tout, Cecil n'aurait rien fait de plus que lui laisser son autographe et le dater.

George redescendit un instant plus tard, Jonah à sa suite, le carnet mauve de Daphné, ouvert, à la main. « Bonté divine, sœurette… », s'exclama-t-il d'un air absent, tournant la page et continuant à lire : « Il t'a vraiment fait une fleur !

— Qu'est-ce ? » Daphné repoussa sa chaise mais, déterminée à rester digne, affecta un air indifférent. Cecil ne s'était pas contenté de lui laisser son autographe : elle le voyait à la mine de son frère. Il avait fait bien plus. Depuis que le carnet était là, dans la pièce, elle était effrayée à la pensée de ce qu'il pouvait contenir.

« Monsieur l'a laissé dans la chambre, dit Jonah, regardant l'un puis l'autre.

— Très bien, merci », répondit Daphné. George cillait lentement des yeux et, concentré, mordillait sa lèvre inférieure. Elle songeait qu'il se demandait peut-être comment lui annoncer une nouvelle délicate, lorsqu'il vint s'asseoir face à elle et plaça le carnet sur la table, avant de tourner les pages pour recommencer la lecture. « Hum, quand tu auras fini… », dit Daphné d'un ton acerbe à travers lequel perçait néanmoins un respect récalcitrant. Cecil avait écrit un poème, ce qui prenait plus longtemps à lire, et son écriture n'était pas des plus lisibles.

« Bonté divine, s'exclama George, et il leva les yeux vers Daphné, avec un franc sourire. À mon avis, tu devrais être très flattée.

— Ah, vraiment? Vraiment? » George paraissait avoir l'intention de maîtriser tout le poème et ses arcanes avant de lui en laisser lire le moindre mot.

« Vraiment, c'est vraiment quelque chose, ce que tu as là, répondit-il, hochant la tête tout en relisant. Je te demanderai de me laisser le recopier. »

Daphné vida sa tasse de thé, plia sa serviette, jeta un coup d'œil aux deux domestiques, qui accueillaient la récupération du carnet avec un sourire béat et constituaient un public quelque peu encombrant pour cette crise, cette perturbation dans sa vie ; puis elle dit, d'un air aussi léger que possible : « Arrête de me taquiner, George, laisse-moi voir. » Bien sûr, il la taquinait, pour la énième fois, mais il s'agissait de plus que cela, et elle savait, tout en le regrettant, que George ne pouvait s'en empêcher.

« Navré, ma vieille, dit-il, finissant par s'appuyer contre le dossier de sa chaise et par lui tendre le carnet.

« — Merci !

— Si tu pouvais te voir… »

Repoussant son assiette, elle demanda à la bonne : « Pouvez-vous débarrasser, s'il vous plaît ? » La bonne s'exécuta, avec une lenteur ahurie, lorgnant vers les colonnes de l'écriture de Cecil qui semblaient confirmer la piètre opinion qu'elle s'était faite de lui. « Merci », répéta Daphné d'un ton sec, fronçant les sourcils, rougissant, incapable d'assimiler un traître mot du poème. Elle voulut savoir sur-le-champ ce que George entendait en déclarant qu'elle devrait se sentir flattée. Était-ce, finalement, l'annonce, tout de go, sans fard ? Peut-être pas, car George en aurait dit davantage. Plus Daphné analysait la chose, moins elle la comprenait. Le poème, intitulé tout bonnement « Deux Arpents », s'étendait sur plus de cinq pages recto verso : elle les feuilleta une fois et revint en arrière.

« Du point de vue formel, dit George, c'est plutôt simple… pour du Cecil.

— Ce sera tout », dit Daphné, attendant que Veronica et Jonah sortent. Qu'ils étaient agaçants ! Pendant un moment, elle fit encore défiler les pages à rebours jusqu'à celle du révérend Barstow, avec ses fioritures savantes, « B.A. Dunelm » ; puis elle revint à Cecil, qui avait brisé toutes les règles du genre avec son entrée énorme, renvoyant tous les autres à leur médiocrité consciencieuse. C'était discourtois et elle n'était pas sûre de savoir si elle réprouvait ou admirait Cecil pour cela. Son écriture rapetissait et son rythme s'accélérait tandis qu'elle s'inclinait vers le bas de la page. Sur la première page, la fin du dernier vers remontait sur le côté pour pouvoir tenir sur la feuille : « Chantecler », lisait-on, un nom indubitablement

associé à la poésie même si Daphné ignorait précisément ce que ça voulait dire.

« J'imagine qu'il le fera publier dans une revue,
déclara George. Dans le genre de la *Westminster
Review*.

— Crois-tu ? demanda Daphné sur le ton le plus
neutre possible mais avec la sensation de plus en plus
nette que le poème lui appartenait, après tout. Cecil
ne l'avait pas écrit dans son carnet par hasard. Elle
tentait encore de comprendre si le poème parlait d'elle
en personne, ou seulement de la maison, du jardin :

L'ortie qui croît sous le muret du fond,
D'aucuns la nomment Chose du Démon.

C'était une conversation qu'ils avaient eue ensemble,
très sobrement transformée en poésie. Son père appelait les orties urticantes les Choses du Démon, le
nom qu'on leur donnait dans son Devon natal. Elle
fut ravie et légèrement déconcertée d'être impliquée
dans la genèse du poème et aussi par quelque chose
d'autre, qui était magique, comme se voir en photo.
Devait-elle s'attendre à d'autres révélations ?

Le carnet sous les branchages oublié
Est relu par la bise, à rebours.
Le bois où les mélèzes argentés
Chuintent, ploient et s'étreignent tous d'amour.
Fendant leur ombre, les amants pressés
S'enlacent, et racontent leurs secrets.

À nouveau, la fusion minutieusement échelon-
née puis vertigineuse du mot, de l'image et du fait.

Il lui faudrait vraiment lire le poème à l'écart, en privé. « Je pense qu'il serait très approprié de le lire dans le jardin », dit-elle en se levant, légèrement nauséeuse ; c'est alors que sa mère apparut dans l'encadrement de la porte, le visage alourdi par la nuit, mais enjouée comme toujours le matin. Pourtant, elle était nerveuse ; son sourire dissimulait quelque chose. La nouvelle avait déjà dû se répandre. Derrière elle rôdait Veronica, l'informatrice.

« Eh bien, mon enfant… ! » Sa mère adressa à Daphné un regard étrange, impatient. « Que d'émotions !

— Tout le monde pourra le voir quand j'aurai terminé de le lire. Vous semblez tous oublier que c'est *mon* carnet.

— Cela va de soi, ma chérie. » Sa mère contourna la table et alla ouvrir une fenêtre comme pour montrer qu'elle avait plus important à faire. Sur quoi : « Tu as manifestement fait forte impression sur lui », dit-elle, sans nommer Cecil, par une sorte d'exécrable délicatesse. Elle adressa à Daphné un regard taquin, chargé d'un je-ne-sais-quoi d'inédit : l'impression qu'elle se préparait à quelque délectable obligation parentale.

« Mère, Cecil n'a fait que passer chez nous trois jours, dit George, quasiment en colère. Tout ce qu'il a fait, avec sa générosité coutumière, c'est écrire un poème sur notre maison pour nous remercier de notre accueil.

— Je sais, mon chéri, répondit leur mère, avec un léger recul à l'endroit de ses deux enfants si irritables. Il a été très généreux avec Jonah aussi. »

George se leva, alla à la fenêtre et regarda dehors, avec la mine de quelqu'un qui a l'intention de prononcer une sentence aussi définitive qu'ardue. « Le poème n'a rien à voir avec Daphné.

— Ah bon ? » se récria celle-ci, secouant la tête. Ah bon ? C'était pourtant bien écrit là-dedans. Elle avait tout de suite vu le vers, le baiser des amants dans l'ombre, l'échange de secrets ; mais, naturellement, elle ne pouvait l'avouer ni à sa mère ni à son frère. « Il est vrai que je devrais être navrée qu'il n'ait pas écrit un poème à ton intention. »

George préféra poser son regard méprisant sur les cerisiers. « En fait, il en a écrit un pour moi.

— Mais, George, pourquoi ne pas nous l'avoir dit ! s'exclama sa mère. Tu… Ces jours-ci ?

— Non, non… pendant le trimestre. Ça n'a aucune espèce d'importance.

— Ça alors ! fit leur mère, tentant de garder un ton ravi et amusé. Quelle histoire pour un poème !

— Aucune histoire du tout, chère mère, rétorqua George, d'une patience extraordinaire.

— De mon point de vue, répondit-elle, il est adorable que quelqu'un écrive un poème pour toi.

— Je suis tout à fait d'accord ! dit Daphné, sentant monter en elle la désagréable impression qu'ils étaient en train de tout gâcher.

— Je commence à regretter de vous l'avoir dit, déclara sa mère. Si la visite de Cecil doit s'achever sur ce genre de chamaillerie infantile…

— Oh, lis-le donc si tu veux », fit Daphné, pinçant les lèvres pour retenir ses larmes, et feuilletant vite son carnet afin de le présenter à sa mère ouvert à la bonne page. Celle-ci lui lança un regard acéré mais, après une pause, le lui prit délicatement des mains.

« Merci... maintenant si la bonne pouvait aller chercher mes lunettes... »

Lorsque Veronica revint, sa mère était assise à la table de la salle à manger. Avec un regard interrogateur mais généreux, elle lut le poème qui venait d'être composé sur son humble demeure.

DEUXIÈME PARTIE

Revel

L'homme doit faire des adieux cruels
Aux parents, même féroces,
À Guillaume Tell,
Et à Mrs Cabosse.

EDITH SITWELL, *Jodelling Song*

1

De son poste d'observation, assise à la fenêtre du petit salon, les deux silhouettes paraissaient se précipiter l'une vers l'autre. Dépassant de la longue haie au fond du jardin à la française, une tête d'homme, agitée de mouvements brusques dus au tangage d'une claudication, avançait impatiemment. « Poubelle ! cria l'homme. Poubelle ! » Alors qu'au loin vers la droite, entre les marronniers du parc d'un vert brumeux, arrivait une automobile beige rutilante, pare-brise étincelant au soleil.

« C », écrivit-elle, avant d'hésiter, plume posée sur le papier. Pas « Chéri », alors « Cher » assurément, puis une autre pause, qui menaça de virer à la tache d'encre, avant qu'elle n'ajoute « Très » devant cher : « Très Cher Revel ». Avec les gens, on montait et descendait l'échelle, en tout cas dans leur cercle, on assistait à de spectaculaires avancées dans l'intimité qui parfois étaient suivies par des refroidissements tout aussi abrupts. Mais Revel étant un ami de la famille, le superlatif était tout à fait correct. « Ce qui est arrivé avec David est affreux, poursuivit-elle, et vous avez toute ma sympathie. » Elle pensa que ce qu'elle avait vraiment besoin d'utiliser se situait un cran en dessous de « Cher » car, souvent, on n'avait pas de temps à consacrer à la personne qu'on embrassait chaleureusement sur le papier. « Peu fiable Jessica », « Détestable Mr Carlton-Brown ».

Elle entendit l'automobile s'arrêter, le vif tintement de la cloche, des bruits de pas puis des voix. « Lady Valance est-elle chez elle ? – Je pense qu'elle est au petit salon, Madame. Puis-je… – Oh, je ne vais pas la déranger. – Je peux l'informer. » Wilkes lui fournissait l'occasion de faire ce qu'il fallait. « Non, ne vous donnez pas cette peine, je me rendrai directement au bureau. – Fort bien, Madame. » C'était une menue bataille des volontés, dans laquelle Wilkes, subtil mais paralysé, fut battu à plate couture par la pétulante Mrs Riley. Un instant plus tard, il vint jeter un œil au feu dans la cheminée et dit : « Mrs Riley est arrivée, *my lady*. Elle est allée directement au "bureau", comme elle dit.

— Merci, je l'ai entendue », répondit Daphné, levant les yeux et recouvrant légèrement sa page avec sa manche. Elle échangea avec Wilkes un regard d'une surprenante intimité. « J'imagine qu'elle a apporté ses plans ?

— Il me semble, Madame.

— Ces plans ! Bientôt nous ne nous y reconnaîtrons plus.

— Non, Madame, répondit Wilkes, glissant sa main gantée de blanc dans la mitaine noire qu'on laissait en permanence dans le panier à bois. Mais ce ne sont que des projets.

— Hum. Entendez-vous par là qu'ils ne seront peut-être pas réalisés ? »

Wilkes esquissa un sourire tout en retenue et logea une petite branche au sommet du bûcher, avant de maîtriser l'effondrement de cendres et d'étincelles. « Peut-être pas entièrement, Madame, non ; et, dans tous les cas, pas… de façon irréversible. » Il poursuivit d'un air assuré : « Je comprends que lady Valance est avec nous en ce qui concerne la salle à manger.

— Certes, elle est rarement favorable au changement », rétorqua Daphné d'un ton un peu sec, qui respectait néanmoins les anciennes allégeances du majordome. Avec non plus une lady Valance mais deux, il existait des subtilités d'expression dans lesquelles il arrivait que même Wilkes s'empêtre. « Même si, hier soir, elle a déclaré trouver le nouveau salon "très reposant". » Daphné retourna à sa lettre et Wilkes sortit, après avoir encore donné quelques coups de tisonnier.

« Peut-être est-il préférable de ne pas venir ce week-end : la maison est *pleine* de parents & Co (ma mère), sans compter que Sebby Stokes vient consulter les poèmes de Cecil. Ce sera une sorte de "week-end en l'honneur de Cecil" et vous n'auriez guère l'occasion de vous exprimer ! Quoique, peut-être… » L'horloge murale se mit à bourdonner, puis à sonner onze heures frénétiquement, les poids descendant soudain plus vite en raison de cette brusque dépense d'énergie. Lorsqu'il n'y eut plus d'écho, Daphné dut s'asseoir un moment afin de récupérer le fil de ses pensées. D'autres horloges (elle entendit alors la comtoise du hall sonner avec un léger retard) faisaient preuve d'une attitude plus respectueuse lorsqu'elles donnaient l'heure. Elles sonnaient, dans toute la demeure, tels des domestiques attentifs. Mais pas ce vieux tyran en cuivre, l'horloge du salon, qui sonna à toute vitesse. « La vie est courte ! criait-elle. Profitez-en avant que je sonne à nouveau ! » C'était d'ailleurs leur devise, n'est-ce pas ? *Carpe diem !* Elle préféra se dispenser de son « peut-être » et signa : « Toute notre affection, de la part de nous deux, Duffel. »

Elle porta sa lettre dans le hall et se tint un instant à côté de la table en chêne massif qui trônait au milieu de la pièce. Elle lui apparut soudain comme l'emblème et l'essence de Corley. Les enfants se poursuivaient autour d'elle, le chien se glissait dessous, les bonnes, telles les servantes d'un culte, la ciraient et l'astiquaient. Dénuée de fonction, encombrante, un obstacle pour quiconque traversait la pièce, la table occupait une position primordiale dans le bonheur de Daphné, d'où elle craignait qu'elle soit délogée de force. Elle vit une fois de plus combien le hall était imposant, avec ses panneaux lugubres et ses fenêtres néogothiques, sur lesquelles les armes des Valance étaient répétées à satiété. Tout cela serait-il conservé ? La cheminée monumentale était bâtie à l'image d'un château, des remparts à la place du manteau et des tourelles de chaque côté, dont chacune possédait une petite fenêtre, munie de volets qui s'ouvraient et se fermaient. Elle avait tout particulièrement subi les sarcasmes d'Eva Riley : et il était, certes, difficile de la défendre, à moins de dire bêtement qu'on en raffolait. Daphné alla jusqu'à la porte du salon, posa la main sur la poignée puis l'ouvrit d'un coup, comme si elle espérait surprendre quelqu'un d'autre qu'elle-même.

Par une lumineuse matinée d'avril, l'éblouissant blanc cassé était d'une indéniable efficacité. On aurait cru une salle dans un sanatorium extrêmement

onéreux. Des sièges modernes et confortables, recouverts de housses grises, avaient remplacé l'ancien
fouillis d'osier, de chintz et de velours à franges.
Les murs sombres à plinthe et les douze panneaux
décrivant les mois de l'année au plafond avaient été
harmonieusement caissonnés ; sur les nouveaux murs,
plusieurs tableaux d'origine voisinaient désormais
avec des œuvres fort différentes. Il y avait là le vieux sir
Eustace et sa jeune épouse Geraldine, deux portraits
en pied conçus pour qu'ils se regardent tendrement
l'un l'autre, à présent séparés par un grand tableau
pouvant presque être qualifié d'« abstrait », représentant sans doute une usine ou une prison. Daphné se
retourna pour contempler sir Edwin, plus respectueusement placé sur le mur d'en face, à côté du portrait
glacial de sa belle-mère. Dans ce portrait exécuté
plusieurs années avant la guerre, elle portait une
robe rouge foncé, les cheveux ramenés en arrière, ses
grands yeux clairs habités par une éclatante absence
de doute. Elle tenait un éventail fermé, tel un bâton
en laque noire. Rien ne s'interposait entre ce couple-
là, quoiqu'un soupçon de satire semblât les mena-
cer dans leurs cadres sculptés et dorés. Daphné avait
aimé s'asseoir dans le vieux salon, où les tentures,
même quand elles étaient retenues par les embrases,
étaient naguère si volumineuses qu'elles empêchaient
en grande partie la lumière d'entrer : elle s'y cachait,
pour ainsi dire. Ce refuge lui étant refusé désormais
par le nouvel agencement, elle décida de monter à
l'étage voir si les enfants étaient prêts.

« Maman ! s'écria Wilfrid dès qu'elle entra dans la
nursery. Est-ce que Mrs Cabosse va venir ?

— Wilfrid a peur de Mrs Cabosse, expliqua Corinna.

— Non, je n'ai pas peur d'elle !

— Pourquoi avoir peur d'une gentille vieille dame ? demanda Nounou.

— Exactement. Merci, Nounou, dit Daphné. Bien, mes chéris, allez-vous faire à grand-mère Sawle une belle surprise ?

— La même surprise que la dernière fois ? » demanda Corinna.

Daphné réfléchit un instant avant de répondre : « Cette fois, ce sera une double surprise. » Wilfrid était encore tellement excité par ces rituels inventés par sa sœur qu'il lui arrivait d'en avoir la nausée, mais Corinna, quant à elle, commençait à penser qu'ils n'étaient plus de son âge. « Nous devons tous être gentils avec Mrs Cabosse, dit Daphné. Elle ne va pas très bien.

— Est-elle contagieuse ? demanda Corinna, qui récupérait tout juste de la rougeole.

— Non, pas ce genre de maladie, répondit sa mère. Elle souffre d'arthrose aiguë. Elle souffre *beaucoup*.

— La pauvre, dit Wilfrid, essayant manifestement d'envisager la vieille dame d'un point de vue plus adulte.

— Je sais… la pauvre. » Elle se percha, avec précaution, sur le rebord capitonné du pare-feu. « Alors, pas de feu aujourd'hui, Nounou ? demanda-t-elle.

— Eh bien, *my lady*, nous pensions qu'il faisait presque assez chaud pour nous en passer.

— As-tu assez chaud, Corinna ?

— Oui, tout juste, Mère, répondit Corinna en jetant un coup d'œil gêné à Mrs Copeland.

— Moi, j'ai froid, dit Wilfrid, qui avait tendance à adopter une doléance dès qu'elle lui était signalée.

— Alors, descendons en courant au rez-de-chaussée pour nous réchauffer, proposa Daphné qui, contrevenant joyeusement à la règle d'or de Nounou, se leva d'un bond.

— Mais pas deux marches à la fois, n'est-ce pas, Wilfrid ! dit Nounou.

— Ne vous inquiétez donc pas, je l'accompagne. » Lorsqu'ils sortirent sur le dernier palier, Wilfrid demanda : « Mrs Cabosse passe-t-elle la nuit ici ?

— Wilfrid, *bien sûr*, répondit Corinna, perdant patience. Elle arrive en train avec grand-mère Sawle.

— L'oncle George les remmènera chez elles dimanche, après le déjeuner », expliqua Daphné. Prenant la main de son fils, elle ajouta : « Je pense qu'il serait gentil de l'accompagner jusqu'à sa chambre.

— Et moi, j'accompagnerai grand-mère à la sienne, précisa Corinna, rendant une dérobade plus difficile pour Wilfrid.

— Mais… et Wilkes, alors ? s'inquiéta Wilfrid ingénument.

— Oh, je ne sais pas. Wilkes pourra se reposer et prendre une tasse de thé, qu'en penses-tu ? » suggéra Daphné, partant d'un rire charmant jusqu'à ce que Wilfrid l'imite, mais avec un rire plus hésitant.

Ils descendirent l'escalier main dans la main et en rythme, ce qui requit un certain degré de discipline. De la fenêtre du palier du premier étage, Daphné vit la voiture arriver de la gare. « Elles sont là… oh, mes chéris, courez ! » Et elle les laissa aller.

« Oh, Maman…, dit Wilfrid, paralysé par l'excitation et la crainte.

— Viens ! » lança Corinna, et ils dévalèrent tous deux les trois volées brillantes de chêne poli. Wilfrid perdit l'équilibre dans le dernier tournant et descendit les dernières marches sur les fesses. Vaguement agacée, Daphné se raidit mais son fils traversait déjà le hall en boitillant et l'air suffisant – on aurait dit son père. Il contourna la table et ne se fut pas plus tôt mis à gémir qu'il était déjà distrait par la nécessité de ce qu'il devait accomplir.

Comme Wilkes apparut alors, en compagnie du nouveau garçon écossais, Daphné les laissa aller s'occuper de l'automobile tandis qu'elle-même observait depuis le perron. C'était horrible à admettre, mais au plaisir de revoir sa mère était mêlé un brin de réserve : elle pensa à ce que dirait son époux après son départ. Wilkes en déféra à Freda très convenablement, avec le sourire, avec son habituel sens intuitif de ce dont chaque invité avait besoin. Daphné la vit comme une jolie femme, les joues rouges, vêtue d'une robe bleue neuve, qui remontait bien au-dessus de la cheville, et d'un petit bibi dernier cri, sous le bord duquel transparaissaient de façon très touchante ses inquiétudes quant à cette visite. Le jeune et séduisant domestique aida Clara Kalbeck, une affaire physique qui nécessitait du tact : elle avança sur le gravier lentement mais d'un pas déterminé, toute en noir, munie de deux cannes, suivant Freda comme le spectre de sa vieillesse.

2

Wilfrid jeta un œil à sa sœur puis le colla à nouveau contre l'interstice entre les volets. Sa jambe lui cuisait, son cœur battait la chamade, mais il espérait encore réussir. Il vit Robbie entrer avec les valises : il se pencha en avant pour l'observer et poussa la porte avec sa joue. « Attends mon signal », ordonna Corinna. Robbie leva les yeux et leur adressa un clin d'œil.

« Je sais », marmonna Wilfrid, regardant sa sœur dans l'ombre avec un mélange de crainte et d'irritation. Les autres paraissaient retenus sur le perron par leurs interminables conversations d'adultes. Il voyait bien qu'ils disaient n'importe quoi. Il avait envie de crier sans attendre mais il avait peur, aussi, tout comme sa sœur l'avait dit. La menace du week-end, avec des invités et des défis tous plus flous les uns que les autres, planait au-dessus de lui. D'autres invités seraient là le lendemain, l'oncle George et la tante Madeleine, de cela il était sûr, et un homme de Londres qu'on appelait « l'oncle Sebby ». Les nouveaux arrivés discuteraient sans fin mais il leur faudrait bien s'arrêter : alors Corinna jouerait du piano et lui-même pourrait danser. Il se sentit comme vidé par l'inquiétude et l'excitation. Quand il y avait du feu dans le hall, on étouffait dans ce petit passage surchauffé qui ressemblait à une grotte mais, aujourd'hui, Wilfrid sentait l'odeur de la pierre froide. Il était content de ne pas être seul. Enfin, grand-mère Sawle entra et, impassible, jeta un coup d'œil à la cheminée, signe qu'elle s'attendait à une surprise : d'une certaine façon, celle-ci ne serait pas gâchée, au contraire, ça n'en serait que mieux. Donc, dès qu'elle eut tourné dûment le dos, il ouvrit les volets et s'exclama : « Bonjour, grand-mère...

— Pas encore, gémit Corinna. Tu t'es trompé, Wilfrid. » Mais grand-mère s'était déjà retournée, portant la main à son cœur.

« Oh ! dit-elle, oh ! » Corinna poussa donc aussi ses volets et, avant même que Mrs Kalbeck ne soit là, cria la formule qu'ils avaient répétée, « Bienvenue à Corley Court, grand-mère Sawle et Mrs Kalbeck ! », à l'unisson avec Wilfrid qui, hilare, se ficha complètement de son erreur.

« C'est extraordinaire ! dit grand-mère. Les murs parlent. » Wilfrid gloussa de plaisir. « Ah, Dudley, mon chéri. » Le père des enfants était entré et le chien s'était mis à aboyer. Elle leva la voix : « Cette ancienne cheminée a des propriétés miraculeuses !

— Poubelle ! Poubelle ! cria Dudley, parce que le chien s'élançait en jappant vers la porte d'entrée. Viens, Poubelle, viens ici ! Ferme-la ! » Comme à son habitude, Poubelle n'en fit rien, tenant à accueillir tout le monde à sa guise.

« C'est magique ! insista grand-mère.

— Eh bien, cela ne va pas rester magique bien longtemps, dit Dudley, de son ton autoritaire, tout

168

en embrassant Mrs Sawle sur la joue. Allez, dehors !
lança-t-il, et il était difficile de savoir s'il s'adressait au
chien ou à ses enfants.

— Wilfrid a tout fait rater », répéta Corinna, tandis
que Mrs Kalbeck passait la porte d'entrée penchée en
avant, une canne après l'autre, manifestement pani-
quée lorsque Poubelle se dressa sur ses pattes arrière
et se mit à valser avec elle, pattes avant posées sur son
ventre : elle recula de deux pas pantelants, le chien
retomba et renifla tout excité ses jambes et ses souliers
noirs à bout arrondi. Après quoi, il fallut à la vieille
dame un long moment pour comprendre d'où venait
la voix de la petite fille.

« *Frau* Kalbeck, cela me fait tellement plaisir de
vous revoir », s'exclama Dudley, traversant la salle en
boitant vite mais lourdement, de sorte qu'on eût dit
qu'il jouait avec elle, l'imitant ou s'associant simplement à elle, allez savoir. « Veuillez ignorer l'attitude
de mes enfants.

— Oh, mais, chéri, dit leur mère, les enfants ont
demandé s'ils pouvaient accompagner nos invitées
jusqu'à leur chambre. »

Dudley se retourna brusquement, arborant ce que
la famille appelait « son regard fou ». L'atmosphère
devint pesante, comme souvent. Mais il sembla leur
lâcher la bride, se contentant de dire : « Ah, les petits
monstres. »

Mrs Kalbeck monta l'escalier lentement. Wilfrid
observa la pointe caoutchoutée de chaque canne tandis
qu'elle recherchait un appui sur le chêne ciré. « C'est
très dangereux, assura-t-il. Moi, je suis tombé ici. » Il
trouvait le fait d'être responsable d'elle à la fois intéressant et effrayant. Il monta et descendit plusieurs

fois les marches en sautillant à côté d'elle, encourageant et évaluant sa progression beaucoup plus lente. Corinna et grand-mère Sawle les ayant précédés, il avait peur, comme toujours, d'être en retard, et de la réaction de son père. « Notre maison date de l'époque victorienne », expliqua-t-il.

Mrs Kalbeck lâcha un petit rire entre deux soupirs et le regarda droit dans les yeux mais d'un air doux. « Comme moi, mon enfant, répondit-elle, avec une nette intonation germanique, ses grands yeux gris semblant jeter un sort au petit garçon.

— Vous plaît-elle, alors ?

— Cette vieille et merveilleuse bâtisse ? dit-elle gaiement, mais son regard fixait, par-delà Wilfrid, l'escalier ciré avec une inquiétude sourde.

— Mon père ne parvient pas à l'aimer. Il veut tout changer.

— Hum, si c'est son souhait… »

On avait installé Mrs Kalbeck dans la chambre jaune, tout au fond ; Wilfrid la devança d'un ou deux pas dans le large couloir. Ils dépassèrent la porte ouverte de la chambre de grand-mère Sawle, où Corinna avait déjà reçu un cadeau, une écharpe rouge vif qu'elle admirait dans la glace. C'était une pièce gaie, irrésistible ; Wilfrid s'en approcha, avant de se retenir et de continuer son chemin. La prochaine porte, de l'autre côté, était celle de ses parents. « Vous n'êtes pas autorisée à entrer dans cette chambre, dit-il, à moins que mes parents vous y invitent, bien sûr. » Il était gêné de ne pas connaître le vrai nom de Mrs Cabosse ; d'un autre côté, il aimait lui donner mentalement ce nom grossier. Il n'avait pas envie d'être trop près de sa robe noire, de son parfum de fleurs blanches mêlé à une odeur aigre et triste. « Mrs Ca…, commença-t-il, hési-tant.

— Oui, Wilfrid.

— Je ne m'appelle pas Vilfrid, voyez-vous, Mrs Ca… »

La vieille dame s'arrêta et retroussa les lèvres obli-geamment. « *Wil*…frid », dit-elle en rougissant un peu, ce qui, pendant un instant, désarçonna le petit garçon. Il regarda ailleurs. « Vous disiez, *Wil*frid, mon enfant…? » Naturellement, il ne put rien dire du tout. Il continua de danser, le long du palier baigné de soleil, laissant la vieille dame le rattraper.

La porte de la chambre jaune était ouverte et la domestique Sarah, qui n'était pas l'une de ses préférées, penchée au-dessus de la valise bleue de Mrs Kalbeck, vérifiait son contenu avec une expres-sion légèrement amusée. Lorsque Mrs Kalbeck la vit, elle se précipita vers elle, manquant tomber lorsqu'un tapis glissa sous l'une de ses cannes. « Oh, je peux faire cela moi-même ! s'exclama-t-elle. Je m'en charge !

— Il n'y a aucun souci, Madame », répondit Sarah avec un sourire froid.

Mrs Kalbeck s'assit lourdement sur le tabouret de la coiffeuse, pantelante d'indécision alors qu'elle ne pouvait rien faire. « Ces vieilles hardes… », dit-elle, son regard passant vite de la bonne à Wilfrid, avec l'espoir que lui au moins ne les aurait pas vues, et retour à la bonne, tandis qu'elles étaient transportées cérémonieusement jusqu'à l'armoire ouverte.

« Eh bien, adieu », dit Wilfrid, en se retirant comme s'il s'attendait à ne jamais plus croiser son chemin.

Sur le palier, seul, il ne put s'empêcher de penser qu'il aurait dû lui parler davantage. En passant, il laissa traîner ses doigts le long des dos des livres de la bibliothèque, qui leur transmirent un mouvement régulier tout en ondulations. Il dissimula sa gêne avec un air insouciant, alors que personne ne le regardait. Il avait fait ce qu'on lui avait demandé, il avait été extrêmement gentil avec Mrs Cabosse, mais son inquiétude était plus blessante et obscure : la personne qui lui avait demandé de le faire savait que ce n'était pas bien, et avait prétendu le contraire. Un obus allemand avait coupé trois orteils du pied gauche de son père et, par la faute d'un tireur allemand embusqué, l'homme qu'il avait appris à appeler oncle Cecil n'était plus qu'une statue blanche et froide dans la chapelle souterraine. Il courut dans le couloir, momentanément libéré de toute présence adulte, sa crainte d'être en retard vaincue par un désir aveugle de se cacher ; il dépassa la chambre de sa grand-mère, obliqua à l'angle et se dirigea vers la buanderie, dans laquelle il entra, refermant la porte derrière lui.

3

« Prends donc un verre, Duffel, dit Dudley cordialement, un peu comme si elle avait été une invitée.

— Nous buvons des Manhattan, précisa Mrs Riley.

— Oh... », lâcha Daphné sans vraiment regarder l'un ou l'autre, mais traversant la pièce avec
une expression censée traduire sa bonne humeur.
Lorsqu'elle pénétrait dans le « nouveau » salon, elle
éprouvait encore une sensation bizarre, comme si
elle avait été le sujet d'une expérience ; la présence
de Mrs Riley dans la pièce accentuait sa gêne. « Ne
devrions-nous pas attendre Mère et Clara ?

— Oh, est-ce utile ?..., dit Dudley. Eva avait l'air
d'avoir soif. »

Mrs Riley partit de son petit rire voilé. « D'où
connaissez-vous Mrs... hum ? s'enquit-elle.

— Mrs Kalbeck ? C'était notre voisine dans le
Middlesex », répondit Daphné, inspectant d'un air
absent les bouteilles sur le plateau ; elle avait beau
aimer les Manhattan et avoir apprécié l'endroit
lorsqu'ils s'y étaient rendus pour le lancement du livre
de Dudley, elle se prépara un gin Dubonnet.

« Elle paraît plutôt… hum…, dit Mrs Riley, jouant de sa malice.

— Elle est adorable, dit Daphné.

— Elle représente manifestement un énorme atout pour toute la fête de famille », déclara Dudley.

Daphné esquissa un sourire pincé et dit : « La guerre a été dure pour notre pauvre Clara » ; c'était une formule qu'employait souvent sa mère pour prendre la défense de son amie mais qui, à cet instant, parut presque aussi désobligeante que la pique de Dudley. Si elle n'avait jamais aimé Clara, elle avait pitié d'elle et, dans la mesure où elles avaient chacune perdu un frère à la guerre, elle ressentait une certaine affinité avec la vieille Allemande.

« Attends qu'elle entonne la "Chevauchée des Walkyries", dit Dudley.

— Oh, elle fait ça ? demanda Mrs Riley.

— Disons qu'elle idolâtre Wagner, répondit Daphné. Elle a emmené Mère à Bayreuth avant la guerre.

— Pauvre créature…

— Ta mère ne s'en est jamais vraiment remise, dit Dudley avec tact. N'est-ce pas, Duffel ? »

Mrs Riley partit encore d'un petit rire et Daphné se tourna vers elle : oui, c'est ainsi qu'elle riait, tête renversée selon un angle de plusieurs centimètres, lèvre supérieure tirée vers le bas dirigeant la fumée de sa cigarette : c'était tout autant un rire, d'ailleurs, qu'une expression de tolérance.

« Je ne saurais dire », répondit Daphné, fronçant les sourcils mais n'oubliant pas combien il était important de veiller à la bonne humeur de son mari. Elle devrait l'autoriser à critiquer les Sawle pendant le week-end, dans les limites du raisonnable. Elle approcha avec son verre et se laissa choir dans un fauteuil bas, gris, esquissant un soupçon de sourire suffisant, signe de son constant étonnement face à la nouveauté de la pièce. Elle se dit qu'elle n'avait jamais vu tenue de soirée plus courte que la robe d'Eva Riley, qui lui remontait presque jusqu'au genou lorsqu'elle s'asseyait, et rien de plus long que son sautoir rouge, sans nul doute une de ses créations, comme le reste. Bien sûr, son corps bizarrement plat était fait pour la mode, ou du moins pour cette mode-là ; et son petit minois pointu, pas joli, vraiment, mais maquillé comme s'il l'était, avec du rouge, du blanc et du noir, telle une poupée chinoise. Les décoratrices, apparemment, étaient toujours en service. Lovée dans un coin du canapé, son collier rouge glissant sur les coussins gris, Mrs Riley était une publicité vivante pour sa décoration d'intérieur ; à moins que la pièce n'ait été une publicité pour elle. « Je sais que ce week-end est dédié à Cecil, dit Daphné, mais, en fait, je suis heureuse que nous ayons pu persuader Clara de venir. Elle n'a personne, vraiment, hormis ma mère. Cela lui fera le plus grand bien. Pauvre chérie, vous savez qu'elle n'a même pas l'électricité… »

Dudley émit un grognement ravi. « Les installations électriques ici seront donc une révélation pour elle », dit-il.

Daphné sourit, donnant l'impression qu'elle essayait de n'en rien faire, tandis que le son « révél », employé par hasard, la saisissait et l'imprégnait d'un regret momentané. « Je veux dire que l'endroit où elle vit est plutôt un taudis…, précisa-t-elle. Propre, naturellement, mais minuscule et sombre. Juste au bas du coteau où ma mère vivait autrefois. » N'empêche, elle savait qu'elle avait eu raison de conseiller à Revel de ne pas venir.

« Là où tu as grandi aussi, Duffel, précisa Dudley, comme si son épouse commençait à prendre de grands airs. Le célèbre Deux Arpents.

— Ah oui, s'exclama Mrs Riley. Comment était-ce, déjà ? "Deux arpents bénis de sol anglais" !

— C'est ça, oui ! acquiesça Dudley.

— J'imagine que c'est le poème le plus connu de Cecil, non ?

— Je n'en suis pas certaine », répondit Daphné, fronçant à nouveau légèrement les sourcils. Sans doute la vision des longues jambes nues d'Eva Riley était-elle rassurante, après tout. Une femme intelligente, décidée à séduire un homme riche sous les yeux de son épouse, aurait probablement porté un vêtement plus discret et sournois. Daphné détourna la tête et regarda, par la fenêtre, le jardin qui déjà perdait ses couleurs en cette soirée de début de printemps. Au sommet de la section centrale de chaque fenêtre figuraient les armoiries des Valance, au-dessus de leur devise inscrite en lettres gothiques sur un enroulement. Les petits boucliers bariolés paraissaient s'opposer à la froide modernité de la pièce et la contredire joyeusement.

Sirotant religieusement son cocktail, Dudley dit : « Je ne peux m'empêcher d'être mortifié par le fait que l'on se rappellera mon frère Cecil, héritier d'une baronnie et de trois mille arpents, sans parler de l'une des demeures les plus laides du sud de l'Angleterre, à cause de son ode à un jardin de banlieue.

— Eh bien, rétorqua Daphné bravement, et pas pour la première fois, c'était un très joli jardin. J'espère que tu ne vas pas dire des choses de ce genre à Sebby Stokes. » Elle observa le sourire de Mrs Riley, dont le regard, sous ses lourdes paupières, s'évertuait à ménager la chèvre et le chou. « Ou à ma pauvre mère. Elle est très fière de ce poème. D'ailleurs Cecil a écrit bien plus de poèmes sur Corley, quantité de poèmes, en fait, comme tu le sais parfaitement.

— "Château de songes exotiques / Mirés dans des ruisseaux d'émail", récita Dudley sur un ton emphatique qui, pour être ridicule, n'en rappelait pas moins la voix de Cecil lorsqu'il lisait ses poèmes.

— Je suis certaine que même Cecil n'a jamais écrit quoi que ce soit d'aussi affreux », protesta Daphné. Dudley, toujours excité par la possibilité de se moquer de tout ce qu'autrui chérissait, adressa un large sourire à Eva, montrant, tel un bref éclair de nudité, ses dents de dogue luisantes. Mrs Riley tapota sa cigarette sur le cendrier et dit très doucement :

« Je suis surprise que votre mère ne se soit jamais remariée.

— La Générale, grands dieux ! s'exclama Dudley.

— Non… la mère de lady Valance.

— La chose n'a jamais semblé se présenter, je ne sais pourquoi… Je ne suis pas sûre qu'elle l'aurait souhaité », expliqua Daphné en se drapant dans une sorte de dignité froissée, réprimant ses propres pensées, inconfortables, sur le sujet.

« Elle est charmante. Et elle a dû être veuve très jeune.

— C'est exact, oui », confirma Daphné, d'un air absent mais fermement, comptant sur Dudley pour changer de sujet. Il alluma une cigarette et posa en équilibre sur le bras de son fauteuil un lourd cendrier en argent, l'un parmi une centaine d'objets sous lesquels il avait fait graver l'inscription *Volé à Corley Court*. Il avait, dans sa garde-robe, une chope en étain sans grande valeur, estampillée, de façon alléchante : *Volé à Hepton Castle* ; il avait imité cette pratique à Corley, supervisant l'exécution avec une détermination acharnée.

« Quand le Stoker arrive-t-il ? demanda Dudley après un long silence.

— Oh, assez tard, après le dîner.

— Je suppose qu'il a une affaire importante à régler.

— Il a une réunion importante, concernant les mineurs.

— Vous ne connaissez pas Sebastian Stokes, dit Dudley à Mrs Riley. Il mêle une grande sensibilité littéraire à un sens politique aigu.

— Bien sûr, j'ai entendu parler de lui », répondit Mrs Riley, prudente. Dans une conversation avec Dudley, sincérité et satire se ressemblaient tant que, face à ses sorties, les non-initiés en étaient souvent réduits à ouvrir des yeux ronds et à rire d'un rire incertain. Mrs Riley se pencha pour prendre une autre cigarette dans la boîte en malachite sur la table basse.

« Pas la peine de s'inquiéter pour les mineurs si Stokes est aux manœuvres, déclara Dudley.

— Je ne m'inquiète pas le moins du monde en l'état actuel des choses », répondit-elle d'un air espiègle, triturant une allumette.

Daphné avala une gorgée réconfortante de gin et réfléchit à ce qu'elle pourrait dire sur les pauvres mineurs, si cela avait pu être d'une quelconque utilité. « Je trouve qu'il est merveilleux qu'il fasse tout cela pour Cecil alors que le Premier ministre a besoin de lui à Londres.

— Il idolâtrait Cecil. C'est lui qui a écrit sa notice nécrologique dans le *Times*.

— Ah, c'était donc lui ? dit Mrs Riley, comme si elle l'avait lue et s'était posé la question.

— Il l'a fait pour plaire à la Générale, mais cela venait du cœur. Un soldat… un érudit… un poète… etc., etc., etc., *et* un gentleman ! » Dudley but cul sec avec un geste d'un panache assez effrayant. « C'était un magnifique adieu ; même si le portrait ne correspondait guère à celui qu'ont en tête ceux qui ont véritablement connu mon frère.

— Il ne le connaissait donc pas vraiment, dit Mrs Riley, marchant encore sur des œufs, mais appré-ciant, de toute évidence, le tour traître que prenait la conversation.

— Ils se sont rencontrés une ou deux fois. L'un de ses amis de la jaquette l'avait invité à Cambridge, ils avaient fait un tour en barque et Cecil lui avait lu un sonnet, voyez-vous. Le Stoker en avait été bouleversé et l'avait fait publier dans une revue. Cecil lui avait aussi adressé des lettres ronflantes qu'il a fait publier dans le *Times*, après sa mort… » Dudley, qui, soudain, parut fatigué, se mit à regarder fixement devant lui, sourcils légèrement levés, comme pour signifier l'in-sondable ennui de tout cela.

« Je vois…, dit Mrs Riley, avec un sourire en coin faussement effarouché, avant de regarder Daphné. Je suppose que vous n'avez jamais rencontré Cecil, lady Valance ?

— Moi, oh mais si. En fait, je l'ai connu bien avant de rencontrer Dud… » À cet instant précis, Wilkes ouvrit la porte et la mère de Daphné entra, hésitante, sembla-t-il, car elle attendait son amie qui, s'aidant de ses lentes cannes, traversait le hall, et Clara elle-même était plongée dans une conversation avec la mère de Dudley, qui arrivait juste derrière elle, d'un pas bien plus alerte.

« Mon époux, pourrait-on dire en toute justice, n'aimait pas la musique, affirma Louisa Valance. Il ne la détestait pas, comprenez-moi. C'était, par bien des côtés, un être d'une extrême sensibilité. La musique le rendait triste.

— La musique est triste, certes, dit Clara, l'air vaguement inquiet. Mais aussi, je crois…

— Entrez, veuillez vous asseoir, dit Daphné, adressant un sourire secourable à l'éclat terni de Clara, l'ancienne robe de soirée trop serrée aux aisselles, la pochette noire désuète, que, bien avant la guerre, elle emportait à l'Opéra, pendue aujourd'hui à sa main gauche, tournoyant autour de sa canne tandis qu'elle se propulsait dans la pièce. Le domestique écossais, séduisant comme un chanteur, en culotte et redingote, approcha pour elle une chaise plus haute et cala ses cannes une fois qu'elle se fut installée. Eva et Dudley, apparemment fascinés par les cannes, les scrutèrent comme de rustres survivances d'une époque qu'ils pensaient avoir éradiquée à jamais. Le domestique resta discrètement dans les parages, sourit et se comporta avec un charme impersonnel et bienséant. C'était le premier domestique engagé par Wilkes à Corley depuis le début du règne de Daphné qui, d'une façon irrationnelle et presque romantique, le considérait comme sa propriété privée.

« Sébastian n'est-il pas arrivé ? s'enquit Louisa.

— Pas encore, dit Daphné. Nous l'attendons après le dîner.

— Nous avons tant de choses à nous dire, précisa Louisa avec une impatience allègre.

— Ah, Mamma…, fit Dudley, qui avança vers elle comme pour l'embrasser mais s'arrêta à quelques pas, arborant un large sourire.

— Bonsoir, mon cher. Vous saviez que je descendrais.

— Du moins l'espérais-je, Mamma, bien sûr. Qu'aimeriez-vous donc boire ?

— Une limonade, je crois. Le printemps est presque là, n'est-ce pas, aujourd'hui ?

— N'est-ce pas ! Cela se fête. »

Louisa, ayant gratifié son fils de son mince sourire qui semblait en partie absorber et en partie défléchir ses sarcasmes, détourna aussitôt le regard, s'attardant sur les jambes de Mrs Riley, avant de le poser pour se rassurer sur celles de Daphné; son expression, qui n'était pas naturellement empreinte de tact, parut se figer pendant quelques secondes dévolues à la formulation puis à l'élimination d'une remarque. Elle se tenait, peut-être sciemment, sous son portrait qui, d'une certaine manière, rendait toute remarque superflue. Elle avait régné pendant quarante ans sur cette demeure. Elle avait maintenant le front plus émacié que lorsqu'elle avait posé, et le menton plus pointu. Ses cheveux avaient viré du brun roux au cendré, la robe rouge était devenue irréversiblement noire. Chaque fois qu'elle émergeait de la suite qu'elle occupait désormais et où elle choisissait souvent de dîner seule, elle se déplaçait avec un frisson perceptible de dignité ébranlée, souligné encore par les bribes ensoleillées de théâtralité qui l'accompagnaient. « Je vous trouve vraiment tellement douée, ma chère, dit-elle à Mrs Riley. Vous avez tant métamorphosé cette pièce qu'elle en est méconnaissable. » Au coin de son œil flottait le tableau abstrait que, jusque-là, elle avait fait mine de ne point remarquer.

« Oh, merci, lady Valance, dit Eva, lâchant un rire non exempt de nervosité.

— C'est très inattendu », dit Clara, avec son air involontairement germanique de vouloir signifier davantage qu'elle ne disait.

Louisa regarda autour d'elle. « Je trouve l'ensemble très reposant, déclara-t-elle, comme si le repos était un état qu'elle appréciait tout particulièrement.

— Vous n'avez encore rien vu, dit Dudley en tanguant vers sa mère, muni d'un verre de la boisson préférée de celle-ci. Nous allons éclaircir toute la demeure.

— Je préférerais que la bibliothèque restât en l'état.

— Si c'est votre souhait, Mamma, la bibliothèque sera épargnée, elle conservera ses ténèbres médiévales.

— Hum… » Elle but une gorgée de limonade et eut un sourire pincé, comme si elle appréciait sa propre bonne humeur. « Et le hall ?

— Eh bien, le hall… Je crois que Mrs Riley s'est concentrée sur la cheminée.

— Oh, pas la cheminée, s'exclama Freda, de façon plutôt exagérée. Les enfants adorent la cheminée !

— Il est un fait qu'il faut être un enfant pour l'adorer, rétorqua Eva Riley.

— Alors, je dois être restée une enfant, déclara Freda.

— Ce qui fait de moi l'enfant d'une enfant, dit Daphné. Un bébé ! »

Un bref instant, Dudley contempla l'assemblée féminine avec un éclair d'agacement dans le regard, mais il se ressaisit vite. « La plupart des grandes familles se débarrassent aujourd'hui de ces inanités victoriennes. Vous devriez aller voir ce que les Withers ont fait de Madderleigh, Mamma. Ils ont abattu la tour de l'horloge et construit une piscine olympique sur son emplacement.

— Fichtre ! » se récria Louisa, interjection qui, dans son maigre répertoire, alternait et était presque interchangeable avec « Quelle horreur ! ».

« À Madderleigh, dit Eva Riley, ils ont fait ces changements il y a très longtemps. Le plafond de la salle à manger a été décoré de caissons dès les années 1880, je crois.

— Exactement ! Même l'homme qui a construit Madderleigh ne pouvait supporter cet endroit, renchérit Dudley.

— L'homme qui a construit cette demeure-ci était ton grand-père. Et il l'aimait.

— Je le sais… n'était-ce pas surprenant de sa part ?

— Tu n'as jamais témoigné beaucoup d'affection pour les choses auxquelles ton grand-père tenait… ou ton père, d'ailleurs. » Elle porta sur les autres un regard souriant, comme s'ils avaient tous été d'accord avec elle.

« C'est faux. J'aime les vaches. Et le clairet.

— Ne voulez-vous pas vous asseoir, Louisa ? »
s'enquit Freda d'un ton chaleureux, lissant le coussin rebondi à côté d'elle. Daphné détestait la franchise des conversations à Corley depuis la mort de sir Edwin, les constantes passes d'armes, mais elle s'était vite aguerrie.

« Je préfère les sièges durs, ma chère. Je trouve les fauteuils quelque peu efféminés. » Louisa poussa un soupir. « Je me demande comment Cecil aurait réagi à tous ces changements.

— Hum, je me le demande, en effet », confirma Dudley, détournant le regard. Sur quoi, facétieux, comme s'il n'avait qu'à moitié souhaité être entendu, il ajouta : « Peut-être pourriez-vous le lui demander, la prochaine fois que vous entrerez en communication ? »

Daphné adressa un regard de biais horrifié à Louisa, dont il fut difficile de savoir si elle avait entendu ; la tête de Dudley était agitée par un rire silencieux et sa mère reprit avec sa détermination crispée : « Cecil avait un sens aigu de la tradition, il n'était jamais moins que digne… » À ce moment-là, toutefois, la porte s'ouvrit d'un coup et la nounou apparut, une main sur l'épaule de chacun des enfants. Elle les retint auprès d'elle, peut-être un instant de trop, en un petit tableau à la gloire de son efficacité. « Les voici ! » Lorsque grand-mère Sawle venait leur rendre visite, on les faisait descendre à six heures, entre le dîner à la nursery et l'heure du coucher. Wilfrid se dégagea de l'étreinte de la nounou et se précipita vers sa grand-mère, exécutant une longue et ample révérence, son nouveau jeu, alors que Corinna allait jusqu'à la cheminée, mains dans le dos, se préparant, eût-on dit, à faire l'une de ses fameuses annonces. Tous deux trouvèrent un moment pour jeter un coup d'œil inquiet à leur père, dont la bonne humeur, toutefois, semblait persister.

« Dites bonjour à Mrs Riley, commanda-t-il.

— Bonjour, Mrs Riley, dirent les enfants, promptement mais sans grande chaleur dans la voix.

— Mes chéris… », osa la décoratrice, par-dessus son verre de cocktail.

Wilfrid alla poliment, quoique en courant, faire la révérence à grand-mère V., qui dit d'un air agacé « Regarde-toi donc ! », alors que, venu de la porte du jardin, avec un halètement sonore et des claquements de queue contre les sièges et les pieds de table, Poubelle traversa la pièce et, tout excité, tourna autour de son maître.

« Oh, voulons-nous vraiment du chien parmi nous ? » s'enquit Daphné, avec un tremblement de panique tandis que sa mère, grimaçant à la chaleur faisandée de l'haleine de la bête, écartait vivement son verre du museau intrusif. Elle se leva pour l'attraper mais Dudley grogna d'un air à la fois indulgent et provocant : « Oh, Pioubel' Pioubel' Pioubel' ! » Sortant de nulle part un biscuit noir et dur comme un os que le chien était censé aimer, il titilla un instant l'animal avant de jeter en l'air le biscuit qui fut avalé d'un seul coup de langue. Clara, craignant encore la bête, lui lança un ardent sourire comme pour prouver le contraire. Elle dissimula son embarras grâce à une facétie de pantomime, avançant la main en un signe de réconciliation enfantine, mais elle n'avait pas de biscuit et Poubelle passa devant elle sans la voir.

D'un pas discrètement volontaire, Corinna s'était approchée du piano, elle se percha sur le tabouret et observa son père afin de savoir quel moment serait approprié pour prendre la parole : « Ne vas-tu pas nous jouer un morceau, ma vieille ? demanda Dudley.

— Oh, elle sait donc jouer ? demanda Eva, lâchant une bouffée de fumée de côté.

— Si elle sait jouer ? Au piano, c'est une vraie diablesse. N'est-ce pas, ma chérie ? »

Corinna accueillit la réflexion de son père avec un sourire hésitant. « Je jouerai demain, répondit-elle.

— Bonne idée. Il faudra jouer pour l'oncle George, répondit Dudley, déjà fatigué par son propre sarcasme comme par le sujet.

— Wilfie pourra danser aussi, dit Corinna, rappelant ainsi à leur père les termes de leur accord.

— Oui, exactement... », répondit Dudley après une pause.

Louisa, dont l'attention restait fixée sur Eva, s'enquit : « Je suppose que vous aimez la musique, Mrs Riley ? »

Cette dernière lui sourit pour la préparer à sa réponse : « Oh, énormément... certains genres de musique, en tout cas.

— Quoi, Gounod et les autres ?

— Pas Gounod particulièrement, non...

— Il me semble qu'on devrait s'arrêter à Gounod.

— Voyons, Wilfie », dit Dudley en toussant fort, comme pour réprimander son fils, avant de poursuivre : « *Le Colonel et le rat*, cela te dit quelque chose ?

— Non, Papa, dit Wilfrid doucement, car il n'osait croire que son père allait se lancer dans la récitation d'un poème, dont, d'ailleurs, il craignait peut-être aussi le sujet.

— Eh bien, voici : "Le colonel parut, chevelu et barbu, et, fourbu et vaincu, disparut dans la rue." »

Wilfrid rit, sans doute moins du texte que de l'horrible expression que son père avait eue en le récitant ; tout ce qui était horrible pouvait aussi être comique. « Oh, dit Daphné, Papa pose-t-il au poétaillon pour son poupon ?

— Ce ne sont pas des vers de mirliton, Duffel, dit Dudley, se retenant pour ne pas blâmer tant d'allitérations. Cela s'appelle la "skeltonique" et remonte au temps du roi Henry VIII. Si tu te rappelles que Skelton était le Poète Lauréat de l'époque…

— Ah, dans ce cas.

— Bon, si vous ne voulez pas que je récite la suite…

— Oh, si, Père !

— Votre oncle Cecil était un poète célèbre, mais les gens ont tendance à oublier que je ne suis pas dénué de talent dans ce domaine. »

Daphné lança un coup d'œil à Louisa, qui faisait celle qui est au-dessus des provocations, comme si elle avait trouvé incompréhensibles et son fils et son petit-fils.

« Je sais, Papa », dit Wilfrid, jetant un regard de convoitise au genou de son père près duquel il se tenait debout, presque comme s'il avait eu l'intention de poser la main dessus.

4

Le lendemain, après le petit déjeuner, Daphné fit irruption dans la nursery au moment où Mrs Copeland, préparant les enfants pour une promenade, s'exclamait : « Non, Wilfrid, pas ce pantalon blanc, tu vas te mettre de la boue partout.

— Vous voulez dire, Nounou, que la boue va se mettre sur moi.

— Mère, nous allons à la ferme des Pritchett », expliqua Corinna avec une grimace stoïque car Mrs Copeland, à cet instant, tirait un bandeau sur ses cheveux.

« Ne vous inquiétez pas, Nounou, dit Daphné. Je les emmène. Nous recevons des photographes aujourd'hui.

— Mais c'est vrai, *my lady* ! s'exclama Nounou, avec un sourire enthousiaste et une pointe d'ironie, scrutant ses ouailles d'un œil plus acéré. Serons-nous à nouveau dans les journaux ? »

Eh bien… en effet, nous serons dans les journaux, mais pas vous, aurait voulu répliquer Daphné, qui se contenta toutefois de répondre : « Dans le *Sketch*, je crois. »

Mrs Copeland tira un peu plus fort sur les cheveux de Corinna. « Ma sœur de Londres a envoyé la photographie de sir Dudley parue dans le *Daily Mail.*

— À notre époque, je crains que la publicité fasse partie de la vie d'un auteur à succès ! Garde ce pantalon, mon poussin, nous allons simplement nous asseoir dans le jardin. »

Pendant un instant, Wilfrid opposa courageusement un froncement de sourcils à sa mère mais se détourna bientôt pour aller à la fenêtre, comme s'il s'était brusquement souvenu de quelque chose à l'extérieur. « On a promis à Wilfrid de lui montrer le nouveau poulain, expliqua Corinna d'une voix empreinte de pitié sinon de moquerie, et les petits poussins dans l'incubateur. » Mais elle était touchée, déjà, par l'étrange contagion du chagrin et, lorsque la plainte monta de la fenêtre, elle se mit à se décomposer aussi, ce qui était pire pour elle à cause de la perte de statut que cela impliquait. Elle ne fit pas grand bruit, préférant s'occuper du petit sac de sa poupée, dans lequel, le visage gonflé, elle fourra une ombrelle et un petit chandail rouge.

« Oh, emmènes-tu Mavis, ma chérie ? » demanda sa mère. Corinna fit oui d'un vigoureux mouvement de tête sans s'autoriser à parler.

« Oh mon Dieu, mon Dieu ! dit Nounou d'un air suffisant.

— Wilfie, ne pleure donc pas », dit Daphné, se représentant le nouveau poulain frottant son museau contre sa mère puis se mettant à galoper avec le vif instinct d'une liberté insondée ; mais elle se durcit : « Tu ne veux pas avoir le visage tout marbré sur la photo du journal, n'est-ce pas ?

— *Je ne veux pas être sur la photo du journal* »,
répliqua Wilfrid, tragique, encore dos tourné. Une
fois de plus, Daphné comprit son fils mais n'en répondit pas moins :

« Mon chaton, que dis-tu ? Tu seras célèbre. Tu
seras en compagnie de Bonzo le Chien[1], songes-y.
Partout en Angleterre, les gens se demanderont (se
précipitant vers lui, elle l'attrapa en grognant sous
l'effort et le souleva, vacillant un peu sous son poids
de garçon de six ans) : "Qui est ce petit garçon qui a
tant, tant de chance ?" »

Wilfrid sembla trouver cette idée encore plus
contrariante que l'annulation de la promenade dans
la boue.

Au milieu des haies du labyrinthe et des virgules de
pelouse dans la roseraie, Daphné le vit s'illuminer et
peut-être même oublier. Au bout de trente secondes,
son humeur chagrine, s'attardant, eut des ratés, il lui
adressa un coup d'œil de réconciliation, suivi de dix
secondes encore de souvenir de ce chagrin, plutôt
cérémonieux et conscient de soi, pour finir par s'abandonner tout naturellement au jeu des allées. Gravier,
dalles ou minces bandes de pelouse, les allées serpentaient entre les haies, suivaient les longues bordures,
ouvraient sur des cercles de pelouse ornés de statues
toutes quasiment identiques, offrant un éventail de
possibilités sur lesquelles les enfants tentaient rarement de s'accorder. Corinna avança seule, descendit la

_____

1. Bonzo the Dog : héros de l'une des premières bandes
dessinées, créé en 1911 par George Studdy. Ses aventures,
notamment dans le *Sketch*, en firent le chien le plus célèbre des
années 1920 au Royaume-Uni et la mascotte de nombreuses
campagnes publicitaires.

grande allée herborée, flanquée de clématites enroulées autour de chaînes qui plongeaient et se relevaient
entre de hauts poteaux : dans une semaine ou deux, ce
ne serait qu'une flambée de blanc, tel le parcours d'un
mariage. Corinna agrippait non pas Mavis mais le réti-
cule en cuir rouge de Mavis. Wilfie évita le chemin
processionnel : il courut au petit galop à gauche et à
droite, parlant tout seul d'une étrange voix intime,
parfois comme s'il avait été furieux contre lui-même,
un camarade ou bien un suiveur imaginaire. « Viens,
mon chéri, allons voir ce que font les poissons »,
suggéra Daphné.

Un bassin de stupides poissons rouges lui apparut comme étant une maigre consolation face à l'haleine chaude, aux odeurs, aux pataugements dans la
boue de la ferme, et Wilfie lui-même, lorsqu'ils arrivèrent au grand bassin, eut besoin d'encouragement
pour se concentrer. « Se pourrait-il qu'ils soient tous
cachés sous cette feuille-là ? » s'interrogea Daphné
tout haut. Le bassin était entouré d'une allée dallée,
ponctuée de quatre sièges en pierre entre de hauts
arceaux à rosiers, couverts de feuilles vert sombre et
rouge ; seuls de rares bourgeons étaient terminés par
une pointe de blanc ou de rose. Daphné s'assit, éprouvant passivement la sensation conventionnelle que ce
serait un beau cadre pour un portrait de famille.

« Mère, est-ce que Sebby va venir ici ? demanda
Corinna, installant le petit sac de poupée entre elles
sur le banc.

— Je l'ignore, ma chérie, répondit sa mère en
regardant alentour. Il parle à ton père.

— Qu'est-ce qu'il fait donc, l'oncle Sebby ?
demanda Wilfrid.

— Ce n'est pas *l'oncle* Sebby, dit Corinna en gloussant.

— Non, mon poussin, ce n'est pas… » Le pauvre Wilfie était hanté et intrigué par ses oncles fantômes. On évoquait fréquemment l'oncle Cecil, présent à Corley, quoique sous une forme marmoréenne hautement idéalisée ; mais on parlait si peu de l'oncle Hubert que c'est à peine s'il existait à ses yeux : Daphné n'était même pas sûre que son fils eût déjà vu une photo de lui. Tout ce à quoi il pouvait se raccrocher, en guise d'oncle, c'était une apparition occasionnelle de son oncle George, qui utilisait beaucoup de mots à rallonge. Lorsque la plupart des oncles avaient disparu, il était naturel d'en coopter un ou deux qui vivaient encore.

« Eh bien, vois-tu, dit Daphné, il a été décidé qu'on allait réunir tous les poèmes de l'oncle Cecil en un recueil, et Sebby est venu s'entretenir avec ton oncle, ta grand-mère V. et, en réalité, tout le monde…

— Pourquoi ?

— Eh bien… on va publier un recueil de souvenirs et de poésies, vois-tu, l'histoire de la vie de l'oncle Cecil. Grand-mère V. veut que Sebby l'écrive. Il doit donc parler à tous ceux qui l'ont connu. »

Wilfrid demeura coi et entama un petit jeu ; bientôt, toutefois, scrutant l'eau du bassin, il répéta tout bas : « Un recueil de souvenirs… » Comme s'ils avaient tous su que l'idée était extravagante.

« Pauvre oncle Cecil, se lamenta Corinna, dans l'un de ses accès calculés de piété. Quel grand homme c'était !

— Oh… eh bien…, dit Daphné.

— Si beau.

— Oui, c'est vrai.

— Était-il plus beau que papa, dirais-tu ?

— Il avait d'énormes mains », répondit Daphné, se retournant en entendant un chien aboyer, ce qui signifiait que Dudley arrivait, et tous les autres.

« Ah, Mère !

— C'était un grand grimpeur, vois-tu. Toujours à escalader les Dolomites et je ne sais quoi.

— Qu'est-ce que c'est, les Dolomites ? demanda Wilfrid, qui explorait l'eau du bassin à l'aide d'un petit bâton.

— Ce sont des montagnes, expliqua Corinna, tandis que Poubelle déboulait sous l'arceau à rosiers dans leur dos, parcourait à vive allure la moitié du tour du bassin et s'en retournait, reniflant les dalles avec enthousiasme, queue grise dépenaillée et papillotante. Wilfrid pointa courageusement son bâton mouillé vers lui et Corinna cria « Poubelle ! » mais le chien se contenta de leur accorder un reniflement pour la forme ; il était presque douloureux pour les enfants de voir combien ils comptaient peu dans le rudimentaire système canin d'ordres et de récompenses, quoique, en même temps, ils en fussent, cela va de soi, plutôt soulagés. « Méchant chien ! » lâcha Wilfrid. Parfois, Poubelle se lançait seul dans ses explorations, d'autres fois il se joignait à vous, ce qui était flatteur, au début d'une promenade, avant de partir à toute vitesse vaquer à ses affaires ; mais, la plupart du temps, il était le véloce héraut de Dudley, traqué par la voix de son maître qui criait son nom. Daphné attendit ces cris, ignorant le chien qu'elle n'aimait d'ailleurs pas beaucoup ; mais les cris ne se matérialisèrent pas et, au bout d'un moment, d'une politesse inhabituelle,

Poubelle s'avança et s'arrêta, émit un long gémissement conciliateur. Lorsqu'elle se retourna une fois encore, Daphné aperçut Revel sous l'arceau à rosiers.

Dans ce cadre, il composait à lui seul une scène charmante. « Mon cher, dit Daphné, vous avez pu venir ! », comme si elle l'avait encouragé à ce faire, plutôt que le contraire. Elle eut l'impression d'avoir instillé un soupçon d'avertissement dans sa bienvenue, dans le regard qu'elle lui adressa, à l'affût de signes de désarroi sur son joli visage. Il l'ignora presque, se mordit la lèvre en pénitence feinte, alors que ses yeux sombres passaient d'un enfant à l'autre. À l'exact inverse du chien, toute son attention tournait autour d'eux. « Poubelle m'a informé que je vous trouverais ici », dit-il, approchant pour embrasser Corinna sur le sommet soyeux de ses cheveux, attirant vite Wilfie contre sa cuisse, alors que le chien se mettait à aboyer puis, ayant rempli son devoir, retournait en trottant vers la demeure sans un regard en arrière.

« Oncle Revel, demanda Wilfrid, s'adaptant plus vite que sa mère à la surprise, pourrais-tu me dessiner un brontosaure ?

— Je dessinerai tout ce que tu voudras, mon chéri, mais un brontosaure, c'est plutôt difficile. » Revel approcha de Daphné qui, presque à son corps défendant, se leva et, l'espace d'un éclair, sentit la joue et le menton du visiteur, rêches contre les siens. Il dit posément : « J'espère que cela ne vous gêne pas, j'ai téléphoné à Dud, qui m'a simplement dit de venir.

— Non, bien sûr. Avez-vous vu quelqu'un ? Avez-vous vu le photographe ? » Elle eut la sensation que la visite de Revel, puisqu'il était finalement venu, ne devrait pas être immortalisée par les journaux ;

or, bien sûr, si les photographes le voyaient, ils le voudraient sur les clichés ; elle eut l'impression qu'il arrivait amplifié, transfiguré, distingué par le succès, baignant dans sa lumière personnelle, subtilement distincte de l'éclat de cette belle journée d'avril. Tout le monde parlait de lui, pas autant, peut-être, que de Sebby et des syndicats, mais beaucoup plus que de Dudley, de Mrs Riley ou, a fortiori, cela allait sans dire, d'elle-même ! Comme il venait d'avoir une dispute effroyable avec David, il était autant nimbé de souffrance que de célébrité. À n'en pas douter, il n'eût voulu pour rien au monde voir son nom étalé sur les pages du *Sketch*.

« J'ai croisé un type qui portait un chapeau mou plutôt gras et que je ne pense pas avoir vu ici avant.

— Hum, ce doit être lui.

— Je crois avoir aperçu votre frère et sa femme.

— Ah, vraiment ? dit Daphné sans enthousiasme.

— Cheveux blonds, début de calvitie, lunettes à monture de métal… ?

— Le portrait craché de Madeleine…

— Mais plus séduisant, dit Revel en lâchant un de ses petits rires qu'elle aimait tant. Madeleine paraît revêche. Démarche lourde, chapeau affreux. Si je puis me permettre.

— Vous pouvez tout vous permettre. C'est la règle ici.

— Oncle George est-il arrivé ? s'enquit Wilfrid.

— Oui, répondit Revel. J'ai eu l'impression qu'ils montaient vers le plateau.

— Comme c'est dantesque de sa part, dit Corinna.

— Ne fais pas ta maligne, la rabroua Daphné.

— Comme c'est grotesque de sa part.

— Sans doute devrions-nous les rejoindre. » Prenant la tête du cortège, Daphné sortit par l'arceau à rosiers le plus éloigné ; les enfants finirent par la suivre, Revel naviguant entre eux et Daphné s'exprimant de la façon appuyée qu'on emploie avec les enfants des autres, pour les amuser et amuser d'une manière différente les parents à portée de voix. « Je suis certain qu'aucun brontosaure n'a été repéré dans le Berkshire depuis plusieurs années, dit-il. Mais il paraît qu'il y a d'autres bêtes sauvages, dont certaines sont déguisées et portent d'élégants pantalons blancs… » Daphné sentait le magnétisme de sa présence juste dans son dos ; elle le vit du coin de l'œil, lorsqu'ils gravirent l'escalier, avant de passer le portail blanc sous l'arche. On était merveilleusement protégée en compagnie d'un homme comme Revel ; bien que cette sécurité eût en même temps un je-ne-sais-quoi d'élastique. George et Madeleine apparurent : c'était étrange qu'ils soient partis en promenade dès leur arrivée. Sans doute simplement pour s'occuper, car Madeleine était incapable de rester en place ; à moins que cela leur eût permis de repousser le moment où ils devraient rencontrer Dudley.

Le « plateau » était un immense terrain herbeux derrière le jardin à la française, duquel, alors que la montée paraissait infime, on jouissait d'« un magnifique panorama de rien », comme Dudley aimait à dire : en premier lieu, la demeure, bien sûr, puis une étendue de terres agricoles qui descendaient doucement vers les villages de Bampton et de Brize Norton. C'était un panorama tout simple, sans prétention, sans rien d'indûment excitant, rien que de modestes bois de hêtres et de peupliers, qui formaient des taches

plus vertes au milieu des prés. À quelques *miles* de
là coulait la Tamise, déjà assez large et sinueuse à cet
endroit, même si on n'en devinait rien depuis Corley.
C'était le jour où l'herbe était tondue sur le plateau,
le premier de l'année ; l'âne, chaussé de ses drôles de
galoches en caoutchouc, tirait la bruyante tondeuse
poussée par un journalier, qui ôta sa casquette en
les voyant. D'ordinaire, le week-end, on ne tondait
pas mais Dudley avait ordonné qu'on le fît, sans nul
doute pour ennuyer ses hôtes. George et Madeleine se
promenaient à l'autre extrémité, évitant la tondeuse,
conversant tête baissée, appréciant l'instant, qui sait,
à leur manière.

Les enfants se hâtèrent, plus ou moins au pas
cadencé, vers leurs oncle et tante, ignorant eux-mêmes
dans quelle mesure ils étaient contents de les voir et
dans quelle mesure ils ne faisaient que se soumettre
aux convenances ; à son âge, Corinna commençait à
apprécier les bonnes manières. George, en costume
sombre et gros souliers marron, ne céda pas un pouce
de terrain, se contentant de s'accroupir avec un ricanement méfiant pour les inspecter pendant un instant
à leur niveau. Enveloppée dans un long imperméable,
Madeleine resta sur son quant-à-soi, avec un petit
sourire pincé et figé, derrière lequel étaient enfermés
à double tour différents doutes et questions.

« Tante Madeleine, j'ai appris un nouveau morceau
pour vous le jouer, annonça Corinna de but en blanc.

— Oh, lequel ?

— Ça s'appelle "Le Joyeux Wallaby".

— Ah, ma chérie, répondit Madeleine, comme
s'il y avait eu là-dedans quelque chose de vaguement
compromettant, nous verrons.

— Elle a beaucoup répété, n'est-ce pas, Corinna, dit Daphné en surprenant un coup d'œil lancé par sa fille à Wilfrid.

— Et Wilfie va danser, ajouta Corinna.

— C'est absolument nécessaire, renchérit George. Mais quand ? Je ne manquerais ça pour rien au monde – rattrapant ainsi le manque d'enthousiasme de son épouse.

— Après le dîner des enfants, répondit Daphné. On leur permettra de descendre. » Voir George en compagnie de Madeleine ne vous en faisait que l'apprécier davantage ; il se releva et ils s'embrassèrent avec une vigueur bruyante qui les amusa tous deux. « Comment va Birmingham ? s'enquit Daphné.

— Brum va bien.

— C'est énormément de travail, précisa Madeleine, je crains que vous ne nous voyiez pas à notre mieux !

— Je ne pense pas, Madeleine, que vous connaissiez Revel Ralph… Revel, je vous présente mon frère George Sawle. »

George dévisagea Revel en lui serrant la main. « Madeleine et moi avons lu de nombreuses critiques sur votre spectacle… Félicitations ! Apparemment, vos décors sont fabuleux.

— Ah, oui, ajouta Madeleine d'un ton incertain.

— Je me demande si nous descendrons à Londres un de ces jours, dit George, adressant un sourire plutôt inquiet à Revel. J'aimerais beaucoup le voir.

— Prévenez-moi, n'est-ce pas ?

— Toi, tu es y allée, Daph, bien sûr ?

— Encore me faudrait-il connaître quelqu'un chez qui descendre.

— Vous devriez avoir un pied-à-terre londonien, déclara Revel.

— Nous avions un appartement très plaisant à Marylebone, mais, naturellement, Louisa l'a vendu », dit Daphné, étouffant le sujet dans l'œuf. « Attention… » L'âne avançant vers eux, ils se déplacèrent vers le côté tondu de la pelouse, l'herbe humide coupée collant à leurs souliers. « Dieu sait pourquoi ils tondent aujourd'hui », dit-elle, tout en y prenant plaisir aussi, un plaisir différent de celui de son époux : cela tenait au labeur, au fait de diriger une propriété forte de vingt domestiques.

« Comment va Dudley ? s'enquit George.

— Bien, je crois, répondit Daphné en jetant un coup d'œil aux enfants.

— Le livre vient bien ?

— Oh, je préfère ne pas demander. »

George lui lança un regard étrange. « Tu n'as encore rien lu ?

— Non, non. » Elle adopta un ton enjoué et dur à la fois : « Tu sais combien il adore tout caissonner.

— Ah, oui, je veux voir ça, dit George, avec son goût pour la controverse autant que pour l'architecture intérieure. Jusqu'où cela va-t-il ?

— Oh, très loin.

— Mais ça ne te gêne pas, toi – ceci dit avec un sourire de biais à l'intention de sa sœur.

— Certaines choses. Tu verras…

— Qu'en pensez-vous, Ralph ? demanda George. Pour ou contre les monstrueuses "grotesqueries" des Victoriens ? » Daphné s'aperçut qu'ils étaient revenus aux choses sérieuses après un bref intermède de spontanéité. Les enfants eurent un petit sourire en coin.

Après un instant de réflexion et avec un frétillement plaisant dans la voix, Revel demanda : « Puis-je me situer quelque part entre les deux ?

— J'aimerais savoir pourquoi, ou plutôt où ?

— Je suppose que ce que je pense, répondit Revel après un moment, c'est que, eh bien, les "grotesqueries" sont ce que je préfère, à vrai dire, et plus elles sont monstrueuses, plus j'aime.

— Comment ? Pas la gare Saint-Pancras ! Pas Keble College !

— La première fois que j'ai vu Saint-Pancras, j'ai pensé que c'était le plus beau bâtiment du monde.

— Et vous n'avez pas changé d'avis en voyant le Parthénon ? »

Revel rougit légèrement ; Daphné pensa qu'il n'avait peut-être jamais vu le Parthénon. « Eh bien, dit-il avec autant de grâce que de fermeté, disons que je crois qu'il y a de la place dans le monde pour plusieurs types de beauté. »

George accepta cette réponse et rougit même un peu à son tour. Il s'arrêta et détourna le regard, en direction de la demeure : tourelles et pignons, éblouissant verre poli des fenêtres néogothiques, motifs trop chargés des briques rouges, blanches et noires. Le lierre se répandait comme un doute autour des ouvertures de l'aile ouest. Daphné songea qu'elle n'avait pas choisi ce lieu, c'est plutôt elle qui, pour ainsi dire, avait été choisie par lui, et maintenant cela lui briserait le cœur de le perdre. Elle se tourna vers Madeleine : « Je me rappelle la première fois que George est venu ici. Nous avions cru qu'il n'en finirait jamais de nous décrire les splendeurs de Corley Court. Ah, les coupoles en forme de moules à gelée de la salle à manger ! » Ce genre de complicité sur le mode comique avec sa belle-sœur était toujours éphémère : Madeleine ne sourit qu'un instant, son allégeance à l'intellect de George était la plus forte. « Pas de "grotesqueries", alors ! » insista Daphné.

George pensa manifestement préférable de rire de lui-même : « Cecil les aimait, et l'on ne discutait pas l'opinion de Cecil. » Apparemment, cela ne le gênait pas de se moquer de la demeure de sa sœur.

« Je vois, dit Revel, avec ce mélange de sécheresse et d'indulgence à l'opposé de l'humour de Dudley. Vous connaissez donc bien les lieux.

— Oh, oui…, répondit George d'un air absent, gêné peut-être par la question implicite concernant la rareté de ses visites à Corley. Vous êtes trop jeune pour avoir connu Cecil.

— J'en ai bien peur », répondit Revel avec gravité, esquissant un sourire, puisque l'on comptait généralement sa jeunesse comme l'un de ses multiples atouts ; tous les articles des magazines s'accordaient sur ce point : si brillant si jeune !

« Mais vous êtes déjà venu à Corley, dit George, un tantinet possessif.

— Oh, quantité de fois. » Une forme ambiguë de tension, de rivalité, de regret sembla flotter pendant un instant dans les sourires différents des deux hommes.

« Quoi qu'il en soit, vous rencontrerez Mrs Riley, déclara Daphné, elle passe le week-end ici.

— Ah, bon… » On eût dit qu'il venait, en fin de compte, de découvrir un inconvénient à être venu.

« Elle est restée si longtemps, voyez-vous, à mesurer un tas de choses, ou faire Dieu sait quoi… répandre ses cendres sur les tapis, par exemple ; et pour une raison qui m'échappe, Dudley l'a invitée à rester. Le croirez-vous, elle avait tous ses vêtements de soirée dans le coffre de son automobile.

— Pourquoi ? demanda Wilfrid.

— Sans doute, vieille branche, était-elle en route pour se rendre chez quelqu'un d'autre, dit George.

— Elle crée des costumes, intervint Corinna. Elle a des tonnes de jupes et de robes dans son auto. Elle va m'en confectionner une, en velours vert, à taille basse et sans pinces à la poitrine.

— Sans pinces à la poitrine ! » s'exclama Daphné. Avant d'ajouter : « C'est ce que nous verrons.

— Est-elle supportable ? fit Revel. Je suppose que oui… Nos points de vue sont différents, voilà tout. »

Daphné n'était pas certaine d'avoir orienté la conversation dans la bonne direction. « Je suis sûre qu'elle a du génie, reprit-elle donc. Tout simplement, je ne suis pas bien disposée à l'égard des gens à la mode. » Elle songea : *où est-elle à cet instant ?* – cédant à un déferlement d'inquiétudes qu'elle brida au plus vite.

« Je suppose que ses honoraires sont élevés, dit Revel.

— En effet, elle est furieusement chère », confirma Daphné, d'un air qui suggéra qu'elle avait une raison plus que valable d'être contrariée.

Ils rentrèrent lentement, petit groupe encore fragile et circonspect, d'abord vers le portail blanc sous l'arche, puis le long de la large allée qui menait à la demeure. Freda et Clara, sorties prendre l'air, avançaient à leur rythme au milieu des parterres et des haies du jardin à la française. Daphné vit l'homme que Revel avait évoqué, en feutre marron, approcher

202

d'elles à grandes enjambées pour leur parler : les deux femmes parurent troublées mais prêtes, sincèrement, à l'aider, puis sur la défensive. Clara leva une de ses cannes comme pour lui indiquer la sortie. Malgré l'étui d'appareil photographique qui pendait à son cou, il ne paraissait pas disposé à les photographier. « Mes chéris, allez secourir grand-mère Sawle », dit Daphné à ses enfants. Mais c'est alors que l'homme, battant en retraite et regardant autour de lui, avisa Dudley en personne sortant par la porte du jardin, arborant l'air d'épineuse cordialité qu'il réservait à la presse, suivi de près par Sebby, bloqué à la porte par le chien fou, et de toute évidence moins prompt à se montrer.

« Nous voici », annonça Dudley tandis qu'ils approchaient ; il serra la main de George, puis, plutôt ostensiblement, celle de Madeleine, tout en lui adressant un sourire démoniaque. « Revel, mon cher, vous avez réussi à vous libérer. » Avec une embardée, il se retourna pour adresser son sourire à tous. « Quelle belle réunion ! » Daphné jeta un coup d'œil à sa mère, dont elle pensait qu'elle était la plus vulnérable à la démonstration de Dudley, or, trop occupée par ses retrouvailles avec George, elle ne remarqua rien.

« Bonjour, George ! » lança Freda, avec un courageux petit trémolo dans la voix, sur le ton de qui n'est pas certain d'être reconnu. Sans doute cet aperçu fugitif affecta-t-il aussi George : il enveloppa sa mère d'une étreinte ferme, affectueuse et, parce qu'il se sentait coupable, prolongée.

« Maddy, ma chère », dit-il. Madeleine, à son tour, saisit l'épaule de Freda, s'avançant de biais en vue d'un baiser sous les bords pentus de leurs chapeaux respectifs.

« Bien, mesdames et messieurs, je suis navré de vous annoncer, déclara Dudley, que notre petite idylle de fin de semaine a été infiltrée par l'un des infatigables et impitoyables agents de Fleet Street. Comment vous appelez-vous ?

— Oh, moi, c'est Goldblatt, sir Dudley, répondit le photographe, accusant le coup face à la dureté du ton du maître de céans. Jerry Goldblatt. » Il souleva son chapeau mou de quelques centimètres, face au groupe.

« Jerry Goldblatt…, répéta Dudley, ménageant une pause déplaisante, va prendre quelques clichés pour le *Sketch*.

— Je préfère parler de portraits, de portraits de groupe.

— Donc, si vous voulez bien faire ce qu'il vous demande pendant dix minutes, nous pourrons ensuite mettre dehors ce fichu individu.

— Je vous serais très obligé. Mesdames et messieurs, si je puis me permettre… »

Mais ils s'aperçurent vite que c'était Dudley qui se chargerait de leur indiquer quoi faire. S'ensuivit une éprouvante heure et plus de pose, en différents groupes autour de différents sièges en pierre ou, avec un soupçon de maladroite clownerie, sous les bras levés et les poitrines nues des statues de bronze et de marbre. Le jeune domestique écossais se rendit utile, installant promptement le parcours de croquet : ils firent semblant de faire une partie, qui devint vite sérieuse et qu'ils durent abandonner pour une séance de pose dans un autre décor. En réalité, le photographe n'était intéressé que par trois sujets, Dudley, Sebby et Revel, Daphné et les enfants jouant les figurants en toile de fond. Dudley le savait, bien sûr, mais, blagueur, il fit participer tous les autres à un cirque complexe, faisant mine de ne point vouloir figurer lui-même sur les photographies.

« Goldblatt, regardez, dit-il : vous devez prendre des photos de notre amie *Frau* Kalbeck. C'était l'une des walkyries d'origine de Stanmore Hill.

— Ah bon, sir Dudley ? répondit le photographe avec méfiance.

— Non, non, je vous en prie… ! » s'exclama Clara, mortifiée et excitée en même temps. Elle paraissait prête à repousser ses cannes hors-champ.

« Seulement si vous n'y êtes pas opposée, déclara Daphné, convaincue qu'un tel portrait ne servirait jamais, ce qui, en fin de compte, serait encore plus triste pour la vieille dame.

— Peut-être pas », répondit Clara, et elle dissimula sa légère déception en lançant, cabotine : « Mais où est cette chère Mrs Riley ? » C'était inattendu, mais elle semblait s'être entichée d'Eva.

« Mon cher Dudley, où est Mrs Riley ? s'enquit Daphné froidement.

— Oh, Seigneur… » Le grain de folie de Dudley transparut dans le ton intrigué qu'il adopta alors. « Robbie, allez donc vite chercher Mrs Riley. » Et, tandis que Robbie détalait : « Il est possible qu'elle soit trop occupée…

— Parlez-vous de Mrs Eva Riley, sir ? demanda Jerry Goldblatt, lançant un regard intéressé à la demeure. La décoratrice d'intérieur ?

— En personne. Mrs Riley, la célèbre décoratrice du restaurant Le Carrousel. » On aurait cru que Dudley écrivait lui-même l'article du *Sketch*.

« Quelle heureuse coïncidence, sir Dudley ! » s'exclama Goldblatt.

Daphné comprit que Dudley avait obtenu quasiment tout ce qu'il voulait : il avait soustrait un groupe de célébrités important, amusant et stylé, des griffes d'un autre qui le barbait jusqu'à la folie, et il l'exhibait, le temps que brûlent les flashs des appareils photographiques, aux yeux du monde. Sebby Stokes refusa de participer, soupçonnant qu'on ne devrait pas le voir en train de jouer au croquet alors que la nation était à la veille d'une grève générale ; il dit habilement à Goldblatt qu'il allait « travailler dans la bibliothèque sur des documents du gouvernement ». George, novice dans le monde de la publicité, agit avec détermination et, suivant les conseils de Revel qui lui montra des poses inédites, entraîna les enfants dans une démonstration d'affection débordante et plutôt touchante. Il semblait apprécier Revel – sans doute le menu désaccord de leurs points de vue sur la gare Saint-Pancras avait-il aiguisé son intérêt. Avec la triste solidarité des timides, Madeleine avait rejoint Clara et s'était donc mise hors-champ. Quant à Revel, Daphné s'aperçut qu'elle n'aurait dû se faire aucun souci pour lui : en fait, son empressement à prendre la tête des opérations manqua même provoquer des frictions supplémentaires. « Eh bien… oui, finit par reconnaître Dudley, quoique en fronçant les sourcils. C'est vous, mon cher, le décorateur, c'est vous ! » Il secouait néanmoins la tête, en signe de légère confusion, tandis que Jerry Goldblatt suppliait : « Si je pouvais n'avoir

que lady Valance et les enfants ? » Sur ces entrefaites arriva Mrs Riley, longues jambes blanches dans
des bas soyeux, tellement à la mode (chapeau cloche
teinte nacre enfoncé sur ses cheveux de jais coupés à
la garçonne) qu'on aurait pu en rire. « Avez-vous vraiment besoin de moi ? » gémit-elle. Jerry Goldblatt
répondit un peu trop fort que sa présence était absolument indispensable.

Revel et Daphné se firent photographier ensemble
près du bassin aux poissons. Ils se tinrent de part et
d'autre d'un arceau à rosiers, chacun un bras levé
comme un danseur, désignant le décor. Daphné rit
afin de montrer qu'elle n'était pas actrice, et certainement pas danseuse, le regard posé sur Revel, plus
sérieux. Son rire, comprit-elle, cachait une part de
panique. Avec quelque appréhension, elle se représenta un exemplaire du *Sketch* de la semaine suivante
sur la table basse du petit salon, et leurs expressions
idiotes tentant de voler la vedette aux pitreries de
Bonzo le Chien.

5

Après le déjeuner, George s'échappa discrètement de la salle à manger, à la recherche d'un lointain cabinet de toilette, chérissant la perspective de
quatre ou cinq minutes de solitude. Il se sentait déjà
oppressé par le thème du week-end, Cecil, par la
perspective de vingt-quatre heures consacrées à sa
flamboyance, à son courage et à son charme. Que
ne racontaient-ils pas ! Sans doute, dans certains
monastères ou écoles d'arts d'agrément pour jeunes
filles, la conversation, aux repas, était-elle aussi stric-
tement prescrite. La Générale lançait un sujet et les
convives se le renvoyaient l'un l'autre avec précaution, Sebastian Stokes jouant les arbitres ; jusqu'au
sourire méprisant de Dudley qui était crispé. George
avait déjà rencontré Stokes en une occasion, à
Cambridge, lorsque, étudiants, ils étaient tous allés
faire un tour en barque ; Cecil avait de toute évidence
séduit son invité par sa seigneuriale façon de lancer
et de pousser la perche d'une part, et, de l'autre, par
sa récitation intermittente de sonnets. Stokes paraissait ne pas se rappeler que George faisait partie de
la virée, et George n'en fit pas mention lorsque la

conversation en vint à tourner autour de leurs études à Cambridge. Indéniablement mal à l'aise, il but plusieurs verres de champagne dans l'espoir de se détendre, alors qu'il ne s'en sentit que plus fébrile, pris de vertiges, et que la salle à manger, avec son décor outrancier, ses glaces et ses dorures, lui apparut plus effrayante que jamais, comme une funèbre fête foraine. Bien sûr, on gâtait les morts, on payait leurs dettes ; on leur pardonnait comme on pleurait leur disparition. Certes, Cecil avait été un être suprêmement intelligent et brave, sans nul doute, et il avait brisé de nombreux cœurs au cours de sa brève existence. Mais, assurément, qui, hormis Louisa, souhaitait lui consacrer un nouveau mausolée, dix ans après son décès ? Or ils étaient tous réunis là, cramponnés docilement à leurs contributions. Une odeur déprimante de piété factice et d'omission nécessaire paraissait émaner de la tablée et flotter, telle une odeur de chou, au plafond, dans les coupoles en forme de moules à gelée.

Au moment où George traversait le hall, Wilkes poussa d'un coup la porte sous l'escalier, avec le geste d'un homme qui, l'espace d'un éclair, a une vie propre.

« Ah, Monsieur ! s'exclama-t-il, se retournant pour rattraper la porte, son antique affabilité lui revenant instantanément comme une vague rougeur.

— Merci beaucoup, Wilkes », répondit George et, puisqu'il l'avait sous la main : « J'espère que vous allez bien.

— Très bien, merci, Monsieur, très bien, très bien, répondit le domestique comme si la sollicitude de George le faisait aller encore mieux.

— Vous m'en voyez ravi.

« — J'espère que vous vous portez bien vous-même, Monsieur ; et Mrs Sawle…

— Oh, oui, nous sommes tous deux très pris et nous croulons sous le travail, voyez-vous, mais merci, nous nous portons fort bien. »

George et Wilkes retenaient tous deux la porte, le second regardant le premier avec sa coutumière et flatteuse placidité, rien en lui ne trahissant que, l'instant d'avant, il se hâtait vers un lieu inconnu. « Il est agréable de vous revoir à Corley, Monsieur », dit-il. George trouva que, à travers sa phrase, par ailleurs parfaitement lisse, Wilkes réussissait à faire jouer sa maîtrise des commentaires moraux implicites.

Fronçant les sourcils, il répondit : « Nous ne venons pas aussi souvent que nous le voudrions.

— Ce n'est peut-être pas très pratique pour vous, en convint Wilkes, laissant retomber sa main.

— Eh bien, pas vraiment, en effet.

— Je sais que lady Valance est toujours particulièrement contente que vous veniez.

— Oh…

— Je veux dire, la *première* lady Valance, Monsieur, particulièrement… bien que votre sœur de même, j'en suis persuadé !

— Ah, c'est bien le moins que je puisse faire pour elle, dit George avec la conviction qu'il fallait, jugea-t-il.

— Puisque le capitaine Valance et vous étiez de si bons amis.

— Hum, oui », se hâta de répondre George, d'un air presque sévère, afin de contrecarrer son début de rougissement. « Bien que, mon Dieu, cela paraisse si loin, désormais, Wilkes. » George contempla le hall avec une espèce d'étonnement mêlé de lassitude à le trouver encore là, avec ses fenêtres armoriées, ses chaises de cérémonie cirées sur lesquelles personne n'aurait jamais songé s'asseoir, et l'immense toile dans les tons de brun représentant un vallon des Highlands, bétail à longues cornes, les pattes dans l'eau. Il se rappela avoir admiré cette scène lors de sa toute première visite, et le père de Cecil, tout en lui disant que c'était « un très beau tableau », qui lui expliquait de quelle race de vaches il s'agissait exactement. Cecil, dans son dos, n'était pas tout à fait contre lui mais il sentait la chaleur latente de son corps ; il avait dit quelque chose comme : « Ce sont des MacArthur, n'est-ce pas, Papa ? » Son intérêt était aussi lisse et confiant que sa dissimulation ; le vieil homme avait acquiescé et tous trois étaient allés déjeuner, la main de Cecil venant se poser pendant un bref instant sur la chute de reins de son invité. « Bien sûr, je me rappelle fort bien, déclara George dans sa gêne. Comment pourrais-je oublier ce tableau écossais ? » La toile n'aurait pu être plus terne mais il est une chose qu'elle exprimait avec éloquence : le bétail s'abreuvant paraissait quasiment incarner l'aveuglement naïf de cet homme face à ce que son fils tramait derrière son dos.

« Ah, oui, Monsieur, dit Wilkes, pour montrer qu'à ses yeux aussi, ce tableau représentait beaucoup, quoique quelque chose de très différent. Sir Edwin aimait énormément *Le Loch de Galber.* Il disait souvent qu'il le préférait au Raphaël.

— Tout à fait… », dit George, ignorant si les sourcils de Wilkes, levés dans la bienveillance de son souvenir, traduisaient également l'opinion commune sur le Raphaël. « Je pensais, Wilkes, que Mr Stokes allait s'entretenir avec vous au sujet de Cecil pendant son séjour.

— Oh, il n'en a pas été question, Monsieur.

— Ah bon ? Vous le connaissiez sans doute mieux que quiconque.

— C'est vrai, Monsieur, par certains côtés », répondit Wilkes avec modestie et cependant quelque chose d'autre, dans son hésitation, une vision brumeuse de tous les gens qui se berçaient de l'illusion de connaître Cecil mieux que quiconque.

« Lady Valance a déclaré pendant le déjeuner qu'elle souhaitait reconstituer une image complète de ses années d'enfance, déclara George, avec une certaine emphase. Elle a en sa possession un poème qu'il a écrit lorsqu'il n'avait que trois ans, si je ne me trompe… »

Le visage rosé et attentif de Wilkes absorba l'idée de ce nouveau genre de service, qui serait évidemment d'une nature fort délicate. « Bien sûr, j'ai de nombreux souvenirs, dit-il d'un air plutôt dubitatif.

— Cecil parlait toujours de vous avec la plus grande… admiration, voyez-vous », dit George, avant d'ajouter le terme qu'il venait de rejeter à l'instant même : « et la plus grande affection, Wilkes ».

Celui-ci murmura des remerciements à demi reconnaissants et George baissa un instant les yeux avant d'ajouter : « Mon sentiment est que nous devrions raconter à Mr Stokes tout ce que nous savons : à lui de décider quels détails il voudra retenir.

— Je suis bien certain, Monsieur, qu'il n'en est pas un que je répugnerais à communiquer à Mr Stokes, confirma Wilkes avec une cordialité qui confinait au reproche.

— Naturellement, naturellement, j'en suis sûr… »
À nouveau, George se sentit un peu nerveux face à
leur flânerie courtoise autour d'une vérité inavouable.
« Mais je ne dois pas vous retenir ! » Avec un reniflement et une courte révérence, qui sembla à son corps
défendant reproduire celle du majordome, et qui le fit
encore rougir, il se tourna vers la porte, qu'il referma
doucement dans son dos avant de s'engager dans le
long couloir.

Il vous donnait une drôle de sensation, ce couloir.
George le parcourut avec les droits naturels d'un
invité, un adulte légèrement ivre, libre d'agir à sa
guise, mais ayant très vite le souffle coupé au souvenir
des sentiments brusquement ravivés de sa première
visite, treize ans plus tôt. Rien n'avait changé : la faible
lumière naturelle, l'odeur de cire qui évoquait les plan-
chers d'école, la longue rangée de portraits de bovins
au corps presque rectangulaire. Il fut consterné de
rougir si promptement et autant. Inquiet, il se demanda
si Wilkes, valet à l'époque, tellement aux petits soins
et plein de tact avec lui, toujours Dieu sait comment
disponible, n'avait pas été présent, oublié depuis, lors
d'autres scènes. Et s'il était allé et venu, en silence,
sans se faire remarquer ? N'était-il pas du ressort d'un
très bon valet d'épier, de lire le courrier, de vérifier les
corbeilles à papier, afin de mieux connaître les pensées
de son maître et d'anticiper ses besoins ? Cela accroî-
trait-il ou diminuerait-il son respect pour son maître ?
Un aphoriste français n'avait-il pas dit : « Il n'y a point
de héros pour son valet de chambre » ? C'était là, oui,
dans ce recoin, que Cecil l'avait saisi et embrassé, lors
de ses tout premiers instants à Corley, au moment de
lui montrer où il pouvait se laver les mains. Embrassé

de manière impérieuse, et même avec un soupçon d'agressivité. À ce souvenir, le sang de George ne fit qu'un tour et son cœur battit la chamade. Le baiser, la tension de l'arrivée dans une demeure aristocratique, son désir de faire bonne impression et de tromper les parents de Cecil avaient précipité George dans un puits d'inquiétude. Il s'était débattu dans les bras de Cecil, qui était fier de sa force. Dans le vestiaire empli de manteaux, comme s'il y avait eu une réunion ou un concert à côté, Cecil l'avait poussé contre les vêtements, soulevant de sa patère un long imperméable rigide, lequel était tombé lentement sur eux et avait mis un point final et comique à l'aventure, pour l'heure.

Après les manteaux se trouvaient le cabinet de toilette sombre qui était en marbre et ébène, puis une troisième pièce, avec un réservoir monumental en guise de chasse d'eau et une fenêtre en hauteur comme dans une prison. George ferma la porte à clef avec la sensation, comme autrefois, de trouver là un refuge, puis il eut un hoquet troublé en se rappelant que l'homme dont il se cachait était mort depuis longtemps.

Lorsqu'il prit le couloir en sens inverse, il comprit tout le charme qu'il y aurait à éviter les autres pendant un instant encore ; il décida donc de se rendre dans la chapelle pour contempler l'effigie de Cecil. Lors du mariage de Dudley et de Daphné, le tombeau était inachevé, ce n'était qu'un coffrage en brique qu'il fallait contourner par la droite ou par la gauche. À vrai dire, George avait évité de le regarder. N'aurait-on pas dit une effroyable plaisanterie : le fait que Dudley et Daphné aient dû se marier en passant sur le cadavre de Cecil ? À cette heure, le hall était désert et tout faisait silence : George contourna la monstrueuse table en chêne et déboucha sous l'arcade en verre, mi-cloître, mi-serre, qui flanquait la demeure jusqu'à la porte de la chapelle. Ici aussi rien ne semblait avoir changé, tout était vieux, démodé, surchargé et familier, en attente sans nul doute de l'impitoyable intervention de Mrs Riley. Il était difficile de concevoir que la demeure n'avait que cinquante ans, plus jeune que sa mère. Elle paraissait déjà empêtrée dans la routine et l'histoire. Les plinthes gothiques soutenaient des pots de fleurs en pierre ; trois lustres en cuivre, grossièrement convertis à l'électricité, étaient suspendus un peu plus haut qu'à hauteur d'homme ; le sol était recouvert de carrelages bicolores, pourpre et biscuit. George ressentit à quel point la porte de la chapelle, en chêne sombre, paraissait à la fois inviter et décourager le visiteur du même regard noir et fixe. Il saisit le rond froid de la poignée ; le loquet, à l'intérieur, remonta d'un coup avec un claquement et George revit Cecil, l'y poussant lors de son premier après-midi à Corley, tout en se retournant, au cas où ils auraient été suivis : « Ce trou lugubre est la chapelle de famille », avait-il expliqué en le tenant fermement par le bras. George avait jeté des coups d'œil furtifs, tourneboulé, excité, tentant d'étouffer sa stupeur face au mépris requis pour la religion, devinant, cependant, que Cecil s'attendait néanmoins qu'il s'extasiât qu'il puisse avoir une chapelle privée chez lui. Nul doute que tous deux étaient plutôt excités. En comparaison de sa faible superficie, la chapelle était très haute de plafond : un plafond aux boiseries sombres, la lumière contrariée par les vitraux qui, dans l'après-midi déjà, conféraient à l'endroit une atmosphère crépusculaire. Les objets pâles luisaient faiblement, mais les autres, les carrelages et la tapisserie, demeuraient ternes jusqu'à ce que vos yeux s'habituent à la pénombre.

Et ce que George vit, parmi les ombres grises, c'était la silhouette blanche de Cecil, gisant, et qui semblait flotter au-dessus du sol. Le soleil avait depuis longtemps déserté le verre criard du vitrail est, et le peu de lumière, oblique et nuancée, paraissait toute rassemblée sur Cecil. Les pointes de ses pieds étaient tournées vers l'autel. On aurait dit que la chapelle avait été construite pour lui.

George tira la porte, sans tout à fait la refermer, et se tint près de la première rangée de bancs, arborant une expression grave, habité par une certaine peur. Il se retrouvait seul avec son ancien camarade, presque comme si, étant allé lui rendre visite dans une salle d'hôpital plutôt qu'une chapelle, il avait craint de le déranger et espéré le trouver endormi, pour pouvoir s'éclipser tout en ayant tenu parole. Combien de fois n'avait-il pas rendu ce genre de visite pendant la guerre, redoutant de voir ce qui était arrivé à un conscrit, craignant que son expression trahisse son horreur. Il régnait ici une odeur maladive de lis de Pâques au lieu de désinfectant. « Salut, Cecil, vieille branche », dit-il aimablement, pas très fort. Il entendit un vague écho. Dans le silence qui suivit, il rit en son for intérieur. Ils n'auraient pas à se lancer dans une conversation délicate. George écouta le silence, un silence de chapelle, pénombre de sons exclus – chants d'oiseaux, cliquètement irrégulier de la tondeuse au loin, coups sourds, qui étaient moins le vent sur la toiture que les pulsations dans son oreille.

Cecil reposait en uniforme d'apparat. Le sculpteur avait porté une grande attention aux détails. Il s'était notamment attaché au rendu des boutons de manchettes aux armes de son régiment, étoiles carrées de capitaine, mince fleur carrée de la Military Cross. Les boutons brillaient, mats, dans leur nouvelle et étrange lumière, cuivre transmué en marbre. Qui était le sculpteur… ? George se pencha pour lire le nom, une signature fringante sur le liseré du coussin : *Professore Farinelli*, fringante et plutôt pédante. L'effigie reposait sur un coffre sobre, blanc, au lettrage moins lisible, gothique, entrelacs courant autour du tombeau en un long bandeau : CECIL TEUCER VALANCE MC ✠ CAPITAINE 6ᵉ BATT ROYAL REGT BERKSHIRE ✠ NÉ LE 13 AVRIL 1891 ✠ TOMBÉ À MARICOURT LE 1ᵉʳ JUILLET 1916 ✠ CRAS INGENS ITERABIMUS AEQUOR[1]. Le travail était parfaitement digne, et même magnifiquement convenable. Comme la chapelle en ce lointain premier jour, George vit dans le tombeau une affirmation sereinement écrasante de la richesse et du statut d'un homme qui savait où se trouvait son devoir. Il intégrait Cecil dans un cortège flottant de chevaliers et de nobles personnages remontant jusqu'aux croisades. George les vit pendant un instant comme des barques étincelantes dans mille chapelles et églises répandues dans tout le royaume. Il agrippa les talons en marbre et, boudeur, voulut les remuer ; sa main trembla, ce que refusèrent de faire les talons, pour l'éternité. Il contourna le tombeau pour aller contempler le visage du gisant.

---

1. Horace, *Odes, I*, 7. « Demain, nous prendrons les routes de la vaste mer. » Paroles consolatrices de Teucer, demi-frère d'Ajax, s'adressant aux soldats grecs repoussés à la mer par les Troyens.

Sa première pensée révérencieuse fut qu'il devait avoir oublié ce à quoi ressemblait Cecil au cours de la décennie et plus qui s'était écoulée depuis le moment où il s'était retrouvé seul avec lui vivant, dans cette même pièce. Mais non, bien sûr, le long nez busqué... les pommettes marquées... la bouche volontaire : il ne se la rappelait que trop bien. Évidemment, les yeux plutôt exorbités étaient clos, les cheveux coupés court, coupe militaire, comme cela avait dû être le cas les derniers temps, aplatis et ramenés en arrière de part et d'autre d'une raie au milieu. Le nez était Dieu sait comment devenu *mathématique*. La tête, dans son ensemble, avait un aspect idéalisé qui frisait la standardisation ; simplifiée, sans nul doute, en un compromis acceptable entre le souhait des parents et les limites du talent de l'artiste. Le *professore* n'avait jamais vu Cecil, il devait avoir travaillé d'après des photographies choisies par Louisa et qui ne disaient que leur propre vérité. Cecil avait été beaucoup photographié et forcément beaucoup décrit ; il suscitait la description, ce qui était un don rare, la plupart d'entre nous traversant les années sans qu'on écrive quoi que ce soit sur notre apparence extérieure. Pourtant, en un sens, toutes ces représentations débouchaient sur un échec, témoin cette resplendissante effigie... George réfléchit pendant un moment, observa les traits polis, les coussinets cousus des yeux clos qui jadis avaient déchiffré les profondeurs de son âme, en sachant déjà quelles tournures il emploierait lorsqu'il en parlerait à Louisa ; cependant, il tentait de repousser une autre sorte de tristesse imprévue – moins le regret d'avoir perdu Cecil que celui qu'un certain désir, qu'il avait en lui et qui était ravivé par le jour et le lieu, une occasion occulte de le retrouver, lui fût si promptement refusé.

Néanmoins, il ressentit l'envie de s'asseoir là, sur le banc voisin, pendant une minute ou deux : il n'aurait su expliquer pourquoi ; mais, quand il se fut installé, il laissa tomber son front dans sa main, se pencha légèrement en avant et pria, une prière vague, principalement sans mots, toute d'images et de reproches. Il releva les yeux à la hauteur de la silhouette endormie de Cecil, le nez obstiné pointé vers le plafond, la banale allure militaire du corps, inspiré, qui sait, d'un modèle, pas très différent de Cecil, ni un gringalet ni un géant, mais qui n'était pas non plus Cecil, en aucune manière. Des images du Cecil en chair et en os fondirent sur lui : nu, trempé, sur la berge de la Cam, ou trottant sur les pelouses le long de la rivière avec son short et ses chaussures à crampons qui s'entrechoquaient, blanc et inabordable avant un match, crasseux et en sang après. C'étaient de belles images, mais floues aussi, d'avoir été tant touchées et retouchées. Il en possédait d'autres, plus magiques, plus privées, moins vues que ressenties, souvenirs conservés par ses mains : la chaleur de Cecil, la phénoménale beauté de sa peau, sa taille chaude sous sa chemise, le sillage de boucles rêches descendant à partir de sa taille. George sentit ses doigts joints en prière s'écarter, tenter de caresser son souvenir. Et puis, bien sûr, le fameux… le fameux *membrum virile*, à jamais inimaginable sous la tunique de marbre, mais jadis si insistant, vivant, alerte… Oh, comme Cecil en parlait, avec emphase et gravité : on aurait cru qu'il décrivait la Magna Carta ! Absurde mais indéniable, de sorte que George rougit et pensa à Madeleine, contrepoint et remède, même si ça ne semblait pas fonctionner ainsi : en fait, ça ne semblait pas fonctionner du tout.

George baissa encore la tête, s'interrogeant sur ce remuement d'émotions anciennes. Il était effroyable que Cecil soit mort : il avait été merveilleux de tant de manières, et qui sait ce qu'aurait pu être sa contribution à la poésie anglaise. Mais la vérité était que des mois passaient sans qu'il songe à lui. Cecil aurait-il vécu, il se serait marié, aurait hérité de Corley et sans trêve engendré des rejetons. Il eût été bizarre de se retrouver, à l'âge mûr, dans quelque salon, à bavarder devant une cheminée en compagnie de sir Cecil, reniement en trou de mémoire de leur fou passé sodomite. S'agissait-il d'ailleurs vraiment de leur « passé » ? Il s'agissait de quelques mois, d'un instant. Y aurait-il pu y avoir un autre moment, dans le bureau, un soir, que Cecil aurait occupé tout aussi sûrement que son père l'avait fait, quelque abandon instinctif à l'ancienne passion, George universitaire chauve, Cecil défait et marqué ? La passion pouvait-elle survivre à cette évolution ? La scène était pure fantaisie, indéniablement. Aurait-il ôté ses lunettes ? Sans doute, à ce moment-là, Cecil aurait-il lui aussi porté des lunettes, ou un monocle serait tombé entre eux juste au moment où leurs lèvres se seraient approchées... Seuls les jeunes hommes s'embrassaient, et encore, pas souvent... George imagina le charmant visage important de Revel Ralph, et se représenta avec lui, dans la même proximité tendue, ressentant un brusque galop du cœur d'un genre qu'il avait presque oublié.

Il entendit alors le gémissement affûté de la porte pivotant sur ses gonds, et Sebby Stokes entra, avec son air tranquillement officiel et les reflets de son haut col blanc et de sa tête argentée. Il referma presque entièrement la porte, comme George l'avait fait, et approcha : de toute évidence, il se crut seul, pendant ces quelques premiers instants ; pour George, à demi caché par le tombeau, son expression spontanée eut un intérêt étrange, presque comique. Stokes devait ressentir la légère mais inhabituelle excitation de son imminente rencontre avec Cecil. George découvrit là plus clairement ce qu'avaient de féminin et de nerveux la démarche et le regard du personnage ; mais il y avait aussi quelque chose d'autre dans l'expression de la bouche et dans le froncement de sourcils évaluateur : quelque chose de dur et d'impatient, enfoui profondément sous l'infinie diplomatie de ses bonnes manières. George se leva d'un bond et apprécia le sursaut de l'intrus, autant que son ressaisissement plein d'humour, sur lequel, néanmoins, plana, pendant un bref instant, un soupçon d'agacement. « Ah ! Mr Sawle… vous m'avez surpris.

— Eh bien, vous m'avez surpris aussi, rétorqua George calmement.

— Oh ! Hum, toutes mes excuses… » Stokes contourna le tombeau, arborant une expression plus ferme, franche mais respectueuse, de sorte qu'il fut bientôt impossible de deviner le fond de sa pensée. « Bel ouvrage, n'est-ce pas ? Puis-je vous appeler "George" ? Cela semble être la coutume ici désormais et je n'ai pas envie de paraître guindé !

— Bien sûr. Faites. » George se demanda s'il devrait appeler Stokes « Sebby », ce qui lui apparut comme un saut indu dans la familiarité avec un homme beaucoup plus âgé que lui et, bizarrement, presque étonnamment, distingué.

« Cela n'est pas loin de lui ressembler, pas loin du tout, déclara Stokes. Souvent, je crains que ces sculpteurs n'arrivent à rien s'ils n'ont pas rencontré le sujet. J'ai vu des tentatives beaucoup plus médiocres.

— En effet…, répondit George, courtois mais se sentant, puisque la glace était brisée, d'humeur plus critique et plus possessive. Bien sûr, je ne l'ai pas rencontré vers la fin. Mais je ne le retrouve pas vraiment. » L'air pensif, il fit glisser ses doigts sur le bras de Cecil et jeta un coup d'œil aux mains de marbre, posées oisivement sur le ventre recouvert de la tunique, presque jointes, les mains d'un dormeur. Elles étaient petites et proprettes, quelque peu stylisées et carrées : à n'en pas douter, c'était la manière du *professore*. Des mains de gentilhomme, voire d'un grand enfant, pas encore abîmées par la besogne ou le temps. Mais ce n'étaient pas les mains de Cecil Valance, montagnard, rameur, séducteur. Si la tête du capitaine était une approximation bien intentionnée, ses mains étaient une imposture. « Les mains ne vont pas du tout, dit-il.

— Ah bon ? » Stokes exprima ainsi une inquiétude passagère. Puis, un peu à contrecœur : « En effet, je crois que vous avez raison. » Plana alors entre eux la conscience de leurs inégales intimités avec le sujet.

« Mais quand l'avez-vous vu vous-même pour la dernière fois ?

— Oh… eh bien… » Stokes dévisagea son interlocuteur. « Ce devait être… dix jours avant sa mort…

— Ah bon, vous voyez…

— On lui avait accordé une permission exceptionnelle, et je l'ai invité à dîner à mon club. » Stokes s'exprimait d'un ton naturel, pragmatique, mais il était clair que l'invitation avait compté pour lui.

« Comment allait-il ?

— Il était en excellente forme. Cecil était toujours en excellente forme. » Stokes adressa un sourire à l'effigie de marbre, qui semblait, il est vrai, confirmer son point de vue. Comme avec Wilkes, George eut l'impression que cet homme plus âgé que lui censurait légèrement quelque inconvenance privée. « Bien sûr, notre première rencontre, c'était sur *une barque*, déclara Stokes, et le pouls de George s'accéléra, imaginant une révélation, un petit épisode divertissant.

— Vous êtes venu à Cambridge... », dit-il, d'une voix neutre, avec la nette impression de rater une occasion. Ils étaient quatre ou cinq sur la barque, Ragley et Willard assurément, morts tous les deux, et un autre garçon que George ne parvenait pas à se remémorer. Il avait concentré son attention, à l'instar, manifestement, de Sebby, sur la silhouette munie de la perche à l'arrière.

« Le fils de lady Blanchard, Peter, m'avait invité à rencontrer Cecil et plusieurs nouveaux poètes.

— Bien sûr... Oui, Peter Blanchard...

— Peter Blanchard ne jurait que par Cecil.

— C'est vrai, n'est-ce pas ? » George détourna le regard, déconcerté, avec le recul, par la jalousie qu'à l'époque il éprouvait pour Blanchard. Les tourments absolus de ce temps-là, le jeu des toges dans les escaliers, les visages entrevus quand on tirait les rideaux : tout cela apparaissait désormais comme de lointaines superstitions. Que pouvaient signifier de telles émotions, des années plus tard, lorsque ceux qui les avaient suscitées étaient morts ? Stokes lui adressa un coup d'œil incertain, mais continua, avec humour :

« Je ne me les rappelle pas tous. Il y avait un jeune homme qui n'a pas dit un mot et dont la tâche consistait à conserver le champagne au frais.

— Les bouteilles flottaient-elles dans l'eau, attachées à l'aide de ficelles… ? » George avait eu honte de lui-même, alors comme au temps présent. Les bouteilles cognaient contre la coque à chaque bond en avant de la barque ; quand il décortiquait le fil de fer, les bouchons claquaient comme des coups de feu et fusaient jusque dans les feuillages des saules pleureurs.

« Exactement. Exactement. C'était une journée magnifique. Je n'oublierai jamais la lecture que fit Cecil de ses poèmes… en réalité, il ne lut pas, il récita… Il paraissait les connaître par cœur, n'est-ce pas ? Si bien qu'on aurait dit qu'il bavardait, simplement : mais d'une voix très différente, sa voix de poète. C'était impressionnant. Il récita *Oh ne me souris pas si enfin*… bien que, naturellement, on ne pût guère s'en empêcher !

— Non, assurément. » Tout à coup, George rougit et détourna le visage. Il scruta l'autel derrière la barrière de cuivre poli, comme s'il avait vu quelque chose d'intéressant. Était-il condamné à rougir comme un fanal pendant tout le week-end ?

« N'étiez-vous pas vous-même l'un de ces jeunes poètes ?

— Comment… ? Oh, je n'ai jamais écrit une ligne, répondit George, ne tournant que la tête.

— Ah…, dit Stokes tout bas, derrière lui. Mais vous avez du moins la satisfaction d'avoir inspiré, ou d'avoir été la raison ou, quoi qu'il en soit, l'occasion de ce qui est sans doute son poème le plus célèbre. »

George, cette fois, se retourna complètement ; ils étaient coincés entre le tombeau et l'autel. La question était laborieusement cordiale… mais il se donna le temps de la réflexion. « Eh bien, si vous voulez dire "Deux Arpents", le poème a été écrit en l'honneur de ma sœur. »

Stokes lui adressa un drôle de sourire, puis baissa la tête. On aurait dit qu'une brume de délicatesse avait obscurci le sujet. « Naturellement, je dois interroger lady Valance, Daphné, sur le sujet, lorsque nous parlerons, elle et moi, cet après-midi. Ne vous reconnaissez-vous pas, toutefois, dans les vers… comment est-ce… ? "Je me demande s'il est être plus / Savant que le bel homme de Stanmore" ? »

George, sur ses gardes, émit un petit rire. « Je l'avoue », dit-il, tout en étant conscient que « savant » n'avait pas été le premier épithète choisi par Cecil. « Vous savez que le manuscrit se trouve dans le carnet d'autographes de Daphné. »

— Je l'ai, répondit Stokes, avec la concision qui pointait souvent derrière sa délicatesse de façade. Elle a dû penser qu'elle avait gagné le gros lot, ajouta-t-il avec un rire surprenant.

— Oui, il n'en finit plus, n'est-ce pas ? » George ne pouvait plus supporter le poème, même s'il était encore heureux du lien qui l'attachait à lui ; ennuyé, gêné par sa popularité d'un côté et, d'un autre, amusé par le secret qu'il contenait, tristement rassuré qu'il ne pourrait jamais être révélé. Cecil lui en avait lu certaines parties non publiées, impubliables, désormais probablement perdues à jamais. L'idylle anglaise avait ses paragraphes secrets, des silhouettes priapiques dans les fourrés… « Eh bien, Daphné pourra vous raconter son histoire », dit-il, désavouant, comme toujours, le poème.

Avec un tact infini, Stokes répondit : « Mais Cecil et vous étiez manifestement… très proches. » Le tact résidait dans la sympathie soutenue pour sa perte, bien sûr, mais il sous-entendait une sympathie plus profonde, pas forcément bienvenue, d'un type plus subtil.

« Oh, pendant un certain temps, nous avons été des amis inséparables.

— Vous rappelez-vous comment vous vous êtes rencontrés ?

— Vous ne me croirez pas, mais je n'en suis plus certain.

— À Cambridge, j'imagine…

— Cecil était une personnalité de notre *college.* Il était flatteur qu'il s'intéresse à vous. Je crois que j'avais remporté… oh, un prix pour un essai. Cecil s'intéressait aux jeunes historiens…

— Je n'en doute pas. » Probablement la légèreté de l'intonation de Stokes s'était-elle fait l'écho de celle de George.

« Je ne peux pas vraiment en parler, avoua George, conscient que le vague sourire de Stokes se raidit alors d'une curiosité réprimée. Mais, tout de même… vous devez connaître la Société, je suppose.

— Ah, je vois… la Société.

— Cecil était mon "père". » Elle était étonnante, et utile, cette façon dont certains secrets se nichaient à l'intérieur d'autres secrets.

« Je vois… », fit Stokes, avec l'habituelle moquerie sous-jacente d'un oxfordien évoquant les us de Cambridge. N'empêche, il était coutumier des échanges de faits ésotériques et ses traits se détendirent une fois encore, son visage devenant un avide réflecteur d'allusions et de sous-entendus. « Donc, il…

— Il m'a choisi… il m'a introduit », dit George sèchement, comme s'il n'aurait même pas dû faire cette révélation.

Stokes sourit presque malicieusement. « Y retournez-vous encore ?

— Vous connaissez donc bien son existence, peut-être tout le monde est-il au courant.

— Oh, non, je ne crois pas. »

George haussa les épaules. « Je n'y suis pas retourné depuis des années. Je suis très pris par mon travail à l'université de Birmingham. Je ne puis vous dire tout le temps que je lui consacre. » Il s'aperçut du ton contraint de sa déclaration et crut voir Stokes le détecter aussi, l'absorber, le dissimuler. Il continua donc, avec un petit rire : « Pour être franc, je préférerais oublier Cambridge.

— Peut-être vous rappelleront-ils un jour. »

Stokes semblait parler depuis l'intérieur des cercles des pouvoirs secrets, des comités, des conseillers ; George sourit, et, à sa courtoisie, opposa un murmure. « Peut-être. Qui sait ?

— Et votre correspondance, au fait ?

— Oh, il m'a envoyé beaucoup de lettres, dit George, poussant un soupir et choisissant une épithète chère à Stokes : des lettres vraiment *formidables*… Mais je crains qu'elles n'aient été égarées lorsque nous avons déménagé de Deux Arpents. Du moins n'ont-elles jamais refait surface.

— Quel dommage, dit Stokes d'un air si sincère qu'il ne pouvait que dissimuler un vague soupçon. Les lettres que j'ai reçues de Cecil, seulement une poignée, voyez-vous, étaient merveilleuses, enjouées. Jusqu'à la fin, il a gardé tout son enthousiasme. J'en intégrerai certainement de beaux spécimens.

— Je l'espère, oui.

— Et, bien sûr, si jamais les vôtres refont surface…

— Ah », fit George, riant pour cacher un vertige momentané. *Une telle lettre fut-elle jamais écrite par un homme à un autre ? Comme le monde hurlerait et jugerait s'il lisait par-dessus mon épaule, alors que tout en elle est aussi naturel et vrai que le printemps.* George dépassa Stokes pour contempler à nouveau le tombeau et pensa pouvoir demander, pragmatique : « J'imagine que vous êtes son exécuteur littéraire ?

— Oui. » Entendant peut-être davantage dans la question, Stokes ajouta : « En toute franchise, il ne m'a pas désigné mais j'ai promis de m'occuper de tout ça pour lui. » George comprit qu'il ne pourrait demander si la promesse avait été faite à Cecil en personne ou si c'était seulement une tâche que Stokes s'était assignée.

« Sur ce point au moins, il a beaucoup de chance.

— Il faut bien que quelqu'un…

— Hum, quelqu'un de capable. Les publications posthumes ne rehaussent pas toujours la réputation d'un auteur. » George adopta un ton franc, quasi universitaire : « Comment jugez-vous Cecil Valance, comme poète ?

— Oh… » Stokes regarda son interlocuteur puis Cecil, qui sembla alors l'inhiber légèrement, nez de marbre à l'affût de toute déloyauté. « Je pense que personne ne douterait… vous-même… qu'un bon nombre, vraiment un nombre considérable de ses poèmes, surtout, probablement, ses poèmes lyriques… un ou deux poèmes des tranchées, cela va de soi… "Deux Arpents", indéniablement, plus léger, mais, on ne peut qu'en convenir, si charmant… oui, tout cela sera lu pendant longtemps encore, tant que certains demeureront sensibles à la musique anglaise, aux charmes de l'anglicité… »

La grande prétention de départ parut se volatiliser dans la dernière proposition. George jeta un coup d'œil à la silhouette chevaleresque de Cecil et dit d'un air bienveillant : « Je me demande si les gens n'en ont pas assez d'entendre parler de la guerre.

— Je ne crois pas que nous arrêterons d'en entendre parler de sitôt.

— Vous avez raison. D'ailleurs, une grande partie de son œuvre date d'avant la guerre.

— Exactement, exactement… mais c'est à la guerre qu'il s'est fait un nom, voilà qui est indéniable ; lorsque Churchill a cité les vers de "Deux Arpents" dans le *Times*, Cecil est devenu un poète de guerre… » Stokes s'assit sur le bord du premier banc, comme pour atténuer la rigidité du débat, ainsi que pour montrer qu'il avait du temps à lui consacrer.

« Pourtant, remarqua George comme il l'avait déjà souvent fait auparavant, avec sa ténacité professorale, "Deux Arpents" fut composé une bonne année avant le début des hostilités.

— Certes…, reconnut Stokes, d'un air qui aurait pu laisser croire qu'il siégeait à un comité. Certes, mais nos poètes, nos artistes, n'ont-ils pas souvent des accents prophétiques ? » Il sourit, concédant : « Ou, du moins, une sorte de prescience, la conscience, qui sait, du grand inévitable, face auquel la majorité d'entre nous reste sourde et aveugle.

— C'est peut-être le cas, en effet », répondit George, las de ces généralités, qui, à son avis, grevaient une trop grande part de ce qui passait pour de la critique littéraire. « Mais à cela je répondrai deux choses. Vous seriez d'accord avec moi, je crois, que nous parlions tous de la guerre bien avant qu'elle n'éclate. Nul besoin de grands dons prophétiques pour comprendre ce qui se préparait ; or Cecil, qui était allé à Hambourg et à Berlin, qui avait navigué le long de la côte frisonne, le savait mieux que quiconque. Mon second point est que, ainsi que vous devez le savoir, il a ajouté une section à "Deux Arpents" lorsque le poème a reparu dans *New Numbers*.

— Voulez-vous dire : "Dans sa course folle, le lévrier, / Dans l'immensité du ciel, le faucon" ?

— "Se hâtent vers leur noire destinée / De même vers la tuerie court Albion" », enchaîna George, content de compléter la citation, quoique beaucoup moins du vocabulaire choisi. « Ce qui n'a pas le moindre rapport avec "Deux Arpents", mais transforme le poème en poème de guerre, à mon humble avis, dans un esprit déprimant.

— Que le sens du poème en soit modifié, je l'admets, répondit Stokes, plus indulgent.

— Pour nous, ce fut presque comme découvrir un poste de mitrailleuse au fond du jardin… Mais peut-être l'en trouvez-vous amélioré ? Je suis historien, pas critique littéraire.

— Je ne suis pas certain qu'il existe entre les deux une distinction si nette.

— Je veux dire que je ne lis pas la poésie moderne. Je ne me tiens pas au courant comme vous le faites.

— Du moins j'essaie. Je dois admettre que certains poètes, de nos jours... je ne comprends pas parfaitement ce qu'ils écrivent... les Américains, entre autres...

— Mais vous vous tenez informé. »

Stokes sembla réfléchir. « Je pense davantage en termes d'individus à qui je peux donner un petit coup de pouce, dit-il, d'un ton à la fois noble et éperdu.

— Et maintenant...

— Et maintenant... eh bien, maintenant, je dois réunir tous les poèmes de Valance, répondit Stokes en se levant d'un bond, tel un employé qui risque d'arriver en retard à son travail.

— Combien y en a-t-il, d'après vous... ? »

Stokes marqua une pause, comme s'il allait se laisser aller à une nouvelle confidence. « Oh, ce sera un sacré livre.

— Beaucoup de nouveaux matériaux ? »

Un infime tressaillement : « Hum, plutôt quantité d'anciens.

— Vous voulez parler des premières effusions enfantines ? »

Sebby Stokes regarda autour de lui, avec son air presque comique, dans lequel se mêlaient candeur et prudence. « Oui, les effusions enfantines, comme vous les appelez si justement.

— Ne peut-on les omettre ?

— Toutes adressées à Mamma !

— Cela coule de source...

— Très malencontreux.

— Touchant, à sa manière, peut-être ?

— Oh, oui, touchant, pour sûr. Pour sûr. »

George émit un petit rire chagrin. « Et puis Marlborough College, j'imagine ?

— Là, les choses s'améliorent nettement. Nous connaissons une partie de ses œuvres d'adolescence à travers le recueil *Veillée et autres poèmes*, bien sûr, mais j'éplucherai le *Malburian* avec une attention toute particulière.

— Toutefois, pardonnez-moi d'insister... des œuvres ultérieures ignorées jusque-là ? »

Stokes adressa à George un regard intense, voire suppliant. « Si vous en connaissez...

— Comme je vous le disais, nous nous étions perdus de vue.

— Non... Le fait est que je suis un peu troublé par quelque chose. » Stokes jeta un coup d'œil au tombeau. « Quand j'ai vu Cecil ce dernier soir... à Londres, il m'a montré une poignée de nouveaux poèmes, dont certains inachevés. Nous sommes rentrés à mon appartement après dîner, et il m'a lu des poèmes pendant, je dirais... une demi-heure. Très frappants ; à la fois en eux-mêmes et par la façon dont il les lisait : serein et... pensif... on pourrait dire, une voix intime autant que poétique, si vous voyez ce que je veux dire. Je fus saisi, remué. » Pendant un instant, Stokes fut la proie d'émotions soudain ravivées.

George se représenta la scène à la lumière de sa connaissance indulgente du Cecil que Stokes n'avait jamais connu : le nudiste, le satyre, le fornicateur ; mais avec un soupçon d'envie également : l'appartement de célibataire, Cecil en uniforme, la fulgurante brièveté de la permission du soldat, le luxe d'une discussion sur les poèmes autour d'un feu de charbon. « Quels thèmes y abordait-il ?

— Oh, c'étaient des poèmes de guerre, des poèmes sur ses hommes, la vie des tranchées. Ils étaient très… *directs*, répondit Stokes avec franchise mais légèreté aussi, scrutant, un instant, le visage de George.

— Eh bien, j'aimerais les lire. » (Non, le feu de charbon était une absurdité, un souvenir personnel. Ce devait être en juin, fenêtres ouvertes sur la nuit londonienne.)

Stokes hocha impatiemment la tête. « Moi de même.

— Ah, il ne vous les a pas laissés.

— Il a dit qu'il les enverrait, déclara Stokes, avec une touche d'irascibilité, puis, avec un reniflement d'acceptation : Mais, bien sûr, il est retourné en France avant d'en avoir eu le loisir.

— Il avait d'autres choses en tête.

— Sans aucun doute… » Stokes n'avait nul besoin d'explications.

« Ces poèmes ne figuraient pas dans ses effets ? » George comprit que la formidable efficacité de Stokes était ébranlée par cette défaillance.

Stokes fit non de la tête, puis la leva presque furtivement. C'est alors que la porte grinça dans leur dos. « Quoi qu'il en soit… voici votre épouse ! »

George se retourna et vit Madeleine pénétrer avec précaution dans la pénombre. Il leva une main rassurante et l'appela : « *Hello*, Mad », réveillant les échos.

« Ah, te voilà », fit Madeleine. Elle avança. Ses yeux s'ajustèrent aux ombres et à quelque chose d'autre, peut-être, dans l'atmosphère. « Étiez-vous en train de prier ou de comploter ?

— Ni l'un ni l'autre, répondit George.

— Les deux, corrigea Stokes.

— Nous communiions avec Cecil, expliqua George.

— Hum, c'est lui que je suis venue voir », répondit Madeleine sur son ton bien à elle, avec un possible frisson d'humour ; George avait souvent vu des gens la dévisager, essayant de deviner s'ils avaient bien entendu. Les deux hommes restèrent plantés là, muets, l'observant tandis qu'elle avançait vers l'effigie puis l'inspectait, avec la fermeté de son intérêt tout universitaire et sa froide immunité contre les sensations esthétiques. « Cela lui ressemble-t-il ?

— En fait, dit Stokes, nous n'arrivions justement pas à répondre à cette question, n'est-ce pas, George ? Est-ce Cecil ou, pour ainsi dire, quelqu'un d'autre ? » On aurait pu croire qu'il prenait parti et qu'il taquinait Madeleine, manœuvre que George comprit parfaitement et qui lui répugna grandement.

« Pour ma part, je ne trouve pas ça ressemblant », dit-il.

Madeleine alla se poster près de la tête du gisant, avec la raideur d'une infirmière-chef. Impossible de deviner ce qu'elle savait ; ou même ce qu'elle avait deviné toute seule. « N'était-il pas plus imposant ? s'enquit-elle.

— C'est… possible…, répondit son mari, approchant pour lui faire face de l'autre côté du gisant, mu par le désir net et calculé d'être ouvert, désinvolte et critique au besoin. Mais ce n'est pas tant cela…

— Pas plus musclé ? » Était-ce là un échantillon de ce qu'elle avait été amenée à croire à propos du héros défunt ?

Haussant les sourcils, hochant doucement la tête, George répondit : « Que dire ? Il était simplement... plus vivant, voilà tout.

— Ah, oui, dit Madeleine, adressant à son mari un regard étonné. Votre discussion a-t-elle été fructueuse ?

— Votre époux a été modérément coopératif. Mais je ne crois pas en avoir terminé avec lui.

— Sebastian a du pain sur la planche, dit George en riant.

— En effet, répondit Stokes en baissant la tête, avec un humour poli. Je dois d'ailleurs y aller. J'ai promis d'interroger votre chère mère... » Et il sortit, avec une expression un peu plus dure face à la perspective de la tâche et de nouveaux calculs.

George leva les yeux vers son épouse, puis regarda de nouveau Cecil, devenu, eût-on dit, une pièce à conviction posée entre eux, ambiguë mais irréductible. George ressentit une envie presque physique de changer de sujet, lorsque, se détournant, il déclara : « Ce cher vieux Valance a été plutôt supportable, pour l'instant. »

Madeleine eut un sourire figé. « Jusqu'à maintenant. Mais nous ne sommes ici que depuis trois heures.

— Je suppose qu'il doit être assez exaspérant pour lui qu'on fasse tant de foin autour de Cecil, une fois de plus.

— Je ne vois pas pourquoi, répliqua Madeleine, qui avait l'esprit de contradiction chevillé au corps.

— J'imagine un avenir infini d'anniversaires.

— Dudley Valance est un drôle de personnage. Je trouverais très triste qu'il soit encore jaloux, après toutes ces années.

— La guerre a été dure pour lui.

— Pas autant que pour Cecil, tout de même? Louisa m'a raconté sa mort. Ils sont allés en France pour le voir.

— Oui, il a tenu bon, pendant plusieurs jours… » George se dit que « Tombé à Maricourt » était une formule ronflante qui ne recouvrait guère la stricte et brouillonne vérité.

« Ils ont obtenu la permission de rapatrier le corps. Je dis "Ils", mais je soupçonne Louisa d'avoir été celle qui a tout fait pour l'obtenir.

— On ne l'appelle pas la Générale pour rien.

— Il est compréhensible qu'ils aient souhaité revoir leur fils une dernière fois, dit Madeleine avec équité.

— Oui, naturellement, ma chérie.

— Bien que l'on pense immédiatement aux milliers de parents qui n'en ont pas eu la possibilité.

— Très juste. Ma chère mère, entre autres.

— Oui, précisément », répondit Madeleine comme si elle contestait plus qu'elle n'acquiesçait. C'était leur façon de faire, leur ancienne intimité, chargée pour l'heure d'un élément d'inquiétude. « Ils l'ont ramené ici, ils l'ont exposé dans sa chambre, face au soleil levant.

— Oh, mon Dieu. Comment, dans un cercueil? » George retroussa les lèvres pour réprimer un petit rire horrifié.

« Elle n'a pas précisé.

— Non… quelle était la blessure, exactement?

— Hum, je ne pouvais guère demander, n'est-ce pas? Je suppose qu'il est possible qu'il ait été défiguré. »

George comprit comment il avait pu éviter de telles questions jusqu'à présent ; il comprit aussi pourquoi Madeleine choisissait d'en parler à ce moment précis.

« Je ne crois pas que tu m'aies jamais raconté comment tu avais appris la nouvelle.

— Ah bon, Mad… ? » George cligna les yeux et, tête baissée, fronça les sourcils. Ses pensées suivirent les diagonales, les gros losanges rouges des carreaux. Elle lui avait posé la question, il devait y répondre. « Il y a une ou deux choses que je me rappelle très bien. J'étais à Marston, naturellement. Je me souviens qu'il faisait très chaud, tout le monde était fatigué et tendu à cause des événements en France. Après le dîner, on m'a appelé au téléphone. Dès que j'ai entendu la voix de Daphné, j'ai ressenti une sorte de nausée, de l'appréhension, j'ai pensé à Hubert et, quand il s'est révélé que c'était Cecil, c'est horrible à dire mais je me rappelle que l'impact de l'information se le disputait avec une montée de soulagement. » George jeta un coup d'œil à son épouse. « Je me souviens d'avoir demandé : "Mais Huey va bien ?" et cette bonne vieille Daphné a répondu, avec humeur, vois-tu : "Comment… ? Ah, Huey va bien, oui." Sur quoi, elle a dit, mot pour mot : "C'est le beau Cecil qui est mort." Et elle s'est mise à, pour ainsi dire, gémir au bout du fil, un son extraordinaire que je n'avais jamais entendu sortir de sa bouche et pas davantage depuis. » George, regardant Madeleine, lâcha un drôle de rire, comme un halètement. Elle soutint son regard, son expression à la fois ébahie et interrogative témoignant qu'elle avait d'autres questions. « Le beau Cecil est mort », répéta George posément, réminiscence amusée. Jamais il n'oublierait ni ces paroles-là ni le soudain et fou débordement de douleur de Daphné, si surprenant chez un être aussi proche de lui que sa sœur. Il y avait résisté, ainsi qu'à leur brusque référence à une réalité partagée mais jamais énoncée jusque-là. En vérité, plus que la plupart des disparitions cet été-là, celle de Cecil avait paru à la fois tout à fait impossible et d'une évidence paralysante. Il ne s'était pas écoulé une semaine que George la trouvait déjà inévitable.

6

« Ma chérie, *Piccadilly*…, demanda Mrs Riley, deux "c" ?

— Mais oui !

— Ah, oui, deux, je crois, dit sa mère après un moment de réflexion.

— Je ne suis pas complètement idiote, dit Mrs Riley, mais il y a un ou deux mots… » Elle traça un trait audacieux sous l'adresse et sourit malicieusement à ce qu'elle avait écrit. Personne ne savait rien de sa lettre mais l'adresse, sur Piccadilly, semblait destinée à susciter les interrogations. Elles se trouvaient au petit salon, avec son chintz et ses porcelaines, et un feu dans la cheminée qui s'effaçait sous l'effet du soleil. Freda contempla les flammes pâles et, ainsi que Daphné savait qu'elle allait le faire, déclara :

« Le soleil va éteindre le feu. »

Mrs Riley alluma une cigarette avec un soupçon d'impatience. « Ma chère, croyez-vous vraiment cela ?

— Vous pouvez en rire », répondit Freda, avant d'ajouter : « Mais c'est ce que je crois. » Elle lui adressa un sourire plutôt timide. Elle avait parfaitement compris que sa fille n'aimait pas cette créature, mais, quant à elle, peut-être la trouvait-elle seulement déconcertante.

Gaiement, Daphné reprit : « Eh bien, il ne nous fera guère défaut, *Mummy*, n'est-ce pas ? Il fait assez chaud, aujourd'hui. » Elle adressa un sourire à sa mère, assise, une autre lettre sur les genoux, une ancienne lettre qu'elle lissait avec le pouce, et sur laquelle elle appuyait, une lettre dont l'enveloppe avait été en partie déchirée lors de son ouverture, un jour désormais ancien.

« C'est tout ce que j'ai, déclara-t-elle. Je connaissais à peine Cecil.

— Ça n'a pas vraiment d'importance, dit Daphné. Quoi qu'il en soit, tu l'as bel et bien connu.

— J'ignorais qu'il deviendrait un grand poète.

— Hum, eh bien, je ne suis pas certaine que ce soit un avis partagé par tous… » À l'autre extrémité de la pièce se trouvait la porte qui ouvrait sur la bibliothèque, où Sebby Stokes menait ses entretiens. N'était-ce pas Wilkes qui était sur la sellette à l'instant même, encouragé à révéler ses souvenirs des signes précoces du génie de son jeune maître ? Si l'on n'entendait rien, la conversation n'en était pas moins présente à l'esprit des femmes qui se trouvaient au petit salon, assises comme des patients dans un couloir, près d'imaginer qu'ils vont d'un instant à l'autre entendre des hurlements de douleur dans la salle d'opération. Freda regarda sa fille, cherchant péniblement à se concentrer.

« Je me rappelle un ou deux détails sur lui… Est-il venu deux fois chez nous ? Je n'ai qu'une lettre, vois-tu.

— Deux fois, peut-être.

— Il débordait d'énergie.

— Oui, n'est-ce pas… ? »

Même si sa mère ne s'était jamais exprimée sur la question, Daphné avait l'impression qu'elle n'aimait pas particulièrement Cecil. Elle se le remémora, plus grand que nature, sous leur toit, s'abaissant momentanément à la hauteur de leurs manières de gens habitués à vivre sous des plafonds bas. Ils lui avaient accordé des droits spéciaux, en qualité de poète et de représentant des classes supérieures ; il avait eu le droit de casser des objets, de veiller toute la nuit, de vénérer l'aube… Ils avaient fait de leur mieux pour accepter ses lubies comme des vertus, des nouveautés édifiantes. Ils l'avaient accueilli à bras ouverts, parce que c'était l'ami de George, une nouveauté en soi. Freda avait-elle surpris les allées et venues dans le jardin à la nuit tombée ? Dans ces années-là, elle avait été aveugle à beaucoup de choses, à cause des bouteilles cachées dans son armoire et Dieu sait où. Elle avait été excitée par le poème et avait poussé à la roue quand il s'était mis à correspondre avec Daphné – elle avait cru à un avenir possible, sans nul doute ; elle avait autorisé les jeunes gens à se rencontrer, lors des permissions de Cecil. N'empêche, il y avait eu un problème. Cecil avait-il dit ou fait quelque chose ? Un affront que Freda n'avait jamais pu ni avouer ni oublier : qu'elle chérissait plutôt, en raison du confortable élancement d'indignation qu'il lui permettait d'éprouver. Cecil n'était plus qu'un prétexte pour elle : Daphné savait qu'elle n'était venue que pour avoir l'occasion de voir ses enfants. Freda arrêta de froncer les sourcils : « Je me rappellerai toujours la façon dont il avait lu, ce fameux soir dans le jardin… Swinburne, n'est-ce pas, quelle voix…

— Ah oui… Était-ce bien Swinburne ? Je sais qu'il a lu *In Memoriam*.

— Ah, oui, très adapté. » Freda plongea derechef son regard vide dans les maigres flammes. « N'a-t-il pas lu aussi des poèmes à lui ?

— Il a lu toute la nuit.

— Nous étions installés sur la pelouse, n'est-ce pas, sous la voûte étoilée… » Daphné ne pensait pas que ce souvenir de sa mère reflétât la réalité, mais pourquoi la détromper ? Freda promena son regard sur la pièce puis le porta sur l'extérieur, plus loin que Mrs Riley, jusqu'aux pelouses, jusqu'aux arbres du parc du moment présent. « Je me dis parfois que les choses auraient été très différentes si George ne l'avait jamais rencontré.

— Certes ! s'exclama Daphné avec un petit rire. Cela va de soi, Mère.

— Non, ma chérie, vois-tu… Je pense vraiment que certaines de ses idées étaient idiotes. Je ne sais pas… je suppose qu'on ne peut pas dire ce genre de choses.

— Ses idées ? » Daphné ne comprenait pas ce que sa mère sous-entendait. « Je crois que tu peux dire tout ce que tu veux. »

Freda donna l'impression de soupeser ce privilège. « Il t'a certainement tourné la tête, dit-elle d'un ton sinistre.

— J'étais très jeune », répondit Daphné douce-ment, regrettant de plus en plus que Mrs Riley occupe son bureau, joue avec son stylo-plume, suive la conversation, à sa façon déçue et réductrice, et finisse par faire remarquer, presque avec malice : « Vous ne deviez être qu'une enfant à l'époque, ma chérie.

— C'est un fait.

— Elle était très influençable, n'est-ce pas la vérité, Daphné ?

— Merci, Mère !

— Et puis, il a écrit pour vous son poème le plus célèbre, la tête a dû vous en tourner, insista Mrs Riley, savourant le tableau.

— C'est vrai, dit Freda.

— En réalité, il l'a écrit pour nous tous, non ? » Désormais, elle était vaguement étonnée par toute cette agitation autour du poème, par le souvenir gêné de ce qu'il avait signifié pour elle à une époque. On ne lui avait jamais permis de le garder par-devers elle. Ce fameux matin, elle s'était aperçue à la fois que c'était le plus beau présent qu'on lui eût jamais fait, mais aussi qu'on le lui dérobait. Tout le monde en avait réclamé sa part. Eh bien, maintenant qu'ils l'avaient, ils pouvaient le garder ; si elle tentait de le récupérer, c'était seulement parce que c'était un témoignage mortifiant de son premier amour. Il lui arrivait de jouer son rôle : quand les gens découvraient le pot aux roses, s'extasiaient, elle reconnaissait qu'elle avait eu une chance incroyable ; mais, quand cela était possible, elle ajoutait que, désormais, elle s'en moquait éperdument. Une semaine ne s'était pas écoulée que George lui avait appris que d'autres lisaient « son » poème. Il était paru dans *New Numbers*... une version considérablement remaniée. À la mort de Cecil, Churchill l'avait cité, dans le *Times*. Elle venait de prêter son fameux carnet d'autographes à Sebby Stokes ; le volume était désormais un peu gras, un peu élimé, les autres entrées, avant et après, paraissaient délicieusement guindées et convenables en comparaison. Mais le poème en soi… « Il est entré dans la langue, n'est-ce pas ? dit-elle.

— C'est une sorte de ritournelle, déclara Freda, ce que Daphné l'avait déjà entendue dire.

— Vous devez être très fière, insista Mrs Riley.

— Oh, vous savez… »

Mrs Riley hocha la tête. « Je ne peux m'empêcher de penser à la réaction de Cecil s'il nous voyait toutes l'évoquer de cette façon.

— Oh, je suis sûre qu'il serait heureux de voir qu'il occupe encore le devant de la scène, dit Daphné.

— Cecil aimait beaucoup Cecil, dit Freda. Si vous voyez ce que je veux dire. »

Mrs Riley regarda autour d'elle avant de s'interroger tout fort : « Je me demande si votre belle-mère reçoit encore des messages de l'au-delà !

— Non, répondit Daphné. De toute manière, c'était ridicule, et très triste.

— Pardon ? fit sa mère.

— Oh, rien, Mère… Les lectures mentales de Louisa, te rappelles-tu ?

— Ah, ça, oui… » Freda prit un petit air consterné. « Tellement triste.

— Je suis sûre que ce sont des bêtises, dit Mrs Riley, mais je me suis toujours dit qu'il serait amusant d'essayer.

— Je ne vois guère ce qu'il peut y avoir d'amusant là-dedans, rétorqua Freda, sincèrement choquée.

— Nous pourrions essayer de communiquer avec ce bon vieux Cecil », insista Mrs Riley allègrement. C'est alors que la porte s'ouvrit et qu'entra Sebby Stokes, personnification du tact mais incontournable tout à la fois.

« Chère Mrs Sawle…, commença-t-il, souriant et atténuant sa raideur.

— Ah, eh bien… ! » dit Freda en prenant son sac à main avec un tremblement cocasse.

En observant sa mère traverser la pièce, Daphné la vit objectivement : son air comique de bravoure, sa conscience d'être observée, troublée, mais tentant le tout pour le tout, hôte accommodant séjournant chez sa fille. Une petite révérence bien humble lorsqu'elle franchit la porte de la bibliothèque, plus vaste mais plus sombre, un soupçon de fragilité, l'affectation de porter sur ses épaules plus que ses cinquante-neuf ans, un léger chancellement perplexe au milieu de la magnificence que sa fille devait faire mine désormais de tenir pour acquise. Daphné reconnut ce qu'il y avait de solide, de capable, de sincère chez cette mère qu'elle avait toujours connue, la femme plus grande que nature, moralement grande, que personne d'autre, à l'exception de George, sans doute, ne pouvait déceler ; en même temps, elle voyait exactement à quel point elle était ébranlée et vulnérable. C'était une mère affligée, quoique, dans la hiérarchie du deuil, ici sa douleur fût en grande partie écartée. Sebby jeta un coup d'œil en arrière et eut un hochement de tête distrait en refermant la porte. Le déclic sec de la serrure parut, bizarrement, revêtir une importance capitale.

Mrs Riley se leva du bureau et s'approcha de Daphné. Sa démarche, penchée en avant, comme en piqué, dénotait une nervosité qu'elle dissimulait par des intonations traînantes lorsqu'elle parlait. Elle traversa le tapis devant la cheminée et, d'un coup de pouce, lança sa cendre dans l'âtre. « Cette affaire, dit-elle, ressemble de plus en plus à un roman d'Agatha Christie : notre Sebastian joue le rôle de l'astucieux Mr Poirot.

— Je sais…, dit Daphné, se levant à son tour pour aller se poster à la fenêtre.

— Je me demande qui est le coupable. Je ne crois pas que ce soit moi…

— J'imagine que vous vous en souviendriez ? » dit Daphné, se soumettant au jeu de mauvais gré. Dehors, à l'extrémité de la pelouse, Revel avait pris place sur un banc en pierre : il croquait la demeure.

« Croyez-vous qu'il va tous nous réunir pour donner la solution ?

— Dieu sait pourquoi, j'en doute », répondit Daphné. Il y avait un je-ne-sais-quoi de si charmant dans sa posture, son air, l'air qu'avait Revel d'être lui-même un personnage dans un tableau, qu'elle ne put s'empêcher de sourire, puis de soupirer. Il avait réussi à *jouir de l'instant* : il était dehors, par ce beau soleil de fin d'avril, alors qu'elle-même était cloîtrée à l'intérieur, tel un enfant retenu par quelque punition futile. Elle abaissa le regard sur son bureau, où se trouvait la lettre, plus précisément sur le buvard, mais l'adresse était cachée par l'étui à cigarettes en laque de Mrs Riley.

« Je vois que votre ami Revel dessine, dit cette dernière.

— Je sais, j'ai beaucoup de chance, dit Daphné, se détournant de la fenêtre.

— Hum, manifestement, il a quelque chose. » Mrs Riley esquissa un sourire distrait. « Une touche assez féminine, plus féminine, sans doute, que moi !

— Oh… je ne sais pas.

— Il est extrêmement jeune, bien sûr.

— C'est vrai…

— Quel âge a-t-il ?

— Vingt-quatre ans, je crois », répondit Daphné, légèrement troublée. Elle continua vite : « Je suis si heureuse qu'il dessine la maison. Il a toujours beaucoup aimé Corley Court.

— Vous voulez dire que vous désirez qu'il l'immortalise avant que je la détruise ! » Mrs Riley témoigna de sa conscience d'être installée dans une certaine rivalité avec un rire et le début d'un rougissement : effet particulier sous sa couche de poudre claire. « Vous n'avez rien à craindre.

— Oh, je ne crains rien », répliqua Daphné avec un petit sourire pincé. Elle se sentait ébranlée. Mrs Riley jeta à Revel un coup d'œil plutôt amusant ; Daphné espéra qu'il ne regarderait pas par là et ne la découvrirait pas à la fenêtre.

« Comment avez-vous fait sa connaissance ? »

La question était facile. « Il a dessiné la jaquette de *La Longue Galerie.*

— Oh, vous voulez dire le livre de votre époux ? répliqua Mrs Riley spontanément.

— Vous vous rappelez ? Le joli dessin de la vieille fenêtre néogothique… »

Mrs Riley jeta sa cigarette et opta pour la simplicité : « À dire vrai, avoua-t-elle, je me sens plutôt idiote.

— Oh…

— Je veux dire : de ne pas avoir connu Cecil.

— Il n'y a rien d'idiot à ne pas avoir connu Cecil », déclara Daphné avec une indulgence un peu sèche. Une grande part de sa propre sottise, songea-t-elle, venait du fait qu'elle l'avait connu.

« Eh bien… » Mrs Riley fit une petite grimace réticente, avant de poursuivre : « Êtes-vous absolument certaine que vous ne préféreriez pas que je mette les voiles ?

— Oh… *Eva*…, répondit Daphné, comme si elle avait eu le souffle coupé. Non, non. » Fronçant les sourcils et rougissant de gêne à son tour. « Voyons !

— Êtes-vous certaine ? Je me donne l'impression d'être un de ces horribles pique-assiettes, comme on dit. » Daphné se représenta tout à coup l'élégant petit bolide de Mrs Riley quittant Corley Court, le coffre empli d'assiettes. « Je ne suis pas du tout versée en poésie. Je n'ai pas la fibre littéraire, comme vous.

— Oh, pas le moins d…

— Si, si. Vous lisez sans cesse, je vous ai vue. Et vous avez épousé un écrivain, pour l'amour de Dieu ! Je ne lis que des romans policiers. Honnêtement, j'ai été surprise (elle traversa la pièce en sens inverse pour aller récupérer son étui à cigarettes), voyez-vous, lorsque votre époux m'a invitée à rester.

— Euh… Je suis sûre qu'il apprécie de se reposer de cette avalanche de conversations qui tournent uniquement autour de son frère.

— Ah, peut-être. Je me demande… » Eva eut du mal à s'imaginer dans le rôle.

« Je veux dire… Nous ne pouvons pas parler de Cecil à tout moment de la journée. Nous perdrions la tête ! Pourrais-je vous demander une cigarette ?

— Oh, ma chère, j'ignorais », dit Eva en revenant sur ses pas. Elle tendit l'étui d'un air languide, tout en adressant à Daphné un regard acéré.

« Merci. » Daphné se retint de rougir après l'aveu par trop évident de son envie de mutinerie et la confirmation qu'il apportait à Mrs Riley du succès de sa tactique. Daphné fit craquer une allumette, trop loin d'elle, d'un geste maladroit, et la tendit à Eva, cachant sa nervosité en la brandissant dans tous les sens, d'un air absent. Eva dut se pencher et, ce faisant, rit. Lorsque toutes deux fumèrent, Eva regarda Daphné sans détour, avec un soupçon d'amusement tandis qu'elle rejetait la fumée de côté.

« Je suis contente, dit-elle enfin, que vous pensiez que j'ai ma place ici. Mais, au fait, en toute honnêteté, ne vous arrive-t-il pas de trouver ne serait-ce qu'un tout petit peu déprimant que Cecil soit inhumé dans vos murs ? N'avez-vous pas envie parfois d'oublier cette histoire ? Je dois avouer que j'en ai ma claque de la guerre, et je pense que beaucoup de gens sont dans le même état d'esprit.

— Oh, j'aime bien l'avoir auprès de moi. » Daphné ne disait pas la stricte vérité mais, avec une menue accélération de son pouls, elle devina qu'elle tenait là un moyen de canaliser le ressentiment qu'elle éprouvait à l'égard d'Eva : « Voyez-vous, j'ai aussi perdu un frère mais personne ne s'en soucie.

— Ma chère, je n'en avais pas la moindre idée.

— Non, hum, comment auriez-vous pu…

— Vous voulez dire, à la guerre… ?

— Oui, peu après Cecil. Il n'a pas eu droit à des articles dans le *Times*.

— Voulez-vous me parler de lui ?

— C'était un garçon adorable. » Daphné se représenta sa mère, derrière les portes massives de la bibliothèque, gardant tout cela par-devers elle.

Eva s'assit, comme pour mieux écouter, plus grave, et repoussa un coussin afin de laisser une place à côté d'elle, mais Daphné préféra rester debout. « Comment s'appelait-il ?

— Hubert… Hubert Sawle. C'était notre frère aîné. » Elle éprouva l'étrange et agaçante sensation de répondre aux attentes des conventions en se confiant à Eva mais en ne ressentant que très peu du chagrin qu'elle aurait voulu communiquer. Lorsqu'elle alla à la fenêtre, Revel semblait avoir disparu ; un instant, elle perdit confiance, mais il réapparut soudain, il bavardait avec George : on voyait dépasser leurs têtes et leurs épaules tandis qu'ils se promenaient lentement au milieu des buissons. George arrêta son compagnon par le bras et ils se mirent à rire. Daphné fut parcourue par un élancement d'irritation. « Hubert était le pilier de notre famille, mon père étant mort jeune.

— Il n'était pas marié ?

— Non… Il était très proche d'une jeune fille, originaire du Hampshire.

— Ah ? »

Daphné se retourna vers la pièce. « Ce n'est pas allé plus loin.

— De nombreuses valeureuses jeunes filles se sont retrouvées le bec dans l'eau après la guerre », déclara Eva sur un ton particulièrement provocant. Après quoi, avec un petit halètement, elle ajouta : « J'espère ne pas avoir choqué votre mère tout à l'heure, quand j'ai parlé d'entrer en contact avec Cecil. Je trouve que c'est ridicule et, cela va de soi, j'ignorais… pour votre frère.

— Je crois qu'elle a assisté à une séance, mais ça n'a pas marché pour elle.

— Hum, naturellement… »

Daphné se rendit compte qu'elle n'avait pas envie d'évoquer l'obsession spiritualiste de Louisa, que Dudley et elle déploraient régulièrement devant quiconque n'appartenant pas au clan; indignée, sa loyauté prit le dessus face à la moquerie d'Eva, qu'en même temps elle comprenait parfaitement. L'horloge murale sonna la demie de trois heures, bannissant toute pensée. « Cette chose est une véritable brute, dit Eva, accompagnant sa déclaration d'un petit mouvement de tête, comme pour dire que même Daphné ne s'opposerait sans doute pas à s'en séparer. Votre époux m'a lu un passage de son dernier livre, sur les célèbres lectures mentales… C'est fabuleusement rigolo, n'est-ce pas, la façon dont il présente ça; c'est ce qui m'a fait m'en souvenir.

— Oh, *vraiment*… », dit Daphné, d'une voix traînante, n'ignorant pas que les traits de son visage se tendaient à vue d'œil, ingouvernable, blessée et indignée qu'elle fut soudain. « Pardonnez-moi un instant, voulez-vous ? » Elle tourna les talons et sortit vite dans le hall, où la comtoise indiquait l'heure mélodieusement, comme l'horloge du petit salon, plus loin, sans aucune idée du soulèvement mortifiant de ses sentiments, tandis qu'elle courait jusqu'à la porte d'entrée. Elle sortit sur le perron, où elle resta plantée à contempler le gravier, les différents arbres et la longue déclivité de la grande allée jusqu'aux grilles, derrière lesquelles s'étendait, caché, l'après-midi bleu du Berkshire. Elle tira sur l'ultime centimètre de sa cigarette avec une certaine révulsion puis écrasa le mégot sous son talon. Elle n'en parlerait pas à Dudley, et certainement pas à Eva Riley. *Personne* n'avait jamais lu une ligne de son « nouveau livre », et encore

moins entendu le présumé auteur en lire des extraits
« fabuleusement rigolos ». Lors d'une séance dans son
« bureau », sans nul doute, pour parler des projets de
rénovation. Preuve affreuse et déstabilisante que tous
ses scrupules, sa loyauté à l'égard de Louisa, de la
famille Valance, n'étaient en réalité guère partagés par
le chef du clan en personne. Elle se sentit idiote, avec
sa naïve noblesse de sentiments. Furieuse bien plus
que blessée. Elle porta la main à ses cheveux et à sa
nuque comme si elle s'était tenue devant sa glace. Puis
elle fit ce qu'on faisait toujours à Corley : elle rentra.

Eva eut l'air contente de la voir revenir. Elle reprit
de but en blanc : « Voyez-vous, j'estime avoir eu beaucoup de chance d'avoir rencontré votre époux. »
Modeste mais en même temps subtilement possessive.

« C'est bête de ma part, avoua Daphné, mais je ne
sais même pas comment vous vous êtes rencontrés. »
Elle connaissait la version de Dudley, cela va sans dire.

« Eh bien, j'ai décoré la maison de Bobby Bannister
dans le Surrey, n'est-ce pas, et Bobby a dû parler de
moi… à votre époux. Je pense que je lui ai soufflé
l'idée d'améliorer Corley. »

C'était en effet la version de Dudley mot pour mot ;
la calme assurance du terme « améliorer » l'amusa,
cependant. « C'est devenu une obsession chez Dud…
je crois qu'il le fait surtout pour contrarier sa mère.

— Oh, j'espère qu'il y a plus que cela. Je dois dire
que j'adore travailler ici… » Elle lança à Daphné un
regard d'une douceur plutôt troublante.

« Eh bien… » Daphné retourna à la fenêtre pour
vérifier où étaient passés George et Revel mais ils
avaient complètement disparu. Puis, entendant
le cliquetis de la porte de la bibliothèque, elle se

retourna, s'attendant à voir Stokes ramener sa mère avec des murmures rassurants et des remerciements, or il était seul, tête penchée de côté, esquissant un sourire d'excuse. Il avait fait sortir Freda de l'autre côté, et l'avait escortée jusqu'au hall : ce fut légèrement déconcertant pendant une seconde ou deux, comme si elle avait disparu d'une façon plus permanente. « Elle paraissait inquiète pour son amie, expliqua Sebby.

— Ah oui, je crains qu'elle n'aille pas bien du tout. » Daphné adressa à Eva un hochement de tête neutre, entra à son tour dans la bibliothèque et, lorsque Sebby referma la porte derrière elle, le cliquetis confirma sa première impression du processus : d'abord, on observait pendant un moment, puis on entrait dans le jeu. Une légère gêne, le fait qu'elle était l'hôte sous son propre toit, teinta les premiers instants pour elle comme pour Sebby, mais, durant tout ce temps, ils ne se départirent pas de leur sourire. « Je me fais l'effet d'être un médecin, avoua Sebby.

— Mrs Riley vous comparait plutôt à un détective. »

Sebby, malgré ses manières hésitantes, était sûr de lui. « J'espère n'être rien d'autre qu'un ami bien intentionné », déclara-t-il, attendant que Daphné s'installe. Sur la grande table, il avait étalé des publications dans lesquelles figuraient des poèmes de Cecil : une maigre pile de périodiques, les anthologies, *Poésies géorgiennes*, *Poètes de Cambridge* et l'unique recueil publié de son vivant, *Veillée et autres poèmes*, sous sa couverture grise souple, qui se cornait et se déchirait facilement. Une autre pile semblait contenir des manuscrits, dont le carnet d'autographes de Daphné, qu'elle lui avait remis le matin même. Elle fut impressionnée et une fois encore désarçonnée par la preuve qu'il s'agissait bien d'un processus sérieux. Elle comprit alors qu'elle aurait dû mieux se préparer. Mais elle en avait été incapable, son esprit refusant de s'attacher à ce qu'elle savait qu'elle pourrait raconter ; de façon incompréhensible, elle avait compté sur sa faculté d'improvisation dès que fuseraient les questions de Sebby. Elle regretta les dix minutes passées à affronter Eva, qu'elle aurait pu employer à mettre de l'ordre dans ses idées.

« Pardonnez-moi un instant », dit Sebby, se tournant vers la table pour fouiller dans la pile de documents manuscrits. Daphné aperçut les lettres qu'elle avait reçues de Cecil et dûment remises : à nouveau, elle ne voulut pas y penser. Elle observa le dos courbé de Sebby, puis la longue pièce pleine d'ombres. Elle avait beau, comme Eva l'avait fait remarquer, beaucoup lire, elle n'avait jamais exactement été emballée par la bibliothèque : comme le bureau de Dudley, dans lequel elle n'entrait jamais, elle appartenait à la partie de la demeure qui échappait à sa juridiction. Quelquefois, elle venait y vérifier un ouvrage, un roman des imposantes collections reliées en cuir de Trollope ou de Dickens, ou un vieux volume relié de *Punch* pour que Wilfie puisse se familiariser avec les caricatures, mais elle ne réussissait jamais à se débarrasser de la sensation de n'être qu'une visiteuse, comme dans une bibliothèque de prêt, avec ses règles et ses pénalités. En outre, l'endroit ayant été le décor des désormais fameuses lectures mentales de sa belle-mère, il était comme imprégné par ces moments plutôt douloureux. Sans doute Sebby ignorait-il tout de ces séances mais, aux yeux de Daphné, la pièce était entachée par les précédentes tentatives pour contacter Cecil : fadaises, cela allait de soi, ainsi qu'Eva et elle en étaient convenues, mais, comme la plupart des fadaises, il n'était pas si facile de s'en défaire.

Sebby s'assit, du même côté qu'elle, à nouveau avec une conscience évidente des subtilités du savoir-vivre : elle était deux fois plus jeune que lui mais une *lady* titrée, lui était beaucoup plus intelligent qu'elle, un invité distingué censé rendre un service fort particulier à ses hôtes. « J'espère que tout cela ne vous est pas trop pénible, déclara-t-il.

— Oh, non, pas du tout », répondit-elle de bonne grâce, avec un sourire qui exprimait son léger étonnement, comme si elle s'était soudain aperçue que cela aurait peut-être dû être le cas. Elle surprit le regard indécis de Sebby.

« Ce cher Cecil, dit-il, suscitait des sentiments ardents chez tous ceux qui croisaient son chemin.

— C'est un fait...

— Et vous semblez avoir eu sur lui, à en juger par les lettres que vous m'avez si généreusement prêtées, un effet similaire.

— Je sais, n'est-ce pas affreux ?

— Ah... », lâcha Sebby, ne sachant, une fois encore, que penser d'elle. Il se tourna pour saisir un paquet de lettres. Elle n'avait pas pu se résoudre à les relire, compte tenu de sa gêne insurmontable face à ce qu'elles révélaient des deux correspondants. « Elles comportent de très beaux passages... Je les ai lues tard, hier soir, dans ma chambre. » Sebby arbora un vague sourire tout en tournant les petites feuilles pliées, recréant son plaisir de la veille. Daphné se le représenta assis dans le lit monumental de la chambre grenat, manipulant ces documents avec un mélange d'enthousiasme et de regret. Il avait l'habitude de s'occuper d'affaires confidentielles, quoique peut-être pas, en règle générale, des déclarations d'amour de jeunes hommes trop sensibles. Il hésita, leva les yeux vers elle et se mit à lire, avec une expression affectueuse : « "La lune, ce soir, chère enfant, brille, je suppose, aussi fort à Stanmore que sur le jardin potager de Mrs Collet et le très long nez de l'adjudant, qui ronfle assez pour réveiller le Hun à l'autre extrémité de la pièce. Ronfles-tu aussi (ronfles-tu, enfant ?) ou ne dors-tu pas, pensant à ton pauvre Cecil tout crasseux, si loin ? Il aurait bien besoin des douces paroles de Daphné et…" » Sebby laissa discrètement traîner sa voix face au glissement dans l'intimité. « Délicieux, n'est-ce pas ?

— Oh… Oui… Je ne me rappelle pas, répondit Daphné, tournant la tête à moitié pour mieux voir. Ses lettres de France sortent un peu du lot, ne trouvez-vous pas ?

— Je les ai trouvées très touchantes. J'ai moi-même des lettres qu'il m'a envoyées, deux ou trois… mais celles-ci sont d'une autre teneur.

— Il avait matière à écrire.

— Beaucoup de matière », compléta Sebby, esquissant un sourire de reproche courtois. Il feuilleta d'autres lettres alors que Daphné se demandait si elle aurait su expliquer ses sentiments, même si elle l'avait voulu ; elle comprit qu'elle aurait d'abord dû les analyser et que cette petite discussion trop artificielle ne l'y aiderait guère. Ce qu'elle ressentait alors ; ce qu'elle ressentait maintenant ; et ce qu'elle ressentait maintenant par rapport à ce qu'elle ressentait alors : voilà qui n'était pas facile à expliquer, loin de là. Sebby était un célibataire endurci, ses intuitions sur le premier amour d'une jeune fille et sur Cecil lui-même comme amant ne seraient pas d'un grand secours. La façon dont Cecil l'avait aimée avait consisté, alternativement, à la dénigrer ou à se dénigrer lui-même : quels qu'eussent été les célèbres sentiments élevés de Cecil, ça n'avait pas été très drôle. Il paraissait toujours heureux quand il était loin d'elle (la plupart du temps, donc), et elle avait peu à peu compris combien il se délectait, en réalité, des absences qu'il prétendait déplorer. La guerre, quand elle avait éclaté, avait été un don des dieux. « Dites-moi si je suis trop curieux, mais j'ai l'impression que cela m'aiderait à mieux comprendre ce qui aurait pu se passer. Voici la lettre, de quelle date, déjà ? Juin 1916 : "Dis-moi, Daphné, accepterais-tu d'être ma veuve ?"

— Ah, oui. » Daphné rougit légèrement.

« Vous rappelez-vous votre réponse ?

— Oh, j'ai répondu : "Oui, bien sûr."

— Vous vous considériez donc comme fiancés ? »

Daphné sourit et abaissa le regard sur le tapis rouge foncé, presque étonnée, pendant un instant, de se retrouver là. Quel était le statut d'un espoir depuis longtemps perdu ? Elle était incapable désormais de se remémorer ce qu'elle avait pu imaginer, à l'époque, de sa vie future avec Cecil. « Autant que je me le rappelle, nous nous étions mis d'accord pour garder le secret. Je ne correspondais pas du tout à l'idée que se faisait Louisa de la prochaine lady Valance. »

Sebby sourit plutôt subrepticement de cette pointe d'ironie. « Vos propres lettres à Cecil n'ont pas survécu.

— J'espère bien que non !

— J'ai l'impression que Cecil ne gardait jamais les lettres qu'il recevait, ce qui est vraiment pénible de sa part.

— Il vous a vu venir, Sebby ! » Daphné rit pour cacher sa surprise à entendre la formule qu'elle venait d'employer. Il n'avait pas l'habitude d'être taquiné, mais elle n'était pas sûre que cela lui déplût.

« En effet ! » Il se leva et rechercha un livre sur la table. « Hum, je ne veux pas vous retenir trop longtemps.

— Oh… ! Eh bien, ça n'a pas été le cas. » Peut-être l'avait-elle ébranlé après tout, et la trouvait-il désinvolte.

« Ce que j'espérais que vous pourriez faire pour moi, ce serait écrire quelques paragraphes, évoquant simplement ce cher Cecil, sans oublier une anecdote ou deux. Un petit mémorandum.

— Un mémorandum, oui.

— Et si je puis me permettre de citer certains passages des lettres… » Daphné perçut pour la première fois l'impatience de Sebby, la logique impersonnelle du plus flatteur des diplomates. Bien sûr, elle ne devait pas oublier qu'il était accablé d'affaires bien plus pressantes.

« Je suppose que cela ne pose aucun problème.

— Je pense que je vous appellerai Miss S., à moins que vous n'y voyiez un inconvénient. (Après un bref accès de fureur, elle s'aperçut qu'elle n'avait aucune objection, non.) Je vais vous demander maintenant de parcourir "Deux Arpents" avec moi, au cas où vous auriez des informations qui pourraient m'aider, des détails sur le lieu… ce genre de chose. J'ai préféré ne pas trop insister auprès de votre mère.

— Oh, avec plaisir », répondit Daphné, éprouvant un sentiment confus de soulagement et de déception parce qu'il n'avait pas plus insisté auprès de sa mère qu'auprès d'elle. Mais il en était ainsi, elle le comprenait maintenant, et il était préférable de ne pas avoir gaspillé son temps : il ne révélerait rien dans ce recueil, Louisa serait la véritable responsable de l'ouvrage et ce week-end de « recherches », malgré toute sa tristesse, son piquant et ses intéressantes gênes, n'était qu'une mascarade. Prenant le carnet d'autographes, dont la soie mauve avait été plissée et tachée par des centaines de pouces sales, Sebby le feuilleta délicatement. Nul doute qu'il y trouvait son compte : un homme affairé comme lui n'aurait pas fourni tous ces efforts sans une excellente raison personnelle. Lui aussi avait beaucoup aimé Cecil. Tout à coup distraite, Daphné leva les yeux vers la corniche sculptée du meuble de bibliothèque le plus proche et les vitraux de la fenêtre un peu plus loin. L'éclat printanier qui menaçait le feu du petit salon projetait ici des gouttes et des éclats de couleur sur le mur et la cheminée en marbre blanc. Ils peignaient les bustes en marbre d'Homère et de Milton en rose, turquoise et bouton-d'or. Les couleurs paraissaient les réchauffer

259

et les caresser tandis qu'elles glissaient et s'étiraient. Daphné se représenta Cecil lors de son ultime permission ; lorsqu'elle l'avait rencontré, par cette lointaine et chaude soirée d'été, ne venait-il pas de dîner avec Sebby ? Eh bien, Sebby n'en saurait jamais rien. Elle devait pour l'heure lui apprendre quelque chose de plus approprié ; quelque chose dont, dans sa lassitude, elle sentit que ce devait déjà avoir été écrit. Et qu'il lui suffisait de dénicher et de répéter.

7

Freda traversa le hall et entama la montée de l'escalier monumental, s'arrêtant un instant à chaque
marche dangereusement astiquée, tendant la main vers
la rambarde, si large et élisabéthaine, plus chaperon
que rampe, qu'on avait du mal à la tenir. Sans doute
Daphné appréciait-elle d'avoir des armoiries dans
chaque recoin, tenues par les pattes d'une bête dressée,
une lanterne sur le crâne. Freda aussi en avait rêvé pour
sa fille, au début, avant de savoir ce qu'elle savait désormais. Corley Court était un lieu inhospitalier, même
dans le sanctuaire de sa chambre, les panneaux noirs et
la cheminée néogothique vous donnaient l'impression
d'être pris au piège, vous faisaient craindre qu'on aille
exiger de vous quelque chose d'impossible. Elle referma
la porte, traversa l'étendue élimée du tapis cramoisi et
s'assit à la coiffeuse, au bord des larmes, pleine de la
conscience trouble, mi-soulagée mi-malheureuse, de
n'avoir dit à Sebastian Stokes aucune des choses qu'elle
aurait pu dire mais avait toujours su, au tréfonds d'elle-
même, qu'elle ne dirait pas.

L'unique lettre qu'elle lui avait montrée, son
« obole de la veuve », l'avait-elle appelée, était pure

fadaise, baliverne. Elle avait vu le regard de Sebby poli mais furtif la parcourir; il avait tourné la feuille comme s'il avait pu se trouver quelque chose d'inté-ressant au verso, ce qui, bien sûr, n'était pas le cas. Il était resté assis là, tel un médecin de famille, avait-il prétendu, alors que pour elle c'était une figure inti-midante, tout en dureté et souplesse, un homme qui tous les jours s'entretenait avec sir Herbert Samuel et Mr Baldwin. Il était charmant, mais son charme était celui d'un diplomate, conçu non seulement pour plaire mais aussi pour gagner du temps et faire avan-cer les choses; un charme, donc, loin du charme inno-cent d'un ami fidèle. Elle s'était sentie stupide et la pression de ce qu'elle ne dirait pas avait chassé de son esprit jusqu'aux éléments de conversation les plus simples. Elle avait dévoilé tout de même que Cecil avait mis sa chambre sens dessus dessous, ce qui avait paru mesquin de sa part – dire ce genre de chose d'un poète et d'un héros qui avait reçu la Military Cross. Elle avait fait référence, en outre, à son « énergie » et aux différents objets qu'il avait cassés : oboles de veuves, encore, doléances pathétiques. Ce qu'elle n'avait pu dire, c'était comment Cecil Valance avait mis sens dessus dessous la vie de ses enfants.

Elle attendit une minute, prit son sac et l'ouvrit : à l'intérieur se trouvait une enveloppe brune, bombée, déchirée et repliée autour d'un paquet d'autres lettres... Elle ne pouvait supporter l'idée de les relire. Elle aurait tout bonnement dû les détruire quand elle les avait trouvées, pendant la guerre. Mais quelque chose l'avait retenue : on avait fait un grand feu, avec toutes les feuilles mortes; elle était sortie, avait éven-tré le tas fumant à l'aide d'une fourche, jusqu'au foyer rouge et gris, clignotant et couvant : elle aurait pu jeter dedans le paquet anodin sans que personne la voie ou s'en soucie. C'était la version qu'elle avait donnée à George ; mais, en réalité, elle en avait été incapable. Respect, simple superstition ? C'étaient des lettres écrites par un gentleman, ce qui en soi ne signifiait rien ou pas grand-chose ; et par un poète, ce qui leur conférait d'autres droits sur la postérité, mais n'aurait pas dû l'influencer. Dégoûtée par son désarroi et son irrésolution, elle posa le paquet sur la coiffeuse, et le contempla. L'écriture pressée de Cecil Valance avait un effet étrange sur elle, encore aujourd'hui ; pendant un an et plus, il avait constamment fait irruption sous son toit : les lettres adressées à George, puis d'autres à Daphné, et le poème, ce fichu, fichu poème, dont elle aurait préféré qu'il n'eût jamais été composé. Les lettres adressées à Daphné étaient suffisamment belles pour faire tourner la tête d'une jeune fille, même si elle-même n'en avait pas aimé le ton, et elle comprenait pourquoi elles avaient effrayé sa fille autant qu'elles l'avaient exaltée. Il était évident qu'elle avait perdu pied face à un homme de six ans son aîné, mais lui-même n'était pas moins perdu : ses lettres témoignaient d'horribles affectations et elles paraissaient accuser la pauvre enfant de maux dont il était, en fait, presque entièrement responsable. Pourtant, Freda ne l'avait pas découragé : maintenant, elle s'apercevait qu'elle aussi était perdue, à l'époque. D'ailleurs, qui sait, peut-être les choses auraient-elles bien tourné ?

Mais les lettres adressées à George, immédiatement cachées, détruites, avait cru le reste de la famille, évoquées, lorsqu'elles l'étaient, avec désinvolture (« Cess vous salue tous ! ») : c'était elles dont le contenu s'était révélé inimaginable quoique vaguement redouté. Elles étaient restées là, dans la chambre de son fils, tout le temps où il avait été à l'armée : dans l'« espionnage » – encore autre chose dont il ne pouvait lui parler. Ces étés sans fin à Deux Arpents, seule avec Daphné : elle errait dans les chambres des garçons, prenait leurs vieux manuels de classe, pliait et brossait leurs vêtements inutiles, rangeait les tiroirs du petit bureau à côté du lit de George, le désordre enfantin, les tas de cartes postales pêle-mêle, les lettres… Sans qu'elle ait même à les toucher maintenant, son esprit revit certaines expressions, elle les revit entremêlées, entortillées, ondulant au fond du paquet. Elle ne relirait pas ces lettres, inutile de s'imposer ça. Des lettres de King's College à Cambridge, de Hambourg, de Lübeck, de la vieille Allemagne d'avant la guerre, de Milan ; des lettres, bien sûr, de Corley. Elle les glissa derechef dans l'enveloppe en papier kraft, qui se déchira encore un peu plus, désormais quasiment inutile. Sur quoi, elle se recoiffa, se poudra sans réussir à gommer son inquiétude, et repartit à l'assaut du long palier jusqu'à la chambre de son amie Clara.

Clara avait fait allumer le feu dans sa chambre et s'était installée devant, habillée comme si elle avait été prête à ce qu'on l'emmène quelque part, mais sans ses chaussures : ses jambes qui la faisaient tant souffrir, gainées de bas bruns, étaient relevées sur une pile boursouflée de coussins.

« Avez-vous eu votre entrevue avec Mr Stokes ?

— Oui. Mais ce n'était pas grand-chose.

— Hum, cela a été très rapide, dit Clara sur le ton mi-admiratif mi-critique auquel Freda avait fini par s'habituer.

— Pas la peine de lui faire perdre du temps »,
expliqua-t-elle, dans un murmure d'impatience réprimée. « S'est-on bien occupé de vous ? » Freda s'affaira dans la chambre comme pour vérifier que c'était
le cas, avant d'aller se poster, tout agitée, à la fenêtre.
« Aimeriez-vous sortir faire un tour ? Je me suis ren-
seignée et ils ont encore la vieille chaise roulante de sir
Edwin, si vous voulez. Ils peuvent la sortir pour vous.

— Oh, non, Freda, merci infiniment.

— Je suis certaine que le séduisant domestique
écossais serait heureux de vous pousser.

— Non, non, sans façon, ma chère ! »

Si elle ne voulait pas qu'on la pousse, dans quelque
sens que ce fût, alors il n'y avait pas grand-chose à
faire. Freda savait qu'elles voulaient toutes deux
rentrer chez elles, bien que Clara ne pût l'avouer, et
de sa part à elle, c'eût été un aveu pitoyable. Sa fille
lui manquait, elle idolâtrait ses petits-enfants, mais
ses visites à Corley étaient le plus souvent des échecs.
Même le rituel du cocktail perdait de son attrait, la
boisson ayant un effet inquiétant sur leur hôte.

« Entendrons-nous Corinna jouer du piano avant
notre départ ? s'enquit Clara.

— Ce soir, je crois, Dudley le leur a promis.

— Ah, dans ce cas. »

Cette chambre, au fond de la demeure, surplombait
une vaste pelouse qui allait jusqu'au haut mur rouge
du jardin potager, derrière lequel les faîtes des serres
étincelaient au soleil. Quoiqu'elle ne fût pas adepte
de la marche, Freda envisagea vaguement un « petit
tour » solitaire, elle pensa « trottiner » un peu pour
se calmer, même si elle savait qu'elle serait probablement rattrapée par quelque invité chevaleresque.

Elle redoutait Mrs Riley et ne savait que penser du charme du jeune Mr Revel Ralph. « Je vais peut-être sortir faire un petit tour, ma chère », dit-elle en tournant la tête vers Clara. Celle-ci, l'air absent, lâcha une sorte de grognement, comme si elle avait été trop occupée à prendre ses aises pour écouter son amie. « Apparemment, il y a un magnolia qu'il ne faut pas manquer. » De la direction du jardin à la française apparurent deux silhouettes vêtues de marron qui marchaient lentement, George, les mains derrière le dos, et Madeleine, qui avait glissé les siennes dans les poches de son imperméable. Leurs mains paraissaient donc, pour ainsi dire, rangées, loin de toute occupation commune qu'elles auraient pu avoir et, bien que tous les deux fussent plongés dans leur conversation, George tête rejetée en arrière pour donner du poids à ses déclarations, ils avaient l'air de collègues bien plus que d'époux.

Debout à la fenêtre, Freda s'imagina traversant la pelouse et, dans un geste aussi fou qu'inspiré, ayant emporté le paquet de lettres, le restituant à George ; peut-être serait-ce la véritable réussite de cette visite laborieuse. Ce serait une sorte d'exorcisme, elle terrasserait enfin son démon. Son cœur bondit face au double impact de cette idée et de l'occasion qui se présentait, presque trop pressante, n'autorisant guère le temps de la réflexion, interdisant tout recul. Elle imagina ensuite les lettres lancées en l'air furieusement, emportées par la brise sur la pelouse, piétinées par une Louisa soudain combative, et récupérées sous les buissons par un agile Sebby Stokes. Elle se rappela ce qu'elle avait toujours pressenti, qu'on ne pouvait les rendre publiques, même si ce sentiment avait été subtilement altéré par la vision momentanée de leur restitution. Elles appartenaient à George, il devrait les récupérer ; d'un autre côté, les lui rendre après toutes ces années, ce serait lui montrer que quelque chose vivait encore qu'il croyait mort depuis longtemps.

« Bien, je vais sortir un moment, ma chère », répéta-t-elle. George et Madeleine avaient disparu. Sans doute pourrait-elle raconter tout cela à Clara qui, tout au long de son existence difficile, avait acquis une forme de sagesse ; mais, d'une certaine façon, elle redoutait précisément cette sagesse : par contraste, elle-même pourrait paraître idiote. Elle ne pourrait rien avouer d'autre à quiconque, puisque personne ne savait garder un secret, et Daphné, en particulier, ne devait jamais savoir. C'est alors que le jeune Mr Ralph parut à son tour, au pas de promenade, carnet d'esquisses à la main, en conversation avec le beau domestique écossais qui semblait l'entraîner vers le jardin clos. Freda fut frappée par leurs manières amicales et décontractées ; bien sûr, ils étaient tous deux très jeunes, et Revel Ralph était loin d'être guindé. Ils disparurent par l'ouverture pratiquée dans le mur. Voir que tout le monde s'occupait redoubla l'agitation de Freda.

De retour dans sa chambre, elle mit un chapeau et s'assura de bien ranger les lettres. C'était absurde, mais elles étaient devenues son secret, un secret coupable, comme, à une époque, elles l'avaient été pour George. Elle descendit un escalier, probablement un escalier de service, qu'elle n'était sans doute pas censée emprunter, mais elle préférait croiser une bonne plutôt qu'un autre invité. L'escalier menait à une pièce baptisée « Foyer des messieurs » ; plus loin se trouvait le fumoir, ainsi qu'une porte dérobée qui ouvrait sur une allée. Elle contourna l'arrière du bâtiment, puis le jardin à la française, qu'elle avait assez vu. Elle avait l'intention de monter dans les bois pendant une demi-heure, avant le thé. En un instant, elle se retrouva à l'ombre des arbres, de grands marronniers qui fleurissaient déjà, et des tilleuls sur lesquels croissaient de jeunes pousses vert clair et lustrées. Elle rejeta son chapeau en arrière, regarda en l'air et eut le vertige face aux diamants de ciel entre les feuillages. Puis elle continua son chemin, d'un pas encore inhabituellement rapide, avant de devoir ralentir l'allure, lorsque, après un moment, plutôt essoufflée, elle dut se mettre à enjamber les menues branches et les faînes de hêtres.

Elle se dit qu'elle ne devrait pas aller très loin ; baissant la tête, elle sortit donc de la lisière du bois et émergea dans la prairie du parc. Elle flâna un moment près de la longue barrière blanche qui séparait le parc du plateau, confrontée à un dilemme aussi intense qu'ignoré de tous : devait-elle enjamber la barrière ou pas ? Elle devrait d'abord vérifier, comme si de rien n'était, qu'elle était vraiment à l'abri de tous les regards. Il y avait deux frêles barres en fer, dont la plus haute à hauteur de hanche, et un poteau environ tous les un mètre cinquante, sur lequel elle pouvait s'appuyer. Elle répéta la façon dont elle pourrait relever sa jupe, en regardant à nouveau autour d'elle, puis elle cala rapidement sa chaussure de marche sur la barre du bas, tout en agrippant celle du haut. Au même moment, néanmoins, elle comprit qu'elle n'arriverait pas à franchir la barrière, et elle se dirigea alors vers le portail plus loin, faisant mine, nerveuse, de ne pas être particulièrement pressée.

On venait tout juste de tondre le plateau et, dès qu'elle eut refermé le portail derrière elle, elle découvrit que les herbes coupées, encore vertes et mouillées, collaient à ses chaussures. Et voici qu'apparurent à nouveau George et Mad, qui traversaient là-bas l'autre extrémité du champ immense, qui devait bien mesurer deux arpents à lui seul. Elle eut l'impression d'être prise en embuscade par ceux-là mêmes qu'elle espérait éviter ; mais aussi qu'il était sans doute vain de tenter d'y échapper. Ils se tenaient toujours à l'écart, parlant entre eux, marchant sans cesse : elle comprenait que personne ne les aimât vraiment ; George avait toujours été timide et rigide, jusqu'à ce que Cecil (encore lui) s'immisce dans leur vie. Au déjeuner, elle avait tenté de ne pas l'espionner, sachant ce qu'elle savait : ce week-end devait être particulièrement pénible pour lui ; d'une certaine façon, elle était surprise qu'il fût venu. Quoique, si, de quelque façon que ce fût, il avait aimé Cecil... Elle perçut l'éclat de ses lunettes, son front chauve très reconnaissable. Ils l'avisèrent alors, échangèrent une remarque, puis George lui fit un signe. Pendant un instant, elle pressa le pas dans une autre direction mais non, elle les voyait si rarement... elle s'arrêta et ramassa une plume noire, extrémité tranchée par la tondeuse, puis elle se retourna et avança lentement vers eux, avec un froncement de sourcils et un sourire, un regard de biais gêné, et l'air d'avoir en tête une remarque amusante.

À la vérité, cette affaire de lettres était entretenue par sa culpabilité, la plupart du temps en sommeil, sans grand intérêt, facilement occultée, mais, dans des moments comme celui-ci, prompte à jeter sur

tout ce qu'elle disait à son fils le voile d'une insincé-
rité allègre. Elle n'aurait jamais dû les lire ; mais dès
qu'elle les avait trouvées, elle en avait retiré une de son
enveloppe, cédant à une vague mais tendre curiosité.
Une fois lue la première et renversante page, toutefois, elle avait été incapable d'en rester là. Depuis,
elle s'était souvent étonnée de sa curiosité malsaine,
de son besoin de connaître le pire alors qu'elle aurait
mieux fait, assurément, de ne rien savoir. Elle jeta un
coup d'œil à George, à une cinquantaine de mètres,
discrètement épanoui, et elle le revit, lorsqu'elle lui
avait parlé, ce fameux matin : George en uniforme,
pleurant son frère, menant sa propre guerre. C'est
sa douleur à elle, sans doute, qui avait provoqué la
confrontation, l'avait autorisée. Il n'avait su que faire,
pas plus qu'elle ; il était furieux contre elle comme il ne
l'avait jamais été, ces lettres étaient des lettres intimes,
elle n'avait pas le droit ; et en même temps il était
défait, par la honte et par l'horreur, sachant désormais que sa mère était au courant. C'était fini, avait-il
protesté, ce qui était l'évidence même, puisque Cecil
était mort, fini depuis longtemps. La guerre n'était pas
terminée qu'il avait demandé la main de cet ennuyeux
bas-bleu, de sorte que Freda avait l'impression, dans
ses moments les plus lucides et les plus malheureux,
que c'était elle qui l'avait condamné à cette existence
de misère et de nobles sentiments. « *Hello ! Hello !* »
lança-t-il.

Sa mère leva le menton et leur sourit.

« Votre promenade vous plaît, Mère ? s'enquit
Madeleine.

— Très agréable. » Elle les regarda avec le regard
trop pétillant d'un parent éclipsé par ses enfants.

« Je ne savais pas que vous aimiez marcher, dit Madeleine, l'air dubitatif.

— Il y a beaucoup de choses que vous ignorez, ma chérie, répliqua Freda, s'étonnant instantanément de sa réponse.

— Tu as eu ta petite conversation avec Sebby ? dit George.

— Oui, oui, répondit-elle évasivement.

— Ça s'est bien passé ?

— Eh bien, je n'avais rien à lui apprendre. »

George esquissa un sourire, lèvres retroussées, et regarda les bois alentour. « Non, je suppose que non. » Puis : « Rentres-tu ?

— Je prendrais volontiers une tasse de thé.

— Nous t'accompagnons, dans ce cas. »

Sur le chemin du retour, tous trois contemplèrent la demeure et Freda eut l'impression que chacun cherchait à faire un commentaire à son sujet. Leur gêne se concentra sur le manoir victorien, face auquel ils éprouvaient un mélange d'amusement et d'inquiétude, et, pendant une bonne minute, aucun ne prit la parole. Freda leva les yeux vers George, se demandant si l'ancienne confrontation qui lui ôtait tout sang-froid taraudait aussi la conscience de son fils. Depuis neuf ans, ils ne l'avaient pas évoquée une seule fois ; sa façon catégorique d'éviter le sujet avait peu à peu pris l'apparence d'un oubli naturel.

« Au fait, êtes-vous allée voir le tombeau ? demanda Madeleine lorsqu'ils franchirent le portail blanc et pénétrèrent dans le jardin.

— Je l'avais déjà vu », rétorqua Freda. Elle honnissait le tombeau, pour des raisons fondamentales, de nouveau pas tout à fait explicables.

« Magnifique, n'est-ce pas ?

— Certainement !

— Je pensais à ce pauvre vieux Huey, dit George, sur ce point au moins rejoignant les pensées de sa mère.

— Oui, je sais…

— Nous devons y aller, ma chère Maman, dit George, lui prenant le bras d'un geste que Freda ressentit comme une expression excessive de son pardon.

— En France… ?

— Nous irons cet été, pendant les grandes vacances.

— Ça me plairait beaucoup », dit Freda, agrippant George et l'attirant à elle, avant de jeter un coup d'œil presque timide à sa belle-fille. Cela représentait pour elle un mystère, un autre de ces grands manques dont le néant emplissait sa vie : le fait qu'ils n'y étaient pas encore allés.

Elle les quitta dans le hall et monta dans sa chambre, à pas vifs, presque en larmes, tout au souvenir de Hubert. Sa mort aurait vraiment dû mettre tous ses autres soucis en perspective. La douleur intense de la perte était encore intensifiée par un brin d'indignation. Elle se dit qu'à un moment donné, elle devrait finalement et officiellement parler de Hubert à Louisa, lui demander de reconnaître que le pire lui était aussi arrivé, à elle. Huey n'était pas intelligent, pas beau, il n'avait jamais rencontré Lytton Strachey, ni écrit un sonnet ou grimpé plus haut qu'un pommier : tout cela, elle était contrainte de le reconnaître chaque fois qu'elle tentait de prononcer son nom en présence de la mère de Cecil. Elle ôta son chapeau, s'assit et se coiffa, avec de grands gestes vengeurs.

Elle savait qu'il était vain, sans cœur, de reprocher à Louisa la consolation qu'elle avait eue d'avoir assisté aux derniers instants de Cecil et d'avoir bénéficié de contacts aristocratiques de l'autre côté de la Manche, qui avaient permis que le corps fût ramené en Angleterre, alors que des dizaines de milliers d'autres étaient prédestinés à rester là-bas jusqu'au jour du Jugement dernier. Daphné expliquait que c'était la raison pour laquelle la vieille dame rechignait à quitter Corley : elle voulait rester là où elle pouvait rendre visite à son fils tous les jours. Freda se remémora Huey, à Deux Arpents, lors de sa dernière permission : les larmes lui vinrent aux yeux, elle reposa son peigne et chercha son mouchoir dans sa manche. Dans les lettres que les autorités militaires lui avaient envoyées après sa mort, était évoqué le bois dans lequel il était tombé en tentant de prendre un poste de mitrailleuse qui y était dissimulé : le bois d'Ivry. Combien de fois, pendant ces semaines-là, n'avait-elle pas contemplé le paysage qui était le sien, son petit bois de hêtres, avec la sensation poignante que Huey n'y remettrait plus jamais les pieds. Presque impossible à saisir, le tout premier jour, le fait qu'il avait déjà été enterré en France : sous les obus, était-il précisé, et on avait lu un passage des *Révélations*. Déjà, son corps avait été rangé à jamais, soustrait à l'air libre. Chaque fois qu'elle y pensait et se représentait le bois d'Ivry, c'était son propre boqueteau qu'elle voyait, à défaut de mieux, bizarrement transposé dans le nord de la France : Huey courait au milieu des tirs sporadiques des mitrailleuses.

Plus tard, on avait transféré le corps : elle avait des photographies de la tombe, de l'enterrement. Un curé en surplis blanc, sous un parapluie, des soldats tirant une salve. Enfin, George allait l'emmener là-bas, et Daphné peut-être aussi, en France, ils iraient tous, et elle verrait la tombe. Elle n'était allée à l'étranger qu'une fois, avant la guerre, lorsque Clara et elle avaient fait le pèlerinage à Bayreuth, deux veuves sur le ferry crasseux, les compartiments étouffants avec les soldats allemands qui chantaient dans le wagon voisin. La pensée de cet autre pèlerinage, de son approche volontaire du cimetière : elle en eut la gorge serrée.

8

Daphné s'habillait, ce soir-là, lorsque Dudley entra dans sa chambre et dit, presque en bâillant, qu'il espérait que Mark Gibbons ne s'en prendrait pas à Revel. « Oh », répondit Daphné, vaguement intriguée mais davantage soucieuse du repas et du casse-tête du plan de table, qui mettaient le plus à mal ses talents d'hôtesse. « Il me semble pourtant que Revel s'entend bien avec tout le monde. » Elle passa par la tête sa combinaison couleur de nacre et la lissa, heureuse d'entendre le nom de Revel prononcé à ce moment-là. Elle l'installerait non loin d'elle, quoique pas directement à son côté. Naturellement, sa mère devrait être assise à droite de Dudley, mais si Clara était reléguée en toute tranquillité au milieu, était-il préférable de placer Eva ou Madeleine à sa gauche ? Daphné se dit qu'elle lui imposerait volontiers Madeleine. « Quoi qu'il en soit, reprit-elle, il n'y a aucune raison qu'ils se rencontrent, n'est-ce pas ? » C'est alors que Dudley lui annonça qu'il avait invité Mark, et Flora, et également les Strange-Paget, pour la raison que « nous ne les avons pas vus depuis longtemps ».

« Zut, tu aurais pu me prévenir ! lâcha Daphné, se sentant rougir effroyablement. Et ces foutus S-P, entre tous… » Elle surprit son reflet dans la glace, démunie, en sous-vêtements, avec ses bas, sa panique légèrement comique aux yeux de Dudley, dans la liberté scintillante de l'arrière-plan. Mais, surtout, elle pensa aux langoustines : à l'arrivée de Revel, déjà, elle avait pensé qu'il n'y en aurait pas assez pour tout le monde.

« Oh, Duffel…, dit Dudley, fronçant légèrement les sourcils en ajustant les boutons en jais de son plastron. Mark est un peintre si merveilleux.

— Mark a beau être un sacré génie, répliqua Daphné, enfilant sa robe à la hâte, il n'en doit pas moins être nourri. »

Dudley se tourna vers elle avec le mélange instable d'indulgence, de perplexité polie et de dégoût moqueur qu'elle avait appris à reconnaître chez lui, à redouter et à honnir. « Eh bien, dit-il, Flora est végétarienne, Duffel, ne l'oublie pas. Jette-lui quelques noix et une orange, et elle sera contente comme une truie dans sa merde. » Il lui adressa un sourire radieux, incisives acérées et humides prétendant clamer son charme, devenu pitoyable et désormais aussi insupportable que son langage importé des tranchées. Daphné songea qu'elle ferait mieux de descendre aux cuisines pour s'entretenir avec la cuisinière. Elle en serait réduite à faire une fois de plus l'une de ses annonces effroyables qui ne ressemblaient que trop à des supplices.

Mark Gibbons, qui avait peint la monumentale « prison » abstraite du salon, habitait une ferme près de Wantage avec son amie Flora, à moitié danoise. Daphné avait beau l'apprécier énormément, il l'effrayait. Dudley et lui s'étaient rencontrés à l'armée, surprenant rapprochement des contraires, paraissait-il à Daphné, Mark étant fils d'épicier et socialiste. Il ne montrait aucune envie d'épouser Flora, et pas davantage de s'habiller lorsqu'il venait dîner, ce qui était pour Daphné son inquiétude la plus immédiate, puisque Louisa serait présente, ainsi que le colonel Fountain, qui avait été l'officier supérieur de Cecil et arriverait en automobile d'Aldershot. Dévalant à grand bruit l'escalier de derrière, deux marches à la fois, Daphné vit son plan de table s'effondrer dans un fatras d'incompatibilités, son époux et sa belle-mère agissant comme des aimants repoussoirs. Le sort des Strange-Paget, du moins, était plus facile à sceller. Ce couple terne, un peu plus vieux qu'eux, était très riche et à la tête d'un manoir de l'autre côté de Pusey. Dudley connaissait Stinker Strange-Paget depuis son enfance et lui restait loyal envers et contre tous, acceptant ses mornes commérages de clocher comme les aphorismes d'un grand sage.

Sebby Stokes descendit le premier et Daphné, qui était allée prendre un gin and lemon au salon, fut retenue pendant de longues minutes par une conversation distraite avec lui, tandis que, néanmoins, une sorte de soulagement la gagnait, l'alcool la réchauffant peu à peu. Leur précédente conversation dans la bibliothèque n'était plus qu'une ombre brouillée, tentative d'intimité qui ne serait jamais répétée. Elle s'installa sur une banquette de fenêtre, regardant la cour où, d'un instant à l'autre, les automobiles commenceraient à arriver. Elle avait fait tout ce qui était en son pouvoir, à présent elle devait se détendre. Sebby semblait encore parler de Cecil, dont elle avait oublié un instant qu'il servait de prétexte à cette grande réunion. N'était-ce pas ce qui leur arriverait à tous : souvenir oublié dans le chaos d'autres préoccupations ? « J'ai lu les lettres que votre belle-mère a reçues des soldats de Cecil.

— Elles sont merveilleuses, n'est-ce pas ?

— Mon Dieu, qu'ils l'aimaient ! » fit Sebby, et elle trouva son intonation étrange. Elle le regarda, debout, raide, avec son verre et sa cigarette, incarnation élégante, parfaite de la bienséance, et à nouveau elle fut consciente de ce qu'elle avait entraperçu dans l'après-midi : cet homme avait *aimé* Cecil, et ferait tout pour défendre sa réputation.

D'un ton léger et facétieux, elle dit : « Nous avons aussi reçu de très belles lettres concernant mon frère. Je suppose, bien sûr, que ce genre de lettres ne peut être qu'élogieux. Personne n'a jamais écrit : "Le capitaine Valance était un monstre." »

— Non, en effet… » Sebby esquissa un sourire, ou plutôt un tressaillement parcourut ses lèvres.

« Comment allez-vous appeler le recueil ? *Poèmes*, tout simplement, j'imagine ?

— Plutôt *Les Poèmes complets*, je pense. Louisa préférerait *Les Œuvres poétiques de…* mais votre époux trouve cela trop "Mrs Hemans".

— Pour une fois, je suis d'accord avec lui. » Sur ce, ils entendirent ce qui semblait être le faux-bourdon d'un aéroplane au loin et, l'instant suivant, une camionnette de boulanger, marron, le moyen de transport de Mark et Flo, remonta l'allée, vibrant et vrombissant.

« Il la trouve si pratique pour ses tableaux ! » expliqua Daphné, criant joyeusement et s'apercevant qu'elle n'était absolument pas prête pour la soirée à venir. Lorsque Mark descendit péniblement du véhicule en tenue de soirée, en frac, elle fut tellement soulagée qu'elle embrassa George et Madeleine qui, venant juste de la rejoindre, furent pris au dépourvu. Derrière eux, dans le hall, se trouvaient sa mère, et Revel, le regard plongé dans l'âtre, alors qu'Eva Riley sortait la tête par une fenêtre de la tourelle. « Absurde ! disait-elle, trop écœurant ! » Quelle assemblée… la soirée était donc lancée. Courageusement, Daphné fit semblant de mener la danse. Il était compréhensible, au fond, assurément, qu'elle éprouvât une certaine nausée tandis que le rythme s'accélérait. Sa mère dit doucement que Clara était très lasse et avait réclamé qu'on lui portât son repas dans sa chambre : cela devait arriver, songea Daphné, encore une modification du plan de table, mais elle se contenta de transmettre l'information à Wilkes, lui demandant de faire les ajustements nécessaires. Sur quoi, elle se versa un autre gin.

Mark connaissait déjà Eva Riley, découvrit-elle, et c'était une bonne chose, quoiqu'un peu agaçante. Il l'appela « Ma vieille », de son habituel ton enjoué et légèrement menaçant. Cette amitié préexistante fut exposée aux yeux de tous, et même exagérée devant les autres invités. Ils avaient un certain nombre de connaissances en commun, dont aucune n'était connue personnellement des autres convives, et Mark alimenta avec détermination la conversation sur ces personnages absents mais fascinants, se soumettant, eût-on dit, à quelque convention mondaine : « Que fait ce vieux Romilly ? », puis : « Comment as-tu trouvé Stella ?

— Oh, en excellente forme », répondit Eva, avec son sourire énigmatique, peut-être même, qui sait, gênée. Le tableau de Mark, si bien mis en évidence dans la pièce, semblait le stimuler et, d'une certaine façon, le représenter : défi, figure extravagante jouissant de plusieurs longueurs d'avance sur eux tous.

Comme la veille, Dudley fit preuve d'une dangereuse exubérance, ayant imposé sa propre soirée à celle que son épouse et sa mère avaient planifiée si minutieusement. Même l'arrivée du colonel Fountain fournit une excuse à son espièglerie. « Colonel, vous connaissez la Générale », annonça-t-il, et le vieillard en fut désarçonné. Daphné avait imaginé un personnage extravagant porté sur l'alcool, alors qu'en réalité c'était un être d'aspect ascétique, calme, qui, en France, avait perdu l'ouïe d'une oreille : il avait donc du mal à suivre une conversation à bâtons rompus. Il s'attacha courtoisement à Louisa et ne la quitta plus, comme un vieil oncle à une fête enfantine, au milieu d'une débâcle de noms qu'il n'était jamais certain d'avoir bien entendus.

Arrivés les derniers, les Strange-Paget furent livrés par leur chauffeur et introduits dans le salon désormais bruyant comme une ruche. Dudley les héla théâtralement. On était au complet, or la porte s'ouvrit à nouveau : la nounou amenait les enfants, autorisés à rester avec les adultes pendant une demi-heure. Le contexte n'était pas idéal. Daphné surprit le regard que la nounou lança à Dudley et que Dudley lui renvoya, masque impassible derrière lequel se forma et se concentra vite son indignation. Il sembla y avoir un je-ne-sais-quoi de vaguement mutin dans la servilité coutumière de la nounou. C'était le genre de soirée où il eût mieux valu que les enfants fussent cantonnés à leur étage mais, tout autant, une soirée à laquelle ils avaient tout spécialement envie de participer. Lorsque la nounou leva les bras et les lâcha au milieu des adultes, Daphné plongea vers eux avec une rare et plutôt honteuse intention de les mettre de côté. Dans ces salons ultra-modernes, il n'y avait plus nulle part où se cacher. Les enfants coururent entre les jambes des invités, en quête d'affection ou, du moins, d'attention. Grand-mère Sawle, bien sûr, était fiable, et Revel leur parlait d'un air si plaisant et posé qu'ils pouvaient se croire adultes. Stinker et Tilda, qui n'avaient pas d'enfants, les considéraient toujours avec curiosité et un soupçon de crainte, du moins Daphné en avait-elle l'impression. À nouveau, elle se convainquit qu'elle ferait mieux de les laisser agir à leur guise.

Pendant un moment, elle parla résolument avec Flo, qu'elle appréciait beaucoup, de la foire qui aurait bientôt lieu à Fernham, et d'une exposition de Mark à Londres, mais elle eut la vague sensation de fuir ses responsabilités. Elle regarda autour d'elle : tout allait bien, Corinna était charmante avec le colonel, Wilfie discutait de la grève des mineurs avec George et Sebby Stokes. Daphné présenta Flo à sa mère, et toutes deux en vinrent vite au *Ring*; Flo était allée à Bayreuth l'année précédente et Daphné observa la façon dont sa mère s'anima, tant elle était heureuse de parler de Wagner : « J'aimerais que vous puissiez rencontrer ma chère amie Mrs Kalbeck, dit-elle. Elle est dans sa chambre ! Nous sommes allées à Bayreuth ensemble avant la guerre. » Bientôt, elles nommaient des cantatrices, Freda doutant d'elle-même dès qu'elle prononçait un nom. « Nous avons eu l'insigne bonheur de

rencontrer Mme Schumann-Heink, dit-elle, qui inter-
prétait l'une des trois Nornes. Du moins, c'est ce qu'il
me semble. » À ce moment-là, retentit un arpège aussi
discret que capital, émanant du piano à l'autre extrémité de la pièce. Suivi, mais avec la qualité hasardeuse
encore d'une répétition, du petit air exaspérant que
Daphné prétendait admirer depuis plusieurs jours.
« Oh non… ! » s'exclama Dudley, fraîchement mais
gaiement, beau joueur, plus fort que le brouhaha. Les
têtes se tournèrent, amusées, plutôt distraites. Wilfie
était allé se poster près du piano, dos tourné à l'assemblée, tel un enfant au piquet, attitude, d'ailleurs,
significative. Madeleine et George, à qui surtout était
réservée cette surprise, se tenaient non loin, avec
un regard de parents qui ont envoyé leur enfant sur
scène ; mais les autres n'avaient aucune idée du projet
et des promesses qui, inexorablement, trouvaient ici
leur expression. Louisa, arborant un air revêche assez
comique, hocha vigoureusement la tête et dit à la
bonne oreille du colonel Fountain combien sir Edwin
avait été sensible à la musique. Les conversations
reprirent de l'aplomb, exprimant même un certain
soulagement. Après tout, il y avait quarante ans qu'on
n'avait pas touché au piano, camouflé sous un châle
en velours à longues franges, son couvercle robuste
accueillant toutes sortes d'objets usuels ou purement
décoratifs. Si quiconque, par le passé, avait découvert
le clavier après dîner et facétieusement joué une phrase
musicale, les sons qui en étaient sortis d'en dessous les
piles de livres, les plantes en pot et le demi-cercle de
portraits sous cadre avaient été tellement déformés par
le passage du temps et la négligence, que tout projet
musical en avait été découragé. Aujourd'hui, toutefois,

Corinna jouait le début du morceau, le prologue traîtreusement paisible… « Pas ce soir, vieille branche ! » cria Dudley depuis l'autre extrémité de la pièce, avec encore une certaine dose d'humour mais avec force et comptant bien être compris. Il adressa à Mark un sourire complice. Wilfrid avait dégagé un petit espace devant le piano, demandant aux invités de reculer, avec l'air préoccupé d'un fonctionnaire ou d'un commissionnaire. S'ensuivit un moment de silence, au cours duquel il sembla que l'ordre de leur père avait été entendu, mais que Corinna, avec un soupçon de suffisance, prit pour de l'expectative ressentie avant leur représentation, de sorte qu'elle entama vigoureusement *Le Joyeux Wallaby.* Au bout de trois mesures, Wilfrid, avec un air de soumission altruiste à l'ordre et au destin, se lança dans les premiers pas de sa danse qui, naturellement, impliquait qu'il s'accroupisse et saute aussi loin que possible. Les invités reculèrent, protégeant leur verre, poussant de petits cris d'une bienveillante inquiétude, mais certains, de toute évidence, pensaient tout de même que la chose n'aurait pas dû être permise. Stinker continua de parler tout fort comme s'il n'avait rien remarqué (« L'une des choses extrêmement sensées qu'il a dites… »). Dudley posa son verre et traversa la pièce à grandes enjambées, portant déjà sur le visage l'expression figée d'une colère qu'il ne maîtrisait plus. Il alla jusqu'au piano et répéta, tranquillement : « J'ai dit : "Pas ce soir." »

— Mais, Papa, vous aviez bien dit : "ce soir", répliqua Corinna d'un air espiègle et sans s'arrêter de jouer.

— Eh bien, ce soir, je dis non ! Contrordre ! » Sur quoi, il adressa au colonel un rire proche de l'aboiement, suggérant qu'il avait les choses en main, plus que ce n'était effectivement le cas. Daphné fit un grand pas en avant. C'était exactement ce qu'elle savait qu'on disait de Corley : la façon dont l'endroit avait changé sous la houlette de Dudley – le brassage d'invités, les peintres et les écrivains, un véritable asile de fous. Elle se sentait rebelle et confuse à la fois. Wilfrid s'était arrêté de sauter, il avait perdu confiance dans le plan de sa sœur, mais celle-ci continua de jouer.

« Peut-être pas maintenant, ma chérie », dit Freda, avançant une main ceinte de dentelle au poignet, qu'elle posa sur l'épaule de sa petite-fille au moment où Dudley, son horrible grimace devenue soudain le point focal de cette crise, se pencha au-dessus de ses enfants et se mit à tambouriner sur les touches aiguës à l'extrémité droite du clavier, exaspéré de surcroît par l'effet ridicule ainsi produit. Avec le coude, il poussa Corinna du tabouret et alla tambouriner cette fois du côté gauche, sur les octaves graves. Puis il referma brutalement le couvercle.

« Venez », dit Daphné tout bas, emmenant les enfants accrochés à ses mains. Impossible de trouver la nounou, pour une fois qu'on avait besoin d'elle. Mais Daphné s'aperçut que sa mère la suivait, ce pour quoi elle lui fut redevable, d'une certaine façon, n'eût été l'affreuse tension perceptible dans l'air, faite de pitié et de reproches tacites à son égard : avoir épousé Dudley Valance, cette brute, ce fou ! La lèvre de Corinna tremblait, et Wilfrid pleurait déjà à chaudes larmes.

Lorsque Daphné revint au salon à peine quelques minutes plus tard, on y avait fourni un effort collectif pour restaurer la bonne humeur. Elle informa à voix basse les uns et les autres que les enfants allaient bien, devinant un contre-courant sous-jacent de soutien, mâtiné malgré tout d'une certaine réticence timorée à s'opposer à Dudley. « Quels petits monstres, n'est-ce pas ? » dit le colonel en lui tapotant le bras. Mark, Flo et les S-P, qui avaient déjà été témoins de scènes semblables, s'étaient lancés dans une conversation idéalement ennuyeuse sur la chasse, pour bien montrer que tout était sous contrôle. Dudley lui-même, avec la cordialité susceptible d'un homme qui n'a jamais tort, parlait à Sebby Stokes, dont le sens inné de la diplomatie lui permit de surnager. Il était acquis qu'aucun Valance ne s'excuserait jamais de rien. Louisa ne dit mot, bien que Daphné, comme d'habitude, lût aisément ses pensées ; ensuite, elle la surprit qui disait au colonel, assez fort pour qu'on l'entende, qu'eux-mêmes, de leur temps, n'auraient jamais vu leurs enfants après six heures. Daphné savait que la plus bouleversée de tous serait sa mère, qui d'ailleurs ne redescendit pas avant le dîner. Le mieux serait de boire un alcool fort, songea-t-elle ; elle s'aperçut bientôt que la prudente hilarité générée quelquefois par le rétablissement des situations avait gagné l'assemblée.

Au moment de passer à table, l'humeur de Daphné vira de l'amusement absurde aux prémisses d'une panique haletante : elle ne comprenait plus du tout ce qui se passait. Elle pensa préférable de faire intervenir le colonel Fountain avant que la folle atmosphère de la soirée ne les engloutisse tous. Après le poisson, elle l'interrogea donc sans détour sur Cecil, et entendit ses paroles galoper dans un brusque silence général : elle ne reconnut pas vraiment sa voix. Assis au milieu, à la droite de Louisa, le colonel parla en lançant à tous successivement des coups d'œil appuyés, presque provocateurs, comme lors d'une réunion d'un autre ordre. Ceux qui le regardaient se trouvèrent regarder en même temps Louisa, dont l'expression se fit grave et inquiète, les yeux rivés sur la salière devant elle. Ce n'était pas, Dieu soit loué, le récit de la mort de Cecil, mais de la fameuse occasion pour laquelle il avait été décidé de lui attribuer la Military Cross, quand il avait ramené sous le feu trois de ses hommes blessés. Le colonel décrivit en gros les circonstances, transformant la salière en poste de mitrailleuse allemand. Le compte rendu plus détaillé de l'épisode en soi fut narré avec honneur et une force de conviction encore rehaussée par sa manière réticente ; mais Daphné, et sans doute n'était-elle pas la seule autour de la table, eut la fâcheuse impression que le colonel ne distinguait plus désormais cet épisode d'une douzaine d'autres. À l'époque, il avait écrit à Louisa une lettre magnifique et recommandé que Cecil soit décoré, or la forme de son récit ressemblait par trop à ces descriptions vieilles de dix ans. Peut-être Dudley et Mark, qui s'étaient retrouvés dans des situations semblables au front, perçurent-ils cela différemment. Tandis que le colonel Fountain parlait, Daphné promena sur l'assemblée un regard circulaire. Ils se trouvaient dans la pièce qu'elle avait toujours associée le plus avec Cecil, depuis le tout premier jour, cette pièce qui, aujourd'hui, exotique à souhait, resplendissait de tous ses feux, multiples reflets des bougies dans les glaces inclinées, or mat des coupoles en forme de moules à gelée. Au fond, dans la lueur d'une lampe électrique, se trouvait le Raphaël, un portrait de jeune homme coiffé d'un bonnet. « J'ignore comment il a réussi, déclara le colonel. Le brouillard s'était levé, il était effroyablement exposé. » Elle savait que Revel raffolait de cette pièce, autant qu'elle, et elle s'accorda le temps de s'attarder sur lui un moment. On aurait dit qu'il savait : il se tourna tout de suite dans sa direction.

Le reste du repas se passa dans la brume de trois vins différents, mais Dudley, quoique plus ivre encore, s'efforça plus sérieusement de ne pas se laisser emporter. Daphné avait pris la décision de limiter le nombre de fois où elle pourrait regarder ostensiblement Revel, et elle en vint vite à la conclusion qu'il avait pris la même décision de son côté : c'était amusant, jusqu'à ce que cela menace de devenir dangereux. Naturellement, on questionna Sebby sur les mineurs et ses réponses leur donnèrent à tous le sentiment de se trouver au cœur même d'une crise majeure sans qu'en réalité on leur en révélât grand-chose. Mark fut davantage concerné par la situation que les autres, et avait de toute évidence résolu d'affronter Sebby. Il se laissa aller à une série de vaines niaiseries ou à des réflexions qui purent passer pour telles, sur ses origines, le fait d'avoir grandi à l'ombre de l'étal d'un boucher à Reading, jusqu'à ce que Dudley, le seul qui pût se le permettre, réplique : « Tu dois vraiment apprendre, mon cher Mark, à ne pas mépriser ceux qui n'ont pas eu la chance d'être défavorisés comme toi à la naissance. » Un rire général, débridé, s'empara de tous. Daphné eut la sensation étrange d'être revenue aux premiers temps de son mariage : l'état second de plaisir et d'aspiration à un pur bonheur dans lequel Dudley pouvait la plonger. Il resplendissait dans l'éclat des bougies et de la certitude de sa propre beauté. Ensuite, le désir ravivé de Daphné se concentra à nouveau sur les longs doigts fins de Revel, ses doigts d'artiste, plaqués avec souplesse sur la nappe, comme pour attendre que quelqu'un les ramasse. Il fut bientôt temps pour les dames de se retirer : initiative aisée mais décisive que Daphné prenait en ayant encore l'impression, un soir comme celui-ci, d'usurper, néophyte qu'elle était, la place de sa belle-mère.

Lorsque les hommes revinrent, on envoya chercher aux cuisines le chauffeur du colonel Fountain : ils se mettraient immédiatement en route pour Aldershot. Daphné accompagna le colonel jusqu'au perron, même si elle se sentait effroyablement éméchée et incohérente. Elle prit sa main entre les siennes, mais ne trouva rien à lui dire. Si le vieillard les avait déçus, elle eut l'impression, parallèlement, qu'eux-mêmes avaient failli à son égard.

De retour au salon, elle apprit qu'on envisageait de jouer à un jeu. Ceux qui y étaient favorables dissimulèrent à demi leur enthousiasme et ceux qui ne l'étaient pas, affablement, firent comme si cela ne les gênait pas. Louisa, qui détestait perdre son temps, cousait l'ourlet d'un mouchoir pour la kermesse de la Légion britannique. « À "Qu'est-ce que c'est ?" », proposa-t-elle, louchant sur l'arête de son nez en stoppant le fil à l'aide d'un nœud.

« Eh bien, je me demande… », dit George, avec un air que Daphné lui connaissait depuis l'enfance : l'excitation contenue, le sourire détaché qui les avertissaient que, dût-il consentir à jouer, il gagnerait certainement.

« Avant la guerre, expliqua Louisa à Sebby Stokes, nous jouions à "Qu'est-ce que c'est ?" pendant des heures d'affilée. Dudley et Cecil y allaient comme les canards vont à l'eau. Naturellement, Cecil était bien plus cultivé.

— Cecil était si intelligent, Mamma, dit Dudley. Mais je ne suis pas certain que les canards se distinguent par leur culture générale…

— Ou le jeu des adverbes ? suggéra Eva. On se tord toujours de rire.

— Ah oui, les adverbes, dit Louisa, comme si elle s'était rappelé une rencontre insatisfaisante avec l'un d'entre eux dans le passé.

— Qu'est-ce que c'est, déjà ? demanda Tilda.

— Tu sais bien, ma chérie, comme "rapidement" ou… ou "plaisamment", dit Eva.

— On doit faire quelque chose en accord avec le sens de l'adverbe choisi, expliqua Madeleine mollement.

— C'est souvent très amusant, dit Revel, adressant à Daphné un sourire charmant mais indécis. Tout tient à la façon de faire les choses.

— Ah, je *vois* », fit Tilda.

Daphné songea d'abord que cela ne la dérangerait pas de jouer et ensuite que Louisa ne voudrait pas d'un jeu turbulent ou dont le succès serait lié au fait d'avoir ou pas un certain sens de l'humour. Un soir, ils avaient joué au jeu des adverbes avec les enfants et Louisa les avait déroutés en choisissant « parfois ». C'est alors que la grande dame choisit d'annoncer : « Je ne veux pas jouer les rabat-joie, mais j'espère que vous me pardonnerez si je vous souhaite une bonne nuit maintenant. » Les hommes se levèrent d'un bond, il s'ensuivit un chœur brouillon de « bonne nuit », de protestations enjouées ; au milieu desquels Sebby déclara qu'il avait des documents à lire et Freda, aussi, avec un petit sourire tristement obséquieux adressé à Dudley, annonça qu'elle avait passé une excellente journée. Daphné sortit avec eux et les accompagna jusqu'au pied de l'escalier, avec un air contrit qui n'appartenait qu'à elle. Elle était en réalité heureuse de les voir tous remonter clopin-clopant vers leurs chambres.

Les autres prirent encore un verre et le projet de jouer à un jeu continua à flotter un moment dans l'air. Madeleine se mit à bavarder, pénible tentative pour en écarter la menace. Tilda demanda si quelqu'un connaissait les règles de la bataille corse. Puis Dudley sonna Wilkes et lui demanda de sortir le pianola : on allait danser. « Oh, ce sera amusant ! » s'exclama Eva, avec un sourire lapidaire à travers la fumée de sa cigarette.

« Je vais jouer pour mes invités, annonça Dudley. Ce n'est que justice.

— Mais le tapis… », dit Daphné tout bas, avec un haussement d'épaules, comme si elle ne s'en souciait pas réellement, la seule façon d'amener Dudley à s'en soucier de son côté.

« Oui, n'oubliez pas mon tapis ! dit Eva.

— Dans le hall, Wilkes, ordonna Dudley.

— Il sera fait comme vous le souhaitez, sir Dudley », répondit Wilkes, réussissant à communiquer, sous son plaisir optimiste face à la perspective de voir les invités prendre du bon temps, une lueur d'appréhension.

Le pianola était entreposé dans le « couloir aux vaches ». Bientôt, Dudley sortit dans le hall pour regarder Robbie et un autre domestique le pousser avec grand bruit sur la vaste étendue du plancher en chêne. Il descendit le couloir et revint avec une embarrassante brassée de rouleaux : il avait l'air déchaîné, esprit moqueur mâtiné d'une intense excitation. C'est alors que Daphné comprit qu'elle avait définitivement perdu la maîtrise de la soirée, qu'elle n'avait peut-être d'ailleurs jamais eue : elle y renonça avec un mélange familier de désespoir et de soulagement.

Plusieurs rouleaux étaient des morceaux connus, fox-trot et autres ; un ou deux étaient plus spéciaux, enregistrés par Paderewski, de courtes pièces de Chopin, et censés rendre la façon dont il les jouait lui-même. Dudley ne les jouait jamais que pour s'en moquer en exécutant une absurde imitation du virtuose à la crinière folle. Il introduisit dans l'appareil un premier rouleau, avec une concentration d'ivrogne, se souriant à lui-même dans l'anticipation de l'amusement qu'il allait offrir à ses invités, souriant à l'instrument, pour lequel il avait un respect enfantin. Puis il s'assit, renversa la tête en arrière et se mit à pédaler : retentit alors le fox-trot qu'on avait déjà entendu cent fois, et dont Daphné savait qu'il lui tournerait dans la tête pendant toute la nuit si l'on ne réussissait pas à le remplacer par un morceau plus noble, plus beau. Les touches s'enfoncèrent et se redressèrent de façon inquiétante, sous des doigts invisibles.

Mark, qui était aussi saoul que Dudley, s'empara immédiatement de Daphné, et ils partirent à l'assaut du hall en dansant le shimmy d'un pas chancelant et endiablé ; elle ressentit l'intérêt qu'il lui portait, chaleureux mais sans discernement, uniquement parce qu'elle était une femme. Ils eurent tous deux un fou rire, puis Mark heurta rudement la table et manqua tomber, encore accroché à sa partenaire. Laquelle se libéra et regarda les autres, Madeleine qui se cachait presque, pliée en deux derrière le pianola, comme si elle avait cherché quelque chose qu'elle aurait fait tomber, George, qui faisait mine de féliciter Dudley pour son jeu, arborant un sourire exagéré, facétieux et complètement ignoré par Dudley. Daphné mourait d'envie de danser avec Revel qui, sagement, supposa-t-elle, avait tendu la main à Flo et, d'un pas très assuré, louvoyait avec elle comme par magie au milieu des obstacles, chaises, sellettes à pots de fleurs et l'horloge comtoise. Daphné ne les suivit du regard qu'une partie du chemin, puis elle vit Revel lui adresser, par-dessus l'épaule de Flo, un sourire qui aurait pu être adressé à tous, mais dont, néanmoins, elle se sentit autorisée à déduire qu'il s'agissait d'un signe privé. Le rouleau parvint à son terme et Dudley se leva d'un bond pour en choisir un autre, un fox-trot différent qu'il jouait en toute occasion. Il n'avait pas l'oreille musicale mais était obsessivement attaché à ces deux morceaux, ou du moins au fait de les passer, feignant obstinément de croire que quiconque aimait vraiment la musique les aimerait aussi. Avec détermination et espièglerie, Daphné empoigna Stinker, qui cahota contre elle et plus ou moins au-dessus d'elle, lâchant, tout essoufflé : « Oh, ma chère enfant, vous allez trop vite pour moi... » Dudley, pédalant toujours, se mit bientôt à chanter d'une voix éraillée : « *Ah, les lumières du foyer !... Les lumières du foyer ! Et un lieu que je puis dire mien !* »

« Qu'est-ce que c'est ? cria Stinker par-dessus l'épaule de sa partenaire, tentant hardiment de se libérer en gigotant.

« — Mon Dieu, vous ne pouvez être à ce point philis-
tin. C'est une jolie rengaine de mon frère Cecil. » Et
de marteler les mots, les calant, de façon absurde, sur
le rythme, et bientôt il se mit à rire jusqu'aux larmes.
Au-dessus de lui, les imposantes vaches sidérées du
Loch de Galber continuaient de les contempler. Ce
rouleau, à son tour, parvint à son terme.

« Fichtre, j'ai une de ces soifs », dit Stinker qui,
avouant tout bas mais très excité qu'il s'amusait
comme un fou, rebroussa chemin vers le salon. On
entendit de prudents tintements et des fracas, ainsi
que le halètement rauque du gazogène ; puis le pianola
repartit de plus belle. « Allons, Stinker ! cria Dudley,
c'est le *Hickory-Dickory Rag*, ton préféré !

— Allons, Stinker ! » cria Tilda, d'une exceptionnelle bonne humeur, de sorte que les autres
rirent un peu d'elle avant de tous l'imiter : « Allons,
ça commence ! » Flo s'élançait déjà, Eva, faisant
l'homme, la saisit par les épaules et, la tête ballot-
tant comme celle d'une poule, l'entraîna dans un
trot trépidant, lui montrant de nouveaux pas qu'elle
semblait avoir inventés. On entendait tout juste le
bruit produit par l'entrechoquement de leurs perles.
« Ah ! fit Tilda, ah, mince alors ! » Elle suivait Eva
avec un sourire et des yeux ronds que Daphné ne lui
avait jamais vus, touchante et comique dans le plaisir
qu'elle exprimait, tandis qu'elle dévisageait les autres
pour savoir s'ils le partageaient ; elle adressa un regard
presque sournois à George, dont le large sourire était
un tantinet forcé, mais soudain voilà qu'elle réussit à
prendre son bras et à se le passer autour de la taille, et
ils partirent ensemble, Tilda donnant de menus mais
énergiques coups de talon vers l'arrière et George,

qui tentait de l'imiter tant bien que mal, lâchant des *whoops* et des *Nom d'un pipe !* « Oh, viens donc, Stinker ! » cria Dudley, tanguant comme un cycliste dans une côte sans cesser de manœuvrer les pédales, avec quelque chose de dément et d'implacable dans le sourire. « Stinker ! cria Mark à son tour, Stinker-danseur ! » Mais Stinker résista à tous ces appels : un instant plus tard, Daphné le vit passer devant la fenêtre, un verre à la main, et disparaître dans la relative sécurité du jardin. Il semblait chercher du regard la lune, pleine ce soir-là.

Lorsqu'ils arrêtèrent de danser, Flo proposa : « Sortons tous prendre l'air ! » Daphné jeta un coup d'œil à Revel, qui acquiesça : « Bonne idée ! » lança-t-il, avec un sourire qui, s'il s'adressa à tous, s'attarda plus longuement sur elle, avant de s'effacer pensivement. Tout le monde se rua vers la porte d'entrée, on se bouscula même, protesta, emboîtant le pas à Mark, qui foulait déjà le gravier de l'allée, chantant avec entrain, sur l'air de *Auld Lang Syne* : « On est là parce qu'on est là parce qu'on est là parce qu'on est là. » Daphné trouva ça plutôt impoli, quoique préférable, sans nul doute, à de nombreuses autres chansons des tranchées que Dudley et lui chantaient quand ils étaient saouls, tel *Noël à l'hospice*, que, justement, il entonna ensuite.

« Demande à Mark d'arrêter de chanter », dit-elle à Flo, qui sembla en comprendre la raison. Par une nuit sans vent, Louisa pourrait tout entendre depuis sa chambre.

« Tu sors, Dud ? demanda George, encore un peu essoufflé, et laissant déborder sa bonne humeur sur son beau-frère.

— Hein… ? Oh… non, non », répondit Dudley, pivotant sur le tabouret, avant de revenir au point de départ pour reprendre son verre. « Non, non, mais sortez, vous. Moi, je vais monter et lire un peu.

— Ah… », dit Tilda, encore essoufflée et ravie. Arborant un sourire figé, Dudley se leva mais, en voulant faire un pas de côté, il retomba sur le bord du tabouret, qui glissa sur le parquet. En trébuchant Dudley heurta le clavier, George fit un bond pour éviter le verre en cristal propulsé par le choc, et Daphné se précipita pour retenir Dudley, mais ne réussit qu'à saisir son coude tandis qu'il tombait à la renverse, hurlant « Attention ! » comme si quelqu'un d'autre était en danger. « Ah ! » lâcha Tilda à nouveau. Dudley resta allongé par terre, immobile pendant plusieurs secondes, avant de se redresser dans l'attitude du *Gaulois mourant*, en appui sur une main, regard tourné vers le sol comme s'il avait tout juste pu contenir son impatience. Il finit par lever l'autre main, requérant ou refusant de l'aide, on n'aurait su dire. Daphné eut le souffle coupé, par l'inquiétude, par la pitié, mais elle manqua d'éclater de rire, victime d'une hilarité enfantine.

« Non, je vais parfaitement bien », dit Dudley en se redressant d'un bond, d'un mouvement fluide qui montrait qu'il n'avait pas perdu sa forme militaire, même si, lorsqu'il fut sur ses pieds, il eut du mal, pendant un instant, à garder l'équilibre. Il dissimula une grimace de douleur par un rire sarcastique face à la situation. Son plastron et son revers étaient trempés de whisky.

« Es-tu sûr, vieille branche ? » s'enquit George. Dudley ne daigna pas répondre ni même regarder son beau-frère ; drapé dans une dignité incertaine, il traversa le hall, ouvrit la porte d'un geste brusque et disparut dans le « couloir aux vaches », laissant la porte se refermer bruyamment dans son dos.

« Sortez donc », dit Daphné à tous les autres. Avec sa détermination habituelle, elle décida d'aller rejoindre Dudley, tout à l'effroyable sensation qu'il ne s'agissait pas là d'une simple redite, mais que les choses s'aggravaient sensiblement.

Elle le trouva dans le cabinet de toilette, penché au-dessus du lavabo : lorsqu'il releva la tête, son visage trempé était dangereusement cramoisi. Les veines de ses tempes ressortaient comme si on avait essayé de l'étrangler. Mais lorsqu'il se fut séché et eut lissé ses cheveux, il recouvra son teint coutumier et parut presque normal. Daphné imagina différents reproches et suggestions futiles. Elle l'observa tapotant son revers avec la serviette mouillée, qu'il jeta ensuite par terre, comme il le faisait toujours. Elle vit ensuite qu'il lui souriait dans la glace, instant de doute avant d'accrocher son regard, son truc habituel, qu'il faisait sans réfléchir. « Oh, mon Dieu, Duff... » Il se tourna vers elle et, bouche ouverte, dents humides et luisantes, tangua. Il avança les mains et l'attrapa lourdement par les épaules, et non pas par la taille ; il l'embrassa, l'embrassa encore, l'écrasant et l'agrippant comme s'il avait voulu s'emparer d'un objet ; elle ne comprit pas quel secours elle lui apporta alors, si elle lui apporta quoi que ce fût ; elle-même n'en retira qu'une succession d'inconforts, le souffle âcre de la boisson et du cigare en plein visage. Il y avait une éternité qu'il n'avait pas fait cela, ce fut comme un modeste rappel, violent : remontée au temps où ils faisaient encore l'amour. Il recula, la secoua légèrement, geste d'encouragement, comme celui d'un vieil ami, puis il repartit en claudiquant, tête basse, tête haute, avec la conscience oublieuse d'une nouvelle mission, accords tacites des déments et des ivrognes. « Viens, Duffel », dit-il en se retournant lorsqu'il ouvrit la porte du hall. Elle resta où elle était et regarda la porte se refermer derrière lui.

« Oh, ma chérie, Dudley ne va-t-il pas nous rejoindre ? s'enquit Eva lorsque Daphné sortit sur l'allée dallée.

— Non, il ne peut pas, répondit Daphné avec quelque satisfaction, resserrant son étole sur ses épaules. Il ne sort plus jamais la nuit.

— Ah bon, plus du tout ? Comme c'est étrange... » Son ton était soupçonneux et malicieux, et Daphné se demanda tout à coup si Eva était déjà sortie avec Dudley après la nuit tombée, même si elle n'aurait pu imaginer quand.

« Il n'en parle pas, mais c'est l'une des séquelles...

— Ah, une séquelle...

— Dud ne vient pas ? demanda Mark, apparaissant brusquement dans leur dos, passant une main autour de la taille de Daphné, autour de leurs tailles, à l'une et à l'autre.

— Il ne sort jamais plus la nuit, comme vous le savez, mon cher », répondit Daphné, et elle expliqua, à l'intention d'Eva, tentant d'ignorer l'étreinte pressante de Mark : « Ça lui est resté de la guerre, en réalité. Je ne devrais sans doute pas en parler. » Sur l'allée, se frayant un chemin au milieu des longues flaques de lumière projetées par les fenêtres du salon, qui ne faisaient qu'approfondir les ombres, elle transforma son hésitation en une petite pantomime. « Il a perdu un très bon ami à la guerre. Tué par un tireur embusqué tout près de lui. Au clair de lune. C'est la raison pour laquelle il ne supporte plus le clair de lune.

— Oh, Seigneur », lâcha Eva.

Daphné s'arrêta. « Il a entendu le coup partir, il a vu la fleur noire sur le front du garçon, qui est mort sur le coup, à côté de lui. » Elle avait raté son récit, que Dudley, en de très rares occasions, racontait lui-même, la main tremblante, la gorge serrée ; ce n'était pas vraiment à elle de raconter cette histoire. Elle ressentait si fort toute l'horreur autant que la poésie plutôt frappante de la situation qu'elle ne savait plus si elle protégeait ou trahissait Dudley ; ou, inextricablement, les deux. « Et puis, il y a eu Cecil, comme vous le savez…

— A-t-il aussi été tué au clair de lune ? demanda Eva.

— Non, mais par un tireur embusqué. Tout est lié. » Qu'il était difficile de se remémorer sans cesse les traumatismes d'autrui.

Mark les quitta bientôt. Elle le vit courir, plié en deux, dissimulé par les haies, cherchant à tendre une embuscade à Tilda et Flo, qui se promenaient entre les chaînes de clématites éclairées par le clair de lune. Daphné n'avait pas envie de se retrouver seule avec Eva ; elle chercha des yeux Revel, qu'elle entendit rire avec George non loin… C'était peut-être une occasion. « Je n'ai jamais su…, dit-elle tout bas, vous n'avez jamais parlé, vous me comprenez… *Mr* Riley.

— Oh, ma chère… » Eva lâcha un rire de fumeuse, amusée autant que gênée.

« Je ne veux pas être indiscrète.

— À propos de ce vieux Trev… ? Il n'y a pas grand-chose à raconter.

— Je veux dire… n'est-il plus des nôtres ?

— Oh, Seigneur, si… mais il a, comment dire, un certain âge.

— Je vois. » Personne, bien sûr, ne connaissait l'âge d'Eva. « Je pensais qu'il avait peut-être été tué à la guerre.

— Pas le moins du monde. » Eva parut réticente mais, Dieu sait pourquoi, en même temps excitée. Des nymphes aux seins nus levèrent les bras au-dessus d'elles quand elles obliquèrent, d'un commun accord tacite, dans l'allée du bassin. Les lieux étaient vidés de toute couleur mais le jardin, au clair de lune, paraissait de plus en plus près de se colorer, comme si de sombres rouges et pourpres étaient sur le point de se révéler timidement au milieu des gris. Daphné se retourna et regarda la demeure, qui se révéla alors sous son jour le plus romantique. Au fil de leur promenade, la lune brillait et glissait de fenêtre en fenêtre.

« Donc : Trevor…, reprit Daphné après une pause. Vous n'êtes pas divorcée ou quoi que ce soit. » Il était malicieusement amusant de persévérer dans l'enquête : après un certain nombre de verres, on ne respectait plus autant les bonnes manières.

« Pas vraiment, non. » Daphné supposa qu'elle devait l'avoir épousé pour son argent. Elle imaginait Trevor Riley comme un propriétaire d'usine ou quelque chose dans le genre. La guerre, loin de l'avoir tué, lui avait peut-être permis au contraire d'amasser une fortune. Eva glissa son bras sous le sien et, de sa main libre, fit avec son écharpe un autre tour autour de son cou ; lorsque Daphné se retourna soudain, elle sentit la soie effleurer sa joue. Eva frissonna légèrement et attira Daphné contre elle. « Je pense sincèrement que le mariage est souvent une gêne effroyable, pas vous ? s'enquit-elle.

— Hum... ! Je ne sais trop.

— Hum ?

— Eh bien, c'est certainement quelque chose qu'il faut *supporter*, par moments.

— Bien d'accord, acquiesça Eva avec un humour sinistre.

— J'ignore si Trevor vous a été infidèle », dit Daphné, frissonnant, tellement le sujet était brûlant. Elles poursuivirent, en apparente amitié, tandis qu'Eva réfléchissait, qui sait, à ce qu'elle pourrait répondre. Sa pochette, comme un petit cartable qui lui tombait sur la hanche, la heurtait à chaque pas, et Daphné put obscurément déduire l'existence de sous-vêtements, sur laquelle elle s'était beaucoup interrogée, à la pression chaude du flanc d'Eva contre son bras. Elle ne devait porter qu'un caraco, nul besoin vraiment de soutien-gorge... Elle paraissait étonnamment vulnérable, frêle et délicate sous des étoffes aussi fines.

« Puis-je vous tenter ? » s'enquit Eva, main plongeant pendant un instant contre la hanche de Daphné. Le galbe nacré de l'étui à cigarettes brilla comme un trésor au clair de lune.

« Oh... ! Hum... pourquoi pas... »

La flamme grasse du briquet bondit. « J'aime bien vous voir fumer, dit Eva, alors que le tabac crépitait et rougeoyait.

— Je commence à apprécier ça.

— J'en étais sûre », dit Eva. Tandis qu'elles avançaient, d'une allure imposée par l'obscurité plus que par toute autre raison, elle passa son bras amicalement autour de la taille de Daphné.

« Essayons de ne pas tomber dans le bassin, dit cette dernière, s'écartant légèrement.

— J'aimerais que vous me laissiez vous faire quelque chose de charmant, dit Eva.

— Quoi, à porter ?

— Bien sûr.

— Oh, c'est très gentil à vous, mais je ne veux pas en entendre parler. » Voir sa maison redécorée de fond en comble, c'était une chose mais sa personne, une autre. Elle se représenta combien elle paraîtrait absurde, à descendre au dîner équipée d'une petite tunique d'Eva.

« Je ne sais pas d'où viennent vos vêtements pour l'instant, ma chérie… »

Daphné laissa échapper un petit rire plutôt sec à travers la fumée de sa cigarette. « Elliston and Cavell, pour la plupart. »

Eva se mit à rire à son tour. « Je suis désolée, dit-elle en se blottissant contre elle, câline. Mais je ne pense pas que vous sachiez combien vous pourriez être jolie. » Elles s'arrêtèrent et Eva la jaugea, à travers le biais féerique du clair de lune, une main sur la hanche de Daphné, l'autre tenant sa cigarette au bout rougeoyant, avant-bras remonté vers son épaule d'où la fumée glissait vers ses yeux. Elle pinça à la taille l'étoffe moelleuse de la robe de Daphné, là où celle-ci avait vu son regard évaluateur se poser auparavant. D'un ton hésitant mais presque négligent, Eva dit :

« J'aimerais que vous me permettiez de vous rendre heureuse.

— Nous devons rentrer maintenant, répondit Daphné, la gorge serrée par une sensation nouvelle, étouffante, qui la prit, et ce n'était pas la fumée, à la gorge. J'ai froid, je suis vraiment navrée. » Avec un mouvement brusque, elle se dégagea, jeta sa cigarette dans l'allée et l'écrasa sous sa semelle. Les lumières de la demeure avaient beau transformer les haies et les autres obstacles en un enchevêtrement de contours, il n'en était pas moins difficile de battre en retraite avec dignité ; et le clair de lune n'était pas aussi bienveillant qu'elle l'avait cru. Elle s'engagea sur la pelouse mais, comme ses talons s'enfoncèrent dans le terreau, elle fit marche arrière tant bien que mal et contourna une bordure bizarrement située. Ce fut comme une extension de la sensation qu'elle éprouvait d'être coincée, malgré sa prétention nocturne à rester maîtresse de la situation. Elle pensa qu'Eva devait la suivre mais, quand elle se retourna, elle ne la vit nulle part : cela dit, elle devait forcément être là, pas loin, à s'attarder, comploter, soufflant des bouffées de fumée dans la nuit. Elle atteignit le terrain ferme des dalles de l'allée qui jouxtait la maison. À l'instant même où elle se rendit compte de la présence d'une silhouette sombre penchée de côté sur le banc voisin, on lui agrippa la main : « N'entrez pas…

— Oh, mon Dieu… qui est-ce ? Oh, Tilda…

— Désolée, chérie, désolée…

— J'ai eu une de ces frousses ! » Tilda ne lâcha pas sa main.

« N'est-ce pas une belle nuit ? dit-elle, toute guil-lerette. Comment allez-vous ? » Et puis : « Je m'in-quiète pour Arthur. »

L'espace d'un éclair, Daphné ne comprit pas de qui Tilda parlait. « Oh, Stinker, oui… pourquoi, Tilda ? » Elle s'assit très précairement sur le bord du banc. Comme elle l'aurait fait avec un enfant, elle rangea de côté le sujet tabou : Mrs Riley. Elle vit que Tilda la dévisageait ; son petit visage blanc avait oublié la gaieté du début de soirée. Avait-elle le vin triste ? Dans son inquiétude, elle paraissait investir Daphné de pouvoirs surnaturels.

« L'avez-vous vu ?

— Qui… ? Oh, Stinker… n'est-il pas en train de se promener ? Je suis certaine qu'il se porte comme un charme… ma chérie. » (Elle ne l'appelait pas ainsi d'ordinaire, pas plus que Stinker n'était "Arthur", d'ailleurs.) Elle avait toujours considéré Tilda comme une tante encore jeune, un peu bête, inoffensive, à jamais acquise.

« Il se comporte de façon si étrange, ces temps-ci, n'est-ce pas votre avis ?

— Ah bon ? » Pour autant que Daphné pût s'in-téresser au sujet, elle aurait plutôt souhaité qu'il se comporte de façon beaucoup plus étrange.

« Est-ce que je suis folle, alors ? Vous ne croyez pas, n'est-ce pas, qu'il voit une autre femme ?

— Stinker ? Oh, certainement pas, Tilda. » Il était aisé, il était même permis de sourire. « Non, je ne crois vraiment pas.

— Ah !… Oh, très bien. » Tilda parut soulagée, en partie. « Je me suis dit que vous, vous devriez savoir. »

Elle tressaillit, scruta à nouveau le visage de Daphné. « Pourquoi pas ? » demanda-t-elle.

Daphné maîtrisa son rire et dit : « Il est évident que Stinker vous adore, Tilda. » Ce à quoi elle ajouta, peut-être sans trop réfléchir : « De toute façon, qui pourrait-ce être ? »

Tilda lâcha un petit rire mais hésita : « J'imagine que j'ai cru que... parce que nous n'avons pas... vous savez... » À ce moment précis, Daphné vit Revel sortir par la porte-fenêtre et froncer les sourcils, scruter l'allée et l'endroit où, manifestement, il avait entendu des voix. Elle savait que Tilda faisait allusion au fait que Stinker et elle n'avaient pas d'enfants.

« Venez », dit Daphné, se levant, saisissant à son tour la main de Tilda, pour dissimuler la vivacité de son mouvement. Elle ne supporterait pas de poursuivre cette conversation un instant de plus.

« Je vais rester ici et l'attendre, répondit Tilda sans voir ce qui se passait, dérivant encore sur les vapeurs d'alcool, égarée par son inquiétude.

— Oh, Duffel, ma chérie... », fit Revel, touchant son bras lorsqu'ils rentrèrent ensemble dans la maison. Il s'accorda cinq secondes de sourire avant de continuer sa phrase : « Montons dans la chambre des enfants pour les regarder dormir.

— Oh, oui, bien sûr », répondit Daphné comme s'il avait été idiot de sa part de ne pas avoir proposé ce divertissement plus tôt. Elle le regarda et son petit rire fut légèrement chagrin. Elle n'aurait pu s'endormir, songea-t-elle, même deux étages plus haut, avec le raffut du *Hickory-Dickory Rag*. Et puis l'horreur de la scène avec le piano lui revint en mémoire. C'était merveilleux, une bénédiction, qu'elle ait pu l'oublier un instant.

« Dudley est allé se coucher, dit Revel, simplement.

— Je vois. » Après l'intermède du jardin, la lumière du salon éblouit Daphné. Entre-temps, il avait été nettoyé et complètement rangé : à Corley, tout était toujours immédiatement et impeccablement rangé. « As-tu un verre ? demanda-t-elle. Je crois pour ma part avoir assez bu. » Elle contempla le plateau de bouteilles, dont certaines étaient accueillantes, d'autres presque trop familières, et une ou deux à éviter catégoriquement. Elle se versa goulûment et d'un geste brouillon un autre verre de clairet. « Ah, au fait, Tilda est dehors ! expliqua-t-elle à Stinker, qui venait tout juste d'entrer, trébuchant sur le seuil de la porte-fenêtre. Vous venez de la manquer. » Il se pencha sur un guéridon et la dévisagea, sans trouver de réponse.

Elle entraîna Revel dans le « couloir aux vaches », puis emprunta l'escalier de service dans l'aile est. Revel la toucha discrètement entre les épaules à chaque demi-palier. Son expression, quand elle le regardait, était attentionnée : lueurs intimes de plaisir anticipé. Elle était tellement excitée qu'elle en raconta des bêtises. « Très "escalier de service", tout ça, comme dirait Mrs Riley, remarqua-t-elle.

— Je ne crois pas que ce soit de cela qu'elle parlait. Et toi ? » répondit Revel plutôt fraîchement, si bien qu'ils franchirent un pas, plusieurs sujets tabous flottant en même temps dans l'air. Le cœur de Daphné battait la chamade mais elle se sentit en même temps saisie par une étrange langueur, qui semblait dissimuler et contrecarrer l'affolement de son pouls.

« Je dois te raconter un incident plutôt bizarre, il y a un instant à peine, avec cette vieille Mrs Riley. Je suis absolument sûre qu'elle m'a courtisée. »

Revel lâcha un rire léger. « Elle a donc bon goût, après tout. »

Daphné trouva cette réplique assez désinvolte, quoique charmante, cela va de soi. « Eh bien…

— Je pensais qu'elle avait jeté son dévolu sur Flo, qui a un peu cet air-là, non ?

— Moi, je pensais… » Mais c'était trop difficile à expliquer. La bonne arrivait sur le palier avec un bébé, non, une bouillotte enveloppée dans un châle. « Tu es si gentil avec les enfants, dit Daphné tout fort, ils seront ravis de te voir. » Elle adressa à la domestique un hochement de tête distrait lorsqu'ils furent à sa hauteur, songeant que la situation serait expliquée par cela, sa vertu de mère réaffirmée de cette manière touchante après tout le raffut au rez-de-chaussée. « S'ils ne dorment pas encore, bien entendu ! » Elle déposa un baiser sur son index levé, avant de pousser la porte de la chambre avec une précaution indue. Ensuite, elle se retrouva théâtralement avec la lumière du couloir dans le dos avant que tous deux n'entrent et que Revel ne referme la porte, en étouffant le bruit. Une veilleuse à l'éclat cireux qui se réfléchissait sur la table amassait de grandes ombres sur les lits et les murs. « Non, mon Wilfrid chéri, rendors-toi », dit Daphné. Elle le contempla d'un regard incertain dans la pénombre étouffante. Il avait remué et grogné mais n'était peut-être pas réveillé, après tout. Sur quoi, elle se dirigea vers le lit de Corinna près de la fenêtre : sa fille n'était pas à son avantage, allongée sur le dos, tête renversée sur l'oreiller, émettant un léger ronflement nasillard. « Si elle pouvait se voir ! dit Daphné tout bas, se moquant, avec un brin de mélancolie, de la solennité de sa fille.

— Si nous pouvions nous voir, repartit Revel. Je veux dire… je suppose que si tu me voyais…

— Hum », fit Daphné, se penchant en arrière, percevant d'un frôlement d'épaule l'espace que Revel occupait, sentant sa main gauche glisser, légère, sur sa taille, une main confiante mais policée et ne s'attardant qu'un instant. « Hum… eh bien, tu les vois, eux ! » Elle fit un pas de côté, comme un chassé en danse, promesse de revenir. S'adressant à son verre de vin, en prenant une gorgée, elle dit dans un murmure : « Pas très joli, tout ça, je le crains… » Elle imagina une série d'excuses futiles s'ouvrant devant elle ; les enfants n'offraient sans doute pas un spectacle plaisant aux yeux de Revel. Il devait sentir l'odeur du pot de chambre ; elle crut voir le pipi jaune de Wilfie. « Leur père ne vient jamais les voir… quand ils dorment, et si peu le reste du temps. Ils ne peuvent être mignons à toute heure du jour et de la nuit. » Elle hocha la tête et but encore une gorgée, avant de se tourner vers Revel. Celui-ci prit Roger, l'ours en peluche de Wilfie, et fronça les sourcils, de la manière accorte et interrogatrice d'un médecin de famille ; puis il la regarda, avec le même sourire embrumé, comme si ce qu'elle pouvait dire n'avait eu aucune importance. Le nom de Dudley resta curieusement en suspens dans la pénombre de la chambre.

Elle alla de l'autre côté du petit lit de Wilfrid, posa son verre sur la table de chevet, contempla son fils, puis s'assit lourdement sur le bord du lit. Son visage poupon, caricature miniature, adoucie, de celui de son père : une bouche et deux yeux. Elle pensa au baiser de Dudley, dans le « couloir aux vaches », à tout ce qu'elle savait de lui et qu'il fallait cacher absolument à un enfant, leur enfant, visage tourné vers le haut, regard vide, une joue dans l'ombre, l'autre caressée par la lueur de la veilleuse. Elle n'avait pas envie de penser à son mari, mais son baiser continuait de flotter là, sur ses lèvres, et la tracassait. Elle se redressa lentement, lissa et tira à nouveau le bord replié du drap de Wilfrid. Dudley avait sa manière bien particulière de vous piéger : il sévissait dans votre conscience, ses moments les plus fous étaient aussi bizarrement tactiques. Et puis, bien sûr, il était pitoyable, blessé, hanté ; tout ça. Le visage de Wilfrid fut parcouru par un tressaillement, il ouvrit les paupières, les referma, se retourna en une brusque convulsion vers la droite, puis, après une seconde ou deux, il eut un autre mouvement brusque, il murmura furieusement et se tourna vers la gauche. Il faisait des cauchemars qu'il racontait parfois à sa mère : descriptions informes, d'un sérieux comique mais trop ennuyeuses pour qu'elle fît davantage que prétendre les écouter. Il disait rêver du sergent Bronson, ce que Daphné déplorait, jalousant un tout petit peu ce dernier. Elle se pencha au-dessus de son fils et passa le bras autour de sa forme allongée, afin, eût-on dit, de le garder tout entier pour elle, pour montrer qu'il avait un défenseur. « Oncle Revel, dit-il gentiment.

— Bonsoir, vieille branche, chuchota Revel, lui souriant, reposant Roger sur son oreiller, le bordant. Nous ne voulions pas te réveiller. »

Wilfrid lui adressa un regard d'approbation inconditionnelle puis il referma les yeux, déglutit et retroussa les lèvres. Sous leurs yeux, son visage perdit son air de béatitude et redevint un masque empreint de douceur mais dépourvu d'intelligence.

« Tu vois combien il t'adore », dit Daphné, avec quasiment une note de reproche, riant et haletant à la fois. Elle regarda longuement Revel par-dessus la tête de l'enfant. Face à son calme souriant, elle se demanda plus sobrement s'il ne jouait pas avec elle. Il alla au petit bureau et sortit la minuscule chaise d'enfant, sur laquelle il s'assit, genoux au niveau du nez. Plaisantant, il fit mine de vivre sa vie à ce niveau-là. Elle l'observa, vaguement amusée. La veilleuse croquait une étude de son visage, tandis que lui-même exécutait un dessin à la va-vite. On aurait dit que le tout dernier stade d'un sourire s'attardait là, dans sa concentration taquine. Il utilisa les crayons des enfants comme si, à ses yeux de dessinateur, ils avaient représenté le nec plus ultra et qu'il en était le maître. C'est alors que, avec un grognement plus fort que les autres, Corinna se réveilla à son tour, se redressa dans son lit et toussa sans gêne.

« Mère, qu'est-ce qui se passe ?

— Rendors-toi, mon poussin », répondit Daphné, faisant « chut » avec une petite moue affectueuse mais aussi impatiente. Les cheveux de sa fille étaient emmêlés et mouillés.

« Non, Mère, qu'est-ce qui se passe ? » Il était difficile de dire si elle était en colère ou simplement troublée, ne se réveillant que pour être confrontée à ces silhouettes inattendues dans sa chambre.

« Chut, ma chérie, ce n'est rien. L'oncle Revel et moi sommes venus vous souhaiter une bonne nuit.

« — Ce n'est pas l'*oncle* Revel, en réalité. » Daphné eut l'impression que ce n'était pas le seul point sur lequel sa fille aurait pu la reprendre. Cette enfant avait une veine férocement critique : ce qu'elle sous-entendait, c'est que sa mère était ivre.

Revel regarda par-dessus l'épaule de Daphné, à moitié tourné sur la chaise d'enfant. « Nous nous demandions s'il était encore temps de voir la danse, si nous en faisions la requête gentiment », dit-il. Ce qui n'était pas vraiment une bonne idée.

« Oh, c'est trop tard pour ça, beaucoup trop tard », répondit Corinna, comme s'ils avaient été les enfants et elle l'adulte, et qu'ils lui avaient soutiré une concession. Sautant du lit, elle traversa la chambre en claquant des talons pour se rendre aux toilettes. Daphné redouta qu'elle fasse une autre scène à son retour, s'autorisant à dire le fond de sa pensée. S'ils avaient tous dit ce qu'ils pensaient… Le bruit que sa sœur avait fait avait encore réveillé Wilfrid : il leur lança un regard furtif, comme un adulte qui prétend ne pas avoir fermé l'œil de la nuit. Daphné regarda Revel finir son dessin. Ils entendirent le bruit métallique de la chaîne et le torrent chutant du réservoir, amplifié encore lorsque la porte s'ouvrit. Corinna, cependant, paraissait plus sereine, sans doute était-elle mieux réveillée. Elle se recoucha avec un petit soubresaut de pudeur typique de sa personnalité diurne.

« Veux-tu que je te lise quelque chose, ma chérie, et puis vous vous rendormirez ? proposa Daphné.

— Oui, s'il te plaît », répondit Corinna, s'allongeant et se tournant sur le côté, prête à la fois à écouter l'histoire et à se rendormir.

Daphné observa les étagères de Wilfrid, puis se leva pour passer en revue les livres de Corinna. Quelle corvée, mais les enfants se rendormiraient bientôt. « Es-tu en train de lire *Le Plateau d'argent* ? J'adorais ce livre… mais je pense que j'étais beaucoup plus grande…

— Tiens, mon petit ange », dit Revel, se levant du bureau et tenant son dessin devant Wilfrid afin qu'il accroche la lumière. L'enfant l'évalua et, se battant pour ne pas fermer les yeux, esquissa un sourire pour ainsi dire conditionnel. « Je le pose ici, veux-tu ?

— Mouais », fit Wilfrid. Daphné ne parvint pas à bien voir le dessin : elle crut distinguer la crête d'un oiseau.

« J'en suis au chapitre huit », annonça Corinna. Estimait-elle qu'elle aussi aurait dû avoir un dessin ? Peut-être pourrait-elle demander à Revel de lui en faire un, si ça ne le dérangeait pas. Il pourrait même faire son portrait…

« "Alors, lord Pettifer monta dans son carrosse", commença Daphné, éprouvant quelque difficulté à lire dans la pénombre, "… qui était tout en or… avec deux séduisants valets en livrée écarlate à galons dorés, et un cocher au grand bigorneau… pardon, au grand bicorne, et les impuissantes… désolée, désolée !… imposantes armoiries des Pettifer de Morden peintes sur les portières. Il s'était mis à neiger, doucement et silencieusement, et les flocons blancs et moelleux se passaient… se posaient un instant sur les crinières des quatre chevaux et sur les… panaches dorés des chapeaux des valets…" Oh, saperlipopette, tout me revient… » Elle regarda Revel par-dessus la tranche du livre : réduit à une silhouette sombre découpée sur la faible lumière, agacé, qui sait, par sa prestation ? C'était, après tout, un homme de théâtre ; la lecture à voix haute trahissait toujours la quantité d'alcool qu'on avait absorbée. « "Je reviendrai dimanche avant la tombée de la nuit !" annonça lord Pettifer. "Veuillez prévenir Miranda, ma pupille, qu'elle doit… se préparer…" » Daphné ignorait quel degré d'émotion instiller aux dialogues ; heureusement, à ce moment-là retentit un grognement du côté de Corinna qui, bouche ouverte, s'était déjà rendormie. Daphné scruta le lit de Wilfrid, espérant que lui aussi se serait endormi mais, hélas, il la regardait fixement, même s'il ne pouvait comprendre ce qui se passait. « Je vais lire juste encore un peu », proposa Daphné. Et, baissant la voix, elle continua la lecture, sautant un long passage, passant directement à la merveilleuse description du trajet de lord Pettifer jusqu'à Douvres, sous la neige, un passage qu'elle n'avait pas relu depuis l'enfance. Comme c'était charmant : d'une certaine manière, elle aurait préféré ne pas lire dans ces circonstances, distraite par la présence de Revel, trébuchant sur les mots ; mais elle n'en continua pas moins, car s'arrêter aurait été encore plus dérangeant. « "Au loin, ils avisèrent les lumières d'une maison isolée… qu'elle ne pourrait jamais rentrer chez elle" », lut-elle, ayant tourné deux pages à la fois et mettant un peu de temps à s'en apercevoir. Lançant un coup d'œil à Wilfrid, elle reprit, ignorant elle-même ce qui se passait. Il esquissa un sourire distant, comme pour dire que maintenant l'histoire se tenait, et pour la remercier poliment ; se détournant de la lumière, il remonta les genoux sous la couverture, et elle se dit qu'elle pouvait y voir le signe qu'il souhaitait qu'elle s'arrête là.

Lorsqu'elle et Revel ressortirent dans le couloir, les choses furent à la fois plus urgentes et plus gênantes. Elle eut la sensation qu'elles pourraient mal tourner s'ils n'agissaient pas rapidement : elles pourraient flétrir sur l'arbre, talées par l'horrible gêne du délai et de l'indécision. Mais Revel plaça bientôt, d'un geste léger, les mains autour de sa taille. « Non, lâcha-t-elle tout doucement, la nounou… !

— Oh.

— Descendons.

— Vraiment ? fit Revel. Si tu veux. » Pour la première fois, elle comprit qu'elle pourrait le blesser, qu'elle pourrait ajouter des souffrances à celles qui étaient déjà les siennes ; même s'il transforma son petit froncement de sourcils, un simple tressaillement, en un signe de prévenance à son égard.

« Non, tu verras », dit-elle, l'embrassant subrepticement sur la joue. Elle l'entraîna dans le long couloir en L du dernier étage. Lorsqu'ils débouchèrent au sommet de l'escalier monumental, ils furent projetés dans sa théâtralité : les griffons, ou quoi qu'ils fussent, avec leurs boucliers et leurs globes en verre brandis, d'où tombait la lumière. Elle pensa : *sous les projecteurs de la publicité de bas étage.*

« Ce sont des dragons, je crois, dit-elle lorsqu'ils entamèrent la descente.

— Ah bon », fit Revel, comme si elle avait répondu à une question qu'il lui aurait posée.

Dans la glace monumentale du palier du premier étage, ils passèrent, tels des personnages dans un conte. Daphné s'était calmée, mais elle se mit néanmoins à bavarder tout bas : « Mon cher, je dois

vraiment te raconter ce que Tilda Strange-Paget a dit
– elle regarda autour d'elle – sur Stinker !

— Ah oui, fit Revel, n'écoutant que d'une oreille,
comme un conducteur au volant.

— Je ne suis pas du tout sûre que je devrais le faire.
Apparemment, il aurait une autre femme, cachée
quelque part. »

Revel rit sous cape. « Hum, je me demande où, euh,
il la cache. » Il ralentit et se retourna devant la porte
de sa chambre. « Es-tu sûre ?

— Comment l'être jamais… ?

— Non, je veux dire… » Il la regarda, elle, puis la
porte. Ce qu'elle voulait était simple, or elle se sentit
soudain complètement perdue. Elle eut la sensation bizarre, véritablement surnaturelle, d'entendre
sa mère respirer dans sa chambre, puis elle imagina
Clara dans la sienne, si loin, et Dudley, naturellement ;
mais à cela, elle ne put penser.

« Non, pas ici », dit-elle. Lui prenant la main, elle
l'entraîna jusqu'après le coude du couloir. Une lampe
solitaire brûlait sur un guéridon, à l'intention des invités. Lorsqu'elle ouvrit la porte de la buanderie, elle
projeta une ombre énorme sur le plafond, comme une
aile. « Veux-tu entrer ? » Elle était grave et en même
temps elle riait.

Il y faisait sombre, ce qui était tout l'avantage de la
chose, puis ils virent briller la lucarne : la lune, bien
sûr, jetait d'autres ombres dans le puits du cagibi. Ici
encore, aucune couleur, juste la lueur blanchâtre des
piles de draps sur les étagères dans un royaume gris.
« D'ici, on peut monter sur le toit, précisa-t-elle.

— Pas maintenant », répondit Revel. Prenant son
visage dans ses mains, il l'embrassa. Elle se balança

pendant un moment avant de lui passer les bras autour de la taille, d'agripper la masse flottante de sa veste de smoking qui recouvrait son corps nerveux, inconnu. Elle le laissa l'embrasser, comme si c'était encore réversible, une simple manœuvre, puis avec un gémissement violent d'assentiment, elle l'embrassa à son tour.

Ils s'embrassèrent sans fin, Revel la tenant respectueusement, la caressant, légère comédie de gênes s'immisçant dans leurs murmures et demi-sourires entre leurs baisers, les petits rythmes mimétiques des baisers eux-mêmes. N'empêche, il était délicieux, ce plaisir oublié : satisfaire quelqu'un qui ne cherchait qu'à vous satisfaire. Jamais auparavant elle n'avait été embrassée par deux hommes dans la même soirée… d'ailleurs, elle n'avait jamais été embrassée que par deux ou trois hommes, de toute sa vie. Le contraste, pour une chose aussi intime, était d'une beauté renversante. Le fait, bien sûr non exprimé, que Revel aimait en réalité embrasser les hommes ne rendait tout cela que plus flatteur, quoique peut-être plus surréaliste encore. Revel détenait quelque chose de plus que l'expérience commune, cela brillait dans ses yeux espiègles. Daphné ne pouvait être certaine, maintenant que l'aventure avait démarré, que ce serait sérieux, après tout. Mais si ça ne l'était pas, là résiderait peut-être tout son charme, sa raison d'être. Dans le miroitement monochrome de la lucarne, elle recula, caressa le visage de Revel, son nez intelligent, son front, ses lèvres. Il prit sa main et y déposa un baiser. Puis il l'embrassa à nouveau, sur la joue. Il sembla presque bizarre qu'il ne souhaitât pas aller plus loin. Elle se demanda s'il avait jamais embrassé une autre femme.

Elle se dit que, lorsque les hommes s'embrassaient entre eux, ce devait être assez brutal ; elle n'aimait pas vraiment y penser. Elle savait qu'elle devait l'encourager, sans qu'il ait le sentiment de ne pas être à la hauteur ou ressente le besoin d'être guidé. Il était plus jeune qu'elle mais c'était un homme. Romantique, elle aurait voulu, pour lui faire plaisir, en être un. « Nous pouvons faire tout ce que tu veux, tu sais… », dit-elle. Puis elle se demanda, quand il se mit à rire, ce à quoi elle s'engageait.

9

Pendant vingt minutes, le monde appartint aux oiseaux. En nombre dans les bois, sur le plateau, dans tous les jardins, sur les bancs et dans les buissons, et ici dans les hauteurs des toitures et des cheminées, les pinsons, les grives, les étourneaux et les merles chantaient, tous à la fois, leurs chansons à l'aurore. Wilfrid ouvrit les yeux et, dans la lumière grisâtre, il vit sa sœur, assise dans son lit, plongée dans son livre. Tournant la tête avec prudence et se concentrant intensément, il calcula qu'il était six heures et demie. Il y avait quelque chose d'étrange sur sa table de chevet, dont le sombre éclat retint son attention un instant, mais il n'eut pas envie de s'y attarder. Ça n'avait aucun sens, comme une fenêtre là où il ne pouvait y en avoir une. Il laissa ses paupières se refermer. Les chants des oiseaux étaient si forts qu'après vous avoir réveillé, ils vous rendormaient. Lorsqu'il se réveilla à nouveau, c'était vraiment le jour, les oiseaux s'étaient éloignés et occupaient beaucoup moins l'espace. On les oubliait complètement. Il vit que la porte était entrouverte. Corinna était déjà allée se laver, alors qu'il avait besoin de lui demander une ou deux choses à propos de la nuit passée : des bruits, de la musique, des allées et venues entremêlées comme des rêves. Il se retourna dans son lit et là, sur le manteau de cheminée, posé contre le pichet en forme de gros homme rougeaud, le flamant de l'oncle Revel, debout sur une patte, lui adressait un sourire finaud. Un fragment de rêve était resté dans le monde réel, comme preuve d'une promesse. Il se glissa hors du lit et le prit. L'oncle Revel était venu, avec sa mère, il avait ri, plaisanté et il avait fait un dessin, très vite, comme un tour de magie. Wilfrid emporta le dessin dans son lit : la chose étrange sur la table, qui l'avait d'abord induit en erreur avec son éclat magique, était en réalité le verre de sa mère, avec un fond de vin rouge, et des morceaux de rouille noire dans le liquide. Il mit le nez dedans et – que c'était déroutant – l'odeur âcre qui y était enfermée était celle des derniers baisers de sa mère. Il entendit Nounou dans sa chambre à côté, le grincement inquiétant des lattes du plancher, le cliquetis des anneaux des rideaux. Elle parlait à quelqu'un, sans doute la bonne Sarah. Elles sortirent sur le palier. « Encore une nuit folle, disait Nounou, Dieu sait dans quel état ils seront ce matin. » Sarah gémit et rit. « Duffel ici à Dieu sait quelle heure, avec son jeune ami artiste, pour vérifier si les petits dormaient, qu'elle a dit. Tu parles, comment ils pourraient dormir avec ce boucan, ça les dérange ! Ça va être des petits monstres après une nuit comme ça !

— Aah… ! » Sarah avait l'air plus accorte aujourd'hui. Wilfrid n'aimait pas du tout ce que Nounou racontait sur sa mère.

« C'est mon jour de congé, j'ai pas à m'occuper d'eux.

— Robbie dit qu'ils jouaient au jeu de la sardine.

— Au jeu de la sardine ! Plutôt au jeu de la dinde, oui… » Les deux femmes ricanèrent et parurent s'éloigner dans le couloir. « J'imagine que tu as entendu la musique… », disait Nounou lorsque la porte en haut de l'escalier se referma avec un grand bruit. Hum, tout le monde avait entendu la musique, songea Wilfrid. Sa mère avait dansé avec l'oncle Revel dans le hall ; il revoyait la scène nettement dans sa mémoire. Il avait envie de se rendormir ; cela dit, dans son cœur et son esprit s'élevait une épaisse bouffée de protestation contre les injures et le manque de respect envers sa mère, mais aussi contre la nuit agitée et entrecoupée qu'elle lui avait imposée. Il était épuisé par ses rêves.

Presque immédiatement, plusieurs choses se passèrent, des choses parfaitement normales mais néanmoins bizarrement dérangeantes dans la façon dont elles se déroulèrent. Très tôt, un message arriva selon lequel Mr Stokes partait, et leur mère souhaitait que les enfants descendent. Corinna travaillait déjà son piano et la bonne accompagna donc Wilfrid seul au rez-de-chaussée. Il se sentit abandonné et ne fut guère enthousiaste. Il fronça abondamment les sourcils pour ne pas céder. Le pianola se trouvait encore dans le hall, couvercle rabattu, perpendiculaire au mur. Wilfrid raffolait du pianola et, une ou deux fois, son père avait appuyé sur les pédales pendant que lui-même parcourait les touches dansantes avec les mains, sous le regard dédaigneux de Corinna. Mais aujourd'hui, l'instrument semblait n'être qu'un souvenir cliquetant de la soirée précédente, un jouet avec lequel d'autres avaient joué sans lui. Combien il aurait aimé qu'on le range sur-le-champ ! Il sortit examiner la Daimler. Même le clin d'œil de Robbie, quand il sortit les bagages de l'oncle Sebby, lui déplut et il trouva qu'il lui manquait de respect. Pourquoi se croyait-il obligé de lui faire sans cesse des clins d'œil ? « Comment allez-vous, ce matin, *Master* Wilfrid ? demanda-t-il.

— Eh bien, je suis sur les nerfs. »

Robbie réfléchit à cette réponse pendant un bon moment, arborant un infime sourire. « Sur les nerfs, dites-vous ? Et pourquoi donc ? » Il tendit les sacs au chauffeur de Sebby, et Wilfrid s'approcha pour les voir disparaître dans le coffre. Le grand intérêt du coffre, avec sa portière séparée et son intérieur noir comme une tranchée, lutta faiblement contre sa mauvaise humeur.

« Eh bien, j'ai passé une mauvaise nuit, si vous devez le savoir.

— Ah. » Robbie dodelina de la tête en toute sympathie, mais sans se départir entièrement d'une pointe déplaisante d'amusement. « C'est la musique qui vous a gêné, c'est ça ? » Wilfrid ne put que regarder son interlocuteur droit dans les yeux et opiner du chef.

Grand-mère V. descendit faire ses adieux à Sebby et ils parlèrent interminablement pendant deux ou trois minutes tandis que Wilfrid faisait le tour de la Daimler, et examinait les phares et son propre reflet menaçant, en accordéon, sur la carrosserie gris foncé. Puis Sebby s'approcha, lui serra la main et, de manière inattendue, lui fit cadeau d'une grosse pièce avant de grimper dans l'auto, qui démarra dans un soudain nuage de fumée d'échappement bleuâtre. Wilfrid sourit au pare-chocs arrière puis à sa grand-mère, qui l'observait, à l'affût des réactions appropriées, alors qu'il était agacé et légèrement indigné. « Fichtre ! dit grand-mère V., d'une voix triomphante et critique, une couronne ! » Il la glissa dans sa poche de pantalon, mais il sentait confusément que Wilkes aurait dû en être le bénéficiaire.

Ensuite, presque immédiatement, on avança le cabriolet, pour emmener Corinna et ses deux grands-mères à l'église, à Littlemore. Lady Valance tiendrait les rênes elle-même durant les deux kilomètres cinq cents du trajet, et Corinna pleurnichait pour qu'elle tienne sa promesse faite plus tôt, de les lui laisser pendant une partie de la route. À travers la porte d'entrée ouverte, on entendait le poney qui faisait bouger son harnais, et le garçon d'écurie qui lui parlait. Une agitation dans le hall indiqua qu'on récupérait gants et chapeaux. Grand-mère V. portait toujours le même genre de vêtements, noirs et pratiques, mais Corinna avait mis une robe et un chapeau neufs, que grand-mère Sawle l'aidait à nouer convenablement.

« Quel dommage de ne pas utiliser la chapelle ici, dit cette dernière, lorsque oncle George et tante Madeleine apparurent.

— De nos jours, dit grand-mère V. avec une intonation particulière, on n'utilise plus la chapelle que lors des grandes fêtes » – et elle sortit.

« "De nos jours", dit George, semble être devenu le terme d'opprobre préféré de Louisa. » Il lança un regard comique à sa mère. « Tu n'es pas du tout obligée d'y aller, chérie, dit-il. Nous n'y allons jamais, tu le sais bien. »

Elle s'affairait autour du nœud sous le menton de Corinna. « Louisa semble compter sur moi.

— Tu n'es tenue à rien.

— Oh, s'il te plaît, grand-mère ! dit Corinna.

— Je viens, mon enfant, ne t'inquiète donc pas », répondit sa grand-mère, la tenant à distance et lui adressant un regard plutôt sévère.

Wilfrid ressortit à pas lents avec son oncle et sa tante pour assister au départ du groupe. Lorsque grand-mère V. s'installa sur le banc, le poney lâcha sur le gravier un tas de crottin aussi preste que lesté. Wilfrid se mit à ricaner et Corinna se pinça le nez d'un air affligé. Le cabriolet démarra avec une secousse et brusquement, comme si de rien n'était, le domestique apporta une pelle pour nettoyer. Au sommet de l'allée, grand-mère Sawle se retourna et leur adressa un signe. Wilfrid, debout à côté de son oncle et de sa tante, le soleil dans les yeux, lui répondit à contrecœur. « Eh bien, voilà, Wilfrid », dit tante Madeleine, et il eut l'impression que cela, en effet, résumait bien la situation. Elle le dominait de toute sa hauteur, raide, lui bloquant la vue d'un matin beaucoup plus heureux pendant lequel, assis à une table avec l'oncle Revel, il aurait dessiné des oiseaux et des mammifères. Quand ils rentrèrent, sa mère sortit du petit salon avec un drôle de sourire figé.

« J'espère que vous avez pu dormir un tout petit peu, dit-elle.

— Oh, bien plus que ça, répondit oncle George. Dix minutes au moins.

— Et moi une demi-heure entière, dit tante Madeleine, apparemment sans plaisanter.

— Quelle soirée ! dit George. Je dois avoir une tête de déterré, non ? J'ignore comment tu tiens ce rythme, Daph.

— Ça demande de la pratique. Il faut être rodé. »

Wilfrid dévisagea son oncle, cherchant les traces de terre sur sa figure. En fait, sa mère et George étaient blancs comme linge.

« Et comment vas-tu, Maman ?

— Bonjour, mon ange, répondit sa mère.

— Faites-vous ça tous les week-ends ? demanda Madeleine.

— Non, quelquefois, nous sommes très tranquilles et très sages, n'est-ce pas, mon ange ? » s'enquit sa mère, alors qu'il courait vers elle ; elle se pencha et l'attira contre elle. Il sentit un rapide frisson la parcourir, il la tint plus fort. Puis, après un moment, elle se releva, et il dut plus ou moins lâcher prise. Elle avança à nouveau la main d'un geste hésitant mais, d'une certaine manière, elle n'était pas présente. Il leva les yeux vers elle : il lui sembla alors que la rondeur et la blondeur de son visage on ne peut plus familier, ses battements de cils, les lignes infimes autour des lèvres lorsqu'elle souriait, ces beautés qu'il avait toujours connues et jamais eu besoin de décrire, il lui sembla pendant quelques étranges secondes qu'elles appartenaient à une autre. « Bon, je dois y aller, annonça-t-elle.

— Non, Maman…

— Ce n'est pas le meilleur moment, expliqua-t-elle à Madeleine, mais Revel a proposé de faire mon portrait, c'est une trop belle offre pour la refuser, même avec la gueule de bois. »

— Je sais ce que tu veux dire, dit George, en lui adressant un sourire posé. Ce devrait être quelque chose !

— Oh, Maman, est-ce que je peux venir aussi, est-ce que je peux regarder ? »

À nouveau, sa mère lui adressa un drôle de regard terne dans lequel semblait roder quelque chose de douloureusement amusé. « Non, Wilfie, ce n'est pas une bonne idée. Un artiste doit pouvoir se concentrer, vois-tu. Tu pourras voir mon portrait quand il sera terminé. » C'en fut trop pour l'enfant et les larmes lui montèrent aux yeux avec un gémissement étranglé. Il voulait être avec sa mère, mais il la repoussa, criant et sanglotant, les tenant tous à distance, des larmes coulant sur son chandail.

Il fut donc confié, pour une durée indéterminée, à son oncle George et à sa tante Madeleine. Ils allèrent dans la bibliothèque, où George se pencha devant l'âtre vide et lui distilla des paroles d'encouragement. Wilfrid fit tourner mollement, d'abord dans un sens, puis dans l'autre, le gros globe coloré, avec les taches roses bien reconnaissables de l'Empire britannique. Ses mains claquèrent légèrement sur le papier vernis, et les entrailles du monde lancèrent de vagues échos. Comme souvent après une grande explosion de larmes, il se sentait affaibli et loin de tout, et il lui fallut un moment pour trouver à nouveau un sens aux choses.

« Je suppose que tu n'as pas encore vu ton père, ce matin », dit George.

Wilfrid réfléchit à la réponse qu'il pourrait faire à cette question. « Nous ne voyons jamais Papa le matin, finit-il par déclarer.

— Ah, vraiment ?

— La plupart du temps, en tout cas. Il écrit son livre.

— Ah, oui, bien sûr. C'est le plus important, en effet. »

Wilfrid n'était pas entièrement d'accord avec ce point de vue. « Il écrit un livre sur la guerre, expliqua-t-il.

— Pas comme le précédent, alors, fit remarquer Madeleine qui, renversant la tête, lunettes sur le bout du nez, scrutait les étagères du haut.

— Pas du tout. Celui-là est sur le sergent Bronson.

— Ah oui... Alors, il t'en parle ? Comme c'est excitant ! »

Les contraintes de la stricte vérité paraissaient plus présentes et menaçantes dans cette pièce pleine de savoir ancien. Wilfrid vogua vers la table centrale, sourire aux lèvres, réservant sa réponse. « Oncle George, dit-il, aimes-tu les tableaux d'oncle Revel ?

— Oh, énormément, vieille branche. Non que j'en aie vu beaucoup. Il est encore très jeune, comprends-tu. » George parut à ce moment-là moins cadavérique et plus rose. « Mais tu sais que ce n'est pas ton oncle, à proprement parler.

— Je le sais. C'est un oncle honorable.

— Ha, ha ! C'est vrai. Tu as raison !

— L'adjectif que tu souhaitais employer, c'est "oncle *honoraire*", dit Madeleine.

— Ah... oui.

— J'imagine que tu veux dire les deux, n'est-ce pas, Wilfie ? » dit George en lui adressant un sourire compréhensif. Sachant que son père ne supportait pas la tante Madeleine, Wilfrid se croyait autorisé à la détester ardemment. Elle ne lui avait pas apporté de cadeau, mais là n'était pas le problème. Elle n'avait jamais un mot gentil et, quand elle s'y essayait, le résultat était catastrophique. Rentrant le menton, elle lui adressa son prétendu sourire, le fixant des yeux par-dessus ses lunettes. Il se pencha sur la table, ouvrit et referma le couvercle articulé de l'encrier en argent, plusieurs fois, appréciant le bruit qu'il faisait, claquant comme un sabot. La tante Madeleine fit la grimace.

« J'imagine que c'est ici que grand-mère fait ses lectures mentales, n'est-ce pas ? » demanda-t-elle, plissant le nez. Son sourire s'était durci.

« Je suis certain que le pauvre enfant ne sait rien de tout cela, dit l'oncle George doucement.

— En fait, j'apprends à lire avec Nounou, répliqua Wilfrid, abandonnant la table pour se rendre dans un angle de la pièce où se trouvait une armoire dans laquelle étaient entreposées de vieilles choses bien intéressantes.

— Excellent, dit George. Et que lis-tu maintenant ? Pourquoi ne lirions-nous pas quelque chose ensemble ? » Wilfrid devina le soulagement reconnaissant de son oncle George à la perspective de lire un livre : il ne tarda pas à s'asseoir dans l'un des fauteuils au cuir glissant.

— Corinna lit *Le Plateau d'argent*.

— N'est-ce pas un peu ardu pour toi ? demanda Madeleine.

— Daphné raffolait de ce livre, dit George. C'est un livre pour enfants.

— Je ne le lis pas, expliqua Wilfrid. Je ne veux pas vraiment lire maintenant. Oncle George, est-ce que vous avez vu cette machine à cartes ? » Il ouvrit l'armoire et sortit l'objet avec précaution, ce qui ne l'empêcha pas de le heurter contre la porte. Il le remit à son oncle, qui fit un sourire légèrement absent.

« Ah oui… Excellent… » L'oncle George n'y comprenait pas grand-chose, il tint la machine à l'envers. « Un objet historique, déclara-t-il, prêt à le lui rendre.

— Qu'est-ce ? s'enquit Madeleine, approchant. Ah, oui, je vois… Historique, en effet. Plutôt inutile de nos jours, n'est-ce pas ?

— Moi je l'aime », déclara Wilfrid, et un détail lui vint à nouveau à l'esprit tandis qu'il se tenait près du genou de son oncle et que sa tante se penchait vers lui avec son odeur de vieux livres. « Oncle George, demanda-t-il, pourquoi n'avez-vous pas d'enfant ?

— Eh bien, mon chéri, nous n'en sommes pas encore arrivés là. » Il n'observa la machine avec un intérêt accru que pour continuer : « Vois-tu, Tatie et moi sommes très occupés à l'université. Et pour être absolument honnête avec toi, nous n'avons pas énormément d'argent.

— Beaucoup de gens pauvres ont des enfants, répliqua Wilfrid sans ménagement, dans la mesure où il savait que son oncle racontait des salades.

— Oui, mais nous voulons élever nos petits garçons et nos petites filles dans le plus grand confort possible, et pouvoir leur offrir les merveilleuses choses de la vie dont par exemple ta sœur et toi bénéficiez.

— Rappelle-toi, George, intervint alors Madeleine : tu dois terminer tes commentaires pour le vice-président.

— Je le sais, mon amour, mais c'est tellement plus agréable de bavarder avec notre neveu. »

Néanmoins, un instant plus tard, il reconnaissait : « Tu as raison, Mad. » Wilfrid fut très inquiet : allait-il se retrouver seul avec tante Madeleine ? « Je peux te laisser avec ta tante, n'est-ce pas ?

— Oh, s'il te plaît, oncle George… » Wilfrid céda brièvement à l'anxiété, laquelle fut néanmoins compensée instantanément par un sentiment désagréable qu'il n'aurait su expliquer : il allait devoir supporter ce qui se présenterait, cela n'avait, au fond, guère d'importance.

« Nous ferons quelque chose ensemble plus tard », promit George, ébouriffant timidement les cheveux de son neveu, avant de les remettre en place. Il se tourna vers la porte. « Tu pourras exécuter ta fameuse danse. »

Lorsqu'il fut parti, Madeleine reprit le sujet.

« Mais je ne peux pas la faire tout seul, répondit Wilfrid, les mains sur les hanches.

— Oui, je suppose qu'il te faut la musique.

— Au fait, savez-vous jouer ?

— Je ne suis pas très bonne pianiste ! » répondit Madeleine, sur un ton plutôt plaisant. Ils sortirent dans le hall. « Le pianola doit être encore là… » Heureusement, il avait déjà été rangé dans le « couloir aux vaches ». Wilfrid n'avait pas envie de jouer avec sa tante. Sans nulle intention de démarrer un jeu, il alla se cacher sous l'énorme table.

« Que fais-tu, mon chéri ?

— Je suis dans ma maison. » C'était un jeu auquel il jouait parfois avec sa mère, et il eut l'impression de lui faire une infidélité, malgré la sensation de sécurité qu'il éprouva en s'accroupissant sous les énormes poutres en chêne contre lesquelles il se tapait presque la tête. « Vous pouvez venir me rendre visite.

— Oh, je ne sais pas si c'est une bonne idée, dit Madeleine en se penchant pour voir ce qu'il en était.

— Asseyez-vous sur la table, vous devez frapper à la porte.

— C'est entendu », répondit Madeleine, dans un rare moment de convivialité digne d'une véritable compagne de jeu, ce qui compliqua les choses. Elle s'assit, obéissante ; Wilfrid regarda par en dessous, ignorant ses souliers verts qui se balançaient, et les ourlets transparents de sa jupe et de son jupon. Elle frappa sur la table et demanda tout fort : « Mr Wilfrid Valance est-il chez lui ?

— Oh… Je ne suis pas absolument certain, Madame, je vais vérifier. » Il émit un marmonnement rythmé, imitant à la perfection le bruit que ferait une personne qui irait vérifier.

Presque immédiatement, tante Madeleine demanda : « Ne vas-tu pas demander qui est à la porte ?

— Oh, zut ! Madame, qui est-ce ?

— Il ne faut pas dire "Zut", dit sa tante sans donner pour autant l'impression que ça la gênait.

— Désolé, tante Madeleine. Qui est-ce, s'il vous plaît ? »

La bonne réponse, quand il jouait avec sa mère, était : « C'est Miss Edith Sitwell », et ils faisaient de leur mieux pour se retenir de rire. Son père se moquait souvent de Miss Sitwell, dont il disait qu'elle avait une voix d'homme et ressemblait à une souris. Wilfrid riait dès que l'occasion s'en présentait, alors qu'en fait elle lui faisait peur.

Mais Madeleine répondit : « Oh, pouvez-vous dire à Mr Wilfrid Valance que c'est Madeleine Sawle ?

— Très bien, Madame », répondit Wilfrid, en une sorte d'imitation respectueuse de Wilkes. Il « repartit » et prit son temps. Il se représenta le visage de sa tante, sourire impatient aux lèvres tandis qu'elle attendait, assise sur le plateau dur de la table. Il eut une idée folle : il répondrait qu'il n'était pas chez lui. Mais une ombre sembla passer sur cette idée : c'était paresseux et cruel. Néanmoins, le jeu, que sa tante n'avait pas compris, consistait à se faire passer pour quelqu'un d'autre. Sinon, il était vite terminé, et un sentiment d'ennui et d'insatisfaction s'emparait presque immédiatement de vous. Soudain, sa profonde nostalgie sous-jacente de la présence de sa mère le submergea ; la douleur qu'il ressentit à penser à elle, et au fait que l'oncle Revel était en train de faire son portrait, figea ses traits. C'était un événement d'une importance brûlante dont il était exclu inutilement. « Wilfrid, je dois sortir faire quelque chose, peux-tu rester un instant tout seul ?

— Oui, sans problème », répondit-il. Il vit sa tante glisser en avant puis sauter les vingt centimètres qui séparaient ses semelles du sol. Ses souliers verts se dirigèrent rapidement vers l'escalier.

Il resta sous la table pendant dix minutes, dans l'odeur de la cire, d'abord soulagé puis assailli par le sinistre picotement de l'abandon, suivi par le sentiment croissant, et inquiétant, de tout ce qu'il pourrait faire. La cire du plancher collait légèrement aux semelles en crêpe de ses sandales. Ces libertés inattendues dans son existence bien cadrée étaient excitantes, mais entachées par sa crainte que le système conçu pour le protéger puisse se déliter aussi aisément.

Il rampa sur l'épaisse barre en chêne qui reliait les pieds de la table, d'en dessous laquelle il sortit, puis il s'avança lentement et indirectement vers l'escalier. En l'absence de sa tante, qui eût pu autoriser cette escapade, il se retrouvait sous la juridiction aléatoire et irrationnelle de son père. « Papa, je n'étais pas, dit-il tout fort en grimpant les marches, je n'étais pas en train de jouer sur le palier. » À chaque nouveau petit mensonge meurtri, chacun un déni, laissé derrière lui, le sentiment croissant de liberté était compensé par une quantité proportionnelle de culpabilité. La liberté paraissait s'étendre partout mais inconfortablement, comme quand on retenait son souffle. Il parcourut le large couloir à grandes enjambées, continuant de se parler de manière inaudible, tête plongeant à gauche et à droite, mimant, avec un sentiment de culpabilité, l'attitude de qui se retrouve seul. À l'angle se tenait *La Dame bleue*, au regard menaçant, et un tableau écossais, aussi connu sous le nom de *Le Derrière de la chèvre*. Une bonne sortit d'une chambre et se dirigea vers l'escalier de service mais, comme par magie, elle ne le vit pas, et il s'approcha de la porte de la buanderie. La poignée en porcelaine noire était grosse pour sa main d'enfant, et légèrement lâche, de sorte qu'elle ballottait traîtreusement lorsqu'on la tournait et que la porte s'ouvrait d'un coup en grinçant, vers l'extérieur, s'ouvrait en entier, si on ne la retenait pas, pour aller cogner contre la chaise à côté.

Lorsqu'il rouvrit la porte, il fit comme s'il ne s'était pas passé beaucoup de temps. L'horloge du hall sonnait, très loin, tout en bas, le quart, la demie,

moins le quart, alors que l'heure même restait suspendue, confidentielle, dans la lumière grise de la fenêtre
du palier. Il regarda de part et d'autre, avec une
appréhension qui avait été magiquement bannie dans
la buanderie, et une excitation tactique, tendue, à la
perspective du long couloir et de l'escalier. Son appréhension était en partie encore de la culpabilité et en
partie une sorte de sensation déplaisante : peut-être
n'avait-il manqué à personne. Il lui sembla préférable
d'emprunter l'autre escalier de service, à l'extrémité
du grand palier, et de regagner la nursery en faisant
ce détour, pour, ensuite, prétendre ne pas avoir bougé
de tout ce temps. Il referma la porte de la buanderie,
contrôlant bien la poignée, puis longea le mur et, à
l'angle, vérifia que la voie était libre.

Mrs Cabosse était étendue par terre, sur le ventre,
sa main droite tenant sans le serrer le pommeau de
sa canne, qui avait fait remonter le long chemin de
couloir persan en une série de vaguelettes contre les
pieds d'un guéridon, renversant le petit chasseur en
bronze, qui lui aussi était étendu sur le sol, sa lance
saillante. L'autre canne de Mrs Cabosse avait roulé
à quelques pas de là, comme si elle l'avait lancée à
la faveur d'un spasme ou en essayant d'écarter un
obstacle ; son bras gauche était pris sous elle selon un
angle qui aurait été douloureux pour une personne
consciente. Wilfrid la contempla, détourna le regard,
s'approcha d'elle fort prudemment, repliant les
orteils dans ses sandales, préférant qu'on ne l'entende
pas, et surtout pas la vieille dame. « Ohé, Madame
Cabosse… ? » dit-il d'un ton presque distrait, comme
pour entamer une question dont la fin finirait bien par

venir s'il continuait de parler : le principal était d'attirer l'attention de la personne adulte et de la conserver. Une partie de lui-même savait qu'elle ne répondrait pas, qu'elle ne répondrait plus jamais à aucune question de son ton germanique et autoritaire. Mais un je-ne-sais-quoi lui conseilla d'agir en toute politesse, pendant un petit moment de plus, comme si elle était encore à même de bavarder tranquillement. Il s'approcha de sa tête, qui était tournée de côté, joue gauche contre le tapis, et il vit son œil droit, paupière tombante, à demi ouvert. Ne le regardant donc pas, mais comme lancé dans une quête muette d'une entité inaccessible, une entité qui aurait pu lui venir en aide. Tremblant, légèrement mais de manière incontrôlable, il s'accroupit et tourna de même la tête de côté pour tenter de croiser le regard de la vieille dame, ce qui, chez une personne normale, aurait suscité au moins un clignement courtois. Il vit comment de sa bouche, entrouverte également, avait coulé une fine traînée de salive, dont le lustre s'estompait en assombrissant le rouge du tapis.

Si le bras gauche de la vieille dame était coincé sous elle, sa main dépassait : elle reposait là, sur le tapis, menue mais grasse, bossue et ridée. Wilfrid la scruta, depuis sa position accroupie, puis il se releva et fit encore le tour de la gisante. Il craignait que la main bouge et, en même temps, bizarrement, et cela lui donnait presque la nausée, elle l'attirait : regardant de part et d'autre, retenant son souffle, il se pencha, avança le bras... et la prit dans la sienne. Il la relâcha instantanément, se frotta les mains, qui étaient toutes chaudes et, comme il le faisait souvent, les glissa sous ses aisselles. Il scruta la main tombée de Mrs Kalbeck : au moment où il se détournait, elle bougea et se rétracta légèrement, pour revenir à sa position antérieure.

Dans l'escalier, il pleura tant qu'il ne vit même pas où il allait : pas un fol *bou bou bou* mais un torrent plaintif de larmes, des sanglots mués en de drôles de grognements par ses coups de talon tandis qu'il dévalait les marches. Désespéré, il se précipita vers la porte du bureau de son père. C'était la pièce la plus inabordable de la demeure, de dimensions impossibles à se rappeler ; à l'intérieur, tout, horloge, garde-cendre, corbeille à papier, était assombri par les interdits. La colère de son père, déchaînée la veille, au piano, s'était réfugiée là, dragon dans sa tanière. Wilfrid attendit pendant un moment devant la porte, s'essuyant le nez minutieusement avec sa manche. Quoique démuni, il était étrangement lucide. Il savait qu'en frappant à cette porte, il créerait plus de suspense que quiconque pourrait supporter, et risquerait d'attirer à nouveau le courroux sur sa jeune tête ; c'est dans cet état d'esprit que, avec le plus grand tact, il tourna la poignée.

La pièce était plongée dans une pénombre surprenante, les lourdes tentures étaient presque fermées, et il avança sans vraiment écouter l'horloge, mais avec la sensation que les espaces entre ses tic-tac profonds s'allongeaient, comme s'ils avaient eu l'intention, en fin de compte, de s'arrêter. L'unique filet de lumière sur le tapis rouge accentua l'obscurité, du moins pendant les quelques premières secondes. Wilfrid savait que, le matin, son père était sujet à des maux de tête et qu'il évitait la lumière, ce qui propagea sur lui une autre vague d'excuses désespérées. En même temps, ce filet de lumière soulignait les crêtes et les nœuds du tapis empreint de la quasi-étrangeté de ce qu'il voyait dans ses rêves : dans une demeure où le moindre tapis était un territoire, un château, une marelle, voilà qu'il abordait une pièce où s'en trouvait un sur lequel il n'avait jamais sauté. Pendant un long moment, il sembla passer inaperçu et, lorsqu'il avança, on aurait encore dit qu'il avait une chance de faire machine arrière : on ne s'apercevrait qu'il avait été là qu'au déclic de la serrure derrière lui. Nounou, dos tourné, était allongée sur le canapé, observant son père, de l'autre côté du filet de lumière, près de la cheminée. Son père était encore en robe de chambre ; son sabre à la main, il ressemblait à un chevalier. Le pare-feu était un château aux remparts en cuivre. Le foyer noir était jonché d'assiettes cassées, et d'autres éclats de porcelaine étaient éparpillés sur le tapis. Wilfrid reconnut le motif : c'étaient les épaisses assiettes françaises ornées d'un jeune coq, le cadeau de mariage dont ils disaient tous qu'il était hideux et épouvantable. Nounou l'entendit alors, se retourna, se mit en position assise et se plaqua un coussin contre la poitrine. « Capitaine, dit-elle.

— Qu'est-ce ? » demanda le père de Wilfrid, se retournant vers lui, fronçant les sourcils, pas vraiment en colère, mais comme s'il avait essayé de comprendre. Il posa son sabre sur le manteau de la cheminée.

Wilfrid savait qu'il ne pouvait rien dire. Il s'approcha de la lumière. Il espéra que les marbrures de ses joues et les gouttes qui pendaient à son nez témoigneraient qu'il était arrivé un incident grave, mais il n'avait pas envie de dire quoi. « Oh, Papa, je viens juste de voir… Mrs Cabosse.

— Ah oui, dit son père, visiblement déçu.

— Je crois qu'elle est tombée. »

Son père fit « tss tss » et alla se poster près de sa table de travail, alluma la lampe, observa des documents comme s'il s'était déjà attelé à sa besogne quotidienne. Ses cheveux, d'ordinaire noirs et brillants, étaient collés sur un côté de son crâne, comme une aile. Nounou paraissait complètement indifférente ; elle s'était levée, avait lissé sa jupe, déplacé les coussins sur le canapé pour retrouver son sac à main. Sans regarder son fils, Dudley demanda : « Lui as-tu demandé de se relever ?

— Non, Papa. » Wilfrid sentit monter en lui un nouveau gémissement face à la perversité de son père. « Elle ne peut plus se lever, en fait, vois-tu.

— Elle s'est cassé les deux jambes, hein ? »

Wilfrid fit non de la tête mais ne put en dire davantage, de peur de fondre en larmes, ce que son père ne supportait pas.

« Croyez-vous que je devrais aller jeter un coup d'œil, sir Dudley ? » demanda Nounou, bizarrement récalcitrante et tapotant ses cheveux. C'était son jour de congé, probablement ne voulait-elle pas s'impliquer. Lentement, jouant de la menace ludique avec laquelle il racontait les histoires, Dudley tourna la tête et dévisagea son fils.

« Je me demande, dit-il, si ce que tu es en train d'essayer de m'apprendre, Wilfrid, est que *Frau* Kalbeck est morte.

— Oui, Papa, oui ! » Dans son soulagement, Wilfrid sourit presque au moment où jaillirent les larmes retenues jusque-là.

« Elle n'aurait jamais dû venir », dit son père sans se départir d'un calme exaspérant, mais ne reportant plus, apparemment, la faute sur Wilfrid. Il lança un regard acéré à la nounou. « Bouleverser mon fils de la sorte ! » Sur quoi, il lâcha un rire surprenant. « Mais ça lui aura servi de leçon, non ? Elle ne reviendra plus, voilà qui est sûr ! »

La nounou vint se poster dans le dos de Wilfrid et, d'un geste hésitant, lui posa les mains sur les épaules. « Voyons, dit-elle, ne pleure pas, sois un bon garçon. » Il s'efforça d'obtempérer, il l'eût bien voulu, pendant un moment, mais, songeant au visage de la morte et à sa main qui bougeait toute seule, il fut à nouveau submergé, noyé par les larmes.

« Courez chez Wilkes et téléphonez au Dr Wyatt, s'il vous plaît, Nounou.

— Tout de suite, sir Dudley. » Wilfrid voulut partir avec elle, mais, à la porte, elle se retourna d'un air incertain, et son père, lui adressant un signe de la tête, lui dit : « Reste ici, vieille branche. »

Wilfrid resta donc avec son père, qui l'attira de façon expérimentale pendant une seconde ou deux contre les plis de sa robe de chambre en brocart, dont se dégageait une odeur étrange. C'était la marque du privilège, la sensation de ces concessions luxueuses permises seulement lorsqu'il s'était passé quelque chose d'effroyable ; enveloppé par cette intéressante surprise, Wilfrid s'arrêta instantanément de pleurer. Faisant de-ci de-là craquer des tessons acérés de porcelaine, ils allèrent tous deux à la fenêtre, et tirèrent chacun une tenture. Il ne fut pas fait mention du service en miettes ; son père arbora vite l'air préoccupé et malicieux qui parfois présageait une gâterie, une idée qui venait de le surprendre et exigeait d'être partagée. C'était comme sa fameuse lueur de folie, mais le plus souvent en mieux. Contemplant le jardin, regardant si fixement quelque chose que Wilfrid crut que ce devait être la source de son amusement, il se mit à débiter, d'abord trop bas et trop vite pour que son fils pût suivre : « L'on trouva le corps, étendu dans le corridor, dans un silence d'or.

— Oh, Papa, des vers de Skelton ! » s'exclama Wilfrid.

Son père sourit, l'air magnanime : « Cette vieille Mrs Cabosse, grosse comme une baleine à bosse, ne sera bientôt plus qu'un tas d'os. » Il se retourna et se mit à faire les cent pas, en proie à une certaine agitation. Wilfrid eut distraitement conscience qu'il ne remarquait jamais vraiment la claudication de son père. « Avec son Liszt et son Wagner, les cheveux en courant d'air, perpétuellement en colère, cette Hunne patibulaire, armée d'un fusil à air... Quoi ?

— Oui, Papa.

— ... La vieille et puante Walkyrie... visita à Corley les écuries, aspergée d'eau de rose, quelle incurie, dit ne pas avoir digéré le riz, et tomba à terre, quelle étourderie... » Un infime projectile, un postillon jailli de la bouche de son père, dansa dans la lumière lorsqu'il se retourna. Wilfrid ne put suivre ou comprendre nombre de ces mots, mais l'effervescence de l'improvisation l'atteignit de plein fouet, comme l'horreur que les poèmes de son père vous mettaient toujours au défi de ne pas ressentir. Allant à la porte, Dudley l'ouvrit et lança : « Et ça, jeune homme, c'est plus que je n'ai écrit pour mon livre depuis six mois.

— Vraiment, Papa ? » répondit Wilfrid, incapable de comprendre d'après le ton de son père s'il fallait s'en réjouir ou désespérer.

TROISIÈME PARTIE

« Hardi, les gars, hardi ! »

1

À cinq heures, au moment où chacun ramassait ses effets, Miss Cobb, la secrétaire du gérant, fit l'une de ses rares apparitions dans la salle du personnel. « Mr Bryant, dit-elle, Miss Carter étant absente, je me demandais si vous pourriez raccompagner Mr Keeping.

— Oh, dit Paul, jetant un coup d'œil aux autres, comment dire... » Par l'esprit, il était déjà presque chez lui, profitant au mieux de la soirée estivale.

« Je m'en charge, dit Heather Jones.

— Mr Keeping a demandé Mr Bryant. Il aime faire la connaissance des nouveaux membres du personnel.

— Dans ce cas, je le ferai, bien sûr, dit Paul, rougissant, sans avoir la moindre idée de ce qu'on attendait de lui.

— Je vais prévenir Mr Keeping. Dans cinq minutes, dans la salle publique ? Merci infiniment... » Miss Cobb se retira, arborant un sourire qui n'était qu'un triste tressaillement.

En une semaine, il avait dû mémoriser tous les noms, encore hauts en couleur et quasiment physiques pour lui, individualisés par leur nouveauté et le besoin de les distinguer les uns des autres. Heather Jones, Hannah Gearing ; Jack Reeves, chef caissier ; Geoff Viner, caissier en second, plutôt beau gosse ; Susie Carter, moulin à paroles facile à vivre, absente aujourd'hui car elle assistait à un enterrement à Newbury. Avec sa chaise vide et sa machine à écrire recouverte, le bureau dans son dos avait été d'un calme inhabituel. Il glissa sa thermos dans sa sacoche et dit doucement à Heather : « Qu'est-ce que Susie fait exactement avec Mr Keeping ? »

Heather parut réfléchir un instant : « Oh, elle le raccompagne tout simplement à pied jusqu'à chez lui. »

Avec sa note plus maternelle, Hannah ajouta : « Mr Keeping aime qu'on lui tienne compagnie. Normalement, Susie se dévoue parce qu'elle habite juste après l'église. C'est une promenade agréable, vraiment… ça ne vous prendra pas plus de cinq minutes. »

Pour Paul, toute l'affaire prenait un tour étrange et euphémique. D'après ce qu'il avait vu de Mr Keeping, c'était un homme calme et un peu guindé, parfois porté au sarcasme, mais il avait aussi remarqué que le personnel adoptait à son égard une attitude étonnamment protectrice. S'ils avaient jamais trouvé bizarre qu'un homme d'âge mûr demande à être raccompagné chez lui, ils semblaient désormais trouver cela tout à fait normal. « Le gérant n'est-il pas censé dormir au-dessus de la banque ? » demanda-t-il. Paul avait vu l'appartement à l'étage, dont le salon était tapissé de classeurs tandis que les chambres à coucher étaient encombrées de vieux bureaux et de bric-à-brac.

« Celui-ci, en tout cas, ne vit pas sur place », répondit Jack Reeves, qui venait d'allumer sa pipe. La fumée épaisse et sèche fut comme une affirmation de son autorité.

Geoff Viner matait ses cheveux à l'aide d'un peigne et du plat de sa main ; il ajouta : « Je suppose que tu n'as pas encore rencontré Mrs Keeping.

— Parce que toi, tu la connais très bien, n'est-ce pas, Geoffrey ! lança June, ce qui déclencha l'hilarité générale.

— Je vous assure que Mrs Keeping n'a aucune intention d'habiter au-dessus de la boutique.

— Je n'appellerais pas la Midland Bank une boutique.

— C'est comme ça qu'*elle* l'appelle, pas moi.

— Elle doit penser à ses garçons. Ils ont besoin d'un grand jardin où courir.

— Ils ont des enfants ?

— Eh bien, "des garçons", comme je dis… John est à l'université, non ?

— John, l'aîné, est à l'université de Durham. » Jack Reeves fronça les sourcils au-dessus de sa pipe, fier de son intimité avec le gérant. « Julian fait sa dernière année à Oundle School, et se débrouille très bien, je crois. » Il suça l'embout de sa pipe, dodelina du chef et porta le regard au-dessus de leurs têtes. « Ils envisagent Oxford pour lui. » Et il sortit, laissant derrière lui un nuage de fumée qui envahit la moitié de la pièce.

Aux toilettes, Paul se lava les mains, élimina l'odeur de l'argent, du cuivre, du nickel, du papier froissé. Le chauffe-eau gargouilla. Le lavabo était moucheté d'une mousse gris-noir. Il s'inquiétait de la promenade à venir, mais c'était une occasion, comme aurait dit sa mère, et ce serait plus facile si les Keeping avaient des fils, dont l'un de son âge. John et Julian ; il les imagina, figures séduisantes sorties du néant ; déjà, ils lui montraient leur vaste jardin. Il esquissa un mince sourire à l'adresse de son reflet dans la glace, se tourna vers la gauche puis vers la droite. Il avait un long nez, « le nez des Bryant », déclarait sa mère en le désavouant ; il s'était fait couper les cheveux très court quand il avait été embauché, et le néon, qui n'épargnait rien, faisait ressortir son étrange teint brillant et cuivré, ainsi que les petites taches en pointillés qu'il avait au front. Il sourit, pour vérifier l'air que cela lui donnait, mais c'est alors que Geoff entra et se dirigea immédiatement vers l'urinoir, un urinoir double, avec une marche surélevée : Paul regarda furtivement son dos dans la glace.

« T'sais, la chose à propos du patron, jeune Paul, déclara Geoff en se retournant un instant, c'est qu'il a passé une très mauvaise guerre.

— Ah bon ? D'accord…, répondit Paul, fermant les robinets avant de s'essuyer les mains à la portion mouillée de l'essuie-mains en rouleau.

— Prisonnier de guerre. Il n'évoque jamais ça, alors pour l'amour de Dieu, ne lui en parle pas.

— Je ne risque pas, non ? C'est évident. »

Geoff termina son affaire, gigota, remonta sa braguette délicieusement serrée et approcha des lavabos, où il scruta son reflet dans la glace sans aucun signe des insatisfactions que Paul avait ressenties pour son compte. Il avança la mâchoire et, d'une main caressante, se tourna la tête un coup à gauche, un coup à droite. Les lignes de son visage plutôt rond, aux lèvres charnues, étaient aiguisées par une paire d'élégantes rouflaquettes, effilées en deux pointes sombres qui partaient vers l'avant. « Désolé de dire ça, mais c'est une épave. Il est pathétique. Il devrait diriger une succursale beaucoup plus importante. Il est brillant, mais on dit qu'il est incapable de supporter la tension. Il ne peut aller seul nulle part. Il y a un mot pour ça…

— L'agoraphobie ?

— C'est ça. D'où les filles qui le raccompagnent chez lui. » Il fit couler l'eau chaude, et le chauffe-eau eut un nouveau soubresaut. « Du moins, il dit que c'est la raison… » Paul se surprit en train de regarder Geoff dans la glace, un sourcil levé ; il se mit à ricaner, rougit et baissa les yeux. Il n'était absolument pas prêt à plaisanter sur les autres membres du personnel. Il avait saisi certains courants entre eux et pensait avoir compris plusieurs petites histoires ; mais toute plaisanterie grivoise risquait de l'exposer lui-même. Il savait qu'il ne pouvait se le permettre. Geoff s'approcha de lui pour s'essuyer les mains au torchon ; il émanait de ce garçon une odeur forte : toute une journée de travail, la fumée, le Bri-Nylon et l'après-rasage éventé. « Bon, il ne faut pas faire attendre My Fair Lady », dit-il. Il sortait avec une employée de la National Provincial, la banque rivale de l'autre côté de la place, liaison qui faisait d'ailleurs beaucoup jaser les filles de la Midland Bank.

Quand Paul entra dans la salle publique, Mr Keeping sortait à peine de son bureau de gérant. Il portait un feutre marron foncé et avait sur le bras un imperméable léger. Paul le scruta nerveusement, à l'affût de signes de faiblesse, de traces de son traumatisme de guerre. Mais ce qui frappait d'abord, c'était sa calvitie, le grand carré de front vierge, point focal et symbole de cet homme brillant. En dessous, les traits paraissaient plutôt insignifiants et provisoires. Ses lèvres étaient sèches, bizarrement non ourlées, commissures abaissées par un sourire qui suggérait donc plutôt, et c'était déroutant, un certain dégoût. Une fois dehors, il resta un instant sur les marches pour écouter une succession de chocs étouffés : on fermait et verrouillait la porte de l'intérieur. Puis il enfonça son chapeau, le rabattit vers l'avant, jusque sur les sourcils : ce qui lui donnait instantanément un air charmant et espiègle. À l'ombre du bord de son chapeau, ses yeux gris, dont le regard ajoutait à son air réservé, parurent presque joueurs. Avec une petite révérence, une petite hésitation interrogative (s'atten-dait-il à ce que Paul lui prenne le bras ?), il s'engagea sur la pente de la place du marché et, alors que Paul agrippait sa sacoche, Mr Keeping, imperméable sur le bras, avait l'air d'un visiteur modérément intéressé par le centre-ville.

Paul aurait préféré que Geoff ne lui ait rien dit sur les problèmes psychiques de Mr Keeping ; il se demandait, et cela l'ennuyait, si Mr Keeping suppo-sait qu'il était au courant. Un vague sourire sur les lèvres, il ne voyait absolument pas les magasins et les gens qu'il semblait scruter avec un apparent inté-rêt. L'idée qu'il avait eue selon laquelle cette prome-nade lui permettrait peut-être de se faire bien voir du gérant fut sapée par la crainte d'avoir été choisi, parce qu'il allait être réprimandé ou soumis à un pénible discours de motivation. Il vit Hannah Gearing monter dans le bus de Shrivenham de l'autre côté de la place comme si elle l'abandonnait à son sort. « Et comment va votre mère ? s'enquit Mr Keeping.

— Très bien, merci, monsieur. Elle se débrouille bien.

— J'espère qu'elle se débrouille sans vous pendant la semaine.

— Ma tante habite tout près. Ce n'est pas vraiment un problème. » Il fut soulagé mais dérouté par la gentillesse de ces propos. « Nous avons l'habitude.

— C'est difficile », dit Mr Keeping, ôtant son chapeau en croisant une dame, murmurant une salutation et lui adressant son habituel sourire ambigu, qui vous aurait aisément fait croire qu'il se rappelait exactement à combien s'élevait votre découvert.

Ils montèrent dans le voisinage plus calme de Church Walk, avec ses impostes, ses grilles et ses rideaux en dentelle. La semaine précédente, Paul ne connaissait quasiment personne en ville, or on l'avait installé dans une relation étrange, sinistre et néanmoins privilégiée avec des centaines d'habitants, par-dessus le comptoir, à travers la petite ouverture en acajou de son guichet. Il était leur larbin mais aussi leur juge, un jeune inconnu auquel était accordée la connaissance intime d'au moins un aspect de leur vie, à savoir combien ils avaient ou n'avaient pas en banque, et combien ils voulaient. Il leur parlait courtoisement, selon des règles tacites, des gênes en demi-teinte : le prêt, l'« arrangement ». Il observa Church Walk, voiles grisâtres des rideaux, reflets des tables cirées, porcelaines, horloges, imaginant de menus compromis enfouis dans les profondeurs des pièces, depuis des années dans les ombres. Mr Keeping ne prononça pas un mot de plus et sembla se satisfaire du silence.

Face à l'église, ils obliquèrent dans Glebe Lane, une rue non goudronnée, bordée de demeures plus imposantes d'un côté et jouissant de l'autre d'une vue sur les champs par-dessus une haie. De longues tiges d'églantiers entremêlées de ronces se balançaient dans la brise le long du sommet de la haie. L'atmosphère de la rue était particulière, huppée mais légèrement négligée. Il était bizarre de se retrouver là, à deux minutes du centre-ville. L'herbe, les pâquerettes poussaient par plaques entre les ornières. À travers les portails, Paul jeta un coup d'œil à des *villas* plus ou moins carrées, en retrait au fond d'amples allées de gravier tracées à travers de vastes jardins ; entre une ou deux on avait maladroitement inséré des maisons modernes plus modestes, « Le Verger », « Le Cottage ». « C'est une rue privée, voyez-vous, expliqua Mr Keeping, recourant à son habituel ton ironique : d'où les innombrables nids-de-poule et la végétation sauvage. Je vous conseille de ne jamais venir ici en automobile. » Paul se sentit habilité à faire cette promesse sans difficulté. « Nous voici arrivés… » Ils obliquèrent dans l'allée de l'avant-dernière maison : déjà la chaussée plongeait plus bas et se rétrécissait, comme pour aller se perdre dans les champs voisins.

La maison des Keeping était l'une de ces grandes *villas* grises avec des fenêtres à baies vitrées de part et d'autre de la porte d'entrée, et un nom victorien, « Carraveen », inscrit en stuc au-dessus de celle-ci, grande ouverte à cette heure, comme si la maison s'était tout entière abandonnée à la journée ensoleillée. La Morris Oxford bleu clair garée dans l'allée avait les vitres baissées ; dans son ombre, un petit Jack Russell grassouillet se reposait sur le gravier, haletant et méditant alternativement. Paul s'accroupit pour parler au chien, qui l'autorisa à le gratter derrière les oreilles mais sans s'intéresser un instant à l'intrus. Mr Keeping pénétra dans la maison; il semblait si peu probable qu'il l'ait tout bonnement oublié que Paul se releva et attendit, avec une expression consciemment modeste. Il comprit qu'il y avait un sens de circulation dans l'allée, une entrée et une sortie. Même si aucune inscription ne l'indiquait, il crut y voir la réalisation d'un rêve enfantin de grandeur.

Encerclant l'allée, les parterres de fleurs étaient fournis et colorés mais envahis de mauvaises herbes; Paul regarda la perspective au-delà du jardin qui, jouxtant la maison, s'étendait à l'ombre mystérieuse de deux ou trois arbres vénérables jusqu'à une pelouse jaunie qui devait se poursuivre à l'arrière. Dans son ensemble, à cette heure indéfinissable du jour – fin d'après-midi, fin juin, après sa journée de travail mais de longues heures avant la tombée de la nuit –, le lieu lui fit une drôle d'impression. L'heure, comme la lumière, lui parut, comment dire, presque visqueuse. Il réfléchit au nom « Carraveen », comme « caravane », proche du « carragène » que sa mère utilisait pour épaissir ses blancs-mangers, mais c'était aussi un nom romantique, peut-être écossais, une demeure ou villégiature, qui sait, complètement oubliée mais que quelqu'un avait beaucoup aimée jadis. Paul fut séduit, et délicatement étouffé, par un je-ne-sais-quoi qu'il n'aurait su expliquer. Par la baie vitrée de gauche, il vit un piano à queue dans ce qui semblait être la salle à manger, bien que la table en son centre fût couverte de livres. La cloche de l'église sonna le quart, et le silence qui suivit en fut renforcé. On n'entendait vraiment que les oiseaux.

Paul perçut une voix et, à nouveau, scruta les ombres vers la pelouse à l'arrière, encore ensoleillée, où il distingua une femme en chapeau de paille à fleur rouge plantée dans le large bord, parlant à quelqu'un qu'il ne voyait pas tandis qu'elle se dirigeait vers la maison. Elle était plutôt imposante, vêtue d'une robe bleue informe, et avait à la main un sac en tapisserie. Était-ce la dédaigneuse Mrs Keeping, mère de Julian et John ? Non, trop vieille. La mère de Mr Keeping, une amie, une parente en visite ? Elle s'arrêta un instant, comme déconcertée par ce qu'on venait de lui dire, et baissa les yeux vers le sol puis, sans rien voir, regarda le côté de la maison, où elle finit par remarquer Paul. Elle dit quelque chose à la personne invisible (Paul entendit une voix de femme) ; lorsqu'elle le regarda à nouveau, il leva la tête, esquissa un sourire et lui fit un petit signe, hésitant entre s'annoncer ou s'effacer. S'ensuivit un nouvel échange : elle hocha la tête de loin, pas à l'intention de Paul exactement, puis disparut derrière la maison.

Paul approcha de la porte d'entrée pour prendre congé. Il se sentait ravalé au rang d'intrus de bas niveau, de voyeur à travers les fenêtres des gens. Il vit venir à lui une femme d'âge mur, au large visage pâle et aux cheveux de jais remontés et figés en un casque raide et large. « Oh, bonjour, dit-il. Je m'appelle Paul Bryant… de la banque. »

Elle le jaugea du regard. « Souhaitiez-vous voir mon époux ?

— En fait, je viens de l'accompagner ici.

— Ah… », fit-elle de l'air de lâcher une concession momentanée. Avec ses sourcils noirs au dessin accusé, elle paraissait difficile à satisfaire. « Y a-t-il autre chose ?

— Eh bien, je l'ignore. » Songeant qu'il ne devait pas être pris en défaut, il ajouta : « Il m'a tout simplement laissé ici.

— Ah… ! » dit Mrs Keeping. Se tournant à demi, elle appela : « Leslie ! » Mr Keeping apparut au fond du vestibule. « Ce jeune homme ignore s'il a la permission de se retirer ou pas », expliqua-t-elle, dévisageant Paul d'un air plutôt drôle, comme pour dire que la plaisanterie marchait avec tout le monde mais pas avec elle.

« Ah, oui, dit Mr Keeping. Je te présente Paul Bryant. Il vient de nous rejoindre. Il est originaire de Wantage.

— Ah, Wantage… ! dit Mrs Keeping, comme si c'était encore plus drôle.

— Il faut bien que, tous, nous venions de quelque part, n'est-ce pas », dit Mr Keeping.

Paul avait grandi dans la croyance, plus ou moins (mais jamais vérifiée), que Wantage était une jolie petite ville. « Eh bien, monsieur, le roi Alfred la trouvait assez bien pour lui », répliqua-t-il.

Mrs Keeping autorisa à moitié sa protestation, et la plaisanterie. « Hum, vous remontez bien loin », dit-elle. Quelque chose d'autre lui était passé par l'esprit. Elle pencha la tête d'un côté et fronça les sourcils en direction des épaules et de la posture de leur visiteur. « Êtes-vous fort ? demanda-t-elle.

— Raisonnablement, répondit Paul, troublé par cet examen. Oui, j'imagine…

— Alors, je pense que je pourrais avoir besoin de vous. Venez donc, ajouta-t-elle avec une pointe infime de cajolerie dans la voix.

— Paul a peut-être d'autres projets, ma chérie, objecta Mr Keeping, mais cédant aisément à son épouse.

— Je ne le réquisitionnerai pas longtemps.

— Je peux assurément vous consacrer quelques minutes. »

Ils traversèrent le vestibule et pénétrèrent dans la pièce du fond. « Je ne veux pas que mon époux risque de se faire mal au dos », expliqua Mrs Keeping. Le salon était surchargé, des chaises longues et des sofas étaient collés les uns contre les autres ; deux surprenants portraits victoriens, trop grands pour la taille de la pièce, une femme en rouge et un homme en noir, surplombaient le stéréogramme et le meuble à télévision en teck à côté de la cheminée. Sur la télé se trouvaient plusieurs photos dans des cadres, parmi lesquels Paul distingua deux garçons, sans doute Julian et John, en tenue de yachtmen. Mrs Keeping l'emmena sur une vaste terrasse. « Je vous présente Mr Bryant, annonça-t-elle. Vous pouvez laisser votre sacoche ici.

— Euh, d'accord », dit Paul, adressant un signe de tête aux deux femmes assises dans des chaises longues. Elles furent identifiées comme « Ma mère, Mrs Jacobs » – la vieille dame en chapeau de paille qu'il avait déjà vue – et « Jenny Ralph... ma nièce, oui oui, la fille de mon *demi*-frère ! », comme si elle venait tout juste de découvrir cette parenté. Paul fit semblant de la découvrir aussi, hocha à nouveau la tête et adressa tout bas des « *hello* » en passant devant les deux femmes. Jenny Ralph était une fille brune à l'air renfrogné, un peu plus jeune que lui ; elle avait un livre et un carnet sur les genoux : il eut l'impression d'esquiver un défi boudeur qu'elle semblait avoir lancé.

Le problème était une auge en pierre à l'extrémité de la pelouse, qui avait malencontreusement glissé ou été poussée de l'un des deux blocs massifs sur lesquels elle reposait : du terreau était répandu sur l'herbe, une touffe de giroflées noir orangé délogée pendait de l'auge. « J'espère bien que vous pourrez la déplacer, dit Mrs Keeping, retrouvant son ton un peu sec, presque comme si Paul était responsable. Je ne veux pas qu'elle tombe sur Roger. »

Paul se pencha en avant et tenta de soulever l'auge. Tout ce qu'il réussit à faire fut de la pousser très légèrement sur l'axe oblique de l'autre bloc. « Ne la faites pas tomber pour de bon », dit Mrs Keeping, qui se tenait à plusieurs mètres de là, peut-être pour ne pas être victime elle-même d'un quelconque accident.

« Non… Elle est très lourde, en fait.

— Vous auriez plus de chances de la bouger si vous ôtiez votre veste. »

Paul obtempéra et, voyant que Mrs Keeping n'avait aucune intention de lui prendre la veste des mains, la pendit à un siège couvert de lichen tout près. Sans sa veste, donnant à voir sa constitution chétive, il se sentit encore plus impuissant. « Bien ! » fit-il en riant plutôt bêtement. Son hôtesse, ainsi qu'il préférait l'appeler mentalement, lui adressa une espèce de sourire fugitif. Il glissa la main sous un coin de l'auge, là où elle reposait directement sur l'herbe, mais, après une ou deux tentatives, des secousses à la manière d'un lanceur de troncs, il ne réussit qu'à la soulever d'un pouce pour la reposer aussitôt exactement au même endroit. Il secoua la tête et regarda dans la direction des silhouettes à une trentaine de mètres de lui. Mr Keeping avait rejoint sa belle-mère et sa nièce ; tous bavardaient en regardant dans sa direction mais, par politesse sans doute, ne lui témoignaient aucun intérêt particulier. Il se sentit simultanément important et tout à fait insignifiant.

« Vous allez devoir la vider, vous savez… », dit Mrs Keeping, comme si Paul avait obstinément refusé de le faire jusque-là.

Il comprit qu'il allait avoir besoin d'une certaine dose d'humour et de stoïcisme : un abandon souriant de son temps et de ses projets pour la soirée. « Auriez-vous une pelle, s'il vous plaît ?

— Vous aurez besoin de quelque chose pour mettre la terre. Et faites attention à mes giroflées, voulez-vous ? » commanda Mrs Keeping avec un soupçon de magnanimité maintenant qu'ils étaient parvenus à ce degré de mondanités. « Je pense que je vais demander à cette jeune fille de vous prêter main-forte.

— Oh, je crois que je pourrai y arriver seul.

— Cela ne lui fera aucun mal. Elle entre à Oxford le trimestre prochain et elle passe son temps à lire. Ses parents sont en Malaisie, raison pour laquelle elle se retrouve coincée ici avec nous. » Cela fut énoncé sur un ton qui laissait entendre que c'étaient eux qui étaient coincés avec elle. Menton haut, Mrs Keeping traversa la pelouse et appela la jeune fille.

Jenny Ralph emmena Paul à l'autre extrémité du jardin ; ils passèrent à travers une arche rustique dans le coin sans soleil qui abritait le tas de compost et arrivèrent à un abri aux fenêtres tendues de toiles d'araignées. D'abord, elle le traita avec la prétention nerveuse d'un enfant s'adressant à un domestique qu'il ne connaît pas. « Vous devriez trouver ici tout ce dont vous avez besoin », dit-elle en l'observant qui se faufilait au milieu du fouillis de l'abri. La tondeuse bloquait le chemin, frangée de bottes d'herbe séchée comme du fumier. En avançant la main pour saisir une pelle, il donna un coup dans un tas de cannes posées contre le mur, qui tombèrent dans tous les sens avec fracas, inempoignables. Il régnait une odeur étouffante de créosote et d'huile de moteur. « C'est plutôt horrible là-dedans », dit Jenny de l'extérieur. Ses intonations étaient distinctement snobs mais désinvoltes, alors que le ton de sa tante était sec. L'accent était plus frappant, plus révélateur, chez une jeune personne. Elle paraissait un peu lasse de ce snobisme, mais ne donnait aucun signe de vouloir l'abandonner.

« Non, ça va », répondit Paul. Il masqua la gêne qu'il ressentait en présence d'une fille en s'activant, lui tendant une pelle et de vieux sacs en plastique ; il devait avoir cinq ou six ans de plus qu'elle, mais son avantage lui sembla fragile. Le teint brouillé de la jeune fille et le gras brillant de ses cheveux bouclés étaient les signes de problèmes dont il était sorti il n'y avait pas si longtemps. Le fait qu'elle ne fût pas particulièrement jolie, quoique, d'une certaine manière, ce fût un soulagement, semblait imposer à Paul une pression subtilement chevaleresque. Il émergea, vaguement satirique, une truelle de jardinage dans sa main levée.

« Je suppose que vous n'avez pas du tout envie de faire ce genre de chose, dit Jenny, avec un sourire malicieusement compatissant. J'ai bien peur qu'ils réquisitionnent constamment les uns et les autres.

— Bah, ça ne me dérange pas.

— Vous savez que c'est un test. La tante Corinna teste toujours les gens. C'est plus fort qu'elle. J'en ai été témoin quantité de fois. Et je ne parle pas seulement du piano.

— Ah bon ? » fit Paul, amusé par la franchise de la jeune fille, qui lui parut originale et aristocratique. Lorsqu'ils réapparurent sur la pelouse, il observa les autres nerveusement. À l'autre extrémité, la tante Corinna inspectait un treillage affaissé et, très probablement, envisageait de nouvelles besognes pour lui. Elle se trouvait à côté d'un gros hêtre pleureur à la silhouette peu élégante mais néanmoins romantique, dont les jupes dissimulaient une table.

« Elle aurait dû devenir pianiste concertiste. C'est ce qu'on dit, en tout cas ; j'ignore si c'est vrai. Tout le monde peut prétendre qu'il aurait dû être ceci ou cela. Quoi qu'il en soit, aujourd'hui, elle n'est que professeur de piano. Elle obtient des résultats fantastiques, même si elle terrifie les enfants. Julian dit qu'elle est sadique », ajouta-t-elle, un peu gênée.

« Ah… ! » Paul fronça les sourcils et partit d'un rire désobligeant, sur quoi, parce qu'on avait abordé un sujet tabou, il rougit, d'une rougeur intense, pénétrante. Parfois, ces rougeurs s'estompaient discrètement, d'autres fois, elles persistaient, auto-aggravantes. Il se pencha en avant pour se cacher à moitié en étendant les sacs en plastique sur l'herbe. « Donc, Julian est leur cadet, dit-il, dos tourné.

— Oh, John ne dirait pas ça, il est beaucoup trop carré.

« — Donc Julian, lui, ne l'est pas ?

— Oh ça, Julian… Julian est, comment dire… elliptique. » Ils rirent tous deux. « Je vous ai gêné ? demanda Jenny.

— Pas du tout, répondit Paul, récupérant. Je découvre votre famille, vous comprenez. Je viens de Wantage.

— Ah, je vois. » On l'aurait aisément crue déçue. « Ils sont tous plutôt difficiles à cerner… La vieille dame que vous avez croisée est ma grand-mère.

— Mrs Jacobs ?

— Oui, elle s'est remariée quand mon père était encore très jeune. Elle a eu trois maris.

— Mon Dieu.

— Je sais… Elle va avoir soixante-dix ans, nous organisons une énorme fête de famille pour son anniversaire. »

Paul déterra avec précaution les plantes de l'auge : elles tremblèrent face à cette nouvelle injure à leur dignité. Il les posa, avec leur cône renversé, plein de terre et de racines, sur les vieux sacs Fisons. Des mottes molles d'une espèce de fumier, mélangées à la terre, étaient encore légèrement gluantes. « J'espère que je serai à la hauteur, dit Paul.

— Oh, je suppose que ce sera le cas, répondit Jenny, qui, comme les autres, suivait sa besogne distraitement.

— Votre tante disait que vous iriez bientôt à Oxford ? » Il tenta de dissimuler sa jalousie, si c'était bien cela, sous un ton affable et bienveillant.

« C'est ce qu'elle a dit ? Oui, c'est vrai.

— Qu'allez-vous étudier ?

— Le français à Sainte-Anne. » La façon dont elle avait répondu vous faisait penser que c'était merveilleusement huppé : la riche simplicité des noms propres. Il avait fait visiter Oxford à sa mère, ils avaient contemplé les *colleges* : espèce de plaisir masochiste pour l'un et l'autre avant qu'il ne prenne le train de Loughborough pour entrer à la banque ; ils n'avaient pas pris la peine de visiter les *colleges* féminins. « Julian posera sa candidature cette année.

— Alors, vous y serez peut-être ensemble.

— Ce serait sensass. »

Lorsque Paul eut retiré toute la terre, il prit l'auge à deux mains et la poussa : elle bougea un peu plus facilement. Mais il n'en rit pas moins, envisageant un nouvel échec. « Voici », dit-il, s'accroupissant de nouveau. De l'autre côté de la pelouse, il vit Mrs Keeping foncer vers lui avec son sens accompli du timing. Avec un brusque effort qui sur l'instant parut presque comique, il souleva l'auge et, réprimant un cri, la remonta sur le second bloc, du moins sur son bord. Il avait réussi. « Aha ! lança Mrs Keeping, nous y arrivons enfin. » Alors qu'il tenait l'auge en équilibre, adressant à Mrs Keeping un sourire de quasi-dévotion, il sentit pivoter l'auge sous ses mains ; s'il n'avait pas fait un bond en arrière, elle lui serait tombée sur le pied. Le bloc, en dessous, avait basculé et l'auge, massive et statique, se retrouva sur le flanc, dans l'herbe. « Oh, mon Dieu, vous allez bien ? » s'enquit Jenny, agrippant son bras avec une note bienvenue d'hystérie. Mrs Keeping lâcha un son comme un gémissement. « Nous sommes dans de beaux draps », dit-elle. « Oh, regardez, dit Jenny, votre main saigne. » Il ignorait comment c'était arrivé, et c'est seulement après qu'elle l'eut remarqué qu'il ressentit la douleur, une douleur profonde et mate, au coussinet de son pouce, comme plusieurs piqûres d'aiguille sur la peau éraflée. Sans doute la douleur avait-elle été contenue parce qu'il avait vu, et était le seul à l'avoir vu, que l'auge s'était cassée en deux.

Dix minutes plus tard, il se retrouvait – clown, héros, victime… qui sait ? – assis dans une chaise longue, un grand gin and tonic dans la main droite. Sa main gauche était bandée de façon impressionnante, et il avait du mal à bouger ses doigts gainés serré. Avec un soupçon de remords, Mrs Keeping l'avait bandé, de plus en plus agressive au fur et à mesure que la longue bande de gaze resserrait son étreinte. La famille observait son bandage avec prévenance, regret et un brin d'autosatisfaction. Muet, Paul avança la main pour gratter Roger, le Jack Russell qui, après avoir accouru à l'arrière de la maison, était installé, pantelant, sur un épais coussin violet d'aubrietia qui débordait sur les dalles. Au salon, Mr Keeping préparait les boissons ; par la baie vitrée, il cria : « Comme d'habitude, ma chérie ?

— Absolument ! » lança Mrs Keeping, avec un petit rire pincé et un hochement de tête, comme pour dire qu'elle l'avait bien mérité. Elle se percha sur le banc en bois et déchira l'enveloppe en cellophane d'un paquet de Kensitas.

« Et Daphné ?

— Gin & "It" ! cria Mrs Jacobs, comme si ç'avait été un jeu.

— Un grand ?

— Immense ! »

Paul et Jenny rirent mais Mrs Keeping se contenta d'un grognement tout juste amusé. Mrs Jacobs était assise face à Paul : entre eux, une table basse au cadre en métal avec un plateau de mosaïque. Par-dessus le bord de la table, Paul aurait pu bénéficier, s'il l'avait voulu, d'une vue plongeante sur les mystères beiges de ses dessous. Avec sa robe informe et son grand chapeau mou, on aurait dit un écroulement, mais elle était cordiale et vive, quoique prête, en raison de son âge et sans doute d'un peu de surdité, à laisser passer une ou deux choses. Elle portait de grosses lunettes, à monture claire en bas et lui faisant comme des sourcils fauves. Lorsqu'on déposa son verre sur la table en mosaïque, elle lui adressa un sourire fervent mais sans illusion, comme pour signifier qu'elle savait ce qu'il en adviendrait. Son sourire révélait des dents étrangement brunies (un sourire de fumeuse, assorti à la fêlure de sa voix). « Eh bien, à la vôtre !

— À la vôtre ! entonna Jenny.

— Cheerio… » Mr Keeping s'assit, encore en costume de gérant de banque, ce qui conférait à son grand gin and tonic un air légèrement surréaliste.

« À la tienne, dit Jenny.

— Que bois-tu, ma chérie ? demanda Mrs Jacobs.

— Du cidre, grand-mère…

— Je ne savais pas que tu aimais le cidre.

— Je ne l'aime pas particulièrement, mais je n'ai pas droit à l'alcool fort et il faut bien se saouler d'une manière ou d'une autre, non ?

— Sans doute, oui…, dit Mrs Jacobs, comme si elle avait évalué une toute nouvelle théorie.

— Daphné, Paul vient de commencer à la banque cette semaine, expliqua Mr Keeping. Il vient de Wantage.

— Oh, j'adore Wantage. En fait, je me suis même enfuie à Wantage, un jour.

— Oh, Mère, vraiment, fit Mrs Keeping.

— Pour une ou deux nuits seulement. Ton père avait été particulièrement infect. » Paul n'avait encore jamais entendu quelqu'un parler ainsi et ne put au début savoir si c'était pour de vrai ou pour épater la galerie, une réplique très sophistiquée ou simplement gênante. Il jeta un coup d'œil à Mrs Keeping, qui s'efforçait de sourire mais battait des cils pour combattre son impatience. « Je vous ai pris sous mon aile, Wilfie et toi, et j'ai conduit à toute allure jusqu'à Wantage. Mark nous a accueillis pendant un jour ou deux. Mark Gibbons, vous savez…, précisa-t-elle à l'intention de Paul. Ce merveilleux peintre. Nous sommes restés chez lui jusqu'à ce que l'orage passe.

— C'est loin, tout ça…, marmonna Mrs Keeping, tirant sur sa cigarette.

— C'est vrai, pourtant, ma chérie. Tu étais sans doute trop jeune pour te rappeler. » Mrs Jacobs paraissait légèrement vexée, mais semblait aussi en avoir l'habitude.

« Vous ne saviez pas conduire, Mère, continua gaiement Mrs Keeping, incapable de s'arrêter.

— Mais si, je savais conduire, bien sûr… »

Mrs Keeping rejeta un nuage de fumée avec une expression dure et ironique. « Pas la peine d'ennuyer Mr Bryant avec nos histoires de famille », conclut-elle.

Paul, dans l'étourdissement initial d'un gin and tonic très corsé, sourit, baissa la tête et montra qu'il n'était pas gêné par la douce confusion des noms et faits inexpliqués. Comme souvent avec les personnes âgées, il s'ennuyait et, tout à la fois, était impliqué d'une façon obscure. « Pas du tout, pas du tout », dit-il en souriant à Mr Keeping, qui surveillait la scène d'un air perplexe. La soirée prenait une tournure qu'il n'aurait absolument pas pu prévoir une heure auparavant.

« Voyez-vous, je pense que notre famille est drôlement intéressante, déclara Mrs Jacobs. Je crois que tu sous-estimes son attrait. Tu devrais en être plus fière. » Elle attrapa son sac par terre, le grand sac en tapisserie à poignées en bois que Paul avait vu plus tôt, et se mit à fouiller dedans.

Mrs Keeping poussa un soupir et se fit plus conciliante. « Je suis fière d'un ou deux de ses membres, Mère, tu le sais très bien. Cecil n'est pas vraiment à mon goût, mais mon père, malgré tous ses… toutes ses bizarreries, a ses moments de génie.

— Eh bien, il est très intelligent », dit Mrs Jacobs, sourcils légèrement froncés au-dessus de son sac. Paul eut l'impression d'un chaos en miniature de documents, de poudriers, d'étuis à lunettes, de médicaments. Elle s'interrompit un instant et, laissant sa main dans son sac pour marquer sa position, leva les yeux vers lui. « Le grand-père de Jenny était un peintre merveilleux, aussi. Vous avez peut-être entendu parler de lui, Revel Ralph ? Non… Il était, eh bien, il était très différent de Mark Gibbons. Je suppose qu'on dirait : plus décoratif.

— Je trouve que Mark est sur la pente descendante, déclara Jenny.

— Hum, sans doute, ma chérie, puisqu'il a quasiment mon âge. » Paul connaissait l'âge de la vieille dame, certes, mais ignorait si c'était un secret. « Tu penses sans doute que Revel aussi est très démodé. »

Jenny fit la moue et leva les sourcils comme pour signifier qu'elle pouvait parvenir à ses propres jugements négatifs. « Non, j'aime les tableaux de grand-père. Je trouve qu'ils ne manquent pas de sel, en fait. Surtout ceux de sa dernière période. » À nouveau, Paul fut amusé et impressionné par le caractère tranché de ses opinions. Elle parlait avec un petit froncement de sourcils comme si elle était déjà à Oxford.

« Il n'est plus… ? demanda-t-il.

— Il a été tué pendant la guerre », dit Mrs Keeping, avec un rapide hochement de tête. Elle éteignit sa cigarette.

« Il était extraordinairement courageux, dit Mrs Jacobs. Deux tanks ont sauté sous lui et il courait vers un troisième quand un obus l'a atteint. » Cigarette dans une main, briquet dans l'autre, elle n'en poursuivit pas moins, avant que quiconque pût intervenir : « C'était un héros. Il a reçu une médaille posthume…

— Qu'est-elle devenue, grand-mère ? demanda Jenny d'un ton plus docile.

— C'est moi qui l'ai, dit Mrs Jacobs, soufflant rapidement. Bien sûr, je l'ai ! » Paul ne comprit pas à qui s'adressait son indignation. Elle lui lança un regard qui semblait sous-entendre qu'ils étaient tous deux unis contre les autres. « Voyez-vous, les gens pensent qu'il était volage, jouisseur et je ne sais quoi, mais en fait il était courageux.

— Oui, dit Paul, j'en suis certain. » Il était fasciné par cette vieille dame et admirait déjà cet homme dont il n'avait jamais entendu parler une minute auparavant.

À la grille, Paul se retourna pour adresser, de sa main bandée, un signe à Jenny, à qui l'on avait demandé de le raccompagner, mais elle avait déjà quitté le perron. Malgré tout, les menues contractions musculaires de plaisir et de politesse demeurèrent presque inconsciemment sur son visage lorsqu'il descendit la rue. Il adressa un sourire au paysage derrière la haie, aux autres jardinets, à une Rover qui arrivait en sens inverse, puis à son chauffeur qui, plissant les yeux, avec son propre rictus face au soleil déclinant, donna lui aussi à Paul le sentiment d'être un intrus, à moins que ce fût plutôt, maintenant, un fugitif. Le soleil lui chauffait encore le dos. Le clocher de l'église, qui dépassait des cimes des arbres, sonna le quart une fois de plus : Paul vérifia sa montre : dix neuf heures quinze, bien sûr. L'heure qui venait de s'écouler n'avait pour lui duré qu'une vingtaine de minutes et, d'une façon vaguement compensatoire, il se demanda s'il n'aurait pas dû être plutôt vingt heures quinze. Il se retrouva bientôt dans Church Walk. Sur la place du marché. Il n'avait jamais vraiment bu d'alcool avant, et le second gin and tonic, aussi excessivement buvable que le premier, l'avait hissé à un état de souriante euphorie à peine terni par quelques soupçons d'inquiétude et de confusion. Il avait parlé tout en essayant de se convaincre de se taire, de choses qu'il ne disait pas d'ordinaire, de l'avion de son père qui avait été abattu, de la mauvaise santé de sa mère, même de ses exploits à l'école : il avait dû paraître ridicule et benêt. Pourtant, personne n'avait eu l'air de s'en offusquer. Il se demanda si Mr Keeping, qui n'avait pratiquement rien dit, ne l'avait pas pris pour un imbécile : c'était cruel de sa part, de l'avoir fait boire et d'être resté là à l'observer, avec son sourire troublant. Il anticipa les sarcasmes du lendemain au bureau. D'un autre côté, il lui avait semblé avoir plu à la vieille Daphné Jacobs, apparemment heureuse d'avoir trouvé une nouvelle oreille pour l'écouter : il avait ri et réagi par des mimiques bienveillantes à ses histoires qu'il n'avait pas forcément réussi à suivre. Souvent, il pensait, quand il se concentrait sérieusement sur ce que quelqu'un disait, qu'il n'en retenait pas grand-chose. L'ivresse venait en partie de s'être trouvé chez des gens qui connaissaient des écrivains et, dans leur cas, des écrivains célèbres. Il ne connaissait guère Dudley Valance, mais il avait cité des vers de Cecil Valance à la vieille dame qui avait souri complaisamment avant de montrer des signes d'impatience. Elle rayonnait d'une aura mystérieuse, parce qu'elle avait été sa maîtresse : apparemment, « Deux Arpents » avait été écrit pour elle. Elle l'avait dit à Paul en toute franchise, au moment du deuxième gin & « It » (*It ?* Qu'est-ce que c'était, au fait ?). Jenny avait dit : « Je trouve les poèmes de l'oncle Cecil effroyablement impérialistes, grand-mère », remarque que celle-ci avait fait mine de ne pas entendre. Dans Vale Street, il regarda les vitrines des International Stores plongées dans la pénombre. Quelque chose d'atrocement triste l'atteignit alors : il était libre, enjoué et éméché, il avait vingt-trois ans, et il était seul ; des heures à passer encore avant le coucher du soleil et personne avec qui les partager.

Le trajet jusqu'à son meublé l'emmenait hors des limites de la ville, passait par la vieille gare de marchandises envahie par les mauvaises herbes, l'école secondaire toute neuve, acérée et transparente dans le soleil du soir. Il emprunta Marlborough Gardens, un ample demi-cercle de maisons, ou un nœud coulant plutôt, dont une issue donnait sur la grand-route. Depuis le trottoir, il vit des gens qui mangeaient dans leur cuisine ou qui, ayant déjà fini, tondaient leur pelouse et arrosaient leur jardin. Les maisons étaient d'une sorte hybride pour laquelle il n'existait pas de nom, groupées par trois, deux comme les traditionnelles maisons jumelles mais avec en plus une autre au milieu : le tout formant comme un segment d'un alignement typique de maisons de banlieue. La maison de Mrs Marsh, du moins, était l'une de celles sur le côté, avec une vue à l'arrière sur un champ d'orge. Son mari, chauffeur d'autocars, avait des horaires bizarres : il emmenait des groupes à Londres, et parfois partait deux jours d'affilée à Bournemouth ou sur l'île de Wight. Elle se trouvait à cette heure-là dans le salon côté rue, rideaux tirés pour se protéger du soleil, le volume de la télé à tue-tête : c'était le début de *Z-Cars*. Elle avait une façon agréable de ne pas se soucier de son locataire. Elle lui jeta un simple coup d'œil et hocha la tête ; dans la cuisine, elle avait laissé à son intention une salade de jambon recouverte d'un torchon, et une lettre qui lui avait été réadressée, accompagnée d'une note : « Ce courrier est arrivé pour vous. Mrs Marsh. » Il monta les marches deux par deux, se rendit à la salle de bains : la pièce où il se sentait le plus comme un étranger, au milieu du bol à savon et des gants de toilette du couple, les affaires de Madame dans l'armoire. Le soir, la vitre en verre poli de la porte de la salle de bains montrait si elle était occupée ou pas : aller aux toilettes n'en était que plus audible, presque visible et même vaguement culpabilisant. Paul pouvait prendre un bain le mardi et le jeudi soir ; ce soir, donc ! Le samedi, la banque fermait à une heure, il prendrait alors l'autocar de Wantage et sa première semaine de travail serait terminée.

Après avoir dîné, il remonta dans sa chambre et descendit son journal intime d'au-dessus de l'armoire. Il n'avait pas encore eu le temps de laisser son empreinte sur la pièce : ses pantoufles, sa robe de chambre, quelques livres qu'il avait fourrés dans son sac. Il avait emprunté à la bibliothèque le dernier Angus Wilson, qu'il lisait à sa manière, son œil inquiet sautant vers les passages où apparaissait Marcus, le fils pédéraste, dont les pitreries prenaient des allures de présages ou de conseils. Paul n'avait pas envie de lire ce livre chez lui, car sa mère aurait risqué de poser des questions. Il avait aussi le dernier volume de la série « Penguin Modern Poets », *Le Son de la Mersey*, qui, à son avis, n'était même pas de la poésie ; et *Poèmes d'aujourd'hui*, pas vraiment d'aujourd'hui puisqu'il avait en fait été publié plus de cinquante ans plus tôt, mais il y avait là-dedans plein de choses qu'il aimait et connaissait par cœur, comme « Les Pommes du clair de lune » de Drinkwater et « Rêves de soldats » de Cecil Valance. Dans sa chambre, il y avait un fauteuil carré, dur, dont l'assise en laine piquait et, contre la fenêtre, une coiffeuse de dame à trois glaces, avec tabouret assorti, à laquelle il s'asseyait le soir pour écrire. Quand il levait la tête, c'est donc lui-même qu'il voyait, le nez des Bryant en trois exemplaires triomphants, ses deux profils jouant à cache-cache l'un avec l'autre. Il tenait un journal depuis qu'il avait quitté l'école, des Mémoires top-secret ; avec le temps, du fait qu'ils s'accumulaient, il avait de plus en plus de mal à cacher les volumes, des carnets in-quarto noirs.

Chez lui, il gardait une boîte sous son lit dans laquelle, sous des vieux projets d'école et des coupures jaunies, dormait une pile plus enfouie de choses très personnelles, souvenirs fragiles de camarades d'école, trois numéros de *Manifique !*, avec leurs athlètes vêtus de seuls cache-sexe, aux contours parfois redessinés avec une grande précision ultérieurement, et puis les carnets eux-mêmes, dans lesquels il se laissait aller avec une liberté interdite à ces publications.

Penché en avant comme un écolier cachant son devoir à son voisin, il écrivit : « 29 juin 1967 : chaud et soleil toute la journée. » Il appuyait si fort sur la pointe de son stylo que le papier semblait s'étirer et que la feuille rebiquait dans les marges. Une fois que le carnet était fermé, on voyait exactement quelle proportion avait déjà été emplie : les pages aux bords gaufrés et plus sombres étaient une preuve plaisante de son activité, le reste, propre, soigné et dense, un défi non moins alléchant. Cette semaine lui avait fourni un matériau particulièrement riche : il avait décrit les filles au travail et donné à Geoff Viner une évaluation plus franche qu'il n'aurait pu le faire à la banque. Il lui fallait maintenant rapporter sa conversation avec Geoff aux toilettes et toute l'aventure inattendue à Carraveen. « Il se trouve que Mrs J. a été mariée à Dudley Valance, le frère de Cecil V. Mais elle a aussi vécu une grande histoire avec C. avant la Première Guerre mondiale : elle a prétendu qu'il avait été son premier amour, qu'il était follement séduisant mais méchant avec les femmes. Je lui ai demandé ce qu'elle voulait dire. Elle a dit : "Il ne comprenait pas vraiment les femmes, voyez-vous, mais il était absolument irrésistible. Bien sûr, il n'avait que vingt-cinq ans quand il est mort." » Au bas de la page, le papier sur lequel s'était déposé un peu du gras de la tranche de la main qui s'y était appuyée résistait à l'encre, et il dut repasser certains mots deux fois : « absolument irrésistible », réécrivit-il, ainsi que « vingt-cinq ans » : on aurait dit qu'il avait écrit en gras et d'une écriture maladroite, comme quelqu'un qui était toujours ivre ou légèrement fou.

2

Peter Rowe sortit de sa chambre au dernier étage, traversa le palier et regarda par-dessus la rambarde dans la grande cage d'escalier carrée. En contrebas, il entendit et vit, brièvement, un petit garçon dévalant l'escalier, se débattant, un bras levé, pour enfiler une veste. « Ne cours pas ! » cria Peter, d'une voix brusque et comme divine, de sorte que le garçon terrifié leva la tête, perdit l'équilibre et tomba sur les fesses, *boum boum boum* sur les dures marches en chêne jusque dans le hall. « Maintenant tu sais pourquoi », dit Peter, plus tranquillement, et il rentra dans sa chambre.

D'abord, une heure de liberté, puis il avait les avant-dernière années en chant. Il emplit la bouilloire au lavabo et rinça rapidement un mug pour prendre son café soluble ; les granulés se mirent à fondre et à crépiter en se déposant sur le fond humide de la tasse. Ensuite, il alluma une cigarette, la première de la journée, puis, louchant dans la fumée, il fit son lit plus ou moins au carré et couvrit les ondulations du drap avec sa couverture. Il savait que, dans le couloir, la maîtresse d'internat passait au même moment de dortoir en dortoir, tête basse, respirant par la bouche. Quand elle tombait sur un lit mal fait, les coins plissés, le drap de dessus moins que tendu, elle baissait encore davantage la tête et, tel un taureau, renversait le matelas, le mettait sens dessus dessous, avant d'écrire le nom du coupable sur une carte. La carte était ensuite punaisée sur le tableau de la salle du personnel et, à la récréation, les délinquants devaient remonter à l'étage, refaire leur lit, repartir à zéro, lit au carré, drap lisse et tendu comme une camisole de force. Peter ressentit une pointe de soulagement coupable d'être exempté de ce régime.

Il se lança dans sa lettre hebdomadaire à ses parents, pratique à laquelle il sacrifiait tout autant que les autres pensionnaires. « Chers Papa et Maman, écrivit-il. Quelle belle semaine nous avons eue ! Je suis content car, dimanche prochain, c'est la demi-finale de la compétition florale. Le directeur sera le juge et, comme il n'y connaît absolument rien en matière de jardins, il est difficile de savoir ce qu'il recherchera, couleurs et "concept". Dupont, dont je vous ai parlé, a construit une rocaille avec une cascade, mais le directeur, qui a des goûts plus ordinaires, risque de la trouver trop "délicate". Hormis quoi, les choses se présentent bien pour la Journée Portes Ouvertes. Le colonel Sprague participe activement à sa préparation. Étant fidèle à son personnage, il joue donc plutôt au monstre. » Peter fuma sa cigarette et but son café. Il valait mieux sans doute qu'il ne divertisse pas ses parents avec la dernière obsession du directeur, la propagation d'ouvrages supposément érotiques chez les plus grands. C'était sur l'agenda de la réunion du personnel de la semaine suivante. Ce trimestre, déjà, le directeur avait confisqué *Peyton Place* et *Les Ambitieux*, moins par connaissance de première main que par ouï-dire, la même raison, probablement, qui avait poussé les garçons à les dévorer. *Dr No*, découvert dans le casier de Walters, avait été passé à Peter, considéré sans doute plus « ouvert », pour qu'il en juge. Il l'avait lu la veille au soir, et trouvé trois phrases étonnamment excitantes ; le film, qu'il avait vu, l'était beaucoup plus ; sur le papier, noir sur blanc, la trame paraissait ténue et maladroite, l'aventure expliquée par le méchant dans un monologue sans fin. Peter nota une espèce de sadisme inconscient dans les évocations du corps de James Bond et des blessures qui lui étaient imposées mais, comme dans le film, elles étaient guéries comme par miracle dans la scène suivante. Bien sûr, lors des premiers émois de la puberté, les garçons pouvaient être « excités » par n'importe quoi. Peter avait été comme eux à leur âge. La présente purge était donc vaine par essence. Il écrasa son mégot et choisit de raconter à ses parents le match de cricket de leur équipe contre Beasleys.

À neuf heures trente-cinq, mû par les inévitables crainte momentanée et résolution qu'imposent le respect d'un emploi du temps permanent, Peter ouvrit sa porte et sortit sur le palier. Jetant un coup d'œil en arrière vers sa chambre, il la vit comme l'aurait vue un étranger, dans un désordre désespérant. Il descendit une volée de marches de l'escalier monumental et s'engagea dans le large couloir du premier étage. À Corley Court, les salles de classe occupaient six pièces du rez-de-chaussée, mais la salle de piano était reléguée au premier étage, tout au bout du couloir, à côté de l'infirmerie, dans une aile pleine de coins et

de recoins. Les garçons qui avaient de la fièvre ou des maladies infectieuses y étaient tourmentés à travers les cloisons par des accès irréguliers d'airs traditionnels ou par l'atroce pratique des gammes. Peter dépassa le salon du directeur, qui avait dû être la chambre du maître des lieux ; sa haute fenêtre en encorbellement néogothique surplombait l'axe des jardins à la française qui ne survivaient plus que sous forme de photographies mais avaient été jadis un époustouflant labyrinthe floral. Un bassin mélancolique au centre de la pelouse était tout ce qu'il en restait.

Peter avait obtenu son poste à Corley en milieu d'année, après le départ d'un professeur en disgrâce nommé Holdsworth ; l'endroit lui avait immédiatement plu, en partie à cause de son empathie naturelle pour un lieu qui avait été dénigré à ce point. « Une monstruosité victorienne » : tel était le commentaire habituel et méprisant. Il avait entendu un garçon de sixième remarquer que Corley Court était « une monstruosité victorienne de la pire sorte » en partant du même rire totalement dépourvu d'humour que son père avait dû lâcher en décrivant l'établissement. En fait, Corley était parfait pour un pensionnat : isolé, labyrinthique, vaguement menaçant, avec ses arbres et son parc désormais tondu et divisé en terrains de sport. Personne, disait-on, n'aurait voulu vivre dans un tel lieu mais, en tant qu'institution scolaire, c'était à peu près idéal. Peter avait étudié l'histoire de Corley. L'année précédente, il avait signé une pétition pour sauver la gare Saint-Pancras ; à Corley aussi, il aimait les briques polychromes et les remuants détails néogothiques qui défiaient de façon si amusante l'idée plus gracieuse qu'on se faisait des manoirs anglais, même

si, à l'intérieur, les pièces, redécorées dans l'entre-deux-guerres, étaient lumineuses et anodines, au point d'en être décevantes. Seuls la chapelle, la bibliothèque et l'escalier monumental en chêne, avec ses dragons porteurs de bouclier au niveau des têtes de départ de la rampe, avaient entièrement échappé au ménage hygiénique des années 1920. La bibliothèque était utile en l'état, et la chapelle, un véritable joyau victorien, abritait aussi le trait le plus étrange de l'école, le tombeau en marbre blanc du poète Cecil Valance.

Peter entra dans le salon de musique baigné de soleil. Il ouvrit en grand la fenêtre, sur le rebord de laquelle venait s'échouer un air matinal, agréable et frais. Au prix de quelques coups de pied puis ajustements à l'aide de ses longs bras, il aligna les deux rangées de chaises sur le lino marron. Le seul ornement de la pièce, au-dessus de la cheminée bouchée, était un chromo de Brahms, « Offert par sa famille en souvenir de N.E. Harding, 1938-1953 »; Peter tentait parfois d'imaginer la famille décidant de faire ce présent-là.

Il plaça *Le Livre de chants du chêne* sur le pupitre du piano droit et révisa rapidement les partitions du jour. Comme la plupart des garçons ne savaient pas lire la musique, il s'agissait plutôt d'imprimer la mélodie dans leurs têtes à force d'infinies répétitions. Ils ne prêtaient pas plus attention aux paroles qu'à la musique. Les paroles étaient immuables : d'un style ampoulé, démodées, acceptées avec un mélange infantile de respect et de complète indifférence. La cloche sonna, l'école entière retint son souffle, puis le relâcha avec un murmure confus et des bruits métalliques qui montèrent, étouffés, jusqu'à lui, depuis le

rez-de-chaussée. À nouveau, l'impression d'horreur momentanée et instantanément maîtrisée. Peter se mit à jouer *La Lettre à Élise*, attendant que le raffut au loin s'individualise en claquements de sandales et coups répétés à la porte. Il s'arrangeait toujours pour se laisser surprendre par les élèves au milieu d'un morceau et, même après avoir crié « Entrez ! », il continuait de jouer, imposant aux élèves une plaisante incertitude : avaient-ils ou non le droit de parler ?

Comme le piano était installé perpendiculairement aux rangées de sièges, en jouant, il leur lançait régulièrement des coups d'œil par-dessus son épaule. Un jour, il les blufferait avec la *Sonate* de Liszt mais, pour l'heure, il s'en tenait prudemment à ce morceau simple, que certains élèves apprenaient avec Mrs Keeping ; il était plus près de leur niveau qu'il n'aimait l'admettre. « Bonjour », dit-il tout bas, préférant se concentrer sur la deuxième partie du morceau : seuls un ou deux élèves répondirent. L'atmosphère était différente selon les classes. Il appréciait les élèves d'avant-dernière année, en raison de leur humour et de leur ingéniosité, sans compter qu'ils l'aimaient bien ; il arrivait qu'il doive contenir leur humour. Il se leva enfin et les regarda – son froncement de sourcils –, tandis qu'il parcourait du regard les rangées, suscitant lueurs ou doutes sur leurs visages attentifs. Il étouffait de son mieux tout signe de favoritisme, bien qu'il vît la flamme de l'expectative s'affirmer chez Dupont et Milsom 1.

« Bien, mes petits oiseaux chanteurs, dit-il, j'espère que vous êtes d'humeur à faire du bruit.

— Oui, m'sieur, répondit un chœur consciencieux.

— Je vous ai posé une question. »

— Oui, m'sieur ! » répondit un cri robuste, ponc-tué de ricanements. Laissant flotter sur la salle un regard supposément distrait, Peter fit mine d'enfin remarquer la présence des élèves : il leva les sourcils, plongé dans une douce inquiétude.

« Pardonnez-moi… vous disiez ?

— OUI, M'SIEUR ! » hurlèrent-ils, leurs rires face à son gag éculé freinés par une excitation irrépres-sible. La liberté de donner une représentation d'un extrême mauvais goût était l'un des plaisirs d'ensei-gner dans une école privée. On pouvait exploiter la grande innocence des élèves, même les plus bour-rus, les plus boutonneux, les amateurs nocturnes de *Peyton Place*. Le regard de Peter passa par-dessus leurs têtes, vers la fenêtre, vers le panorama brumeux de champs et de bois. Il serait mort de honte si Chris, Charlie, n'importe lequel de ses amis londoniens l'avait vu se démener ainsi, mais le fait était que les élèves adoraient ça.

« Montons la gamme », dit-il, s'approchant du piano pour taper sur le *la* en dessous du *do* central, et chanter de son ample voix de baryton, sans vergogne et crescendo : « Oui ! Oui ! Oui ! Oui ! Oui ! Oui ! Oui ! m'sieur ! » Les garçons l'imitèrent, montant inexo-rablement les gammes, en rapides répétitions paro-xystiques d'assentiment qui se muèrent en simples syllabes jappeuses.

Peter démarra avec « *L'Insolente Aréthuse*, page 37, comme vous devez le savoir maintenant… » Avant que tous aient trouvé la page, il se lança lui-même avec grand bonheur dans le premier couplet, « Allons, les marins hardis et hâbleurs, au cœur moulé dans l'ai-rain de l'honneur. Voyez : d'Albion déroulons la splendeur », secouant la tête de joie et de hardiesse, menton rentré pour la descente rocailleuse sur *splendeur*, avant de courir le risque d'un comique éhonté : « Hourra deux hourras pour l'Aréthuse ! » Il aurait pu chanter pendant toute la journée. Il vit une main levée : « le faible Peebles », comme le surnommait le colonel Sprague, n'avait pas sa partition. « Eh bien, qu'Ackerley partage la sienne avec toi, utilise ta jugeote. » Ils entonnèrent tous l'air. Il y avait quelque chose dont Peter était certain que ça arriverait, et il attendit que ça arrive. Pour l'instant, il ne corrigea rien, l'important étant de les mettre en train : « Rien à bord ne fut jamais négligé, ni grand-voile ni hauban ni bordée… » Pendant tout le trimestre, les élèves avaient répété cet air toutes les semaines et étaient capables de le chanter à tue-tête avec leur étrange jubilation tout en y restant totalement imperméables ; c'était lui qui, concentré sur les touches, oubliait parfois où ils en étaient, et se trompait dans les paroles en se joignant à eux. « Et l'ennemi à la mer acculé, à jamais vaincu par Albion armée » : téméraire vantardise, étouffée en un instant par un effroyable craquement dans les airs au-dessus de la toiture de Corley, très loin et en même temps juste au-dessus d'eux, si bien que la pièce trembla et que le piano émit un léger et strident tambourinement. Les élèves se turent les uns après les autres puis se précipitèrent aux fenêtres, mais l'avion était déjà si loin et volait à une allure telle qu'ils ne virent rien. La grande prouesse scientifique n'en parut que plus étonnante et exemplaire. Sur l'allée à l'arrière du bâtiment, le directeur lui aussi regardait en l'air, lèvre supérieure soulevée comme chez un rongeur, tandis qu'il louchait au-dessus de la cime des arbres vers le bleu du ciel. « Allons, retournez à vos places », dit Peter énergiquement avant que le directeur ne le fasse lui-même ; mais, en réalité, en présence ou plutôt en l'immédiate absence de ce phénomène sublime, il sembla normal de s'accorder une minute d'émerveillement partagé.

« L'avez-vous vu, monsieur ? » cria Brookings au directeur, qui fit non de la tête et esquissa un sourire évasif, un peu comme s'il avait tiré et manqué. Peter se pencha au-dessus des trois garçons qui bloquaient un vantail ouvert. Il avait beau penser que le directeur était un idiot, il n'avait pas envie d'essuyer ses remontrances et le directeur voyait le mal partout. Il entendait des bouts de phrases, ruminait ingénieusement des choses qu'il avait mal comprises. Peter était un jeune maître, beaucoup plus proche en âge des élèves qu'il ne l'était du directeur. Le ton du vieil homme semblait suggérer parfois que lui-même devait être bridé.

« On m'avait prévenu que ce genre de chose pourrait arriver, cria-t-il alors, légèrement absurde avec sa manière de hurler pour se faire entendre jusqu'à la fenêtre du premier étage.

— Vraiment, monsieur ?

— Mais oui. Je suis en contact avec le commandant de la base. Il me tient au courant.

— Qu'est-ce donc, monsieur ? » s'enquit Brookings.

Le directeur scruta encore le ciel, l'air satisfait comme s'il en avait été le propriétaire. « Retournez à vos cours, allons ! » Adressant un hochement de tête à Peter, d'un pas lourd, il poursuivit son chemin, en direction des garages.

« L'un de vous sait-il ce que c'était ? » demanda Peter tandis que les élèves regagnaient leurs places. Avec leurs maquettes Airfix, leurs aventures de Biggles et leurs bandes dessinées de la War Picture Library, ils assistaient à une bataille aérienne permanente.

« Était-ce un Hustler, m'sieur ? demanda Sloane.

— Pourquoï un Hustler ferait-il ce bruit ? rétorqua Peter, d'un ton très professoral parce que *presque* sûr de son fait.

— Le mur du son, m'sieur ! crièrent plusieurs garçons à la fois.

— Lorsque nous disons "Hustler", qu'entendons-nous par là ? demanda Peter.

— C'est un bombardier B-58 », répondit Sloane, et un autre élève imita idiotement un bruit d'explosion. « Ils peuvent monter à Mach 2 et ils transportent une arme nucléaire, m'sieur.

— Pourvu qu'ils ne la lâchent pas sur nous ! s'exclama Peebles, avec sa mièvrerie coutumière qui avait le don d'agacer ses camarades.

— Je ne crois pas que nous serions informés s'ils le faisaient, dit Peter.

— Les Américains ne s'amusent pas à bombarder les gens au petit bonheur la chance, crétin ! » lança Milsom 1 à l'intention de Peebles, pas de Peter, même si ce dernier commençait à perdre le contrôle de la situation.

« Bon, où en étions-nous ? » demanda-t-il avec une brusque bouffée d'ennui, qui semblait n'être que le pendant naturel de son désir d'être précis et stimulant. « D'accord, j'en ai assez de cette sacrée Aréthuse, passons à autre chose. Que dites-vous de "Mûre, ma cerise !" ?

— Oh non, m'sieur…! » S'ensuivirent des protestations dégoûtées.

« Bon, bon… Bien ! "Cœurs de chêne", alors.

— Hum, d'accord, m'sieur, dit Sloane, encore exalté par l'éruption magique du bang supersonique, et apparemment auto-promu chef de classe ou négociateur.

— "Cœurs de chêne" est un bon vieil air bien de chez nous, expliqua Peter. Allons, hardi, les gars, mettons cap sur la gloire ! » Un instant plus tard, tous chantaient.

Cœurs de chêne, nos bateaux, rude poix, nos hommes,
Hardi, les gars, hardi ! Toujours prêts nous sommes…

Il se joignit à eux pour leur insuffler l'énergie nécessaire. « Nous combattrons, conquerrons encore et encore ! » Quelque chose n'allait pas, c'était évident mais cela ne l'empêcha pas de les entraîner dans le couplet suivant. Criant « Continuez ! », il quitta le piano et alla se poster juste devant la première rangée, puis juste derrière la dernière, s'arrêtant par-ci par-là, comme pour partager une confidence avec chacun des garçons. Il y avait un passage où tous riaient systématiquement, aussi prévisibles qu'une scie célèbre au music-hall, et Peter serra les dents pour ne pas céder à leur hilarité à venir :

Mais leurs culs plats dussent-ils la nuit débarquer
Des Anglais encore trouveront à affronter.

« Oui, merci beaucoup, Prowse 2, dit Peter. Continuez, continuez de chanter ! » Le maître pouvait faire rire les élèves mais pas l'inverse : en classe, cela représentait une perte sensible d'autorité et, en dehors, cela relevait bizarrement d'une intimité indue. N'empêche, il était parfois impossible de résister à la simple idiotie de leurs blagues.

« Ha ha, fit-il, c'est donc bien ce que je pensais. » Il parut beaucoup plus irrité qu'il n'en avait l'intention. Le pauvre Dupont rougit et fut comme paralysé mais Peter eut la preuve qu'il cherchait. L'air s'effilocha à la promesse d'un incident moins excitant qu'un bang supersonique mais doté d'un intérêt humain qui les fit tous se regarder les uns les autres, joyeusement soulagés de voir que l'un d'entre eux avait un problème. C'était déjà arrivé, au cours de la première semaine du trimestre, le rouquin Macpherson avait été renvoyé, sourire en coin et haussant les épaules vers sa nouvelle liberté. « Récitez-moi le premier couplet », dit Peter. Dupont le dévisagea avec un mélange d'anxiété et d'indignation que Peter ne lui avait jamais vu auparavant ; il s'éclaircit la gorge et se mit à chanter, très doucement : « Allons, haut les cœurs, les gars… », d'une voix qui refusait de lui obéir. On entendit des ricanements dans la rangée, Peter lui vint en renfort, hochant vigoureusement la tête, soutenant son regard : « Cap sur la *gloire*, pour ajouter encore à cette *belle année*… » Dupont, cramoisi, détournait le regard tandis que, incontrôlable, la mélodie craquait et tanguait. « Ah bien… je suis désolé », dit Peter, lèvres retroussées exprimant un amical regret. Au premier rang, Morgan-Williams émit un gazouillis enroué. Peter ignora le rire qui s'ensuivit. « Cela vous arrivera à vous aussi, prédit-il, et nous apprécierons tous de nous moquer de vous à ce moment-là. » Il retourna au piano. Mais il sentit autre chose dans l'air. Quand il s'assit et se retourna vers les garçons, Dupont faisait encore du surplace au bout de la rangée. Peter lui sourit, lui dit adieu, menu signe de favoritisme après tout : d'une certaine façon, il y avait là matière à le féliciter, comme quand on était confirmé. Il s'adapterait bientôt, en terminale au trimestre suivant, pantalon long, voix d'adolescent, il l'entendait déjà. Milsom 1 regarda son ami avec intérêt, front plissé. « Tu es censé partir, Dupe », dit Sloane. La mortification de Dupont mit Peter mal à l'aise. Cet enfant intelligent et spécial se retrouvait, sans doute pour la première fois de sa vie, être la proie du ridicule, peut-être, ou de la superstition, envoyé de façon gênante vers son avenir au nom de ses camarades. « Vous pouvez aller lire à la bibliothèque, si vous le souhaitez », dit Peter. C'était un privilège réservé aux dernières années. Un crépitement de rires moqueurs n'en retentit pas moins lorsque Dupont sortit, souriant à travers sa honte.

3

Paul se pencha en avant, souleva le verrou en cuivre et ouvrit les petites portières de son guichet. La banque allait ouvrir dans moins d'une minute ; à travers les vitres opaques en verre poli de la partie inférieure des fenêtres, on distinguait les formes grises de trois ou quatre clients matinaux, floues et se chevauchant les unes les autres. Mais, pour l'heure, la salle publique était déserte, son lino sombre sans éraflures, les cendriers reluisaient, les encriers étaient pleins, le *Times* et le *Financial Times* intacts sur la table. Il y avait de la beauté dans la grisaille désuète du lieu. Sur le panneau au-dessus de la table étaient punaisées des publicités pour des bons de la Défense et des obligations à lots, et, sous un titre en sans-serif gras, une déclaration sur les **BRAQUAGES** qui ouvrait l'espace public à la promesse, qui sait, d'un événement sensationnel.

Geoff et lui avaient déjà vidé le coffre-fort des dépôts de nuit et passé dix minutes en toute cordialité à vérifier le contenu des portefeuilles en cuir cadenassés. Comme la banque fermait l'après-midi à quinze heures trente, la plupart des commerçants déposaient leur recette plus tard, dans le toboggan pivotant du coffre-fort. Compter, enregistrer le liquide encaissé et les chèques était leur première tâche de la matinée. Geoff comptait l'argent avec une vitesse que l'œil avait du mal à suivre, le dé en caoutchouc à son index droit battant au-dessus des billets. Paul était légèrement distrait par l'ambiance de compétition autant que par la présence ensommeillée mais déterminée de Geoff le matin, cheveux encore humides, âcre après-rasage récemment appliqué. Il poussa un soupir et recompta une liasse. Mrs Marsh avait réduit son bandage militaire à un pansement bien net à la base du pouce mais il se sentait encore maladroit et bougeait la main avec précaution. Les billets de dix shillings étaient les plus sales et les plus déchirés, et il fallait parfois les mettre de côté. Paul manipulait toujours plus lentement, avec plus de respect, les billets d'une livre. Susie lui avait demandé la raison de son pansement : l'incident de la veille avait donc été révélé et lui avait donné la possibilité de se forger un personnage auquel arrivaient des aventures comiques. Il l'avait entendue dire à d'autres :

« Êtes-vous au courant de ce qui est arrivé au jeune Paul ? »

Le comptoir était divisé en trois parties : Jack était installé le plus près de l'entrée des clients, Geoff au centre et Paul attendait d'être découvert au fond, près du bureau du gérant. Officieusement, Geoff était censé surveiller Paul ; lequel, encore plus officieusement, et même furtivement, surveillait Geoff. Il était absurde de s'amouracher de lui mais il le voyait toute la journée, avec ses costumes cintrés, ses bottines à fermeture à glissière et à talonnettes calées sur le

barreau de son tabouret. Mr Keeping faisait des allusions sarcastiques sur ces bottines mais n'allait pas jusqu'à les interdire. Les filles, aussi, derrière, devant leurs bureaux et leurs machines à écrire, faisaient des plaisanteries sur les tenues de Geoff, plaisanteries qui, du moins, leur permettaient de parler de lui. Ce que Paul ne se sentait pas libre de faire. Quand elles taquinaient Geoff à cause de Sandra, la fille de la National Provincial avec qui il sortait, c'est Paul qui, à la faveur de cette curiosité qui circulait entre elles, rougissait et sentait son pouls s'emballer. Il s'imaginait embrassé par Geoff, rudement et impérativement, dans les toilettes du personnel masculin, et puis Geoff…
« Ouverture ! » lança Hannah au moment où l'on décadenassait la porte d'entrée. Avec des palpitations nerveuses, Paul se pencha en arrière sur son tabouret, écartant et posant les mains sur son comptoir.

Son premier client fut un fermier qui déposa une liasse de chèques et retira une grosse somme en liquide pour payer ses employés : journée chargée, le vendredi était surtout consacré au paiement des salaires et à l'enregistrement des recettes de la semaine ; les files d'attente s'allongeaient de façon alarmante tandis que les employés enregistraient une cinquantaine voire une soixantaine de chèques par client. Il arrivait que plusieurs centaines de livres passent par le guichet d'un seul coup. Paul eut l'impression que le fermier, George Hethersedge, le prenait pour un idiot pour la seule raison qu'il ignorait qui il était, paraissant suggérer que, rétrospectivement, il ne tarderait pas à regretter amèrement cette ignorance. Comptant les billets et additionnant le montant des chèques sur sa calculatrice, Paul eut l'intuition que le nom de Hethersedge n'était pas anodin, pesait un certain poids et tenait un certain rang dans les lumières et les ombres de l'opinion locale. Comme nombre de ces noms du coin fleuris et florissants, il s'accompagnait d'un phénoménal découvert. Paul saisit tout ce qu'il y avait d'étrange dans le fait que *lui* fût au courant. Cette légère gêne sous-tendait leurs relations professionnelles.

Complètement cachée par Mr Hethersedge se trouvait une petite vieille, une Miss M.A. Lane dont la main tremblait, bouleversée qu'elle était, semblait-il, de devoir encaisser un chèque de deux livres. Elle observa Paul à la dérobée, à travers le petit bout de voile épais qui tombait sur le devant de son chapeau. Paul aimait les personnes âgées, appréciait leur respect inquiet et même la légère crainte qu'elles avaient de lui en sa qualité d'employé à l'esprit vif. Et puis, ce fut le tour de Tommy Hobday, le pharmacien d'à côté, qui venait à tout bout de champ à la banque et connaissait même déjà son nom; après quoi, l'appréhension des premiers contacts s'émoussa et la crainte d'être démasqué ou de se tromper s'estompa peu à peu à la faveur de la routine d'une journée très remplie. Du côté intérieur de la porte d'entrée se trouvait un sas étroit séparé de la salle publique par une porte en verre dotée d'un ferme-porte au ressort très tendu : son claquement et son soufflement de piston ponctuaient l'incessant et irrégulier ballet des clients.

Juste avant la pause déjeuner, Paul entendit dans la salle publique une voix assortie d'un début de brouhaha : Miss Cobb parlait d'un ton ravi, surprenant dans le contexte, plus adapté à une soirée mondaine qu'à une banque. Retentit alors la voix, d'une affabilité tranchante, de Mrs Keeping, qui l'eût cru, « Non,

non, non, *absolument* », faisant comme si elle n'avait pas voulu attirer l'attention, alors que les têtes se tournaient déjà. Le départ du client de Paul lui permit de la voir parfaitement, vêtue d'une robe bleu ciel, un sac à main blanc, l'air elle-même d'assister à une soirée mondaine. Elle avait pris le *Financial Times* et en vérifiait les gros titres, sourcils noirs et durs, levés. Paul l'observa avec une certaine nervosité, de sa position ambiguë, à la fois invisible et exposé. Elle regarda par-dessus la page, son regard se promena dans la salle, mais elle ne donna aucun signe de l'avoir vu. Il permit donc à son sourire de s'estomper, comme s'il avait été préoccupé par autre chose, battements de cœur s'accélérant dans un fouillis de protestation et de honte. Lorsque la porte du sas s'ouvrit, elle se tourna légèrement et eut un petit hochement de tête. Bientôt, Paul vit apparaître Mrs Jacobs, le pas lourd, le regard inquisiteur et ironique ; elle regarda dans sa direction et approcha. « Bien, à nous…, dit-elle, déposant son sac en tapisserie sur le comptoir qui les séparait.

— Bonjour, madame, dit Paul, presque avec humour, ne sachant s'il pouvait l'appeler par son nom.

— Bonjour », répondit-elle, affable, fouillant dans son sac, ignorant peut-être qui elle avait en face d'elle. Elle sortit sur le comptoir un étui à lunettes, un foulard, un paquet de Peter Stuyvesant, un sac en papier de chez Hobday à l'intérieur duquel on entendit le cliquetis de médicaments, un livre de poche à couverture orange titre en bas, un roman… dont Paul ne put voir le titre… et enfin le chéquier. Puis elle changea de lunettes, avança une main perplexe vers le stylo. Elle remplit son chèque d'une écriture voyante, désinvolte, arborant une expression signifiant qu'elle trouvait cela légèrement absurde, comme si l'argent avait été pour elle un amusant mystère. Patient, Paul lui sourit, vérifia rapidement le chèque de vingt-cinq livres sterling, apposa le tampon de la banque et demanda à la vieille dame quelles coupures elle désirait. C'est alors, seulement, lorsqu'elle lui adressa un coup d'œil, qu'elle le reconnut. « Ah, mais c'est vous ! » dit-elle, d'un air enjoué mais le situant en même temps, l'amusant petit homme de la veille, dont elle avait sans doute oublié le nom. Paul sourit encore en se penchant vers le tiroir aux espèces, près de son genou gauche, et libéra de son enveloppe une liasse de billets d'une livre tout propres. Plutôt agréable, songea-t-il, la belle répétition mécanique du visage de la reine sous ses doigts compteurs. Il recompta les billets pour la vieille dame, à une vitesse qu'elle pût suivre : « Voici, Mrs Jacobs.

— Ah, et votre main, oui », dit-elle, confirmant ainsi que c'était bien lui. Paul la leva pour lui montrer le bandage, et remua les doigts pour lui montrer qu'elle fonctionnait.

« Alors, tout va bien », dit-elle, retrouvant son porte-monnaie, fourrant les billets à l'intérieur : toujours comme si elle avait trouvé que l'argent était une invention ingérable. « C'est notre jeune homme », dit-elle tout bas à sa fille quand celle-ci l'eut rejointe ; mais Mrs Keeping parlait déjà à voix basse à Mr Keeping, qui était sorti de son bureau, feutre à la main et imperméable sur le bras, malgré le grand beau temps et l'absence de nuages dans le ciel visible à travers la partie supérieure translucide de la vitrine. Paul supposa qu'elles le raccompagneraient à pied.

Ce jour-là, sa pause déjeuner intervenait plus tard que d'ordinaire, ce qu'il préférait : il avait alors la pièce du personnel à lui tout seul, et il put lire son Angus Wilson en mangeant un sandwich sans avoir à subir de questions ; sans compter que, lorsqu'il retourna à son guichet, il ne restait plus qu'une heure avant la fermeture. L'après-midi, il se sentit plus à l'étroit, perché sur son tabouret, pivotant légèrement entre le tiroir profond vers son genou gauche et les têtes en bois des épingles, les trombones et les élastiques sur le comptoir à droite. Alors que le matin, il avait été motivé et efficace, l'après-midi il se sentit courbatu et désenchanté. Ses mouvements étaient limités par le tiroir des espèces. Genoux relevés, pieds tendus sur le tabouret au pied en métal, cuisses écartées quand il se penchait ; il remua les genoux pour chasser l'engourdissement du haut des cuisses et des fesses. Le dossier bas du tabouret avançait d'un coup quand on ne s'appuyait pas dessus mais se redressait agréablement quand on se collait contre et se cambrait. Paul ressentit un léger picotement, mélange bizarre d'appesantissement et d'excitation, dans la zone cachée de son entrejambe. Devant son guichet se formaient continuellement des files d'attente : succession de visages aux expressions vides, aimables, accusatrices, résignées, qu'il distinguait à peine ; mais, la moitié du temps, il avait sous le comptoir un début d'érection spontanée, à l'insu de tous.

Peu avant la fermeture, lorsqu'il revint du bureau du caissier en chef à son guichet, il n'avait plus de clients : jetant un coup d'œil panoramique à la salle, il vit Heather la traverser pour aller se poster près de la porte et il ressentit à l'avance l'infime changement

de perspective qui s'opérerait quand elle la ferme-
rait à clef et que l'équipe se retrouverait seule. Sans
doute n'était-ce qu'imagination de petit nouveau mais
il avait l'impression qu'une certaine solidarité s'installait parmi les membres de l'équipe, une fois le public
parti. Ils ne le manifestaient pas vraiment. « Non, vous
êtes *juste* dans les temps », dit Heather, avec un rire
récalcitrant. Paul vit alors un jeune homme baraqué la
dépasser rapidement et sourire de toutes ses dents : il
était quinze heures vingt-huit, il était dans ses droits,
et son sourire exprimait sa confiance plus qu'une quelconque contrition. Il tapota sa poche de devant et son
sourire se fit un tantinet espiègle quand il fondit sur
le guichet de Geoff, où un client attendait déjà. Paul
perçut un personnage d'une gaieté et d'un accoutre-
ment excentriques, un rien artiste et perdu dans ses
pensées, comme on n'en voyait pas souvent dans ce
genre de ville provinciale et qu'on aurait davantage
associé à Londres ou, disons, Oxford, qui, au fond, ne
se trouvait qu'à une vingtaine de kilomètres. Il aurait
bien pu être étudiant là-bas, d'ailleurs, avec sa veste
en lin clair frisant au niveau des revers et sa cravate
bleue en tricot. Un stylo avait fait une tache d'encre
rouge sur sa poche non loin du cœur. Ses cheveux
bruns bouclés couvraient à moitié ses oreilles. Il y
avait quelque chose de spirituel et de séduisant dans
son expression, même s'il n'était pas beau, à proprement parler. Paul se pencha en avant et, pendant
plusieurs secondes étirées au maximum, comme dans
un état second, il l'observa regarder Geoff à la dérobée par-dessus l'épaule du client devant lui. Il avait
la tête tournée de côté, le bout de la langue reposant sur sa lèvre inférieure, l'air absent mais le sourcil

calculateur froncé par l'impatience ; et puis, pendant une fraction de seconde, ses traits se figèrent, il écarquilla les yeux, comme pour les emplir de la présence de Geoff, reprit contenance, avec un lent clignement des cils et une indulgence amusée ; bien sûr, Paul sut instantanément, et son cœur battit plus fort, empli de sentiments qu'il n'aurait su démêler : curiosité, envie et effroi. « Puis-je vous aider ? » demanda-t-il, d'une voix qui lui parut trop forte et quasi moqueuse.

Le jeune homme le regarda sans bouger la tête, mais avec un sourire qui s'épanouit, comme s'il avait deviné qu'il avait été pris la main dans le sac. Il approcha. « Bonjour ! Vous êtes nouveau ?

— Oui, c'est moi le nouveau », répondit Paul d'un ton aimable et se sentant un peu ridicule.

L'inconnu posa sur lui un regard appréciateur tout en palpant ce qu'il avait dans sa poche de veste. « Hum, moi aussi, répondit-il du tac au tac et d'une voix profonde, avec une volute d'humour.

— Ah oui ? fit Paul, s'efforçant de ne pas être trop familier mais riant un peu.

— Nouveau prof mais ce n'est pas très différent. Je dois encaisser ceci pour le colonel. » Il avait un carnet de versement, le bordereau déjà rempli, et un chèque de quatre-vingt-quatorze livres sterling : *École de Corley Court, COMPTE GÉNÉRAL.* Au moment d'apposer le tampon, Paul eut le temps de se représenter une image de l'école, grouillante, compacte, aisée, célèbre, à n'en pas douter, même s'il n'en avait jamais entendu parler.

« Où est-ce ? s'enquit-il.

— Quoi ? Corley ? » L'inconnu prononça le nom comme il aurait dit « Londres » ou « Dijon », avec une certitude de bon aloi et une surprise polie. « Sur la route d'Oxford, à environ cinq kilomètres. C'est un é… ta… bli… sse… ment d'en… sei… gne… ment pri… maire », dit-il, sur un ton saccadé chic à la Noël Coward.

« Mesdames et messieurs, la banque va fermer, annonça Heather.

— Vous feriez bien de me donner un peu d'argent, dit l'inconnu. Ils ne jouent pas les prolongations, ici ?

— J'ai bien peur que non », répondit Paul avec un hochement de tête et un sourire, de cette façon particulière qu'on avait à la banque de concéder un point à un client – avec une concession supplémentaire compte tenu du charme de celui-ci en particulier. L'inconnu le dévisagea un instant avant de sortir son stylo ; il avait un gros stylo à quatre couleurs, rouge, vert, noir, bleu. Il établit un chèque de cinq livres, d'une écriture soignée mais originale, avec la bille verte. Il s'appelait P.D. Rowe. Peter Rowe, indiquait la signature.

« Fin de mois, expliqua-t-il. C'est la paie aujourd'hui.

— Quelles coupures ?

— Oh, Seigneur… quatre billets d'une livre et une livre en pièces. Oui ! » dit Peter Rowe en observant les mains de Paul et en hochant la tête. « De quoi *vraiment faire la fête* ce week-end. »

Paul gloussa sans le regarder. « Je me demande, dit-il, où on peut faire la fête dans les environs… (tout bas, car il ne voulait pas que Susie l'entende).

— Hum, oui, je vois ce que vous voulez dire. » Paul se sentit bizarrement conscient d'avoir engagé une conversation privée avec un client, comme ses collègues le faisaient avec ceux qu'ils connaissaient bien. Même s'il ne connaissait pas du tout Peter Rowe, il était très intéressé par sa réponse. « Je me dis toujours qu'il doit bien se passer quelque chose quelque part, pas vous ? » Peter Rowe prit les billets et glissa les pièces dans un porte-monnaie en forme de demi-lune. « Même si, dans une petite ville comme ici, il doit falloir un certain temps pour dénicher le bon endroit. » Il sourit, et remua les sourcils.

Paul s'entendit s'exclamer : « Tenez-moi au courant ! » Pour lui, ce que « faire la fête » pouvait recouvrir n'était pas très clair et son excitation était mêlée au sentiment qu'il s'engageait dans quelque chose qui le dépassait.

« Sans faute. » En sortant, Paul Rowe jeta un nouveau coup d'œil à Geoff avec un autre petit frémissement interrogateur, et Paul perçut, dans une inquiétante bouffée de compréhension, que ce signe comique lui était adressé. Ensuite, Peter Rowe se retourna et, en passant la porte, lui lança un sourire éblouissant.

En rentrant à son meublé, Paul songea à Peter Rowe et se demanda si, par hasard, il le croiserait en ville. Mais la plupart des boutiques étaient fermées et les pubs pas encore ouverts ; une atmosphère prématurée de vacances s'était installée sur la longueur ratissée de soleil de Vale Street. Il se sentit fatigué mais agité, exclu des activités normales du vendredi soir. Dans le bas de la rue, les portes des maisons étaient protégées par des auvents rayés ou ouvertes derrière des rideaux de perles afin de laisser pénétrer l'air. Il entendit des conversations dispensées par des radios, de la musique, un homme haussant le ton en passant dans une autre pièce. Les magasins de tissus et de vêtements avaient couvert leurs vitrines avec de la cellophane pour empêcher que leur marchandise soit décolorée par le soleil. C'était la même cellophane dorée dont étaient enveloppées les bouteilles de Lucozade ; elle conférait aux vêtements une teinte vert-de-gris peu séduisante. Sur la minuscule scène de la vitrine de Mews, une femme avançait dans la lumière ambrée, vêtue d'une robe légère en coton, regard vide, doigts pointés en un geste distingué ; alors qu'un homme sûr de lui, en pantalon de flanelle et cravate, arborait un sourire éternellement patient. Ils avaient été ainsi toute la semaine, mouches vrombissant et mourant à leurs pieds, et resteraient sans doute ainsi jusqu'à la fin de la saison : alors, un jour, on retirerait le panneau en liège et quelqu'un passerait par là son bras de chair et de sang. Paul continua son chemin, jetant des coups d'œil malheureux à son reflet en mouvement. Dans la vitrine de la pharmacie étaient exposés d'énormes flacons en forme d'amphore emplis d'un liquide trouble, bleu, vert ou jaune, qui devait avoir quelque ancienne fonction symbolique. Des dépôts sombres flottaient à l'intérieur. Paul se demanda ce qui se passait lors d'un week-end où on *faisait la fête* : il se représenta Peter dansant sur *Twist and shout* dans une pièce pleine d'étudiants d'Oxford. Peut-être, d'ailleurs, allait-il à Oxford, à cette soirée, justement ; une école privée n'était guère le genre d'endroit où on faisait la bringue. Paul n'était pas attiré par Peter, il était effrayé plutôt et devinait qu'une amitié avec lui jetterait le doute à la banque. Déjà, il se projetait une ou deux semaines dans l'avenir.

Après dîner, il monta mettre à jour son journal, mais se montra bizarrement peu enclin à décrire son humeur. Il s'allongea sur le lit, regarda dans le vide. « Mrs Keeping est venue à la banque avant le déjeuner mais m'a complètement ignoré, c'était assez embarrassant. Mr K. très distant aussi, a seulement dit qu'il espérait que ma main allait bien. Mrs Jacobs a mis une éternité à se rappeler qui j'étais, après quoi elle a été assez amicale. Elle a sorti 25 livres sterling. Je ne crois pas qu'elle se soit souvenue de mon nom, pour elle je n'étais que "notre jeune homme". » Quelque chose, le contraste entre les rideaux et la moquette, quoique convenables en soi, accentua son sentiment de solitude ; les trois glaces de la coiffeuse bloquaient le soleil déclinant. L'ampoule du plafonnier rougeoyait, maigre compétition. L'ensemble coiffeuse, armoire et lit à tête de lit matelassée était assorti, hormis quoi rien d'autre ne l'était. Tout avait l'air d'être des rebuts dont on ne voulait plus dans les autres pièces de la maison : le fauteuil rêche, la lampe en fer forgé, les cendriers souvenirs, le tapis en laine marron fait par Mr Marsh lors de ce qui avait dû être une période de dépression. Paul commença une phrase sur la venue de Peter Rowe à la banque mais un instinct, la superstition, le contraignit à la barrer avec son stylo-bille jusqu'à ce qu'il ne reste qu'un carré brillant sur la page.

Il rangea son journal et tapota le sommet de l'armoire, à la recherche de l'exemplaire de *Films and Filming* qu'il y avait caché. Sur la couverture figurait un instantané du nouveau film *Privilège*, avec Jean Shrimpton et Paul Jones. Ils semblaient être au lit ensemble. Le profil pâle de Jean Shrimpton planait au-dessus de Paul Jones, qui avait les yeux fermés et dont les lèvres étaient entrouvertes. D'abord, Paul avait pensé qu'elle le regardait dormir, trop fascinée par son joli visage pour vouloir le réveiller. Mais, ensuite, il avait compris, avec une étrange bouffée d'excitation, qu'ils devaient faire l'amour et que la star de la pop ne ronflait pas mais, bouche légèrement ouverte, haletait en reddition. Cela dit, on ne pouvait en être absolument certain. La photo suggérait la présence de son épaule et de son torse nus, et donc du reste de son corps si on allait voir le film, qui ne serait jamais projeté dans une petite ville de province ; Paul devrait donc aller, en autocar, à Swindon ou à Oxford pour le voir. Dans le triangle entre les deux visages se trouvait un membre déconcertant, peut-être le bras droit de Jean Shrimpton replié en arrière comme celui d'un insecte tandis qu'elle s'accroupissait au-dessus de son partenaire, ou alors le coude gauche de Paul Jones, bizarrement tordu. Paul comprit ensuite que ce pouvait être son poignet gauche, vu de très près, main cachée dans les cheveux de Jean Shrimpton. Dans le gros plan gris et blanc, le cou adolescent et grassouillet de Paul Jones avait l'air charnu et grêlé. Et il n'avait pas de lobes d'oreilles, un drôle de détail qu'on avait du mal à oublier une fois qu'on l'avait remarqué. Paul Bryant n'était pas certain... pour Paul Jones. Un jour qu'elle regardait *Top of the Pops*, sa mère avait indiqué sans détour qu'il lui plaisait, or il n'était pas vraiment indiqué d'avoir les mêmes fantasmes que sa mère. Le propre désir de Paul, fort modeste, ma foi, était tout simplement d'embrasser Paul Jones.

Il resta assis sur son lit afin de lire les petites annonces pour la troisième ou la quatrième fois.

C'était comme une douce hallucination, un peu comme les dessins dans le journal qui contenaient dix objets cachés : il fut parcouru de frissons en comprenant quelles invitations secrètes elles recelaient. Il éplucha systématiquement la colonne Services, travaux domestiques recherchés par des « jeunes gens raffinés » dans des « appartements ou maisons privés » ou « hommes à tout faire », « toute offre sera étudiée ». Lui-même ne recherchait aucun « service », mais il était intéressé au plus haut point par le simple fait qu'ils fussent proposés. Plusieurs masseurs figuraient dans la liste. Quelqu'un du nom de Mr Young, « thérapeute manuel », pouvait se déplacer entre dix heures quarante-cinq et quinze heures dans le nord-ouest de Londres uniquement. Paul se dit qu'il serait trop impressionné par Mr Young, même s'il se trouvait dans le bon quartier à l'heure dite. Son regard se promena sur les sections « À vendre » et « Recherché », imprimées en petits caractères : toutes les annonces se ressemblaient, de sorte qu'on pouvait en perdre une et la retrouver ailleurs parée d'un sens légèrement magique. Tout tournait surtout autour de magazines et de films. Certaines requêtes étaient hystériques : « Clichés, Photos, Articles, Magazines, TOUT sur Cliff Richard ». Un « atelier » anonyme proposait des « films Physique et Glamour » pour « peintres, étudiants et connaisseurs », quelqu'un d'autre vendait des « films d'action tournés en Super 8, quinze mètres de pellicule ». Paul se représenta la bobine tournant sur un projecteur… il ne pensait pas qu'on pût engranger beaucoup d'action en quinze mètres de pellicule : elle serait sans doute terminée avant d'avoir commencé. D'ailleurs, il n'avait pas de projecteur et ne se voyait guère en acheter un avec son salaire. Et il n'aurait pas la place dans sa chambre... sans compter qu'il lui faudrait un écran. Beaucoup de gens étaient amateurs de ce qu'on appelait *tapesponding* : apparemment, on enregistrait un message et on l'envoyait par la poste, ce qui pouvait être romantique, mais Paul n'avait pas de magnétophone non plus et même s'il en avait eu un, Mrs Marsh le prendrait pour un fou, à parler seul dans sa chambre des heures durant. Il ne savait pas très bien s'exprimer et se demandait bien comment il réussirait à emplir toute une bande.

Les « Annonces personnelles » représentaient le sommet de son rituel solitaire. Les mots se courbaient, se boursouflaient, se gonflaient de sens scandaleux : « Célibataire indiscipliné (32 ans) souhaiterait rencontrer esprit fort aux vues modernes. » « Motocycliste, ex-Marine nationale, cherche semblable pour weekends en moto. » À six pence le mot, certains étaient aussi volubiles que les *tapesponders* : « Motocycliste, 30 ans mais encore novice, recherche cours de perfectionnement et aimerait aussi particulièrement rencontrer un professeur en ondinisme qualifié. Londres Nord/Hertfordshire de préférence. » Quand Paul lisait ces annonces, son pouls s'accélérait. Sous le choc et fasciné, il eut un mince sourire. Un seul annonceur semblait s'être complètement fourvoyé : il demandait à rencontrer une jeune fille adepte de jardinage. Hormis quoi, c'était un monde de « célibataires », dont beaucoup possédaient un « appartement », le plus souvent situé à Londres : « Appartement centre de Londres, spacieux et confortable. Cherche jeune célibataire pour cohabitation. Aucune restriction. » Paul regarda les rideaux à fleurs et le ciel crépusculaire au-dessus de la glace. « Célibataire énergique (26 ans), possédant son propre appartement, en cherche d'autres, intérêts semblables »; il omettait de préciser quels étaient ces intérêts, il fallait donc prendre ou laisser. « Intérêts cinéma, théâtre, etc. », précisaient certains ou simplement « intérêts variés ». « Intérêts universels », disait un « célibataire, frisant la cinquantaine », ne laissant rien, à moins que ce fût tout, au hasard.

Paul ferma les yeux et s'adonna à une rêverie mélancolique sur fond d'appartements de célibataires, son regard distinguant lentement, au milieu de flaques de lumière artificielle, le canapé partagé, les pantoufles mélangées, les tableaux modernes : ouvrant la porte de la salle de bains, il se rasait alors que Peter Rowe, qui ressemblait tout à coup, étrangement, à Geoff Viner, se prélassait dans la baignoire, lisant, fumant et se lavant les cheveux tout en même temps; puis il ouvrait, à travers une sorte de vapeur pourpre, la porte de la chambre à coucher, sur une scène pleine d'ombres, plus excitante et scandaleuse que tout ce qui était décrit dans *Films and Filming* : une scène qui, pour autant qu'il sût, n'avait jamais été décrite.

4

Dans le « musée » éphémère, Peter écrivait les étiquettes avec son stylo quatre couleurs. « À qui appartient l'épée, donc ?

— Oh, l'épée, monsieur ? À Brookson, monsieur, répondit Milsom 1, s'approchant et le fixant du regard.

— Il prétend que c'était celle de son grand-père, monsieur », expliqua Dupont.

« Épée de cérémonie d'amiral », écrivit Peter, en noir, puis, passant au rouge : « Prêt de Giles Brookson, quatrième année. » Il serait revenu aux élèves d'écrire les étiquettes, mais ils aimaient son écriture. Déjà il se représentait son *e* grec, la rondeur de son *d*, son gros *B* d'enluminure faisant des émules dans toute l'école, contaminant leur banale écriture bâton inspirée de celle du directeur. C'était amusant, et flatteur, à sa manière, mais habituel, bien sûr ; dix ans plus tôt, il avait lui-même copié ces *B* d'un de ses maîtres préférés. « *Voilà* ! »

« Merci, *monsieur* ! » dit Milsom en français, emportant le carton jusqu'à la vitrine dans laquelle étaient exposées les pièces les plus précieuses ou les plus dangereuses. Il y avait un délicieux ensemble de figurines indiennes en terre cuite, montrant les costumes de différents métiers (militaire jouant de la cornemuse, vendeur d'eau, *chokidar*), prêtées en toute confiance par la tante de Newman. L'étagère du dessus accueillait une grenade, qu'on supposait non armée, un pistolet à pierre, l'épée du grand-père de Brookson, et un couteau kukri de Gurkha, que Dupont avait décroché et astiquait à l'instant avec du Duraglit. Milsom et lui parlaient de leurs mots fétiches.

« Je crois pouvoir affirmer que mon mot fétiche est "magnifique".

— Pas plutôt "merveilleux" ? demanda Dupont.

— Non, non, je préfère de beaucoup "magni-fique".

— Ah bon…

— Bon. Quel est le tien ? Et ne dis pas, ne dis pas, tu sais… un mot comme "cochon" ou "et"… ou, tu vois ce que je veux dire… »

Dupont leva un sourcil. « En ce moment, mon mot fétiche est sans doute "churrigueresque". » Le souffle coupé, Milsom secoua la tête et Dupont jeta un coup d'œil à Peter, pour juger de l'effet de sa réponse. « Mais, d'un autre côté, reprit-il d'un ton léger, ce pourrait être quelque chose d'aussi simple que "souple".

— "Souple" ?

— "Souple", répéta Dupont, brandissant le kukri et dessinant avec une ligne ondoyante. Deux syllabes mais qu'on met autant de temps à prononcer que "magnifique", qui en a le double. "Souple"… "Souple"…

— Pour l'amour du ciel, dit Peter, fais attention avec ce poignard, je t'en prie. Il est conçu pour trancher des têtes.

— Je fais attention, monsieur », rétorqua Dupont, blessé et rougissant. Depuis son renvoi de la salle de musique, il paraissait craindre un peu Peter et semblait ne plus se fier à sa voix, avec ses surprenants sauts d'octave au beau milieu d'un mot. L'instant d'après, Peter arrivait et étudiait la large lame par-dessus l'épaule du garçon. Sa courbure lui donna la chair de poule à l'arrière des cuisses.

« Cet objet a un aspect redoutable, Nigel…

— En effet, monsieur ! » répondit Dupont, lui lançant un regard reconnaissant. Selon le règlement, seuls les élèves surveillants avaient le droit d'être appelés par leur prénom. Il retourna le kukri, dont un côté brillait et l'autre, bleu-noir, luisait faiblement. Il s'était noirci les doigts avec son chiffon. « Son équilibre est parfait… Voyez, monsieur. » Il le tint à la verticale, le bout de son index taché dans l'encoche au bas de la lame. Le poignard, tremblant, se balança comme un perroquet sur son perchoir.

Ils devaient encore accrocher de nombreux tableaux, et Peter demanda aux garçons où ils pensaient que ce serait le mieux. C'était leur musée. Clairement l'idée de Dupont mais, en toute loyauté, en collaboration avec Milsom 1. Peebles et un ou deux autres étaient aussi de la partie mais avaient disparu dès que les gros travaux, le nettoyage des écuries et la peinture des murs à la chaux avaient commencé. Ceux-là avaient simplement voulu jouer avec les objets. « Pendons la mère du directeur », suggéra Peter. Les garçons rirent bêtement et échangèrent un regard. Peter tenait un portrait lugubre dans un cadre doré brillant. « Très généreux de la part du directeur de nous le prêter, à mon avis, ne trouvez-vous pas ? » Tous trois contemplèrent la chose dans l'état d'incertitude comique que Peter aimait créer. Une femme au visage rond et en robe grise fixait le spectateur comme si elle avait tu son regret d'avoir donné vie au directeur. « Où allons-nous mettre feu Mrs Watson ? » Manifestement, on avait pensé que les chevaux n'avaient pas besoin de beaucoup de lumière : juste l'ouverture de la demi-porte du box et une petite fenêtre très haut perchée au fond. L'ampoule au plafond dans un abat-jour en fer-blanc laissait le haut des murs dans l'ombre. « Tout à fait en haut, peut-être… ?

— Est-ce qu'elle est morte, monsieur ? s'enquit Milsom.

— Hélas, oui », répondit Peter d'une voix ferme. Il y avait des sujets sur lesquels il ne fallait pas les encourager à plaisanter même si la mort de cette dame avait sûrement été la raison pour laquelle elle avait enfin été décrochée du mur du salon du directeur.

« Il nous faut plus de lumière », déclara Dupont. Il avait eu l'idée d'utiliser l'ancienne lampe à huile prêtée par Hethersedge, mais c'était dangereux et même Peter avait mis le holà.

« Je le sais… J'en parlerai à Mr Sands.

— Je crois que nous devrions la mettre en bonne place, monsieur », dit Milsom.

Peter lui sourit, songeant un instant à ce que l'avenir réservait à un garçon aussi respectueux. « Oui, je pense que vous avez raison », dit-il, grimpant pour placer la duègne au-dessus de la vitrine aux armes. C'était un endroit central, bien qu'il se trouvât que le bord de l'abat-jour plongeait dans l'ombre tout le visage au-dessus du menton. « Que peut-on y faire… », dit Peter, imposant aux garçons, en quelque sorte, son opinion que, au fond, cela n'avait aucune importance. Ils continuèrent donc leur installation, jetant de temps à autre un coup d'œil dubitatif à la matrone.

Peter ouvrit un carton et en sortit une photographie encadrée de Cecil Valance, souffla puis cracha discrètement sur le verre avant de le nettoyer vigoureusement à l'aide de son mouchoir. Entre le verre et le cadre, se trouvaient de nombreux et infimes points noirs, des fourmis moissonneuses qui s'étaient faufilées là et y étaient mortes, sans doute des décennies plus tôt. « Et où allons-nous suspendre notre beau poète, dit-il, notre barde maison… ?

— Oh, monsieur… », fit Milsom. Dupont lâcha le kukri pour venir voir.

« Ici, monsieur, juste au-dessus du bureau ?

— C'est une idée, en effet. » Le bureau lui-même était une pièce de choix, au milieu d'un fatras de mobilier et d'objets domestiques de l'ère victorienne, paniers à linge, séchoirs, seaux à charbon, entassés à la va-vite et enfermés dans les écuries adjacentes depuis une date inconnue. Il était extrêmement lourd, doté de deux rangées de casiers néogothiques, de remparts en chêne, désormais plutôt édentés vers le haut.

« Pensez-vous que Cecil Valance a pu écrire ses poèmes sur ce bureau, monsieur ? demanda Milsom.

— Je parie que oui, dit Dupont.

— C'est possible…, dit Peter. Les œuvres de jeunesse, peut-être… Comme vous le savez, les derniers ont été écrits en France.

— Dans les tranchées, bien sûr, monsieur.

— Oui. Quoique, ce qui est pratique, avec les poèmes, c'est qu'on peut en composer où qu'on se trouve. » Peter avait étudié certaines œuvres de Valance avec les avant-dernière année – pas seulement les célèbres morceaux d'anthologie, mais d'autres poèmes des *Œuvres complètes* qu'il avait trouvés dans la bibliothèque, en compagnie de l'étude de Stokes. Les garçons avaient été émoustillés de lire des poèmes qui concernaient leur école et ils étaient assez jeunes pour ne pas s'apercevoir sans qu'on les y incite que la plupart étaient très mauvais.

Dupont examina le portrait. « Peut-on savoir à quel moment la photo a été prise, monsieur ?

— Délicat, n'est-ce pas ? » Il n'y avait que le timbre doré de Elliott et Fry, Baker Street, sur le carton gris-bleu. Peu d'indices dans les vêtements : costume sombre à rayures, col cassé, cravate en soie légère, épingle de cravate ornée d'une pierre précieuse. Photographié de trois quarts, Cecil Valance regardait en bas à gauche. Cheveux bruns crantés, brillanti-nés, lissés en arrière mais relevés au-dessus du front en une houppe audacieuse. Grands yeux d'une couleur incertaine, légèrement exorbités. Peter avait dit qu'il était beau, sans trop savoir ce qu'il voulait dire. Si on pensait, disons, à Rupert Brooke, alors Valance avait des yeux en boutons de bottine et un profil d'aigle ; si on pensait à Sean Connery ou Elvis, il avait l'air d'être le fruit d'une bonne dose de consanguinité, étincelant spécimen ancien d'une race qu'on ne voyait plus que rarement de nos jours. « Il est mort très jeune, alors il a probablement (Peter ne dit pas "environ mon âge") dans les vingt ans. » Étrange de penser que, s'il avait vécu, il aurait le même âge que le grand-père de Peter, qui jouait encore une partie de golf par semaine, et adorait le jazz, quoique pas forcément *Jail House Rock*.

« Il était marié, monsieur ? s'enquit Milsom d'un air grave.

— Je ne le crois pas, non… » Grimpant sur le bureau, il demanda aux garçons de lui passer le marteau et planta un clou dans le mur passé à la chaux.

À la réunion du personnel dans le salon du directeur, la discussion, cette semaine-là, tourna entièrement autour de la Journée Portes Ouvertes. « Bien, donc notre équipe contre les Templiers, à treize heures trente. Quelles sont les perspectives dans ce cas de figure ?

— Victoire dans un fauteuil, monsieur le directeur », répondit Neil McAll.

Le directeur lui adressa un sourire ravi, presque envieux. « Parfait.

— Bah, les Templiers sont très mauvais, dit McAll d'un ton sec mais sans refuser l'éloge. J'aimerais leur faire faire un ou deux entraînements supplémentaires cette semaine, après l'étude… ? Pour les secouer. Qu'ils soient bien en forme. » Le directeur parut prêt à tout lui accorder. Peter jeta un coup d'œil à McAll de l'autre côté de la table. Il entretenait à son égard des sentiments mitigés. Cheveux noirs, yeux bleus, tenue de sport aux heures les plus improbables de la journée, il était vénéré par nombre d'élèves et instinctivement évité par les autres. Il respirait l'esprit de compétition. En deux ans à Corley Court, il avait, disait-on, extrait l'école de sa position de lanterne rouge de la Kennet League, qu'elle occupait depuis des lustres.

« Leur tenue blanche, bien sûr, maîtresse ?

— Je ferai de mon mieux, quoique, en dixième semaine…

— Faites ce que vous pourrez.

— J'avancerai le soir des bains des seniors au jeudi, annonça la maîtresse d'internat, comme elle aurait annoncé des grandes manœuvres.

— Pardon ? Oh, je vois, fort bien », dit le directeur, fronçant les sourcils après avoir rougi légèrement. Il consulta sa liste. « D'autres activités ? Voyons, nous avons le "musée".

— Ah oui », dit Peter, surpris de s'apercevoir à quel point le directeur le rendait nerveux, sous le regard mi-attentif, mi-indifférent du reste du personnel. Il lança un coup d'œil à John Dawes, le plus bienveillant des maîtres, en train de tourner la roulette de son briquet pour la troisième ou la quatrième fois au-dessus du fourneau de sa pipe ; et, à côté de lui, à Mike Rawlins, plongé dans le gribouillage systématique avec lequel, toutes les semaines, il noircissait l'ordre du jour ronéoté de la séance. Ils suivaient ces réunions depuis vingt ans. « Oui, je crois que nous aurons une belle exposition à montrer à la Journée Portes Ouvertes. Ils ont réuni un ensemble d'objets intéressants, ainsi que des choses un peu ridicules. Ce ne sera pas, bien sûr, l'Ashmolean… » Peter sourit et baissa les yeux.

« Non, cela va de soi, répliqua le directeur, qui ne prisa guère ses allusions à Oxford.

— J'imagine que l'écurie est bien fermée à clef la nuit ? intervint le colonel Sprague. À ce que j'ai compris, certains objets ont été prêtés par des parents.

— Oui, naturellement. Dupont est le conservateur en titre, et c'est moi qui garde la clef.

— Nous ne voulons pas de vols et autres problèmes de ce genre, intima le colonel.

— Je dois essayer de trouver le temps d'aller voir l'exposition », dit Dorothy Dawes, comme si cela avait nécessité une intense organisation. Elle enseignait aux « Bébés » de première année, et semblait opérer à l'écart du reste de l'école, dans un nid de laine à tricoter et de gommettes. Elle avait toujours sur elle deux sortes de bonbons, des Polos et des Rolos, qu'elle distribuait généreusement, pour récompenser et consoler. Peter ne savait pas si les époux Dawes avaient des enfants.

« Je leur ai moi-même prêté un ou deux objets, dit le directeur. Un portrait et des bois de cerf. Pour les encourager.

— Ils ont beaucoup apprécié, dit Peter d'un ton solennel. Et nous avons aussi récupéré plusieurs articles intéressants du temps des Valance.

— Ah, oui… », dit le directeur, méfiant tout à coup. « Ceci m'amène à évoquer un sujet délicat, que je dois vous demander de garder pour vous. » Peter, supposant qu'ils allaient aborder la question du sexe, douta soudain de la pertinence des remarques spirituelles qu'il avait eu l'intention de faire à propos de *Dr No* et de la poitrine d'Ursula Andress. « Vous êtes déjà au courant, John : il s'agit de Mrs Keeping. »

L'affaire était, de toute évidence, plutôt excitante, car Mrs Keeping était une personne très difficile et pas du tout appréciée par les autres membres du corps professoral ; tous prirent un air mûrement responsable.

« J'avais déjà eu des… comment dire… des commentaires à son sujet. Mais, cette fois-ci, Mrs Garfitt a écrit un courrier pour se plaindre d'elle. Elle prétend que Mrs Keeping a frappé le jeune Garfitt avec un livre, je ne saurais dire où exactement, et elle aurait aussi… » Le directeur donna un coup d'œil à ses notes. « Elle lui aurait donné un petit coup sur les oreilles pour le punir d'avoir fait des fausses notes.

— Fichtre, c'est tout ? dit John Dawes tout bas, et la maîtresse d'internat lâcha un petit rire désabusé. Complètement inefficace, bien sûr…

— J'ai répondu à Mrs Garfitt que les punitions corporelles données à bon escient étaient l'une des méthodes qui permettaient à des écoles comme Corley Court de parvenir à de bons résultats. Mais je ne suis tout de même pas satisfait de la situation.

— Le problème est qu'elle ne se considère pas comme un professeur, déclara Mike Rawlins, sans lâcher son gribouillage.

— C'est exact. D'ailleurs, elle n'a aucune qualification, déclara Dorothy, plutôt évasive.

— Ah… », dit Mike, qui soudain fit grise mine. Autant que Peter pût en juger, seul le directeur et lui pouvaient s'enorgueillir d'avoir un titre universitaire, les autres n'ayant que des diplômes très anciens et même, dans un cas, rien qu'une médaille. Neil McAll était le plus exotique d'entre tous, avec son « Dip. Phys. Éd. (Kuala Lumpur) », par la vertu duquel il enseignait l'histoire et le français.

« Mais elle est la fille du capitaine sir Dudley Valance, Bart », ajouta le colonel Sprague, avec humour mais une once d'émotion aussi. Sprague, fût-il simple intendant, témoignait d'un grand respect pour des rangs depuis longtemps caducs et affectait parfois une supériorité tout à fait imaginaire sur le capitaine Dawes, sans compter Mike et le directeur qui, tous deux, avaient servi dans la R.A.F.

« Ça n'a pas dû être facile de grandir dans cette famille…, dit Mike.

— Elle a passé son enfance à Corley Court.

— Que faire… ? » s'interrogea le directeur, d'un air indécis déplorablement tactique, promenant son regard autour de la table. « Je me demandais si vous ne seriez pas le mieux placé pour échanger un mot avec elle à propos de cette affaire… hum, Peter. »

Ce dernier rougit, cligna des yeux et répondit du tac au tac : « Avec tout le respect que je vous dois, monsieur le directeur, je ne me crois guère autorisé à rappeler à l'ordre d'autres membres du personnel, surtout s'ils ont deux fois mon âge.

— Pauvre Peter ! dit Dorothy, gazouillant d'une voix protectrice. Il est tout nouveau.

— Non, non, pas la rappeler à l'ordre… de toute évidence ! » Le directeur rougit à son tour. « Je pensais plutôt à… une conversation tout en subtilité… évoquer le sujet par des moyens détournés, une conversation qui pourrait se révéler plus efficace que si je lui passais un savon moi-même. Je crois que vous jouez des duos de piano avec elle… ?

— Certes… » Peter fut étonné, se sentit presque coupable, que le directeur sût cela. « Pas vraiment. Nous répétons un ou deux morceaux à quatre mains que nous devons jouer pour le soixante-dixième anniversaire de sa mère la semaine prochaine. Je ne la connais pas bien du tout.

— C'est donc le soixante-dixième anniversaire de lady Valance ? dit le colonel Sprague. Peut-être l'école devrait-elle lui transmettre ses vœux.

— Non, non, elle n'est plus lady Valance, rétorqua Peter plutôt sèchement.

— L'actuelle lady Valance a dans les vingt-cinq ans, à la voir, dit Mike.

— Elle a été mannequin, n'est-ce pas ? » dit la maîtresse d'internat.

Certes, Corinna Keeping effrayait Peter, mais il avait néanmoins le sentiment qu'il avait réussi à l'amadouer. Parce qu'elle avait un côté snob, elle l'avait repéré et était convaincue de pouvoir l'impressionner sinon le séduire. Il sortait d'Oxford, aimait la musique, avait lu les livres de son père. Bien entendu, elle jouait infiniment mieux que lui, mais elle ne donnait jamais l'impression de vouloir le frapper avec une règle sur les oreilles. Elle lui proposait même des cigarettes et évoquait avec lui, avec un certain sarcasme, la gestion de l'école. Il était sans doute à même de lui parler, en effet, mais n'avait pas envie de renoncer à ses faveurs. Il se disait qu'il y aurait des gens intéressants à l'anniversaire, elle avait parlé de son fils Julian, un sujet brillant qui avait « déraillé » en terminale à Oundle, et dont elle-même pensait qu'il pourrait se révéler utile qu'ils se rencontrent. « C'est probablement vous qui avez le meilleur contact avec elle », conclut John Dawes, avec son air d'impartialité somnolente.

Peter finit par accéder plus ou moins à leur requête : « Eh bien, nous aurons une petite conversation, si c'est ce que vous souhaitez.

— Ce serait préférable, conclut le directeur, d'un ton sévère maintenant qu'il avait remporté la partie.

— Bien que cela puisse être trop subtil pour avoir l'effet escompté. »

Après quoi furent évoqués les cas particuliers d'élèves pour lesquels il était nécessaire de faire un rapport, ce qui échappa à Peter, qui continua de réfléchir à la mission qu'il avait acceptée. Entamant un gribouillage à son tour, à l'encre verte, il encadra le mot « musée » avec un fronton et des colonnes. Ce pourrait être un Ashmolean, après tout. Il se demanda si Julian Keeping était séduisant, et s'il y avait quoi que ce soit de « pas comme les autres » dans sa façon de « dérailler ». Dans une école privée, les garçons « pas comme les autres » n'avaient pas, d'ordinaire, besoin de se rebeller, ils s'intégraient parfaitement ; surtout, bien sûr, s'ils étaient beaux. Il entourait l'expression « Portes Ouvertes » d'étoiles rouges lorsqu'il entendit le directeur dire : « Maintenant, une autre affaire : hum, oui, euh, Peter, cette affaire de pornographie et… » Un peu gêné, Peter continua de faire ses gribouillages tout en répondant, avec un large sourire : « Je n'ai pas grand-chose à signaler, monsieur le directeur. » Lorsqu'il releva la tête, il surprit autour de la table tout un faisceau de regards inquiets et un long sillage de fumée de la pipe de John Dawes qui flotta entre eux avant de se dissiper lentement.

« Dorothy, souhaiteriez-vous peut-être vous retirer ?

— Dieux du ciel, monsieur le directeur ! » Dorothy secoua la tête, puis, comme si elle avait oublié quelque chose, fouilla dans son sac, à la recherche d'un Polo.

« J'ai lu *Dr No*, comme on me l'a demandé », expliqua Peter, tirant le livre confisqué d'en dessous sa pile de documents. Sur la couverture, le bras droit d'Ursula Andress était en partie caché par sa poitrine tandis qu'elle sortait un couteau rangé contre sa hanche gauche. La ceinture paraissait un peu bizarre, portée avec un bikini. Sur la quatrième de couverture figurait une citation de Ian Fleming : « J'écris pour les hétérosexuels au sang chaud dans les trains, les avions et au lit. » Neil McAll avança le bras et retourna le livre pour regarder la couverture.

« "La plus belle femme du monde", déclara-t-il. Je me le demande. » Il plaça le volume selon un certain angle pour que John Dawes la voie. « Étrange… ce qu'elle a la poitrine qui tombe, maintenant… »

Le vieux John, très gêné, fit mine d'étudier la photo. « Hum, ah bon ? » Peter essaya d'imaginer la poitrine de Gina McAll ; sans doute un époux jugeait-il les stars de cinéma et sa propre épouse selon des critères différents. « La couverture est ce qu'il y a de plus osé…, dit Peter. Et puisque la plupart des élèves auront vu le film, je ne vois aucune raison de s'inquiéter. Le livre n'est d'ailleurs pas mal écrit. » Il posa sur le conclave un regard franc. « Il y a une très bonne description d'un moteur diesel page 91.

— Hum… » Le directeur opposa un sourire glacial à une telle légèreté. « Très bien. Merci. » Une fois de plus, Peter eut l'impression qu'aux yeux du directeur, il n'était qu'un irrécupérable mondain. « La fouille des armoires des neuf-dix ans a donné… ceci. » Il tâta sa poche de veste, comme s'il allait dévoiler un précieux carnet, mais il n'en sortit qu'un livre de poche corné, qu'il fit passer et qui fut observé avec une curiosité toute naturelle. C'était l'autobiographie de Diana Dors, *Swingin' Dors* : sur la couverture, sous sa tout aussi abondante et percutante poitrine, figurait l'accroche *J'ai été une mauvaise fille*. Mike examina à l'intérieur la photo de l'actrice originaire de Swindon, vêtue d'un bikini en vison. « Absolument révoltant, leur rappela le directeur, bien que, par comparaison, ce ne soit pas grand-chose. Notre maîtresse d'internat, je suis navré de le dire, a découvert les publications les plus abominables cachées derrière les radiateurs des dernière année.

— C'est exact », confirma l'intéressée, les traits figés. Peter savait que ces radiateurs étaient encastrés derrière d'épaisses grilles mais sans nul doute la maîtresse d'internat les en avait-elle extraits aussi promptement qu'elle défaisait les lits mal faits en jetant les draps en l'air. Le directeur avait glissé les magazines dans un classeur derrière lui. Il les en retira et les feuilleta sous la table, mentionnant leurs titres dans un murmure bourru. C'étaient tous de banals magazines disponibles librement sur les étagères tout public dans les kiosques, même si *Health and Efficiency* était un peu différent, dans la mesure où y figuraient aussi des hommes et des garçons nus. « Bien sûr, personne n'a avoué les avoir cachés là », dit-il, avec un nouveau tressaillement de dégoût. Peter se doutait du coupable mais n'avait aucune intention de le dénoncer. À quoi pouvait-on s'attendre d'autre ? « Je crois que vous avez aussi entendu des propos assez répugnants, madame la maîtresse d'internat ?

— En effet », répondit cette dernière mais elle n'avait clairement pas l'intention de les répéter. Quoi que ces propos aient pu être, ils jetèrent un voile fantomatique sur les visages curieux mais perplexes réunis autour de la table.

« Je sais que j'ai déjà abordé le sujet, dit Neil McAll, mais ne serait-il pas temps que nous donnions quelques cours d'éducation sexuelle à ces enfants, du moins aux sixième et septième année ?

— Comme vous le savez, j'en ai parlé avec les membres du conseil de l'établissement et ils trouvent que ce n'est pas souhaitable, répondit le directeur d'un air plutôt fuyant.

— Les parents rejettent pareille idée, dit la maîtresse d'internat, d'un ton plus implacable. Et les élèves aussi. » Ils froncèrent les sourcils de concert, tel un couple bizarre, et Peter ne put s'empêcher de se demander ce qu'ils connaissaient à part les choux et les cigognes. Les élèves des grandes classes les représentaient parfois entremêlés de façon obscène, mais il avait la quasi-certitude qu'ils étaient tous deux vierges. Leur entêtement en la matière était surprenant, au regard de l'ancienne tradition des conversations en tête à tête entre tuteurs et garçons. Les garçons arrivaient donc à la puberté embrouillés dans une confusion colorée de ouï-dire et d'expérimentations, une confusion nourrie par des photos excitantes de femmes indigènes dans *National Geographic*, des romans vaguement osés et des photos de magazines artistement retouchées.

Il se trouvait qu'après cette réunion, Peter n'avait pas cours et qu'il avait rendez-vous avec Corinna Keeping, rendez-vous qui, du coup, prit une connotation particulière. Il doutait beaucoup qu'il puisse s'autoriser à lui parler. Ils étaient indubitablement parvenus à établir une certaine intimité lors de leurs sessions à quatre mains. Partageant avec elle le tabouret de piano, il en était arrivé à avoir conscience de la grande fermeté de sa personne, de son flanc corseté à sa poitrine bien dure ; leurs hanches se déplaçaient en même temps quand ils allongeaient le bras et, de temps à autre, les croisaient sur le clavier. En qualité de second pianiste, il était chargé des pédales mais les jambes de Corinna heurtaient parfois les siennes, comme si elles avaient dû résister à l'envie d'appuyer elles-mêmes sur les pédales. Le contact était purement technique, cela allait de soi, comme en sport, et ne pouvait être confondu avec toute autre espèce de toucher. Néanmoins, Peter avait l'impression que cela ne déplaisait pas à Corinna, elle aimait cette rigueur professionnelle asexuée mais aussi la part de sexualité qu'elle recelait. Après leurs répétitions, Peter retrouvait sur sa chemise des odeurs mêlées de fumée et de muguet. Ces répétitions n'avaient aucun intérêt amoureux pour lui, mais c'était un séducteur invétéré et, sans trop y penser, elles lui donnaient l'impression d'avoir grâce à elles une plaisante mainmise sur une femme que tout le monde considérait comme un dragon.

Elle l'attendait dans la salle de musique, après avoir donné une heure de cours à Donaldson, un élève de cinquième. « Ah, parfait, vous avez réussi à fuir, dit-elle, lançant un nuage de fumée mutin, avant d'écraser son mégot sur le bord de la corbeille à papier en métal. Vous avez réussi à échapper à ces chers vieux raseurs. »

Peter se contenta de sourire, ôta sa veste et ouvrit la fenêtre comme d'un air distrait. Il était beaucoup trop tôt pour aborder la question de sa sévérité et, bien que sa langue le démange, il comprit aussi, maintenant qu'il était en sa présence, qu'elle n'aurait pas apprécié qu'il lui fasse un compte rendu du débat sur la pornographie. « Nous avons beaucoup parlé de la

Journée Portes Ouvertes, comme vous pouvez l'imaginer, dit-il.

— Je l'imagine, en effet, oui, répondit-elle, avec un battement de ses cils noirs et raides. Bien entendu, je ne suis pas conviée à ces réunions d'une importance majeure... Je suis navrée que vous deviez y perdre votre temps. » C'était typique de sa manière sournoise de le mettre dans le même camp qu'elle, au-dessus de la tête des autres membres du personnel. En dessous de la surface, supposait-il, devait se tapir sa fierté blessée : enseigner la musique dans la demeure même où elle avait grandi ! Un jour, il lui avait demandé ce qu'était la salle de musique dans son enfance : apparemment, cela avait été la chambre de la gouvernante ; et l'infirmerie à côté, la chambre de la cuisinière. « Avez-vous jeté un coup d'œil au Gerald Berners ?

— Je l'ai étudié de fond en comble.

— Plutôt zinzin, n'est-ce pas ? Mère sera aux anges, elle adorait Gerald.

— Je suis content que vous m'ayez dispensé des deux autres morceaux. » Ils ne joueraient que la pièce du milieu, la plus simple, intitulée *Valse sentimentale*.

Corinna stabilisa la partition sur le lutrin. « Connaissez-vous d'autres compositeurs pairs du royaume ?

— Lord Kitchener, peut-être... ?

— Lord Kitchener ? Oh, voyons, vous plaisantez ! »

Corinna rougit légèrement mais sourit.

D'abord, ils jouèrent le morceau d'une traite. « Je dois dire..., s'exclama Peter à la fin. Je suppose que je dois faire comme si j'étais incapable de jouer pour sauver ma vie !

— Absolument. Vous avez parfaitement compris. »
Avec Corinna, on courait toujours le risque d'être
ramené à l'âge de onze ans et de se voir taper sur la
tête avec un livre. Ils recommencèrent le morceau,
plus en confiance cette fois, sur quoi Corinna se leva
pour prendre une nouvelle cigarette.

— La mélodie principale n'est-elle pas familière ?
demanda Peter.

— Vraiment ? Je n'aurais pas cru que Gerald ait pu
composer quoi que ce soit de familier…

— Non… je voulais dire : j'ai l'impression qu'il
l'a fauchée. N'est-ce pas du Ravel ? C'est français, en
tout cas.

— Ah… ? »
Peter joua à nouveau la mélodie, sans fioritures.
« Mon Dieu, vous avez raison, dit Corinna, c'est le
Tombeau de Couperin. » Se rasseyant, elle poussa
Peter du tabouret et joua le Ravel, ou du moins une
partie, cigarette à la bouche, comme un pianiste dans
un cabaret.

« Exactement !

— Ce vieux filou de Gerald ! » s'exclama Peter –
liberté autorisée par Corinna. Ce qui n'empêcha pas
celle-ci d'ajouter : « Bien sûr, ce pourrait tout aussi
bien être "Ce vieux filou de Maurice !" Vous devriez
vérifier les dates. Quoi qu'il en soit, nous ferions
mieux de revoir le Mozart pendant dix minutes, après
quoi je devrai rentrer, je dois emmener mon mari au
club de cricket.

— Oh, à Stanford Lane ? » L'endroit se trouvait à
dix minutes à pied de la banque, une agréable promenade. « Dites donc, vous le gâtez, votre mari… »

Si elle n'en prit pas vraiment ombrage, Corinna ne parut pas apprécier cette remarque. Elle fourra les *Trois Morceaux* dans sa sacoche à partitions, puis aplatit la sonate de Mozart sur le lutrin. « Je suppose que vous n'êtes pas au courant ? demanda-t-elle.

— Non, je suis désolé… Lui est-il arrivé quelque chose ? » Peter imagina qu'il avait été renversé par une automobile sur la place du marché. « Ah, vous ne savez pas… » Corinna hocha la tête, comme pour exonérer Peter, mais elle n'en demeura pas moins légèrement agacée. « Les gens disent que c'est de l'agoraphobie mais, en fait, c'est autre chose.

— Ah ? »

Elle se rassit. « Mon époux a beaucoup souffert pendant la guerre, déclara-t-elle, un frémissement témoignant de son irritabilité. Les gens ont beaucoup de mal à comprendre.

— Je ne l'ai vu que pendant deux ou trois minutes quand j'ai ouvert mon compte. Il n'aurait pu être plus charmant, même avec un client ayant plus que quarante-cinq livres à déposer.

— C'est un homme brillant, dit Corinna, ignorant la plaisanterie. Il devrait être à la tête d'une succursale beaucoup plus importante, mais il a du mal à faire des choses qui ne posent aucun problème à d'autres.

— Vous m'en voyez navré.

— Je pense qu'il vaut mieux que les gens soient au courant, même si mon mari déteste qu'on fasse une exception pour lui. Sans doute détesterait-il que je vous en parle. En gros, il ne supporte pas d'être seul.

— Je vois. » Peter scruta le visage de son interlocutrice et se demanda si cette révélation marquait une nouvelle étape dans leur relation. Elle souffla en l'air les dernières bouffées de fumée et, une fois encore, écrasa son mégot contre le bord de la poubelle.

« Il s'échappait d'un camp de prisonniers de guerre en Allemagne lorsqu'un tunnel s'est effondré. » Elle scruta la première portée de l'allegro. « Pas de lumière, pas d'air… Pouvez-vous imaginer ? Il a cru qu'il allait mourir mais il a été secouru juste à temps.

— Bonté divine.

— Voilà donc la raison pour laquelle, mon cher », dit Corinna avec un froncement prononcé des sourcils, « je dois l'accompagner au club de cricket. » Et elle attaqua les premières notes de la sonate avec un claquement de mâchoire avant que Peter ait eu le temps de se préparer.

5

« J'ai du mal à croire que vous fassiez ça, dit Jenny Ralph.

— Oh, ça ne me dérange pas, vraiment. »

Elle s'approcha de lui sur le gravier, maladroite sur ses talons hauts, avec son verre qu'elle tenait à bout de bras. « Ils se servent encore de vous ?

— Seulement le temps que les invités arrivent. J'aime être occupé. » Posté à la grille, Paul observa une grosse Rover 3 litres noire qui remontait très lentement l'allée, comme une voiture des pompes funèbres à un enterrement. Il conclut d'un air aussi joyeux qu'il put : « Je suis une pièce rapportée, ici, de toute façon.

— Vous n'avez aucune raison d'être impressionné. » Jenny portait une robe à jupe ample comme une danseuse de salon, et elle avait mis beaucoup de fard à paupières – la vérité était qu'elle l'impressionnait un peu, même si elle était plus jeune que lui. Il avait revêtu le costume qu'il mettait pour aller travailler, regrettant de n'avoir rien d'autre à se mettre. « De toute évidence, vous avez beaucoup plu à grand-mère.

— Oh, euh… elle est intéressante. Je l'aime bien.

— Quant à elle, elle vous adore, répliqua Jenny avec une certaine aigreur.

— Ah bon ?

— "L'employé de banque qui cite ce cher Cecil !"

— Ah, je comprends... » Sortant dans la rue, Paul rit mais ne s'en demanda pas moins s'il n'était pas pour eux tous une figure comique. Il sourit et fit signe à la voiture de passer son chemin. En dessous de leurs visières baissées contre le soleil déclinant, les passagers, d'un certain âge et un peu sourds, parurent décontenancés. Les invités étaient censés dépasser la grille et aller se garer dans le champ en face, puis revenir à pied et passer par l'autre entrée. S'ils étaient trop faibles, ils avaient le droit de se garer dans l'allée. Il était délicat de décider si les nombreux invités d'un âge certain étaient assez faibles pour y avoir droit. Dans le champ, ils couraient aussi le danger supplémentaire de marcher dans une bouse de vache, ce que Paul préférait ne pas préciser de manière explicite. « Faites attention où vous mettez les pieds ! » criait-il tandis que la voiture s'éloignait à une allure d'escargot.

« C'est simplement, dit-il, que nous devions apprendre par cœur "Rêves de soldats".

— Pardon ?

— Le poème de Valance.

— Ah oui, d'accord.

— "Dans ces fermes et vallons vierges de guerre, / Ils ignorent en leurs rêves que s'ils font la guerre, / C'est pour ces champs calmes, pour ces ruisseaux prestes."

— Je vois... Au fait, vous savez qu'il y a une soirée dansante au Corn Hall, ce soir ?

424

— Oui, je sais. Du moins je connais quelqu'un qui y va.

— Ah oui… est-ce que vous voulez y aller plus tard ?

— Votre famille vous y autorisera ? » Geoff en avait parlé, il y emmenait Sandra, et Paul se sentit soudain emballé par cette idée, s'apercevant néanmoins tout aussi vite qu'il ne pouvait y emmener Jenny.

« C'est les Locomotives qui jouent, un groupe de Swindon… Trop sensass. En fait, n'en parlez pas », supplia Jenny en se retournant pour adresser un sourire au jeune John Keeping, qui au même moment traversait l'allée, lui aussi un verre à la main. Il avait mis un costume sombre à veste croisée et glissé un mouchoir en soie rouge dans sa pochette de veste. Il avait d'emblée l'allure d'un homme d'affaires prospère. « Ma grand-mère a pensé que vous apprécieriez sans doute une goutte de punch. » Il conférait une pesante ironie au fait que, l'espace d'un instant, il se retrouvait serveur.

« C'est très aimable à elle », dit Paul en prenant le verre, sans savoir ce qu'était un « punch ».

Jenny fit une petite grimace : « Je viens de prendre grand-mère en flagrant délit, à verser dedans le contenu d'une autre demi-bouteille de gin. Alors, à votre place, je me méfierais.

— Ah, Seigneur, faites gaffe, hein ? » fit John, avec un gros rire paresseux.

Paul rougit en avalant une première gorgée. « Hum, pas mauvais du tout », lâcha-t-il, se retenant de tousser lorsque le gin brisa l'illusion momentanée que ce n'était là que de l'orangeade. Il avala une autre gorgée.

John le regarda droit dans les yeux, avant de pivoter sur les talons pour observer le bas de Glebe Lane, là où arrivaient les voitures. « Quand mon grand-père arrive… ? Le savez-vous ? Sir Dudley Valance ?

— Ah oui…

— Pouvons-nous lui garder une place près de la porte d'entrée ? Il n'aimerait pas être forcé de marcher.

— Bien sûr.

— Il a été blessé à la guerre, voyez-vous, dit John avec une certaine satisfaction. Ah, encore une », dit-il, désignant d'un mouvement du menton une Austin Princess. Il remonta l'allée de gravier pour aller se chercher un verre.

« Il peut très bien marcher, expliqua Jenny, mais tout le monde a peur de lui.

— Pourquoi ?

— Oh… » Jenny souffla et secoua la tête, comme si tout cela avait été trop ennuyeux pour qu'on puisse l'expliquer. « Ah, mon Dieu, c'est l'oncle George, dit-elle tout à coup. Attendez, je vais vous prendre votre verre. » Elle le déposa sur une dalle près de la grille, cria « *Hello !* Oncle George ! » et, avec une gaieté qu'on eût dite éventée : « Tante Madeleine… »

Paul posa une main sur le toit chauffé à blanc de l'Austin et sourit à travers la vitre baissée. L'oncle George, qui occupait le siège du passager, avait dans les soixante-dix ans, le sommet du crâne bronzé et une barbe blanche bien taillée. Une femme à la mâchoire prononcée était penchée sur lui pour s'approcher de sa vitre : elle avait des cheveux gris crêpés, son maquillage et ses boucles d'oreilles étaient étrangement tapageurs. L'oncle George portait une chemise rouge foncé et un nœud papillon vert à motif à fleurs.

Il plissa les yeux en dévisageant Paul comme pour trouver la solution à un problème sans vouloir requérir d'aide. « Lequel es-tu donc ? demanda-t-il.

— Hum, fit Paul.

— Aucun d'eux, ajouta la tante Madeleine d'un ton sec, n'est-ce pas ?

— Tu n'es pas un des garçons de Corinna ?

— Non, monsieur, je… Je suis juste un collègue, un ami…

— Tu te rappelles pourtant bien les garçons de Corinna, dit Madeleine.

— Pardonnez-moi, je me disais que vous deviez être Julian.

— Non », répondit Paul, le souffle court, saisi par l'envie confuse de protester à l'idée d'être pris pour un écolier, même charmant et joli garçon.

« Qui est-ce ? demanda Paul, une fois que George et Madeleine eurent été redirigés vers le champ.

— Oncle George ? C'est le frère de grand-mère ; en fait, ils étaient deux frères mais l'un a été tué à la guerre… la *Première* Guerre mondiale. L'oncle Hubert. Vous devriez demander à grand-mère, si la Première Guerre mondiale vous intéresse. L'oncle George et la tante Madeleine étaient tous deux professeurs d'histoire. Ensemble, ils ont écrit un livre assez connu, *Histoire quotidienne de l'Angleterre*, précisa Jenny, tout en bâillant presque, signe d'une fierté désinvolte.

— Pas G.F. Sawle, tout de même… ?

— Si, exactement.

— G.F. Sawle et Madeleine Sawle ! Nous avions ce manuel à l'école !

— En personne. »

Paul se remémora la page de titre, sur laquelle il avait encadré les noms G.F. SAWLE et MADELEINE SAWLE avec un complexe gribouillage élisabéthain. « Est-ce que tous les membres de votre famille sont des écrivains célèbres ? »

Jenny émit un petit rire nerveux. « Vous savez que grand-mère écrit ses Mémoires…

— Oui, elle me l'a dit.

— Elle les écrit depuis un bail, en réalité. Nous nous demandons tous s'ils verront jamais le jour. »

Paul but une nouvelle gorgée de punch, alors que la tête lui tournait déjà bizarrement sous le soleil déclinant. « Pardon de vous dire ça, mais j'ai du mal à m'y reconnaître dans votre famille.

— Je vous avais prévenu.

— Je ne sais pas, par exemple, s'il y a un *monsieur* Jacobs.

— Il est mort. Grand-mère n'a jamais eu de chance côté maris, déclara Jenny, comme si elle avait assisté à toute l'histoire. D'abord, elle a épousé Dudley, qui était sans doute une personnalité excitante mais était aussi un peu dérangé par la guerre ; il a été odieux avec elle. Elle est donc partie avec mon grand-père… » Jenny avala une gorgée de sa boisson, quoi que ce fût. « Comment déjà ?… Ralph ?

— Revel Ralph, le peintre, dont tout le monde pensait qu'il était pédé, voyez-vous. Quoi qu'il en soit, ils ont réussi à enfanter… mon père… et, en temps voulu…

— *Vraiment ?* » fit Paul, comme amusé et ravi, se détournant, visage brûlant après cette soudaine éruption du mot *pédé*, le mot et le fait. Il fit quelques pas dans l'allée… Une éruption si désinvolte, comme si personne ne s'en souciait. *Tout le monde pensait qu'il était pédé.* Dieu merci, une voiture obliqua alors dans la rue et Paul pria pour qu'elle vînt à Carraveen. Il la regarda avec affection, débordant de sentiments positifs, voulant ignorer avoir rougi, avec l'espoir que ce soit invisible. Une Hillman Imp, hoquetant en seconde, vert pomme, le pare-brise blanc de poussière, une voiture de fermier, qui sait, et le pare-soleil abaissé contre la réverbération cachant totalement le visage du conducteur. Paul regarda comme avec impatience, et observa avec une drôle de camaraderie les grandes mains posées sur le volant, le nez plissé, le sourire involontaire d'un homme qui était sans doute tout juste capable de le distinguer posté à la grille, simple silhouette ; mais soudain, sa mémoire fit un retour en arrière et il eut un déclic face à cette réapparition : c'était Peter Rowe. Quelque chose de providentiel dans le punch le lui servit sur un plateau, souriant à sa vitre ouverte.

« Oh, salut, dit Peter Rowe, c'est vous !

— Salut ! » répondit Paul, regardant le visage en chair et en os, inexplicablement moins séduisant mais plus aimable qu'il ne s'en souvenait, alors que l'idée qu'il se faisait de la soirée à venir semblait se renverser et se dérober sous lui, comme une machinerie de théâtre. L'habitacle sentait l'essence et le plastique brûlant. Sur le siège du passager traînait un tas de partitions : « W.A. Mozart, *Duetti* ». Paul se sentit brusquement d'humeur fantasque. « Vous n'êtes pas faible ou vieux, n'est-ce pas ?

— Sûrement pas, répondit Peter Rowe, sur un ton chaleureux, censément blessé, doublé d'un sourire retors.

— Alors, je crains que vous deviez aller vous garer dans le champ là-bas. » Paul resta planté là, à sourire sans savoir quoi ajouter.

Peter Rowe passa la première avec difficulté. « Eh bien, on se revoit dans un instant, alors. Sensass ! » Paul sentit la carrosserie de la voiture brûlante filer sous ses doigts qui laissèrent une longue trace brouillonne sur la poussière du toit. « Attention où vous mettez les pieds ! » cria-t-il plus fort que le vrombissement sec du moteur qui, sur une Hillman Imp, pour Dieu sait quelle raison, se trouvait à l'arrière, là où le coffre aurait dû être. Il suivit du regard la voiture qui visa la grille puis le champ, tandis que la puanteur lâchée par son pot d'échappement se fondait joliment dans le doux parfum de l'herbe.

« Vous connaissez Peter Rowe ? demanda Jenny.

— Disons que je l'ai déjà rencontré », répondit Paul, se sentant étrangement ragaillardi, de sorte qu'il put ajouter : « Mais je ne savais pas qu'il venait ce soir… Tant mieux.

— Il va jouer du piano à quatre mains avec tante Corinna… c'est une surprise pour grand-mère.

— Ah, je vois. » Il trouvait la surprise plutôt fade ; mais il est vrai qu'il ne s'y connaissait guère en musique. La musique lui paraissait toujours un peu théâtrale. Pourtant il n'en imagina pas moins la scène, il se représenta observateur, admiratif, possessif, même un tantinet amer face à la confiance affichée et aux talents de Peter. Comme contribution à la fête, c'était certainement mieux que voiturier.

« Mais comment se fait-il que vous le connaissiez ? demanda Jenny en lui adressant un regard coquin.

— Oh, c'est un client de la banque. J'ai encaissé ses chèques. » Paul fut l'indifférence même, à peine colorée de rose.

Jenny se retourna pour observer Peter qui traversait la rue privée et empruntait l'autre portail, partitions à la main : il les brandit pour leur faire signe, d'un geste enjoué mais pas assez au goût de Paul. Sans doute devait-il se préparer. Paul l'observa pendant ces quelques secondes avec un sourire timide, un air, espéra-t-il, d'intérêt maîtrisé : sa démarche énergique, lourde, qu'il semblait déjà connaître. « Il enseigne aussi à Corley Court », dit Jenny. Puis, baissant la voix, elle ajouta : « Entre nous, nous l'appelons "Peter Rowe-ma-chère".

— Ah oui ? » Paul se sentit instantanément moins bien disposé à l'égard de Jenny.

Elle lui adressa un nouveau regard comique. « Il est assez suffisant », dit-elle d'une voix caverneuse, si bien que Paul comprit qu'elle imitait quelqu'un : sa tante Corinna, probablement.

Tandis que les ombres se déplaçaient et s'allongeaient, et que l'horloge de l'église sonnait vingt heures puis vingt heures quinze, la joyeuse anticipation de Paul faiblit. Entre deux arrivées de voitures, il finit son verre et à l'excitation éméchée succéda un état moins plaisant d'impatience, la bouche sèche, tandis qu'il devait cent fois répéter la même chose. Jenny était entrée dans la maison pour retrouver Julian et n'était pas revenue – de toute façon, ce n'étaient que des enfants, même si Jenny traitait Paul comme s'il avait été plus jeune qu'elle. Roger sortit prendre un brin d'air aux limites du terrain et pissa brièvement dans quatre endroits différents, mais ne donna aucun autre signe de solidarité. Les arrivées s'espacèrent. Peut-être le redouté sir Dudley ne viendrait-il pas, en fin de compte ; pour l'instant, Paul n'avait laissé se garer dans l'allée qu'une seule petite voiture, ressemblant à une voiture d'invalide. Il songea au sourire de Peter, et à l'infime vibration dans sa voix lorsqu'il avait répondu : « Sûrement pas ! » Le courant qui passait entre eux, enivrant comme le coup de fouet et l'exaltation procurés par l'alcool, resté indemne, renforcé même, depuis leur première rencontre, fit de nouveau battre le cœur de Paul plus vite encore. C'était comme si Peter avait su ce qu'il avait fait dans les rêveries de Paul, qu'il savait tout de la baignoire et de l'appartement de célibataires. Et maintenant, cette soif accompagnée d'un léger mal de tête, et d'un petit doute, tel l'air qui fraîchissait et soufflait au-dessus des haies voisines avant de poursuivre son chemin… Il entendait le brouhaha joyeux, vaguement querelleur d'une cinquantaine, soixantaine de personnes qui bavardaient sur la grande pelouse, où l'on avait installé des tables et des chaises. Peter se trouvait là-bas quelque part, avec les membres et les amis de la famille, s'enivrant gaiement, Peter Rowe-ma-chère, plutôt imbu de lui-même. Certains détails que Paul n'aimait pas chez Peter lui revinrent, insidieusement. Lui plaisait-il vraiment, se demanda-t-il, maintenant qu'il l'avait revu ? Pouvait-il s'imaginer se déshabillant en compagnie de ce maître d'école privée au pas lourd ? Il songea à la braguette serrée de Geoff, puis au beau Dennis Flowers, du King's Alfred's à Wantage, capitaine de cricket, pas un maître, un garçon. Il contempla, en proie à une sorte de détresse absconse, la longueur de la rue privée devant la grille, ses nids-de-poule crayeux, l'herbe sèche et les séneçons qui poussaient sur les bords, presque jolis, aux tiges rêches et irrégulières, aux fleurs jaunes. Alors, l'horloge de l'église sonna vingt heures trente, deux notes éclatantes à l'intervalle surprenant, qui semblèrent lui conseiller, dans leur complète indifférence, de rejoindre les autres sans tarder.

Il avança, le cœur battant, sur la terrasse, où avait été installée la table avec les boissons. Ils l'avaient tous vu, cela allait de soi, mais personne ne savait qui il était. Il devina une curiosité approbatrice, mêlée à une réaction plus réservée, lorsqu'il se fraya un chemin parmi les invités, pour la plupart imposants et grisonnants. On avait fait appel aux serveuses du Bell, habillées en noir, tabliers et bonnets blancs : l'une d'elles lui servit un autre gobelet de punch ; c'était légèrement comique, la façon dont les morceaux d'orange et d'autres fruits faisaient *plouf*. « Voulez-vous plus de morceaux ? » demanda-t-elle. « Non, juste à boire, s'il vous plaît. » Et ils rirent tous deux.

Il distingua Peter à l'autre extrémité de la pelouse, parlant à une femme vêtue d'une robe verte moulante, à qui il demanda de lui tenir son verre le temps qu'il attrape des cigarettes dans sa poche ; ils se débrouillèrent tant bien que mal, puis elle leva le visage vers lui, charmée et reconnaissante aussi, quand il lui présenta son briquet. Paul approcha, entendit le débit saccadé de Peter, son murmure impatient lorsqu'il alluma sa propre cigarette. Paul vit leur sourire partagé et le mouvement en arrière de leurs têtes quand ils rejetèrent la fumée. « Quoi ? Dans le deuxième acte, voulez-vous dire ? » demanda Peter. Paul s'approcha avec son petit sourire crispé, encore sinistrement invisible et, tout à coup, doutant de l'accueil qu'on lui réserverait : l'instant d'après, il prit la tangente, sourire blessé et préoccupé. Il contourna les groupes en pleine conversation, regarda de-ci de-là comme s'il avait recherché un invité en particulier, mais se retrouva coincé, seul, près d'une gerbe d'herbes de la pampa. Il but régulièrement des gorgées de punch, qui lui sembla beaucoup moins toxique que la première fois. Il fut suffoqué par sa timidité, mais songea que son repli avait été si rapide qu'il pouvait aisément faire machine arrière. Le brou-haha des conversations alentour lui parut absurde, obstiné. « Je ne pense pas que cela arrivera jamais, avec Geraldine », dit une femme près de lui, à un homme tout ratatiné qui, du coude, faillit renver-ser le verre de Paul. Il lui fallait absolument bouger de là. Profitant d'une ouverture momentanée au milieu des dos mobiles, ondulants, il vit Mrs Jacobs en personne, au milieu de la pelouse, robe bleue et collier rouge foncé, lunettes miroitantes lorsqu'elle se retourna, illuminée, eût-on dit, par le fait que la soirée était organisée en son honneur. « Voyons, nous ne pouvons pas accepter ça… ! » Corinna Keeping, en rouge et noir, d'autant plus redoutable qu'elle était enjouée et souriante, l'avait débusqué.

Elle l'emmena, tel un héros timide, mais aussi (elle ne pouvait s'en empêcher) comme un coupable qui bêtement avait cru pouvoir lui échapper, et traversa la foule des invités maintenant que la soirée battait son plein, jusqu'à l'autre extrémité de la pelouse. « Quelqu'un veut vous rencontrer », annonça-t-elle, incapable de dissimuler entièrement sa surprise. L'instant d'après, elle le confiait à Peter Rowe... « Et Sue Jacobs. Voilà, vous ferez vous-même les présentations, n'est-ce pas ? » Tout en restant plantée là, avec son sourire provocateur, pour s'assurer qu'ils s'exécutent. Ils se serrèrent la main, et Peter dit doucement « Enfin », en rejetant un nuage de fumée.

« Je n'ai pas saisi votre nom, dit Sue Jacobs.

— Oh, *Paul Bryant* », répondit-il avec sa volonté un brin précieuse d'être bien audible, accompagnée par un petit rire essoufflé, qu'il manifestait toujours au moment de se présenter. Peter hocha la tête : « Paul... ah. » Il venait tout juste d'apprendre son nom.

« Le dîner sera servi dans un instant, annonça Corinna. Ensuite, il faudra amener tout le monde au concert. » Elle posa sa main gantée de noir sur l'avant-bras de Sue Jacobs. « D'accord, ma chérie ?

— Absolument ! » dit Sue, en souriant à son tour, comme si elle avait essayé d'être à la hauteur de l'inhabituelle bonne humeur de Corinna.

« Vous jouez, vous aussi ? demanda Paul, encore incapable de regarder Peter.

— Je chante, dit Sue, et son sourire s'évanouit lorsque Corinna s'éloigna. J'espérais que nous aurions le temps de répéter, mais il nous a fallu une éternité pour arriver ici. » Il s'aperçut qu'elle était plus vieille qu'il ne l'avait cru d'abord, la quarantaine sans doute, mais svelte, énergique et, bizarrement, d'emblée, compétitive.

« Où habitez-vous ?

— Mmm ? À Blackheath. Tout à fait à l'opposé. Nous aurions parfaitement pu fêter son anniversaire là-bas au lieu de faire venir tout le monde au fin fond du Berkshire.

— Était-ce vraiment impossible ? demanda Peter.

— Corinna voulait que ça se passe ici, et quand Corinna a décidé quelque chose… Désolée, je suis la belle-fille de Daphné, expliqua-t-elle à Paul. Elle a épousé mon père. » À son intonation, on aurait pu penser que c'était regrettable.

« Ah, oui ! » fit Paul, lâchant un rire nerveux, ignorant où se trouvait Blackheath : il imagina un endroit comme New Forest. Il vit, juste derrière eux, à la lisière du parterre de fleurs, l'auge brisée, dont on avait cimenté la partie cassée, dissimulée à la va-vite à l'aide de capucines. Sur sa main, il y avait désormais une croûte là où il s'était éraflé, et la peau autour était redevenue rose. « Jenny m'a appris que vous alliez jouer, ce soir », dit-il à Peter. C'était magique et, en même temps, tout à fait normal de se tenir à quelques centimètres de lui. Il sentait une odeur banale de tabac, mélangée à un après-rasage original, qui encourageait confusément Paul à s'imaginer entre ses bras et embrassé par lui sur le sommet du crâne.

« Dieu sait que j'aurais bien eu besoin d'une répétition aussi, déclara Peter. Nous l'avons déchiffré à toute vitesse à l'école, mais elle est dix fois meilleure que moi.

— Je ne devrais pas fumer si je chante », avoua Sue en ouvrant sa pochette.

Peter écrasa sa cigarette sous son talon avant de sortir son briquet pour elle. « Je ne connais pas les chansons de Bliss, dit-il.

— Je chante seulement celle de Valance. Mm, merci… *Cinq chansons, opus…* je ne sais plus quoi. Mais c'est la seule que nous faisons, Dieu soit loué.

— Ah ! Quel poème ?

— Je suppose que vous le connaissez. Une histoire de hamac. Il est censé l'avoir écrit pour Daphné ; c'est ce qu'on raconte, en tout cas.

— Je dois l'interroger sur Cecil Valance, dit Peter. Je viens juste de l'étudier avec mes avant-dernière année.

— N'y manquez pas. Elle a l'air de croire qu'il a tout écrit pour elle.

— Croyez-vous qu'elle accepterait de venir parler aux élèves ?

— Qui sait, pourquoi pas ? J'ignore si elle est jamais retournée à Corley. Le savez-vous ? Tout sera consigné dans les fameux Mémoires, bien entendu.

— Les écrit-elle donc vraiment ? » demanda Peter, posant sa main sur le bras de Paul pendant un long moment, comme pour ne pas le perdre, avec toutes ces conversations à propos d'inconnus, et traduisant, sans nul doute, bien plus. Paul répondit : « Elle les écrit depuis un bail.

— Oh, vous êtes donc au courant ? fit Sue.

— Un peu… » Et puis : « N'est-ce pas le poème qui commence par : *Un bouleau à ta tête. Et à tes pieds / Un saule pleureur…* ?

— Mais vous êtes très au fait, s'exclama Sue, décontenancée.

— C'est vous à qui je devrais demander de parler aux avant-dernière année ! » dit Peter, le brin de moquerie dans son intonation se noyant dans le regard appuyé de ses yeux marron, comme si lui aussi avait ressenti les mêmes désirs grouillant délicatement autour d'eux, et devant eux, dans l'avenir. C'était un genre de regard auquel Paul n'avait jamais eu droit auparavant. En proie à la fois au bonheur et à l'inquiétude, il s'aperçut qu'il avait vidé son verre.

« Bien, et si nous nous approchions du buffet ? » proposa Sue, d'une façon qui fit comprendre à Paul qu'elle avait sans doute deviné quelque chose.

« Pourrions-nous nous joindre à vous, monsieur ? » demanda Peter.

Le visage hâlé de George Sawle se concentra en un discret sourire quand, d'un geste de la main, il indiqua les chaises. Dans l'ombre ou plutôt, vu l'heure, dans la pénombre teintée de moucherons du hêtre pleureur, c'était la table la plus à l'écart de toutes. On aurait cru que le vieil homme se cachait à dessein. « Je suis le frère de Daphné, précisa-t-il.

— Je sais qui vous êtes, dit Peter, avec un gloussement suggestif, posant son assiette à côté de lui. Je suis Peter Rowe, j'enseigne à Corley Court.

— Oh, Seigneur… ! » lâcha le vieux Sawle, sur un ton qui suggérait qu'il y avait beaucoup à dire sur le sujet, si un jour quelqu'un voulait s'y atteler. Paul sourit, mais ignorait s'il serait approprié de dire que c'était un honneur de le rencontrer. Il avait croisé John Betjeman à Wantage une ou deux fois mais n'avait jamais parlé à un auteur. L'*Histoire quotidienne*, avec ses images démodées de cultures à champ ouvert et de transports hippomobiles, avait paru quelque temps avant la guerre. Il était magique que G.F. Sawle et Madeleine Sawle soient encore vivants, et encore plus qu'ils continuent de parcourir la campagne en Austin

Princess. Paul s'assit à côté de Peter : ce qui semblait être une évidence, tant c'était bizarrement nouveau et facile, mais il essaya de garder la tête froide tandis qu'ils prenaient leurs marques. Très certainement, ce grand verre de vin blanc allait l'aider. « Nous nous sommes déjà rencontrés. Paul Bryant. » Sous son poids, la chaise tangua et s'enfonça légèrement dans l'herbe drue.

« Oui, en effet… », dit Sawle. Il hocha la tête puis tira timidement sur les poils blancs les plus longs de sa barbe, portant, à travers ses lunettes aux verres épais, un regard interrogateur sur le saumon et les pommes de terre nouvelles dans leurs assiettes.

« Vous ne mangez pas, professeur ? demandait Peter.

— Ah, mon épouse, je crois… », expliqua Sawle. Au bout d'un moment, il se retourna. « La voici… ! » On aurait cru qu'il les invitait à trouver leur couple comique, à cause de leur dévotion l'un pour l'autre ou de leur excentricité.

Paul suivit son regard et vit Madeleine Sawle se frayer un chemin sur la terrasse, une assiette dans chaque main, puis s'approcher d'eux en louvoyant entre les tables avec leurs nappes blanches où d'autres invités retenaient des sièges en disant : « Ma chère, mais oui, je vous en prie… » à des gens qu'ils venaient d'essayer d'éviter l'instant d'avant. Les intonations mondaines étaient toutes nouvelles pour lui, les notes aiguës des aristocrates au-dessus d'un mélange de timbres plus commun, troué par une ou deux voix locales plus puissantes que les autres. Il était content de se trouver à l'écart, sous la ramure du vieux hêtre. Il ressentit pleinement l'accélération de bon augure inhérente à cette soirée, accompagnée cependant par un doute sempiternel : ce devait être une erreur ; à n'en pas douter, d'un instant à l'autre, Mrs Keeping viendrait le chercher pour le renvoyer se poster à la grille.

« Nous nous sommes cachés sous cet arbre complaisant, ma chérie, comme tu l'avais suggéré », dit George Sawle, très audiblement, lorsque Madeleine posa leurs assiettes avec l'ombre d'un froncement de sourcils. Puis elle ouvrit son sac, dans lequel elle avait transporté l'argenterie. Paul fut à nouveau frappé par la bizarrerie des boucles d'oreilles rouges qui flanquaient son visage carré et masculin. « Tu as déjà rencontré, euh… »

Paul et Peter se présentèrent : Peter sourit et dit « Peter Rowe », d'un ton chaleureux, presque indulgent, comme si cela avait été un fait exquis dont Mrs Sawle aurait pu être au courant. « Et moi, c'est Paul Bryant », dit Paul, conscient que sa revendication était plus mince. Madeleine Sawle pencha la tête de côté – elle était un peu sourde.

« *Peter*… et *Paul* », répéta-t-elle avec une cordiale sévérité. Paul était content du couplage de leurs prénoms, même si, sous le feu de son regard, il eut l'impression d'être retourné sur les bancs de l'école. Il se demanda si les Sawle avaient des enfants. Elle correspondait bien au profil de la coauteur de l'*Histoire quotidienne*… avec son côté industrieux et pédagogique. Paul les imagina travaillant ensemble dans un intérieur aux poutres en chêne, avec, disons, un métier à bras dans le fond. Hormis quoi, il ignorait complètement qui elle était et ce qu'elle avait fait. Il trouva étrange que les Sawle aient voulu se cacher, à l'écart du reste de la famille réunie autour d'une table à quelque distance. « Êtes-vous de vieux amis ?

— Oh, oui, répondit Peter. Nous nous sommes rencontrés il y a un quart d'heure.

— Plus exactement il y a deux semaines, le corrigea Paul, riant mais un peu décontenancé.

— Je voulais dire des amis de Daphné.

— Oh, pardon. Non, pas encore, dit Peter, bien que j'espère que nous le deviendrons. » Il vogua à travers ces banalités avec son large sourire, et Paul dut admettre que son admiration pour lui se teintait soudain d'une certaine gêne. « Je l'aime énormément. » Au même instant, lorsqu'il se pencha en avant pour manger, Paul sentit le genou de Peter se frotter rudement au sien et demeurer là, presque comme s'il avait cru que c'était un montant de la table. Son cœur battait la chamade lorsqu'il ramena son genou vers lui, de quelques centimètres à peine. Le genou de Peter suivit, Peter avançant légèrement sur sa chaise pour garder le contact plus aisément. Son sourire témoignait du fait qu'il appréciait ce petit jeu autant que tout le reste. La chaleur transmise d'une jambe à l'autre remonta avec un effet délicieux mais déroutant : Paul se courba lui aussi en avant et étala sa serviette sur ses genoux. Il éprouva une douleur creuse, une sorte de faim emmagasinée et précieuse, dans son torse comme dans ses cuisses. Sa main tremblait, il but une autre grosse gorgée de vin, et arbora un faible sourire comme dans une transe de plaisir respectueux de la compagnie et de l'occasion.

« Oh, Daphné... oui, bien sûr », dit Madeleine Sawle, lançant à Peter un regard vindicatif tout en s'installant près de son mari, laissant une chaise libre entre Paul et elle. « Vous n'êtes pas dans le théâtre ? demanda-t-elle.

— Parfois, j'ai l'impression d'y être mais non, je suis professeur.

— Il enseigne à Corley Court, expliqua George.

— Oh, Seigneur, lâcha Mrs Sawle, avec une légère exclamation, dépliant tout à la fois sa serviette et vérifiant l'appétit de son mari. Je ne suis pas retournée à Corley depuis quarante ans. Ce doit être une meilleure école que ce n'était une résidence privée.

— Quelle architecture effroyable, dit le professeur.

— Ooh, dit Peter, rougissant légèrement, protestation pleine d'humour que Sawle ne remarqua même pas.

— Nous y allions autrefois, naturellement, dit Mrs Sawle, du temps que Daphné était mariée à Dudley. Je suppose que vous êtes au courant…

— Ce ne fut pas une époque heureuse, dit le professeur, d'un ton à la fois neutre et confidentiel.

— Ce ne fut ni une époque heureuse ni, je le crains, un *mariage* heureux », dit Mrs Sawle, adressant un sourire franc à son assiette.

« Je viens tout juste de lire l'étude de Stokes sur Cecil Valance ; vous devez l'avoir connu, monsieur.

— Oui, j'ai connu Cecil.

— Tu l'as *très* bien connu, George, précisa Mrs Sawle. La dernière fois que nous sommes allés à Corley, c'était pour rencontrer Sebastian Stokes, quand il récoltait le matériau pour sa biographie.

— Je ne m'en souviens que trop bien, dit le vieux Sawle. Dudley nous a fait boire et nous avons dansé dans le hall toute la nuit.

— C'était la veille de la grève générale ! Je me rappelle que nous n'avons parlé que de ça.

— Connaissez-vous ce livre ? demanda Peter, remuant le genou pour coller maintenant son mollet contre celui de Paul.

— Je crains que non », dit ce dernier, trouvant difficile de se concentrer sur la nourriture ou sur la conversation ; il était persuadé que les Sawle s'apercevaient de ce qui se passait ; de toute façon, il avait beau connaître par cœur *Rêves de soldats*, ces gens abordaient le sujet sous un autre angle, depuis un univers d'anecdotes familiales et de connaissances mondaines. Il garda sa jambe fermement collée contre celle de Peter, ce qui semblait plus important. Il avança à nouveau la main vers son verre et but d'un air grave pour masquer son trouble, songeant au même moment qu'il ne devrait pas boire aussi vite, tout en ressentant qu'il y avait là quelque chose de prédestiné, d'irrésistible. De l'autre côté de la pelouse, à moitié cachées par les branchages retombants de l'arbre sous lequel ils étaient installés, des bougies s'étaient mises à clignoter, sur chaque guéridon, dans la pénombre. L'instant d'après, Julian apparut, comme s'il avait levé un rideau, tenant à bout de bras une bougie blanche dans un bocal. « Vous voici, grand-oncle George ! » déclara-t-il. Il passa le bras par-dessus l'épaule de Madeleine afin de poser la bougie sur la table, visage lisse et brillant, yeux marron et frange luisante éclairés par la flamme, qui se stabilisa vite. Paul sentit une nouvelle pression exercée par le genou de Peter, tandis que tous regardaient Julian avec bienveillance. « Êtes-vous bien, si loin… ? demanda-t-il. Vous devriez être avec grand-mère. » Sa voix, à dix-sept ans, avait encore la verdeur de celle d'un jeune garçon. Il resta là, avec la conscience guillerette de bien se comporter, souriant à de vieux et honorables parents, accroché gaiement à son sens des convenances même après plusieurs verres.

« Oh, nous ne nous attendons pas à un traitement spécial, tu sais…, dit George Sawle d'une voix doucement ironique.

— Je ne sais si c'est seulement moi, dit Peter d'un ton mielleux, observant Julian repartir, mais j'ai trouvé le bouquin de Stokes presque illisible. »

Sawle claqua la langue et rit. « Une publication déplorable.

— Oh, je suis content de ne pas m'être trompé.

— Quel… ! » Le vieux Sawle porta sur Peter un regard d'une complicité que Paul trouva enviable : c'était là, pour lui, une façon d'être tellement « Oxford »… ou « Cambridge ».

« On n'a jamais sorti de véritable biographie, n'est-ce pas ? dit Peter.

— Je suppose qu'il n'y a pas assez de matériau pour une biographie complète, répondit Sawle. Pour être parfaitement honnête, ce vieux Cecil me reste sur la conscience.

— Aucune raison, George », dit son épouse.

Sawle s'éclaircit la gorge. « J'étais censé rendre le manuscrit d'une édition de sa correspondance il y a un bon moment, avoua-t-il.

— Vraiment ?

— Eh bien, c'est Louisa qui me l'a demandé, à l'origine… oh, Seigneur, quelque temps après la guerre… sa mère.

— Elle a dû vivre jusqu'à un grand âge, alors ?

— Elle avait dans les quatre-vingts ans, je suppose »,
dit Sawle, avec la perceptible susceptibilité d'un homme
qui n'est plus très jeune lui-même. « Elle avait un fichu
caractère. Elle vouait un véritable culte à Cecil. Il y
eut une occasion délicate, par exemple, où elle m'a
fait venir, c'était à peu près comme au moment de la
publication des poèmes, pour parler de tout ça. Elle ne
vivait déjà plus à Corley, elle avait déménagé à Stanford-
in-the-Vale. Je suis allé y passer le week-end. Elle a
dit : "Étalons toutes les lettres et choisissons celles qui
devront figurer dans le recueil." Aucun rédacteur n'aurait pu travailler dans ces conditions. Je savais que je
devrais attendre sa mort.

— Attends aussi longtemps que tu voudras, mon
chéri. Tu es trop exigeant avec toi-même. Je ne puis
croire qu'il y ait une telle demande pour cette correspondance.

— Certaines lettres sont magnifiques. Les lettres
du front, mon amour. » Mais Louisa n'avait aucune
idée du genre de choses que Cecil écrivait à ses amis
hommes.

« Est-ce osé ? »

Sawle lança à sa femme un regard affectueux et
contrit mais éluda la question. « Je crois qu'un tas de
choses vont sortir, ne croyez-vous pas ? Je parlais à
l'instant à quelqu'un de Strachey.

— Vous avez dû le connaître aussi, j'imagine ? dit
Peter.

— Oh, à peine...

— Tu n'as jamais beaucoup prisé Strachey, n'est-ce
pas, George ? dit Madeleine Sawle, jetant à nouveau
un regard interrogateur sur l'assiette de son époux.

— Il y a ce jeune type… Hopkirk… – Sawle la regarda.

— Holroyd, le corrigea-t-elle.

— … qui va tout dévoiler sur le vieux Lytton.

— Oh, j'ai hâte, dit Peter.

— Mark Holroyd, compléta Madeleine avec autorité.

— Il est venu me voir. Très jeune, charmant, intelligent, et extrêmement tenace. » Sawle rit, admettant plus ou moins qu'il s'était fait posséder. « Je ne pense pas lui avoir été d'une grande utilité mais il semble avoir réussi à soutirer à certaines personnes les révélations les plus sensationnelles.

— Toute une histoire, à ce qu'on en dit ! lança Madeleine, dont l'enthousiasme simulé parut plutôt sinistre.

— Je crois que si les gens apprennent un jour ce qui s'est réellement passé au sein du groupe de Bloomsbury, dit Sawle, ils tomberont de haut.

— Nous connaissions très mal cet univers-là, dit Madeleine.

— Nous étions à Birmingham, à cette époque, ma chérie.

— Nous y sommes encore !

— Hum, je pensais…, dit Peter, que si cette… loi est adoptée la semaine prochaine, elle pourrait délier les langues. »

Paul, qui n'avait trouvé personne avec qui discuter de la fameuse loi, se sentit de nouveau en proie à un malaise, mais pas de façon aussi contrariante que dans l'allée avec Jenny. « Oui, en effet… », dit-il posément ; levant les yeux à la lueur de la bougie, il eut l'impression, même s'il était difficile de mesurer ces choses-là, qu'il rougissait bien moins qu'en la précédente occasion.

« Oh, le projet de loi de Leo Abse, vous voulez dire », dit Sawle, d'un ton distrait, et peut-être pour éviter d'avoir à prononcer une expression trop chargée, comme « abus sexuels ». Il paraissait concentré sur un calcul lointain et subtil. « Elle pourrait modifier l'atmosphère, n'est-ce pas ? » – cela dit avec une fort discrète suggestion que, bien qu'on en parlât beaucoup et partout, mieux valait ne pas l'évoquer devant sa femme. Avec un petit hoquet d'excuse, il reprit là où il s'était interrompu un instant auparavant. « Pour en revenir à Cecil, j'en suis venu à penser que son comportement plutôt volontaire avait pour but deux choses possibles : soit apaiser sa mère, soit s'éloigner d'elle le plus possible. Partir à la guerre était la combinaison parfaite.

— Ah, oui… » Paul jeta à George Sawle un regard presque superstitieux. Non seulement il avait connu Lytton Strachey et Cecil Valance, mais il parlait d'eux d'une façon tellement blasée… Pour lui, Cecil figurait en toile de fond, moins comme un poète que comme un meuble encombrant relégué au grenier.

« Dudley était très différent, continua Sawle, mais tout autant sous l'emprise de sa mère. Elle les horrifiait et les fascinait à la fois. Il a écrit des passages très intéressants sur elle dans son autobiographie. L'avez-vous lue ? »

Paul lui opposa un regard éteint et prit tout juste la peine de faire non de la tête mais Peter, naturellement, répondit : « Oui, oui, je l'ai lue.

— Formidable, non ?

— Je me demandais s'il viendrait ce soir, en fait »,
dit Paul d'un ton plutôt confiant, mais Sawle répondit
presque avec brusquerie : « J'en serais étonné. »

Ayant réussi à prendre part à la conversation, Paul
jugea bon d'enchaîner immédiatement avec la question qu'il avait cajolée et répétée : « Je me demandais
ce que vous pensiez des poèmes de Valance ? » s'enquit-il, laissant son regard glisser du mari à la femme,
double source oraculaire. Il s'était préparé à une
réponse sévère ; en réalité, ils ne parurent guère intéressés par le sujet.

Madeleine répondit : « Franchement, je ne suis pas
adepte de poésie. »

Le professeur parut davantage prendre le temps de
la réflexion, et répondit à regret : « Il est difficile de
se prononcer, quand on se souvient des moments où
ils ont été écrits. Pas grand-chose à se mettre sous la
dent, n'est-ce pas ? »

Peter jeta un regard plutôt doux à Paul, et à sa
tendre question, mais ne parut guère enclin à contredire les Sawle ; Paul ne révéla donc pas tout ce qu'ils
avaient signifié pour lui.

« Je ne veux pas donner l'impression, à propos, dit
Sawle, avec sa façon habituelle de ne pas laisser autrui
le faire dévier de son cours, que Louisa ne fut pas
bouleversée par la mort de Cecil… je suis persuadé
qu'elle l'a été. Mais elle en a aussi tiré le plus grand
profit… vous me comprenez ? C'était ce qu'elles
faisaient, ces femmes-là. Les volumes de Mémoires,
les vitraux. Cecil a eu droit à un tombeau en marbre
par un sculpteur italien.

— Je le sais bien, dit Peter.

« — Naturellement, vous le savez bien.

— Comment cela ? demanda Paul.

— Oh, à l'école, répondit Peter. Cecil Valance est enterré dans la chapelle.

— Vraiment ? » demanda Paul dans un souffle. Tout était comme un rêve soudain devenu réalité sous la coupole du hêtre éclairée à la bougie.

« Il faudra venir la voir, dit Peter. Si vous aimez les poèmes. Le tombeau est magnifique.

— Merci, ça me ferait très plaisir. » Ses yeux exorbités pleins d'une sincère gratitude masquèrent sa surprise, la main de Peter, caressant la serviette sur ses genoux, s'aventurait, comme sous l'eau, sur la cuisse de Paul, où elle s'attarda pendant de longues secondes.

Après le dîner, sur le chemin de la salle du concert, Paul s'attarda un instant auprès des Sawle, qui rejoignirent toutefois d'autres convives avec un soudain enthousiasme et un soulagement manifeste : il s'éclipsa donc. Ils avaient été polis, même aimables avec lui, mais il n'ignorait pas que c'était Peter qui les intéressait vraiment. Dans les ombres croissantes entre les cercles de lumière des bougies, les invités ramassaient sacs et lunettes, les conversations s'étiraient au point de se rompre, dans une bousculade amicale tandis qu'on s'engouffrait à travers les baies vitrées : l'ensemble se transforma dans l'esprit de Paul en une frise tremblotante, visages mystérieux se pliant tous de bon gré à quelque chose que peut-être aucun d'entre eux individuellement n'aurait accepté. Ivre, il suivit le mouvement, l'alcool l'aidant d'ailleurs à mieux se fondre dans la foule. Tout le monde était plus cordial et parlait plus fort. Le salon paraissait embouteillé par des rangées de chaises. Les portes communicantes de la salle à manger étaient ouvertes en grand, et on avait changé l'orientation du piano. Mr Keeping se tenait sur un côté, avec son rire moqueur, invitant les gens à s'installer vers l'avant, à emplir les premiers rangs. Paul boutonna sa veste et lui sourit poliment quand il se glissa entre les chaises devant lui. Les effets de l'alcool, libérateurs et heureux dehors, étaient un peu plus dangereux dans la lumière éblouissante de la pièce encombrée. Les gens se rendaient-ils compte qu'il était saoul ? Avant qu'il arrive quelque chose, il ferait bien de se rendre aux toilettes ; où, naturellement, s'était formée une longue file d'attente ; certaines vieilles dames prenaient deux minutes, presque trois. Il sourit à la femme devant lui, elle lui adressa en retour un sourire pincé, avant de se détourner comme s'ils avaient tous deux été intéressés par la même affaire dans un magasin. Puis il se retrouva seul dans le hall avec le chaos coloré de cartes et de cadeaux, empilés sur la table ou en dessous : la plupart n'avaient pas été ouverts. Des livres, évidemment, et des plantes à peine enveloppées, des choses souples, difficiles à empaqueter. Son désespoir frémissant devint carrément douloureux lorsqu'il prit conscience qu'il n'avait pas apporté de cadeau à Mrs Jacobs, pas même une carte. Lorsque, enfin, la dernière vieille femme émergea des toilettes et se hâta de rejoindre le salon, Paul entendit un coup retentissant, un silence, quelques applaudissements, puis Mrs Keeping prit la parole. Il ne pouvait pas ne pas y aller. Mieux valait manquer tout le concert. Tout ce qu'il voulait, c'était voir Peter jouer, le regarder, habité par la belle et inquiétante certitude qu'il allait… il se regarda dans la glace, ne sachant même pas, maintenant qu'il y pensait, ce qu'ils allaient peut-être faire.

Il fit aussi vite que possible, et prêta l'oreille : c'eût été horrible de devoir tirer la longue chaîne métallique de la chasse pendant les premières notes jouées par Mrs Keeping. Mais non, ils riaient encore. Ils devaient tous être aussi saouls que lui. Il resta à l'ombre de la porte du hall ; il vit bien deux sièges libres mais au beau milieu des rangées. Il y eut un grand éclat de rire qu'il crut, pendant un fol instant, dirigé contre lui, sur quoi, pivoine, il se faufila vers le côté de la pièce, pour aller s'adosser au mur, derrière une rangée de chaises de salle à manger. De là il voyait tout, mais à l'inverse tout le monde pouvait le voir. Deux ou trois autres personnes étaient également restées debout ; à l'arrière, les portes-fenêtres étaient encore ouvertes, et d'autres invités étaient agglutinés dans ce qui ressemblait déjà à l'obscurité. Mrs Keeping était debout, bien droite, mains jointes devant le piano, dans la posture d'un enfant qui récite. Il n'entendit pas ce qu'elle disait. Peter se trouvait à l'extrémité de la première rangée, il souriait à ses mains, ou au plancher ; Mrs Jacobs occupait la place d'honneur, sirotant sa boisson et regardant sa fille en clignant des yeux, d'un air de reproche ravi, tandis que la « surprise » était dévoilée. Paul sourit de même, inquiet, et, quand tout le monde rit, il fit de même. « Mère adore la musique, déclara Mrs Keeping, nous avons donc pensé l'amadouer en en jouant. » Rires derechef – Paul regarda Mrs Jacobs, qui appréciait la propension collective à la chérir et à la taquiner ; une femme juste derrière elle s'exclama : « Chère Daphné ! » et les gens rirent de cela aussi. Mrs Keeping ajusta son étole noire, et carra les épaules. « Nous allons commencer, dit-elle, par son compositeur préféré.

— Ah… ! » lança Mrs Jacobs, avec un sourire d'acceptation, tempéré tout de même par une incertitude quant à qui ce pouvait bien être.

« Chopin ? demanda un vieillard à la femme à côté de lui.

— Vous le verrez bien ! » répliqua Mrs Keeping. Elle s'assit sur le tabouret, et regarda autour d'elle. « Nous ne pouvons pas nous reporter à l'original, je le crains, donc voici une paraphrase par Liszt. » S'ensuivit un murmure d'appréhension comique. « C'est *très difficile* ! » Elle posa la partition sur le lutrin et, avec un regard furibond, se lança.

Dis donc, elle sait jouer ! Ce fut la première réaction de Paul. Il jeta un coup d'œil aux autres et esquissa timidement un sourire. Était-ce Chopin ? Il les vit tous se faire un avis, se regarder les uns les autres, froncer les sourcils ou faire oui de la tête, certains se penchant vers leur voisin ou leur voisine pour lui glisser un nom à l'oreille. On entendit comme un soupir muet, une onde de reconnaissance collective, de soulagement, qui rendit presque la musique insignifiante : ils avaient deviné. Paul ne voulait pas montrer que ce n'était pas son cas. Il n'avait jamais vu quelqu'un jouer du piano pour de bon, et aussi près de lui : il se sentit donc prisonnier d'un état de gêne fascinée, aggravé par le fait qu'il voulait le cacher. Il y avait le bruit en soi, qu'il percevait vaguement comme le bruit de la musique classique en général, rhétorique, pleine de sentiments que les gens n'éprouvaient certainement jamais, et puis il y avait le spectacle : Mrs Keeping en action, les plongeons soudains, les grands coups donnés par ses bras nus d'un bout à l'autre du clavier. Elle n'était pas grande mais sa présence était percutante. Ses petites mains paraissaient téméraires et comiques tandis qu'elles s'écartaient, grondaient et tintaient. Elle se balançait et sautait d'une fesse sur l'autre, dans sa robe rouge guindée ; son étole noire glissait de ses épaules : elle tressautait et tombait derrière elle, animée, eût-on dit, et c'était inquiétant, par une vie propre. Mais ce qui était captivant, presque insupportable à regarder, c'était son profil, poudré et sévère, cahoté par des soubresauts et des hochements de tête, comme des tics tout juste maîtrisés. Paul l'observait, le sourire tendu, couvrant sa bouche et son menton avec la main, dans une attitude pensive.

Mrs Jacobs aussi paraissait gênée, mais heureuse, tête penchée sur le côté. Ses réactions faisaient, d'une certaine manière, partie du spectacle. Une fois terminée la première partie du morceau, extrêmement enlevée, s'ensuivit un passage lent, qui donna positivement l'impression, même à la première audition, que c'était ce qu'ils étaient venus entendre. Mrs Jacobs leva puis laissa retomber sa main droite comme pour l'accueillir, et dodelina de la tête lentement pendant tout le passage. Paul se dit qu'elle devait être très saoule. Il éprouva le doux rayonnement de leur complicité, évidente dès le premier soir ; même s'il devinait que, pour elle, l'ivresse devait s'inscrire dans une longue histoire sentimentale, alors que, pour lui, c'était une expérience nimbée d'une étrange nouveauté. De l'arrière parvinrent un discret fredonnement et un petit rire nerveux, bientôt réprimés par un « Chut ». Puis l'on entendit à nouveau la mélodie ; et c'est alors que le regard de Paul glissa sur les crânes des auditeurs pour retrouver celui de Peter, dont il aperçut la tête tournée de côté : il le regardait. L'accélération instantanée de son cœur et l'éclat soudain de son teint furent pour ainsi dire repris par la musique, comme un thème : ils sourirent tous deux au moment où ils détournèrent les yeux.

Paul laissa errer son regard autour de lui, pour voir si on les avait vus ; il observa Julian, debout également, à l'opposé de la pièce, le visage rougi par la boisson et l'effort comique qu'il faisait pour paraître sobre. À côté de lui était assise Jenny, qui, avec un semblable froncement de sourcils exprimant sa concentration critique, auprès d'un vieillard au visage de paysan et à la crinière chenue, ignorait poliment le souffle bruyant et accablé de sa respiration. Paul se détourna encore, avec un sourire distant, comme s'il avait été transporté par la musique, et son regard tomba sur Mr Keeping, debout au fond, appuyé contre les rideaux en velours rouge, le regard rivé sur sa femme, lui aussi esquissant un sourire derrière son masque indéchiffrable. Mrs Keeping était en représentation, passionnée, physique, et Paul comprit qu'il ne verrait jamais plus Mr Keeping de la même façon. Ensuite, son regard s'arrêta sur la femme assise juste devant lui : le fermoir de son collier, l'étiquette de sa robe retournée (*Anne-Marie Paris Londres*, lut-il à l'envers). Lorsqu'elle agita la tête en réaction à un accord tonitruant, les pointes de ses cheveux chatouillèrent ses doigts. Elle jeta un coup d'œil en arrière, excuse à peine chiffonnée par un soupçon d'accusation. Un peu plus tard, elle murmura quelque chose à son époux, qui acquiesça avec un rapide hochement de tête désapprobateur. Paul eut l'étrange et intense sensation d'appréhender pleinement, pendant trois ou quatre secondes qui auraient pu durer une longue minute de transe, la vie de cette inconnue, qui ne croiserait jamais plus la sienne, et le détail hypnotique de l'étiquette retournée à son insu.

Comme la porte à côté de lui, qui donnait sur le hall, était maintenue ouverte, il entendait régulièrement des chocs de vaisselle ou un éclat de voix involontaire dans la cuisine, où les serveuses du Bell faisaient la vaisselle. La porte d'entrée aussi était ouverte et, de temps à autre, un air frais chargé des odeurs lointaines de conifères pénétrait avant de refluer. Le passage lent revint, le thème ; cette fois, Paul n'osa pas regarder Peter et il entendit le tintement du collier de Roger, qui sonnait négligemment faux et à contre-rythme, tandis qu'il fouinait à l'extrémité de l'allée. Puis il perçut des bruits de pas sur le gravier : ils hésitèrent, s'arrêtèrent, suivis par des mots gentils adressés d'un ton tout à fait naturel au chien, qui aboya fébrilement une ou deux fois. Pour une raison ou une autre, Paul songea d'abord que ce devait être un policier, et ensuite sir Dudley Valance, avec sa blessure de guerre, qui désormais avait tendance à l'obséder. Il entendit quelqu'un s'éclaircir la gorge, taper discrètement à la porte : plusieurs têtes se retournèrent, avec cet intérêt particulier qu'éprouve un auditoire face à toute perturbation… Paul fit une grimace et se glissa dans le hall.

« Euh, *hello*… Bonsoir… ! » L'homme qui avait passé la tête par la porte, trop absorbé par l'instant pour baisser la voix, dégageait d'emblée une impression de gêne, dans un costume marron étriqué. « Je suis effroyablement en retard… Mais je ne voulais manquer ça pour rien au monde. » Une voix chic, argentée, avec moins un bégaiement que des pauses entre chaque énoncé. Paul sortit sur le pas de la porte et lui donna une poignée de main ferme, sans toutefois exactement l'encourager, pensa-t-il. Ce ne pouvait être sir Dudley. Ils échangèrent des hochements de tête, comme s'ils avaient été deux à être dans le pétrin.

« Nous sommes en train… d'écouter un peu de musique, dit Paul avec tact, avec sa propre forme d'hésitation.

— Ah ! » Cet homme avait la cinquantaine mais quelque chose d'enfantin dans son large visage anguleux, qu'observa Paul lorsqu'il tourna la tête pour écouter. Il remarqua aussi les touffes de cheveux mal coupés, épais, grisonnants, autour d'un cercle de calvitie brûlé par le soleil. « Ah, oui, en effet, déclara-t-il. "La Ballade de Senta", ça a toujours été sa préférée. » Ils entendirent la musique, énergique, puissante, aller crescendo, et Paul imagina Mrs Keeping se désintégrant tellement elle se démenait. Et puis un tonnerre d'applaudissements. Il se dit que sans doute quelqu'un viendrait bientôt à sa rescousse.

« Voulez-vous… ? – d'un geste, il indiqua le hall.

— Oui, merci. » Maintenant, ils pouvaient parler normalement. « Bonsoir, Barbara ! dit l'homme à une femme qui venait de sortir de la cuisine.

— Bonsoir, Wilfrid, dit-elle. Vous avez manqué le dîner.

— Ça… n'a aucune importance, dit l'inconnu, à nouveau avec sa sobriété monastique et son infime hésitation.

— On n'était pas certaines que vous pourriez venir, dit Barbara, avec le même étrange manque de respect. Mrs K. est en train de jouer, donc il ne faut pas faire de bruit.

— Je sais, je sais, dit Wilfrid, fronçant les sourcils en réaction au ton de Barbara.

— Voulez-vous entrer ? » demanda Paul. Il observa l'homme qui de son côté observait les personnes à l'intérieur, dont une ou deux se retournèrent, alors que Mrs Keeping annonçait le morceau suivant. Son costume marron devait être de seconde main, ses trois boutons étaient boutonnés, les manches trop courtes, comme le pantalon, et on avait l'impression que de gros objets carrés étaient piégés dans les poches, dont l'étoffe était tendue. Paul se demanda si les autres invités le connaissaient et s'il allait créer un incident dont lui-même serait rendu responsable.

« En a-t-elle pour longtemps ? » demanda Wilfrid, d'un ton plaisant mais comme s'il croyait que personne ne pouvait l'entendre. Ce qui lui valut deux ou trois autres regards curieux.

« Je ne sais pas vraiment…, répondit Paul en s'éloignant.

— Vous avez mangé ? demanda Barbara, se radoucissant. Ou voulez-vous faire un tour dans la cuisine ?

— Je crois que… peut-être… » Wilfrid la regarda et eut comme un hoquet. « Est-ce que je gênerais, vraiment ?

— Oh, ça va.

— On m'a conduit jusqu'à Stanford, ensuite j'ai pris le bus puis j'ai fini à pied.

— Alors, vous devez mourir de faim », dit Paul, d'un ton condescendant. Il entendait Peter parler, avec son accent d'Oxford, les faire rire, et il comprit qu'il s'était passé quelque chose. Cette voix déclencha en lui des frissons d'excitation et d'inquiétude qui le traversèrent de part en part, et le rendirent à moitié inconscient de ce qui pouvait se passer par ailleurs. La musique reprit. Wilfrid suivit Barbara mais obliqua à l'entrée, revint vers la table du hall, sortit de sa poche un petit paquet enveloppé dans un papier rouge et brillant, et l'ajouta à la pile de cadeaux. Lorsqu'il fut entré dans la cuisine, Paul lut l'étiquette : « Joyeux Anniversaire, Maman. Avec tout mon amour, Wilfrid. »

Cette menue découverte ne le retint pas longtemps. Il se pencha dans l'embrasure de la porte pour écouter, ou du moins regarder, Peter jouer. Ce devait être le Mozart. Il trouva qu'il y avait quelque chose de bête mais d'impressionnant et de mystérieux aussi dans le fait que le grand, l'intelligent Peter, penché sur ce morceau délicat et fade, lui accorde toute son attention. Ses grandes mains qui, peu de temps avant, avaient caressé son genou sous la table sautillaient et picotaient les graves, en une remarquable démonstration de solennité feinte. Mrs Keeping s'amusait davantage à l'autre extrémité et reléguait Peter au rôle d'assistant inquiet mais courtois ; ses grimaces et hochements de tête donnaient l'impression qu'elle lui donnait des conseils un tantinet impatients, ou confirmait d'un air pincé qu'il avait fait ou pas ce qu'il fallait. Tourner les pages de la partition posait problème car les deux pianistes étaient occupés en même temps. Après s'être aperçu que Peter actionnait les pédales chaque fois que c'était nécessaire, Paul s'intéressa à ses jambes autant qu'à ses mains.

Les jambes de Mrs Keeping sautillaient, mais les occasionnelles pressions des pieds de Peter sur les pédales étaient comme une version publique de la façon dont il lui avait fait du pied sous la table. Paul, conforté par ce secret, n'en admira que plus Peter et fut jaloux de ne pas pouvoir jouer avec lui. À la fin du morceau, il frappa très fort dans ses mains et mit un point d'honneur à être le dernier à applaudir, comme ça se faisait à l'école.

Suivit un morceau très bizarre dont Paul pensa, à voir l'horrible grimace de Peter, que ce devait être l'idée que quelqu'un se faisait d'une mauvaise plaisanterie. L'après-concert, toutes les choses capitales qui n'attendaient que d'arriver, pesaient tant sur lui qu'il ne put plus se concentrer. Il avait décelé le talent qu'avait Peter d'être gênant et espéra qu'il ne se rendait pas ridicule. Et puis, en un rien de temps, ce fut la fin du morceau, il y eut les saluts, et les applaudissements se doublèrent de rires, chaleureux mais non exempts d'un je-ne-sais-quoi de provisoire, de sorte qu'il était peut-être nécessaire d'expliquer la plaisanterie à tout le monde. Hochant la tête, langue sortie sur la lèvre inférieure, Peter promena son regard sur l'assistance, donnant quasiment l'impression à Paul qu'il la léchait avec son sourire suffisant.

Ce n'était pas la fin, bien sûr, et Paul ne sut guère s'il était content ou soulagé que Corinna se rassoie au piano, que Peter se replie sur le premier rang, et que Sue Jacobs s'avance, l'air plutôt furibond, pour interpréter « Le Hamac » de Bliss. Il était bizarre de si bien connaître les vers, et il tenta de les suivre malgré ce qui lui paraissait être la vaine interférence de la musique. Les choses que les cantatrices faisaient avec les mots, les voyelles muées en voyelles différentes sous la pression des aigus, rendaient l'expérience plus ardue et plus étrange. Imaginer le poème, Dieu sait comment écrit dans l'air, permettait d'éviter de regarder Sue qui montrait les dents et dont le regard errant, à la fois furieux et amusé, balayait le public. « Et toutes les fleurs des jardins dorment, immortelles en cette heure mortelle. » Tout ce que Paul savait sur Bliss, c'était qu'il était le maître de musique de la reine, mais il trouvait difficile de concevoir que Sa Majesté pût apprécier cette offrande-là. À la fin, Mrs Jacobs se leva, embrassa les deux interprètes, et frappa dans ses mains levées pour relancer les applaudissements de l'assistance. Certes, elle paraissait émue, mais Paul crut deviner que, malgré l'obligation de paraître telle, elle trouvait la chose plutôt pénible.

Quand les gens, se levant, se remirent à parler, Paul croisa le regard de Peter, intercepta sa grimace comique et il lui sourit en retour comme pour lui dire combien il avait été merveilleux. Ce qu'il allait lui dire, il l'ignorait complètement : il se précipita à la cuisine pour prendre un verre. Quand il revint et rejoignit le groupe de Mrs Jacobs, c'est à peine s'il osa regarder Peter : il était paralysé par l'inquiétude, le désir et le caractère irréversible de son devoir quant à ce qu'il imaginait qu'il allait se passer bientôt.

Quelques instants plus tard, Peter et lui traversaient le jardin, se heurtant légèrement, tandis qu'ils louvoyaient au milieu des tables où des bougies brûlaient encore ; là où certaines avaient coulé et s'étaient éteintes, un voile de mystère reposait, dissimulant les identités, sur les invités qui étaient ressortis et, un verre à la main, bavardaient sous les étoiles. On avait découpé un gâteau dont on distribuait les parts, assorties de serviettes blanches en papier. « Je croyais que vous alliez parler à la vieille toute la soirée, dit Peter.

— Désolé ! » Paul avança la main sans aller jusqu'à lui toucher le bras.

« Voyons. Le jardin est grand, non ?

— Oh, oui. Il y a une partie à l'arrière que nous devrions vraiment explorer. » Paul se dit qu'il n'avait jamais été aussi spirituel ou aussi paniqué.

« Nous avons adoré ce que vous avez joué, dit une femme en revenant vers la maison.

— Oh, merci… ! » Le vernis de la célébrité rendit leur sortie plus voyante et, qui sait, incongrue. Loin des lumières, Peter sembla à Paul à la fois plus intime et plus opaque, présence sentie plus par le toucher que par la vue. Quelqu'un avait mis un disque de Glenn Miller sur le stéréogramme, et les bribes de musique qui filtraient parmi les arbres conféraient au décor un air ténu de romance. Ils dépassèrent le hêtre pleureur. « Hum, pas ici, non, je ne pense pas », dit Peter, avec son air, à la fois rassurant et fatal, d'avoir en tête un projet assez clair.

« Je trouve cette partie du jardin très jolie. » Continuant à jouer le jeu, Paul obliqua prudemment dans l'obscurité après l'arche aux rosiers, vers le coin à l'abandon où se trouvaient l'abri à outils et le tas de compost. Lui aussi parlait comme s'il savait ce qu'il faisait ou allait faire. Il était temps, sans doute, de coincer Peter, mais l'obscurité les maintenait séparés aussi naturellement qu'elle promettait de les réunir.

Il devina que Peter ouvrait la porte de l'abri, avec une impatience de débauché, et il entendit un fracas de cannes. « Oh, merde ! Oh, merde… » L'impression que l'abri était un piège. « Hum, c'est plutôt horrible là-dedans », déclara Paul, riant de sa drôlerie plus qu'il n'eût pu l'expliquer : il était ivre, c'était l'une des conséquences hilarantes, désastreuses et incorrigibles de l'ébriété. Peter, penché en avant, poussait et entassait rageusement le tas de cannes écroulé sans réussir à refermer la porte. Il y parvint enfin ; la porte se rouvrit instantanément. « On peut la laisser ouverte », décida Paul.

En riant, il avait effleuré Peter fébrilement. Il sentit alors la main de Peter sur son cou. Leurs visages étaient proches l'un de l'autre dans la lumière arachnéenne au milieu des buissons, leurs regards illisibles, suite de sourires et de soupirs. Et puis ils s'embrassèrent, odeur de fumée et de métal, étrange dégustation mutuelle, à laquelle Paul s'abandonna avec un frisson d'incrédulité. Peter se pressa contre lui, se courba en avant, se tortilla pour s'accorder à lui : le fait instantané et sans ambiguïté aucune de son érection plus choquant que le goût de sa bouche. Le gros plan intense, la quasi-obscurité : Paul ne voyait que la courbe du crâne de Peter, cheveux découpés sur fond de buissons sombres aux contours irréguliers, noirs sur le ciel nocturne. Il s'adapta aux mouvements de Peter, tenta de l'imiter, mais la brusque et étouffante ardeur des désirs d'un autre homme, instinctifs et mécaniques, tout à coup, c'en fut trop pour lui. Remuant la tête que Peter avait saisie à deux mains, il tenta de transformer le geste en un frottement à la fois drôle et pensif contre son menton, son torse. « Quelle soirée formidable, s'entendit-il dire. Je suis si content que Mrs Keeping m'ait demandé d'aider les invités à se garer.

462

— Mm ?

— Je voulais dire, au fait… belle, ta cravate… »

Peter le tint à distance, d'un air serein, presque humoristique, presque suffisant, comme s'il le mesurait, songea Paul, à l'aune de précédents baisers et conquêtes. « Oh, mon chéri », dit-il tout bas, avec une sorte de rire avalé qui semblait suggérer quelque timidité de sa part, après tout. Ils se tinrent enlacés, joue contre joue, la barbe de Peter, drue à cette heure tardive, comme un signe supplémentaire de ce qu'il y avait d'effrayant et d'étrange à être avec un homme. Paul ne savait pas s'il venait de commettre une horrible gaffe, comme sa disparition effarouchée derrière les herbes de la pampa à son arrivée, ou si l'on pouvait voir là une pause amoureuse tout à fait naturelle, dans laquelle sa confusion pourrait passer inaperçue et être pardonnée. Il sut instantanément qu'il avait déçu. Mais, très vite, il songea : eh bien, c'est une victoire en soi, déjà, d'avoir embrassé un autre homme. « Je suppose que nous devrions retourner là-bas », proposa-t-il.

Peter se contenta de pousser un soupir et d'accentuer sa pression sur la taille de Paul. « Vois-tu, je pensais plutôt que nous pourrions rester ici un peu plus longtemps. Nous l'avons mérité tous les deux, ne crois-tu pas ? » Paul se surprit à rire, se colla à lui, l'agrippa soudain très fort pour le garder pour lui seul et, en même temps, l'immobiliser.

Alcool et badinage donnaient au temps un rythme. Quand ils rentrèrent dans la maison, les groupes d'invités commençaient déjà à s'éclaircir, même si quelques vieux de la vieille avaient pris possession des lieux, selon la nouvelle répartition des sièges qui encombraient le salon. Paul eut l'impression que Peter et lui rapportaient sans doute, de la nuit au-delà des portes-fenêtres, un reflet de l'innommable, même si tout le monde prétendit poliment ne s'apercevoir de rien. La boisson semblait les avoir tous aliénés, réduits, pour certains, à des pourvoyeurs de sourires muets et, pour d'autres, de charabias nerveux. John Keeping, très ivre, expliquait religieusement les vertus du porto qu'il buvait à un homme trois fois plus âgé que lui. Même Mr Keeping, un verre de cognac à la main, avait un air béat ; mais, quand il vit Paul, il détourna le regard. La musique avait changé et le vieil air à danser qui passait à ce moment-là rappela à Paul une scène d'un vieux film de guerre ; sur le carré de plancher libéré près du piano, bougeant à peine mais avec une mine captivée qui n'appartenait qu'à eux, dansaient Mrs Jacobs et l'homme qui ressemblait à un paysan, lequel se trouvait être Mark Gibbons, le merveilleux peintre dont elle avait parlé et qui avait vécu à Wantage. Un autre couple que Paul ne connaissait pas tournait sur la piste deux fois plus vite. Paul leur adressa un sourire doux et bienveillant depuis l'incommensurable et sombre distance qu'il venait de parcourir, qui rendait tout le reste charmant mais bizarrement hors de propos. « Je crois que je vais devoir y aller », annonça Peter à Julian en lui posant la main sur l'épaule. Paul crut à moitié à son histoire, et souffrit d'y croire, alors qu'ils avaient décidé de se retrouver à la voiture de Peter.

Devant les toilettes, il fut harponné par Jenny, qui lui demanda : « Voulez-vous venir au Corn Hall avec nous ? »

Julian eut d'abord l'air surpris puis délicieusement fuyant. « Ouais, croyez-vous que nous puissions... ouais, venez avec nous, ce serait sensass, en fait... Voulez-vous poser la question à mon père ? dit-il à Paul.

— Hum... je crois que... *non*, merci », répondit Paul, content que son intonation suscite des rires. Avant de partir, il lui faudrait remercier Mr Keeping pour l'invitation, sa gratitude soudain empreinte d'urgence et de culpabilité, hantée, de surcroît, par un nouveau doute : était-il vraiment censé rester à la soirée, n'avait-il pas commis une faute innommable ?

« Ça ferme à minuit. Quelle heure est-il maintenant ? »

Paul ne pouvait guère leur avouer qu'il avait promis d'aller rejoindre Peter dans sa voiture ; il se représentait une voie d'accotement dans l'ombre où il avait déjà vu des amoureux enlacés dans des voitures. Il reçut un autre choc lorsqu'il entendit Peter répondre : « Oh, pourquoi pas ? Pour une petite demi-heure, j'ai envie de danser. » Comme si leur projet amoureux n'avait pas d'importance.

« D'accord... », dit Julian, son intonation trahissant subtilement que, bien qu'il eût besoin d'eux comme couverture, il n'était pas spécialement ravi à l'idée d'aller danser avec eux au Corn Hall.

« Votre frère vient-il ?

— Mon Dieu, ne lui dites rien, dit Jenny.

— J'adore danser, dit Peter.

— Hum, moi aussi », dit Jenny et, au grand dam de Paul, tous deux se mirent à rouler les hanches et à agiter les épaules l'un en face de l'autre. « Pas un mot », dit-elle.

Dans le hall, Mrs Keeping était engagée, debout, dans une conversation à voix basse, à un rythme soutenu, avec une autre femme. « Non, c'est impossible », disait-elle tandis que, l'air coupable, Paul restait en retrait. Dans l'allée, à la lisière de la flaque de lumière projetée par la porte d'entrée, l'oncle Wilfrid, bras croisés contre la poitrine, contemplait le ciel, tête dans les étoiles comme si son corps n'était pas noué par la tension et son sentiment d'exclusion. « Jenny dort dans le cagibi, Mère dans la chambre d'amis, les deux garçons dans la maison… Il aurait dû prévenir qu'il venait.

— Je suis certaine que nous pourrions lui trouver un coin, répondit l'autre femme.

— Pourquoi ne peut-il rentrer en taxi ?

— C'est un peu tard, ma chérie…

— Vraiment ?

— Je suppose qu'il n'a pas apporté son pyjama… »

Une espèce de solidarité désespérée sembla prendre possession du visage de Julian, même si cela signifiait ne pas aller au Corn Hall. Il sortit dans la rue : « Ohé, oncle Wilfrid… » Il l'entraîna à l'écart.

« On voit la constellation du Cancer, Julian », lui dit son oncle.

Un instant plus tard, ils se retrouvaient tous serrés les uns contre les autres dans l'Imp, goûtant à l'excitante petite comédie d'une soudaine proximité, chacun faisant de l'esprit, tout le monde riant, tirant les partitions et tout le fatras d'en dessous leurs fesses tandis que la voiture bondissait dans Glebe Lane. Ils entendaient l'herbe au milieu de la route gratter le dessous de la voiture. Wilfrid était devant, Paul, Jenny et Julian derrière, comiquement, quoiqu'un peu douloureusement, écrasés. La cuisse brûlante de Julian pressait celle de Paul, qui s'aperçut tout à coup que le garçon lui attrapait la main, à la faveur, songea-t-il, de l'abandon général et de la bonne humeur altruiste. Il n'osa pas serrer la sienne en retour. Dans un bruit de ferraille, ils longèrent Church Lane et descendirent jusqu'à la place du marché pour déboucher sur le monde extérieur, encore là, surprenant, y compris une voiture de police et deux policiers postés juste devant The Bell. Suprêmement indifférent, Peter les dépassa à toute vitesse, se gara, éteignit les phares et coupa le moteur, juste devant la Midland Bank. Paul éprouva brièvement un sentiment de désordre insouciant. Mais, après tout, demain, ce serait dimanche…

Au prix de menus ajustements, ils réussirent à sortir de la voiture. « Je n'ai pas dansé depuis juste après la guerre, déclara Wilfrid.

— Vous adorerez », dit Jenny, avec un hochement de tête confiant. Dans ce groupe disparate elle était, de fait, sa partenaire.

« Tout le monde dansait avec tout le monde, cette nuit-là. »

Peter ferma la voiture à clef et adressa à Paul un regard impuissant et joyeux en même temps, haussa les épaules et secoua la tête avec un sourire en coin.

Les gens quittaient le Corn Hall, les femmes, légèrement vêtues dans la nuit estivale, accrochées à leur cavalier. Paul déguisa sa tension réveillée par le risque de croiser Geoff, et bavarda ostensiblement avec Jenny quand ils pénétrèrent dans l'entrée. Lorsqu'il plissa les yeux pour voir à travers les portes en verre, la salle aux hautes poutres, sous le lent balayage des spots de couleur, palpitait de la promesse de sa présence. Ils entendirent à ce moment-là une chanson au rythme endiablé et Jenny commença à danser sur place. « Est-ce qu'on peut entrer ? demanda-t-elle à la caissière.

— Il ne reste que vingt minutes, ma chérie.

— Vous n'allez pas nous faire payer, tout de même ? » s'enquit Jenny, la défiant de lui demander son âge.

La caissière la dévisagea mais les tickets et le liquide étaient déjà rangés, les gens jouaient des coudes pour sortir, ils attendaient et passaient en titubant devant le vestiaire et les W.-C. avec leurs portes à vitraux. Et ils purent donc entrer.

Paul, bénissant les effets de la boisson, traversa la salle, contourna la modeste scène, souriant aux ombres comme s'il avait été un habitué des lieux... Mais non, Geoff n'était pas là... Il retourna vers les autres avec un pincement au cœur, déception mêlée au soulagement ; sur quoi, se rappelant qu'il portait une cravate, il l'ôta d'un geste impatient. Il était presque aussi timide pour danser que pour embrasser mais, cette fois, c'est Jenny qui lui prit la main. Leur petit groupe se mit à danser. Paul leur sourit à tous, hésitant entre l'enthousiasme et l'inquiétude ; Wilfrid tentait d'imiter Jenny mais ne réussissait pas tout à fait à prendre le rythme tandis qu'elle se déhanchait dans sa jupe évasée et remuait les mains devant elle, attendant, qui sait, que quelqu'un les lui prenne ; tandis que Julian allumait et fumait voracement une cigarette. Derrière lui, regardant Paul d'un air malicieux à travers les motifs lumineux découpés par les spots, Peter dansait à sa manière une sorte de twist aux mouvements très déliés. On s'écartait autour d'eux, on regardait, légèrement étonné, on faisait des commentaires, évidemment… Évidemment, les gens de la ville connaissaient Jenny, sans nul doute Julian suscita des froncements de sourcils et des sourires surpris. Paul suivit deux couples qui dansaient le swing frénétiquement, une fois d'un côté, une fois de l'autre, devant la scène, avec une précision rigoureuse malgré l'abandon que trahissaient leurs expressions.

Une grande femme au visage rougeaud et en robe à paillettes jeta son dévolu sur Wilfrid… Le connaissait-elle ? Non, apparemment pas, mais il était prêt pour elle, ce gentleman vraiment posé, avec son air sérieux et sa volonté de bien faire. Paul les regarda s'éloigner, dissimulant avec un sourire le fait qu'il était vaguement choqué. Jenny se pencha vers Paul et hocha la tête : « Un ami à vous. »

Paul, la main un instant sur l'épaule de Jenny : l'étoffe rêche de sa robe, sa peau chaude – l'étrangeté d'une fille : « Mm ? »

« Ça alors, le jeune Paul ! »

Il se recroquevilla, se retourna et se retrouva face à Geoff, avançant la main vers lui et en même temps reculant, n'en croyant pas ses yeux ; puis son visage tout près, l'haleine chaude et alcoolisée de Geoff, comme si lui aussi allait l'embrasser, indifférent mais amical. « Qu'est-ce que tu fiches ici ? » demanda-t-il tout en désignant Sandra, qui lui serra la main et lui fut présentée inaudiblement, l'air à demi amusé, mais Paul était un collègue, peut-être lui avait-il parlé de lui. Elle croisa les bras sous sa poitrine, tourna la tête de côté, suivant du regard des gens qui se dirigeaient vers la sortie. « Bon Dieu, est-ce que le père Keeping est venu aussi ? » – Geoff, fier de sa plaisanterie.

« Non, seulement le *fils* Keeping », répondit Paul, désignant Julian d'un hochement de tête, mais Geoff n'eut pas l'air de comprendre : il resta là à secouer la tête, les spots se firent taquins et dissimulateurs, colorant les contours de son pantalon moulant clair et le V plongeant de sa chemise ouverte, première vision fugitive, à couper le souffle, de sa peau nue. Geoff se pencha à nouveau vers Paul et, l'espace d'un éclair, sa rouflaquette rêche effleura sa joue. « Bon, nous, on y va » – Sandra le tirait par la manche, souriante mais pas d'humeur, comme pour signifier que Paul ne devait pas l'encourager. « À lundi ! » – et puis son bras autour de la taille de Sandra pour l'escorter d'une façon adulte, en galant homme, vers la sortie.

« Dis donc, il est chouette ! dit Jenny.

— Ah, vous trouvez ? » fit Paul en levant un sourcil, comme pour signifier que les filles étaient des proies faciles, se retournant pour regarder Geoff entrer dans le carré éclairé de la porte, puis dans l'obscurité, comme une véritable chance manquée, avant de sourire courageusement à Peter, qui se penchait vers eux tout en se déhanchant. Il se mordilla la lèvre inférieure et, les agrippant tous deux dans un enlacement aviné, chuchota à l'oreille de Paul : « Dis-moi quand tu veux y aller. »

« Une endiablée et un slow », annonça le guitariste solo des Locomotives, et ses paroles, comme plombées, résonnèrent dans les hautes voûtes de la salle. « Après, ce sera *good night*.

— Restons encore peu, dit Paul, maintenant que nous y sommes. »

La dernière danse, à minuit cinq au cadran de sa montre, et les deux policiers aimables à la porte, ouverte, dans la lumière éclatante là-bas, parlant à la caissière qui rendait aussi les manteaux. Ils regardaient la salle, désormais occupée de loin en loin seulement par des danseurs qui sentaient l'espace solitaire croître autour d'eux, sous la poussée de l'air nocturne, Jenny et Julian enlacés, raides, d'une façon expérimentale, menton de Julian lourd sur l'épaule de Jenny, Paul et Peter appuyés au mur, se balançant en mesure mais à quelques pas l'un de l'autre, expression figée en un sourire d'un plaisir incertain et, là-bas, au beau milieu de la piste, Wilfrid et sa nouvelle amie, qui s'était ajustée avec beaucoup d'imagination aux rythmes de son partenaire et exécutait avec lui une sorte de two-step militaire sur l'air de *The Green, Green Grass Home*.

6

Peter fonça dans Oxford Street, si différente de son homonyme londonien, les rares boutiques stores baissés dans la précoce torpeur du soir d'été ; juste avant d'arriver sur la place, il se demanda avec une déconcertante froideur s'il avait envie de Paul, et ce qu'il ressentirait quand il le reverrait. Il n'était plus certain de ce à quoi il ressemblait. Depuis la soirée chez les Keeping où il l'avait embrassé, son visage était devenu une image floue faite de visions fugitives, de pâleur et de rougissements, d'yeux... gris, cela il en était sûr, des cheveux qui se teintaient de reflets roux à la lumière, un bien étrange petit homme à choisir comme objet de son désir, jeune pour son âge, mince mais le corps ferme et lisse sous sa chemise, plutôt farouche, quoique extrêmement ivre, bien sûr, en cette occasion : eh bien, oui, il était là, près des halles, ah oui, exactement... Peter pensa que tout irait bien. Il le vit avec une étrange mise au point rapprochée devant un fond insaisissable : la personne qui attend et qui est aussi la personne qu'on attend. Peter était légèrement en retard. Au cours des quatre ou cinq secondes qu'il fallut à la voiture pour ralentir et s'approcher de Paul, il vit ce dernier jeter un coup d'œil à sa montre, cadran à l'intérieur du poignet, et à la Midland Bank en face, comme s'il avait hâte de sortir de là ; puis il le vit reconnaître la voiture et, avec un petit frisson, faire semblant de rien, et, tandis que Peter approchait, son sursaut de surprise. Il s'était changé après le travail, avait passé un jean propre bien ajusté, un chandail rouge sur les épaules ; la tentative d'avoir belle allure était plus touchante que sexy. Peter s'arrêta et sauta de la voiture, souriant : il aurait eu envie de l'embrasser sur-le-champ, mais, bien sûr, il faudrait attendre. « Votre Imp est avancée ! » dit-il, ouvrant la portière du passager, qui produisit un horrible crissement. Sans doute, il s'en aperçut alors, aurait-il pu mieux nettoyer sa voiture ; il gêna Paul pour monter en déplaçant une pile de documents sur le plancher. Paul était un de ces garçons minces avec un ravissant petit cul rond et dur de cycliste. Peter monta à son tour et, quand il passa la vitesse, il posa la main sur le genou de Paul pendant un bref instant : il le sentit frissonner tant il était tendu, et reconnut son désir instantané de dissimuler ce frisson. « Prêt pour Cecil ? » demanda-t-il, puisque tel était le prétexte de l'excursion. « Cecil » semblait déjà être devenu leur mot de passe.

« Hum, je ne suis encore jamais allé dans un pensionnat, répondit Paul, comme si cela avait été sa principale inquiétude.

— Vraiment ? J'espère que ça te plaira. » Sur quoi, ils firent le tour de la place en vitesse, au milieu de l'inévitable bruit grossier de la voiture. Il y avait un je-ne-sais-quoi de comique dans une voiture dont le

473

moteur se trouvait à l'arrière : un simple pet au démarrage, et non pas l'habituel rugissement sous le capot.

Tandis qu'ils remontaient Oxford Street, Peter demanda : « Alors, comment s'est passée ta journée ? » Corley était à cinq kilomètres, et il sentit la crainte de Paul le gagner tandis que, sourire aux lèvres, il regardait la route. Il devrait surmonter ça dès le départ.

« Bien. Les inspecteurs sont là en ce moment, alors tout le monde est un peu sur les nerfs.

— Oh là là ! Est-ce qu'ils vous épinglent parfois ?

— Je ne pense pas que ça se soit déjà produit », répondit Paul d'un ton plutôt circonspect. Il ajouta : « En fait, j'étais un peu distrait aujourd'hui à cause de ce soir, tu sais…

— Oh, je sais », répondit Peter, content de cette confession et jetant un rapide coup d'œil à Paul, qui se détournait à moitié de lui, comme s'il avait honte de sa remarque.

« J'ai vraiment hâte de voir le tombeau.

— Ah, oui, ça aussi… »

Aux abords de la ville soufflait une brise qui rabattait la poussière des champs de blé à travers les vitres baissées et se mêlait à l'odeur d'essence et de plastique brûlant, que Peter savait être légèrement écœurante. Compte tenu de ces rafales bruyantes, sans doute valait-il mieux ne pas beaucoup parler ; ce qui ne l'empêcha pas d'informer Paul de l'imminente Journée Portes Ouvertes, du match de cricket et du musée temporaire, mais il n'eut pas l'impression qu'il l'entendait vraiment. Sur quoi il ajouta : « Voilà, nous y sommes. » La ligne des bois approchait et il espéra que Paul voyait, très loin de la route, la flèche de la chapelle au-dessus de la cime des arbres. Ils passèrent devant la loge, avant-goût en miniature du manoir lui-même, amas de pignons rouges orné d'une tourelle en coin et de sa propre petite flèche. Les impressionnantes grilles en fer forgé étaient ouvertes en permanence. Et il arriva ce que Peter trouvait toujours plaisant : lorsqu'il ralentit et obliqua dans l'allée ombragée de châtaigniers, ils semblèrent se libérer du nœud coulant du monde, percer un secret : dans le rétroviseur, rapetissant vite, voitures et camions continuaient de passer devant les grilles ; dans un instant, on ne les entendrait plus. S'installa alors une atmosphère magique, pétrie de privilège et de jeu théâtral, plaquée sur un souvenir d'enfance plus profond, la crainte irraisonnée de retourner à l'école : Peter testa et même intensifia ses propres sentiments en en cherchant le reflet sur le visage de son nouveau compagnon, qu'il connaissait à peine mais dont il suspectait qu'il le connaissait déjà mieux que quiconque. Sur leur droite, à travers la large bande de bois, on entrevoyait le terrain de sports, l'abri noir au toit de chaume du pavillon de cricket. « Ces bois sont hors limites, au fait, expliqua-t-il. Si on voit un élève là-bas, on peut lui donner une raclée.

— Une raclée…

— Mais oui, sur les F…S.

— Ah, fit Paul après un moment. Ah, je comprends. Hum, eh bien, il faudra aller vérifier un peu plus tard. » Et de rougir encore, surpris de ce qu'il avait osé dire. Peter rit, lui jeta un coup d'œil et songea qu'il n'avait jamais rencontré un adulte aussi facilement gêné, et de façon aussi transparente, par quoi que ce soit d'à peine osé. C'était un petit paquet tout brûlant d'émotions et de répression : peut-être était-ce d'ailleurs ce qui rendait l'idée de faire l'amour avec lui (ce sur quoi il comptait, dans l'heure ou les deux heures à venir) excitant de façon quasi expérimentale. Quoique, de quelle couleur deviendrait-il alors…? « Voilà, nous sommes arrivés. » Ils avaient évoqué Corley à la soirée d'anniversaire de Daphné mais Paul ne savait pas à quoi s'attendre. Il ralentit encore à la seconde série de piliers et puis, soudain, le bâtiment apparut : « *Voilà*!* »

Une forme sclérosante de savoir-vivre, ou peut-être simplement la concentration sur ses pensées, sembla empêcher Paul de vraiment *voir* la demeure. Peter laissa mourir son sourire tandis qu'ils avançaient d'un pas lourd sur le gravier, avant de s'immobiliser devant les fenêtres des classes des neuf-dix ans, une partie des fenêtres à guillotine fermée, l'autre remontée pour laisser entrer l'air, et les visages curieux des garçons qui, en heure d'étude, tournaient la tête pour les regarder. L'atmosphère indescriptible de la routine de l'internat, toutes les énergies furtives, sous-jacentes, semblaient être en suspens, dans le choc et le raclement d'une chaise sur le sol, une question inaudible, une voix forte leur ordonnant à tous de retourner à leurs devoirs.

Dans le hall d'entrée, Peter dit doucement : « Je suis sûr que tu meurs d'envie de prendre un verre. » Dans sa chambre, il avait quantité de gin et une bouteille non entamée de Noilly Prat.

« Oh… merci », répondit Paul mais, contournant la grande table au centre, il se dirigea vers les tableaux d'honneur. Sur les deux panneaux noirs étaient inscrits en lettres capitales et dorées les bourses

476

d'études obtenues par des élèves pour d'obscures écoles privées. On notait des variations disgracieuses de taille et de façon dans le lettrage.

« Tu as remarqué... D.L. Kitson !

— Et alors ?

— Donald Kitson... Ça ne te dit rien ? C'est un acteur. Le principal titre de gloire de l'école. » Ils entendirent dans leurs dos des bruits de pas crissant sur le chêne ciré de l'escalier : les semelles de crêpe du directeur. Il approcha d'eux avec l'air, qu'il avait souvent, de tirer des conclusions hâtives : cette fois, qui sait, favorables ?

« Ah, Peter, bien. Vous faites l'éloge de nos gloires ? » Il avait dû voir la voiture revenir, l'inconnu pénétrer dans l'établissement.

« Monsieur le directeur, je vous présente mon ami Paul Bryant. Paul, voici... » Et il prononça le nom du directeur en bafouillant, comme s'il avait été confidentiel ou inutile. Il avait encore l'intense sensation de briser les règles.

« Bienvenue à Corley Court, dit le directeur, regardant le panneau avec eux. Je crains que, ce trimestre, nous devions installer un nouveau tableau. » Il était visible, en effet, que la fréquence des attributions s'était accélérée après cinq années catastrophiques de 1959 à 1964, au cours desquelles l'école n'avait obtenu aucune distinction. « Peter fait des miracles avec nos grands », déclara le directeur, presque comme s'il s'était adressé à un parent. Il était possible, bien sûr, qu'il ait aperçu Paul à la banque et soit en train d'essayer de se rappeler où il l'avait vu.

« Puis-je me permettre de faire visiter l'école à Paul, monsieur le directeur ? »

Ce dernier donna son aval sans problème. « Essayez d'éviter les salles d'étude si possible. Mais vous devez voir la chapelle. Et la bibliothèque. En fait, dit-il, lançant un coup d'œil par la fenêtre, pragmatique et avec un air de propriétaire, comme s'il regrettait de ne pouvoir se joindre à eux, c'est une belle soirée, vous devriez aller faire un tour dans le parc.

— Quelle bonne idée, répondit Peter, pince-sans-rire.

— Montez sur le plateau ! Allez dans les bois ! Quelle... !

— Nous pourrions faire ça, en effet... » Le vieux crétin semblait les jeter dans les bras l'un de l'autre.

« Bon, je dois aller vérifier l'état des réparations, dit-il, se dirigeant vers la porte des avant-dernière année.

— Je voudrais que Paul les voie aussi, si ce n'est pas gênant.

— Quel dommage, juste avant notre Journée Portes Ouvertes », continua le directeur d'un ton confidentiel à l'adresse de Paul. Il ouvrit le battant gauche de la double porte et jeta un coup d'œil à l'intérieur avec une suspicion non déguisée. « Au moins, ils ont avancé », dit-il, permettant à Peter et à Paul de le suivre dans la pièce où, à la place de têtes d'élèves penchées sur leurs devoirs, ils découvrirent des tables poussées contre les murs, des sacs de gravats et, au fond, au-dessus d'un échafaudage improvisé d'échelles et de planches, un grand trou irrégulier au plafond. La pièce sentait le moisi et tout y était recouvert d'une couche de poussière granuleuse. Le mardi soir, pendant le cours d'évaluation musicale, la baignoire de la maîtresse d'internat avait il vivait étaient pour lui si passionnants que cela ne lui importait guère. C'était un rêve, une lubie, qu'il mit de côté pour l'heure, presque à regret, au bénéfice de son autre lubie, son ami employé de banque.

« Ravi d'avoir fait votre connaissance, dit le directeur lorsqu'ils retournèrent dans le hall. Et rappelez-vous, si vous voulez inscrire votre fils ici, prenez-vous-y longtemps à l'avance ; beaucoup d'anciens Corleyens ont inscrit leurs garçons dès leur naissance, ce qui est la meilleure publicité que l'école puisse souhaiter.

— Oh… euh, hum… inscrire ? » dit Paul. Mais le directeur avait déjà tourné les talons. Jetant un coup d'œil à sa montre, il se dirigea vers la grande table au milieu de la pièce, indestructible relique du temps des Valance, saisit la cloche et l'agita pendant de longues secondes avec une violence implacable, comme s'il avait répudié avec sa gestion sévère toutes les bêtises dont Peter venait de l'abreuver. Instantanément, un vieux bruit familier, aigu, accompagné d'échos, avec juste un soupçon de tristesse face au silence perdu, se manifesta dans la salle voisine. Paul frémit, surpris peut-être par le souvenir, et Peter lui mit la main dans le creux des reins lorsqu'ils se dirigèrent vers l'escalier monumental. Presque simultanément, des portes s'ouvrirent et des garçons apparurent de toutes parts. « Du calme ! cria le directeur d'un air las. Ne courez pas ! » Les élèves ralentirent, lançant au passage des regards inquiets à Paul. L'atmosphère devenait toujours étrange dès que quelqu'un de l'extérieur venait au pensionnat, et Peter savait que cette visite alimenterait les conversations. D'ordinaire, le manque d'intimité ne le gênait pas mais, l'espace d'un éclair, il eut l'impression d'être élève lui-même. « Montons

débordé, l'eau avait traversé le vieux plancher, où elle avait dû stagner pendant un bon moment au-dessus du faux plafond des années 1920 avant de se mettre à couler goutte à goutte, puis à tomber en cataracte – prélude à l'excitante chute d'une masse de plâtre sur un bureau que des élèves venaient tout juste de libérer. Le programme était resté au tableau, avec la fameuse écriture de Peter : *Six Pièces pour orchestre* de Webern et l'ouverture de *Guillaume Tell*, laquelle avait à peine trouvé son rythme lorsque le premier ploc d'eau chaude avait giclé sur le cou de Philipson.

« Avez-vous sauté sur l'occasion pour admirer le plafond d'origine, monsieur le directeur ? s'enquit Peter, ignorant s'il souhaitait l'amuser ou l'agacer.

— Ma préoccupation première », répondit le directeur avec la franchise ronflante qui représentait sa forme la plus aboutie d'humour, « a été de faire réparer ça avant samedi ! »

Peter avança, faisant crisser la poussière sous ses semelles au milieu des chaises rassemblées, suivi par Paul qui, doutant peut-être de la solennité de l'instant, regardait de tous côtés, arborant un sourire incertain, en proie au petit choc primitif qu'il éprouvait à se retrouver dans une salle de classe. « La maîtresse d'internat doit être mortifiée », dit Peter, lui attribuant de meilleurs sentiments qu'elle n'en avait exprimés elle-même sur le coup. Il grimpa sur l'un des escabeaux qui soutenaient la plateforme sur laquelle Mr Sands et son fils s'installaient pour travailler. « Au fait, j'ai pris des photographies pour les archives, monsieur le directeur », dit Peter, le regardant d'en haut, avec la conscience de l'avantage éphémère dont il jouissait. Les archives étaient une ressource purement imaginaire dont le directeur, néanmoins, ne jugea pas utile de nier l'existence. Paul et lui observèrent Peter avec le mélange habituel d'inquiétude et d'impatience de ceux qui restent à terre. « Ce serait formidable de pouvoir dégager l'ancien plafond.

— Je vous conseillerais d'en profiter au maximum maintenant, répondit le directeur. Il ne se présentera pas d'autre occasion. » À nouveau, il jeta à Paul un coup d'œil, entre soupçon et humour.

« Et si nous le dégagions totalement pendant les grandes vacances ? »

Le directeur émit un grognement, attiré contre sa volonté dans un jeu qui manquait un peu de dignité. « Quand sir Dudley Valance l'a recouvert, il savait exactement ce qu'il faisait. »

Peter n'en invita pas moins Paul à monter sur l'échafaudage. Les planches sautèrent et ployèrent sous leurs poids réunis, et il lui agrippa le bras avec une fermeté insouciante lorsqu'ils levèrent la tête pour scruter l'espace ténébreux entre les deux plafonds. Leurs épaules cachaient le plus gros de la lumière qui passait par le trou et, vers le fond de la pièce, ce grenier inattendu se perdait dans une obscurité totale. Dans cet espace, qui devait avoir une hauteur d'environ soixante-quinze centimètres, l'odeur du vieux bois sec se mêlait à la riche odeur d'humidité récente. « On n'y voit pas grand-chose, dit Peter. Attends… » Se déplaçant légèrement, il sortit un briquet de sa poche, le leva à hauteur de leurs têtes, et en fit rouler la pierre. « Sacré… » Enfin, il réussit à le faire fonctionner et, décrivant lentement un grand demi-cercle avec le bras, révéla des miroitements vite devenus ombres et vice versa, au fur et à mesure que la lumière entrait et sortait des alvéoles dorées. Là où elles étaient encaissées on voyait des ornements en relief pourpre et or et, là où l'eau était passée, des lattes nues et des fragments suspendus de plâtre mêlé de crin. Tout cela paraissait très éloigné de l'architecture quotidienne, c'était comme découvrir un pavillon de plaisirs en ruine ou une chambre funéraire depuis longtemps livrée au pillage. Là où le plafond rejoignait le mur le plus proche, on distinguait une corniche chantournée, deux chapiteaux dorés et la partie supérieure, glauque, d'une glace monumentale.

« Ne mettez pas le feu, voulez-vous ! cria le directeur.

— Je vous le promets, répondit Peter.

— Une inondation et un feu la même semaine, ce serait… »

À la lueur du briquet, Peter fit un clin d'œil espiègle à Paul et observa son air pincé et sa petite bouche entrouverte tandis qu'il regardait vers le haut. « J'ai calculé que ce devait être la salle à manger », dit-il, et ses paroles furent renvoyées en échos énigmatiques dans le sas. Puis, se penchant : « J'en parlais l'autre soir à l'ex-lady Valance, monsieur le directeur, elle disait que c'était sa pièce préférée à Corley, avec ces délicieuses coupoles en forme de moules à gelée.

— Je n'aime pas vous voir là-haut.

— Je suis sûr qu'elle aimerait venir la revoir.

— Allons, allons, descendez.

— Très bien, nous descendons », dit Peter, serrant le bras de Paul avant d'éteindre son briquet. Il n'était pas sûr que Paul fût plus intéressé que le directeur. Mais la vision fugace des ornements perdus, l'aperçu de dimensions inexplorées de la demeure dans laquelle

prendre un verre à l'étage », dit-il tout bas, adressant un hochement de tête cordial mais guère encourageant à Milsom 1 lorsque celui-ci les croisa, une bible à la main.

« Et Cecil ? s'enquit Paul, s'arrêtant à la troisième ou quatrième marche, avec un air de regret.

— Veux-tu le voir d'abord ? D'accord, mais vite. » Peter lui adressa un vague sourire et se demanda si Cecil n'était pas en fin de compte un véritable nom de code. Il fit donc redescendre Paul, et ils passèrent sous l'arche pour sortir dans le cloître vitré. Des œuvres y étaient déjà installées pour l'exposition. Peter heurta Paul lorsque celui-ci s'arrêta poliment pour regarder des aquarelles représentant des couchers de soleil, punaisées sur des panneaux. De-ci de-là, on reconnaissait un modeste talent, maigre lueur d'espoir au milieu des pâtés enfantins. La peinture, qui requérait une technique autant qu'une vision, était le sujet que Peter trouvait le plus frustrant à enseigner ; il n'était d'ailleurs pas très bon peintre lui-même. Il enseignait la perspective à ses élèves, d'une façon rigoureuse, ce dont ils auraient pu lui être redevables. Mais, pour l'heure, il désirait la chaleur du corps de Paul. Il se pencha vers lui et posa la main sur son épaule, scrutant une nature morte, un gribouillis de coquelicots plantés dans un pot à confiture, due à Priestman, dont on trouvait qu'il était prometteur. Sur ce que Neil McAll appelait « le front du sexe », le temps que Peter avait passé à Corley avait jusque-là été un désert, hormis un soir aviné à Londres, à la mi-trimestre ; il était honteusement clair que les gamins de treize et quatorze ans s'amusaient plus que lui. C'était l'âge auquel lui-même avait commencé : il n'avait pas arrêté depuis.

Il serra la nuque de Paul, revendication et promesse. Une nouvelle fois, il se dit qu'il était étrange de tant le désirer ; et ce mystère, qu'il n'avait aucune envie de résoudre, ne faisait que rendre l'épisode plus irrésistible. Dans la chapelle, il ne manquerait pas de l'embrasser et de s'immiscer sous ses vêtements d'une manière ou d'une autre ; sauf, bien sûr, si Paul avait des scrupules concernant les lieux de culte. « Viens », dit-il, lui prenant le bras. Mais lorsqu'il tourna l'anneau en fer pour ouvrir la porte de la chapelle, il entendit la plainte avachie de l'harmonium. « Oh, merde… »

Le jour tombait tôt dans la chapelle et, dans la pénombre, une minuscule lampe en fer-blanc éclairait les traits inquiets d'un élève ; l'effet était si étrange que, d'abord, Peter ne le reconnut pas. « Ah, Donaldson… » La dernière note faiblit et se rompit dans un vagissement.

« Désolé, monsieur.

— Pas de mal… Continuez. » Le garçon, qui se débrouillait plutôt bien au piano, avait reçu la permission d'explorer cet instrument plus pénible. « Ne vous gênez pas pour nous ! » Mais Donaldson avait perdu confiance et fut pendant un instant tout bras et jambes, actionnant pédales et tirettes pour étouffer la musique. Produisant un jeu respectueusement nasal, il reprit du début *La Moisson est engrangée*.

Paul s'était déjà avancé vers le tombeau, qui semblait flotter et avancer au milieu des rangées de bancs. Peter alla derrière la porte où se trouvaient les vieux interrupteurs mais ils ne fonctionnaient pas. Donaldson lui jeta un coup d'œil et dit : « Je crois que les plombs ont sauté, monsieur. » Ce ne serait que mieux : la visite se ferait au crépuscule. Ainsi que cela arrive dans les églises quand la lumière du jour faiblit, les couleurs vives du vitrail de Clayton & Bell avaient sombré dans une obscure neutralité : elles n'étaient plus qu'un respectable secret. C'était en quelque sorte un fait religieux, un mystère renouvelé tous les jours. Approchant, Peter fit le signe de croix et fronça les sourcils car il n'était pas certain de connaître le sens de son geste, ou même s'il souhaitait que Paul le voie. C'était un lieu surprenant pour un premier rendez-vous amoureux, fort différent de tous ses précédents, qui, généralement, avaient eu lieu dans des pubs.

Afin que tous les pensionnaires pussent entrer, on avait ajouté une rangée de chaises de part et d'autre de Cecil. Il était évident que le tombeau, dont l'école s'enorgueillissait plus ou moins, était aussi une gêne. Les garçons glissaient des fausses cigarettes entre les lèvres du poète de marbre et, il y avait très long-temps, un enfant particulièrement idiot avait gravé ses initiales sur son flanc. Peter dégagea des chaises et, faisant racler les pieds par terre, produisit un méchant fracas. Paul, approchant, suivit l'inscription : « CECIL TEUCER VALANCE. MC… » Peter vit le tombeau comme il lui semblait ne l'avoir jamais vu : un monument de second ordre mais merveilleux à avoir à Corley. Il se sentit heureux et prêt à tout pardonner : avoir quelqu'un à qui le montrer, quelqu'un qui aimait Valance et qui, peut-être, n'avait pas remarqué que c'était de l'art de second ordre. Le tombeau glorifiait Cecil hardiment face à de telles mesquineries. « Qu'en penses-tu ? »

Il était encore difficile de dire si l'air grave et emprunté de Paul exprimait une quelconque émotion ou une simple politesse de garçon timide. Il se rapprocha de Peter pour parler, comme si la chapelle imposait une certaine discrétion. « C'est drôle, ça ne dit pas qu'il était poète.

— Non… non, c'est vrai, dit Peter, ému lui-même et excité par leurs constants frôlements. Bien que le Horace, j'imagine…

— Hein ? »

Peter caressa les entrelacs de lettres gothiques. « "Demain, nous prendrons les routes de la vaste mer", traduisit-il, tentant de ne pas adopter un ton trop professoral.

— Ah, oui… »

Entrant dans le rythme, pour les vers suivants de l'hymne, Donaldson tira sur un jeu plus gros, peut-être le bourdon, bourdonnement bruyant et creux qui leur fournit une sorte de couverture. « Connais-tu le mémorial de Shelley à Oxford ?

— Oui.

— Sans doute le seul portrait d'un poète qui nous montre sa queue, dit Peter, vérifiant dans le miroir de l'harmonium si Donaldson l'avait entendu.

— Hum, je suppose, oui », dit Paul tout bas mais apparemment trop choqué pour croiser son regard. Il leva les yeux vers la tête du poète, tandis que Peter restait dans son dos, très près de lui, faisant mine de froidement partager sa curiosité. Encore une fois, il passa légèrement le bras autour des épaules de Paul sur lesquelles reposait le chandail rouge. « Il était beau, tu ne trouves pas ? » demanda-t-il. Puis, avec une exubérance tendue, il laissa sa main descendre doucement le long du dos, où ne se trouvait que l'étoffe fine de la chemise entre ses doigts et la courbe dure et chaude de sa colonne vertébrale… « Même s'il ne ressemblait pas vraiment à ça. »… jusqu'au point magique qu'on appelle le chakra sacré, dont un étudiant indien de Magdalen College lui avait confié que c'était le siège de tous les désirs. Il appuya donc dessus, avec un petit mouvement interrogateur et prometteur de son majeur ; Paul haleta et se laissa aller contre lui, comme pris dans un piège où les tentatives pour s'échapper ne font que vous enfermer davantage.

« "Tombé à Maricourt", lut Paul, penché en avant comme s'il avait eu l'intention d'embrasser Cecil.

— Exactement. » Peter était ravi par son espièglerie secrète, la douleur de l'attente comme un vertige dans ses jambes et sa poitrine. Paul se tourna à moitié vers lui, les joues rouges, évasif, inquiété peut-être par sa propre excitation. Il flottait comme une suggestion déconcertante et drôle selon laquelle Cecil lui-même aurait été responsable de ces manifestations. Ils devaient faire attention. Comme s'il acquiesçait malicieusement, Donaldson mit le coupleur pour le verset suivant. Peter s'attendit presque à voir son sourire narquois dans la glace, mais le garçon avait suffisamment à faire avec les exigences grincheuses de l'instrument. Dans le vacarme flûté (« libéré du chagrin, libéré du péché »), Peter dit à Paul, avec humour mais sans détour : « Je crois vraiment que nous devrions monter dans ma chambre, tu ne penses pas.

— Ah… ah, oui, d'accord. » Paul sembla se projeter dans l'avenir immédiat, comme si on venait de le prévenir d'un changement de programme.

Peter l'emmena jusqu'à l'escalier de service le plus proche. Au premier étage, ils passèrent devant la

buanderie. Il espérait qu'à un moment donné, il pourrait faire grimper Paul par le vasistas et sortir sur la
toiture qui était, bien sûr, l'endroit le plus inaccessible
de tout l'établissement ; mais il vit tout de suite que la
porte était ouverte (la maîtresse d'internat fourgonnait
à l'intérieur : seule sa croupe blanche était visible du
couloir). « On reviendra », dit-il tout bas, percevant
immédiatement le doute de Paul, impatience bataill-
lant avec une trop grande habitude des déceptions.
Ils continuèrent, montèrent par l'escalier monumental jusqu'au second étage, et ils entendirent le craquement de la latte de parquet que Peter connaissait bien
mais que Paul entendait pour la première fois, et puis
ils se retrouvèrent dans la chambre de Peter, la porte
refermée entre eux et le monde. Peter attira Paul à lui
et l'embrassa, et la serrure de la porte, contre laquelle
ils s'appuyèrent, cliqueta sous le brusque impact de
leurs corps conjugués.

Ce que Peter n'avait pas prévu, c'est que Paul se
mettrait instantanément à parler, sa bouche à deux
doigts de la joue de Peter : il avait beaucoup aimé leur
premier baiser, il avait beaucoup aimé la cravate de
Peter, il y avait pensé toute la semaine… teint fixé du
joyeux côté de la gêne, visage écarlate, brûlant… et
son chapelet de paroles, mots en partie sincères, en
partie insensés, était une ligne de sécurité malmenée.
Peter l'embrassa donc encore : un long baiser immobile, pour le calmer et lui imposer le silence, et puis,
peut-être, pour le *soumettre*. Il avait beau être très
concentré, il n'en perçut pas moins le grincement, le
bruissement familiers, dans son dos, à travers l'épaisseur de chêne, et puis le bref grognement, comme
un toussotement poli mais déterminé, de la latte de

plancher sur le seuil de sa chambre. On frappa à la porte, un coup sec, qui se répercuta en eux. Ils se figèrent et Peter laissa Paul se détacher de lui, puis vite reboutonner sa veste, encore appuyé contre la porte. La poignée tourna, la porte bougea légèrement. Il n'y avait pas de clefs à Corley. Paul prit un livre, détestable imitation du calme, comme un écolier surpris en flagrant délit. « Désolé, maîtresse ! » cria Peter, d'une voix creuse. Avec un drôle de petit coup impromptu à la porte, il fit volte-face et, d'un seul geste, l'ouvrit en grand.

La maîtresse d'internat portait une pile de draps pliés et amidonnés, aux reflets grisâtres, typiques du linge de maison à Corley. Elle scruta la chambre. « Oh, vous avez un visiteur », lâcha-t-elle, excuses et désapprobation s'affrontant dans une lutte à l'issue incertaine. Ils entendirent son léger halètement, car elle était montée avec difficulté de la buanderie, et le bruissement presque subliminal des draps propres contre sa poitrine couverte de blanc. Peter sourit et la dévisagea. « Je vous distribue des draps propres ce soir, à cause de la Journée Portes Ouvertes », expliqua la maîtresse d'internat. Sur un ton où se nichait une bonne part d'antagonisme, une résistance acharnée au charme de Peter et, pour être honnête, à son ton moqueur.

« J'espère que la porte de ma chambre restera fermée, tout de même, maîtresse d'internat », plaisanta-t-il. Elle batailla pour enlever le drap de dessus. « Laissez-moi... » Il aurait dû lui présenter Paul mais il préférait exciter sa curiosité.

« Nous avons tous besoin d'aller de l'avant, dit-elle avec un sourire.

— Absolument. » Il ignorait si elle souhaitait qu'il change les draps immédiatement. Elle regarda le lit, les yeux plissés.

« Bien, dans ce cas… ! Je vous laisse tranquille. Pour de bon.

— Cela va de soi. »

Elle se retira. Peter referma la porte fermement, adressa à Paul un sourire confus et versa deux verres de gin et vermouth. « Désolé pour l'interruption. Prends un verre… tchin tchin. » Ils trinquèrent et Peter observa Paul siroter la boisson avec une petite grimace, et réfréner une envie de tousser, avant de reposer le verre sur le bureau. « Mon Dieu, tu es si sexy », lâcha Peter, davantage excité encore par le son de sa propre voix, qui s'étouffa. Paul, de son côté, laissa échapper un souffle, reprit son verre et dit quelque chose d'inaudible, dont Peter supposa que ce devait être une réponse du berger à la bergère.

Il avait pensé que le parc leur offrirait plus de sécurité qu'une chambre dont une chaise coinçait la poignée de la porte mais, dès qu'ils se retrouvèrent dehors, il prit conscience d'un bourdonnement inhabituel et d'un crépitement d'activités, une tondeuse, des voix non loin. N'empêche, l'école paraissait plus délicieusement irréelle après un grand verre de gin avalé en deux minutes. La soirée avait son rythme et son énergie propres. Il se rappela les soirées d'été dans son école d'autrefois, le mystère obsédant, seulement éclairé par des visions fugaces, de ce que les maîtres faisaient après que les élèves étaient bien bordés dans leurs lits. Il se demanda si certains avaient fait ce qu'il était sur le point de faire. Paul lui aussi semblait être métamorphosé par le gin, plus décontracté et, en même temps, un peu soucieux de ce qu'il pourrait dire et faire en conséquence. Suivant son intuition, Peter lui demanda s'il était enfant unique, et Paul répondit : « Oui, je suis enfant unique », avec un sourire contraint, qui parut à la fois questionner la question et témoigner très précisément de l'autonomie de l'enfant unique. « Et toi ?

— J'ai une sœur.

— Je ne m'imagine pas avoir une sœur.

— Et le reste de ta famille ? » Conversation de premier rendez-vous. Peter se dit que, sans doute, il oublierait instantanément la réponse. Il avait envie d'aller avec Paul dans les bois interdits. Il l'entraîna rapidement vers le portail en pierre, en passant par le petit bassin à l'abandon.

« Eh bien, il y a ma mère.

— Que fait-elle ?

— En réalité, rien.

— La mienne non plus, mais je pensais que je devais te demander. »

Paul laissa passer un silence, avant d'ajouter doucement : « Elle a eu la polio quand j'avais huit ans.

— Oh, mon Dieu, je suis désolé.

— Ouais… Ça n'a pas été facile. » Quelque chose d'atone dans ses paroles : la gêne, peut-être, et la répétition.

« Où est-elle atteinte ?

— Sa jambe… *gauche* est très atteinte. Elle porte un appareil orthopédique… Mais elle préfère souvent sortir en fauteuil roulant.

— Et ton père ?

— Il a été tué à la guerre, répondit Paul, avec un regard étrange, d'excuse, presque. Il était pilote de chasse. Il a été porté disparu.

— Mon Dieu », dit Peter, d'un ton sincère, apprenant, par cette gaffe, comment ces circonstances pouvaient expliquer en partie le caractère et les inhibitions de Paul. « Ce devait être tout à la fin de la guerre.

— Exact.

— Je veux dire… quelle année es-tu né ?

— Mars 44.

— Alors, tu n'as aucun souvenir de lui… » Paul retroussa les lèvres et fit non de la tête. « Mon Dieu, je suis réellement désolé. Ta mère est donc à ta charge ?

— Plus ou moins, répondit Paul, avec son air d'acceptation timide, doublé par l'habitude de s'attirer la sympathie maladroite d'autrui quand les gens apprenaient son histoire.

— Mais elle doit recevoir une pension de la RAF, non ? » La tante de Peter, la tante Gwen, en recevait une, donc Peter était au courant de ces choses.

Paul parut légèrement irrité par cette remarque. « En effet », rétorqua-t-il. Puis, plus chaleureusement : « Pardon… C'est très important, cela va de soi.

— Oh, mon Dieu », répéta Peter doucement. Il était troublé et regrettait presque d'avoir interrogé Paul. Il se représenta l'énergie vacillante de la soirée s'épuisant en marques de sympathie, sans sexe ; et il eut la conscience plus sombre encore que Paul avait trop de problèmes pour ne pas en être un lui-même.

« C'est un peu pour ça que je ne suis pas allé à l'université, déclara Paul, haussant les épaules en débitant cette conclusion bancale.

— Hum, vois-tu, je ne m'étais pas rendu compte… »
Peter laissa sa phrase en suspens. Il pensa, dans un
montage resserré, à tout ce qu'il avait fait à l'université,
et tenta de chasser à coups de battements de paupières
le sentiment plus vague de pitié et de déception qui
semblait flotter entre lui et ce possible nouveau petit
ami. Auquel il jeta un coup d'œil, tandis qu'il marchait
à ses côtés, avec ses souliers marron bien proprets et
sa démarche élastique, glissant les mains maladroitement dans les poches de son jean puis les ressortant
– et l'angoisse dans son regard quand il devait révéler quoi que ce fût d'intime. Mieux valait s'apercevoir
de ces problèmes dès le départ ; un amant plus expé-
rimenté les aurait cachés jusqu'à la fin de la lune de
miel. Ils dépassèrent le temple ionique où les animaux
domestiques des élèves sautillaient et voltigeaient dans
leurs cages, et où Brookings et Pearson, en salopette,
s'occupaient avec sentimentalité de leurs lapins. Ils
arrivèrent à l'enclos des jardins des pensionnaires, qui,
de l'avis de tous, ressemblait à un cimetière, avec ses
deux douzaines de carrés fleuris. À nouveau, ils croi-
sèrent des élèves plus âgés, autorisés à venir là pendant
l'heure magique après l'étude où, à genoux, déplan-
toirs à la main, ils arrosaient leurs pensées et leurs
capucines. À voir le sourire de Paul, Peter crut deviner qu'il avait peur des élèves. Dans un angle, d'apparence vulnérable en plein air, se trouvait le jardin
féerique de Dupont, telle une alpe miniature de roches
posées en équilibre les unes sur les autres, avec un
trou au sommet, au travers duquel l'on pouvait verser
de l'eau qui cascadait ensuite en une chute sinueuse,
jusque dans une lande de bruyères et de mousses en
contrebas. Tout aussi vulnérable était son ambition de

493

se voir attribuer le premier prix du concours, qui serait jugé par la mère de Craven, une dame plutôt portée sur les sauges et les soucis. « On dirait des tombes, non ? » dit Paul, et Peter le toucha encore, d'un geste indulgent, au creux des reins avant qu'ils ne poursuivent leur chemin.

Au milieu du plateau, Mike Rawlins tondait le pitch, surface sacrée du terrain de cricket, pour le match des Templers le samedi suivant. Peter lui fit signe et, avant qu'ils n'arrivent trop près de lui, saisit fermement le bras de son compagnon pour le faire pivoter sur lui-même : « Regarde ! » Au premier plan, on voyait la demeure massive et vibrante, puis, derrière, un panorama de terres cultivées, plates et comme sorties d'un tableau, dans la lumière chargée, alors que, dans l'air plus pur au-dessus, les traînées des avions de Brize Norton montaient et se dissolvaient lentement dans l'atmosphère. « Tu dois reconnaître... », dit Peter, voulant soutirer un commentaire à Paul, comme il l'eût fait d'un élève prometteur mais timide. Même s'il lui passa par l'esprit que la timidité qu'il tentait de surmonter pourrait n'être qu'un manque d'intérêt avec lequel il lui faudrait toujours composer.

« Extraordinaire, lâcha Paul.

— Ça revient, vois-tu, dit Peter, avec un hochement de tête.

— Quoi ?

— Le goût victorien. Les gens commencent à le comprendre. » L'année précédente, il avait participé à une modeste manifestation organisée à la gare de Saint-Pancras sous la houlette de John Betjeman ; Peter rêvait de faire venir le poète pour qu'il parle aux pensionnaires de Corley Court : il imagina son plaisir devant le plafond aux moules à gelée. « Tu vois ma chambre ? » fit-il, sans la pointer du doigt, et il comprit que Paul n'avait pas la moindre idée d'où elle se trouvait. À deux ou trois autres fenêtres, on voyait des néons se détacher dans l'ombre du crépuscule.

À la dernière chambre du premier étage, les rideaux étaient tirés : les « Bébés » étaient déjà couchés, dans la lumière à peine voilée.

« Crois-tu que Cecil Valance a vraiment eu une liaison avec Mrs Jacobs ?

— Oh, je suppose qu'il n'y a qu'une personne vivante qui connaisse la vérité, et c'est ce qu'elle prétend. Bien sûr, on n'est jamais certain de ce que les gens entendent quand ils parlent de "liaison".

— Non…, reconnut Paul et, bien sûr, il rougit.

— Je pense que Cecil était sans doute pédé, tu ne crois pas ? » demanda Peter – à la fois intuition et propension à prendre ses désirs pour la réalité. Paul se contenta une fois de plus d'un soupir et détourna le regard. Il y eut une légère perturbation, presque subliminale au début.

Au-dessus du fracas de la tondeuse, à quelques mètres, un bruit plus fort et plus sombre commença à ronronner complaisamment, puis, pas tout à fait là où ils regardaient, un avion militaire naviguant bas au-dessus du bois, ventru, stable, vibrant et majestueux, et conscient, eût-on dit, comme si le pilote leur avait fait signe, que son passage au-dessus de leurs têtes était une merveille pour les silhouettes qui tendaient le cou en contrebas. Ses quatre hélices lui conféraient un air patient, vénérable, à la différence des jets profilés et imparables qu'on voyait bien avant de les entendre. Lorsqu'il passa directement au-dessus d'eux puis au-dessus de l'école, il sembla prendre un peu d'altitude avant de se diriger, à travers la couche inférieure de brume, vers l'aérodrome à huit kilomètres de là. Mike se protégea les yeux avec le bras droit, d'un geste qui pouvait exprimer une revendication ou une salutation amicale. Ils s'approchèrent, Peter lui présenta Paul, et Mike expliqua, au milieu des odeurs à la fois douceureuses et âcres des gaz d'échappement du moteur à deux temps, de l'herbe coupée et de sa sueur, que c'était l'un des gros avions de chasse Belfast qui venaient tout juste d'arriver. « Une bonne vieille limace, dit-il, mais il peut tout transporter. » Aux étages du bâtiment, les garçons qui avaient observé l'événement aux fenêtres se dispersèrent et disparurent. La soirée fut restaurée dans ses droits, mais à une étape sensiblement plus tardive, comme si les deux dernières minutes avaient duré une demi-heure d'hypnose.

Devant eux, le petit cottage traité à la créosote du pavillon de cricket attendait sous l'ombre de plus en plus allongée des bois, endroit envisageable pour se bécoter, au moins, mais encore trop près de Mike. Peter passa le bras sur les épaules de Paul et ils poursuivirent, un peu raides, pendant quelques secondes, Paul, une fois de plus, ne sachant trop que faire de ses mains. « Vraiment, dit Peter d'un ton léger, j'aimerais un jour écrire sur ce vieux Cecil. Je ne crois pas que quelqu'un l'ait fait, en tout cas pas depuis le recueil de souvenirs de Stokes.

— C'est vrai.

— Et il est daté. Illisible, en fait. C'est pourquoi j'ai questionné George Sawle l'autre soir.

— Tu écris donc ?

496

— Je suis toujours en train d'écrire quelque chose. Et, bien sûr, je tiens un journal à sensation.

— Oh, moi aussi… », dit Paul. Peter le vit trembler et se concentrer. « Mais un journal sensationnellement terne. » Peter la tenait enfin, l'étincelle d'esprit infiniment précieuse en lui. Il s'en empara en riant.

Juste derrière la ligne blanche de délimitation du terrain se trouvait le *slipcatch*, l'herbe tondue de part et d'autre, mais peu utilisée : des hautes herbes poussaient à travers les lamelles argentées. Peter aimait sa forme, qui évoquait un bateau archaïque ; parfois, lors de promenades solitaires le soir, il s'y allongeait et soufflait la fumée d'une cigarette sur les moucherons au-dessus de sa tête. Il pensa à s'allonger là avec Paul près de lui. C'était un de ces lieux où des fantasmes à peine entrevus, flottant toujours dans l'air, se matérialisaient timidement un instant, avant de passer leur chemin.

Paul avait trouvé une balle de cricket dans les hautes herbes : reculant de quelques pas, il la lança, lui imprimant une trajectoire courbe au-dessus de la déclivité du *slipcatch*, haut dans les airs, vers un lieu où personne, cela allait de soi, n'attendait pour la réceptionner : elle rebondit une fois et roula à vive allure vers la vieille tondeuse rangée là. Paul prit un air en même temps suffisant et décontenancé. « Je vois que tu te défends bien », dit Peter, sèchement ; inquiet qu'on lui demande de rendre sa fonction première au *slipcatch*, et de faire des échanges de balle avec Paul pendant une demi-heure, faisant mine de se moquer de lui-même, car il ne savait ni lancer ni attraper, il continua son chemin en souriant. Il y avait de l'expertise, peut-être de la hargne et de la violence, dans le lancer de Paul et la course assurée de la balle le long de la barrière courbe.

Il fut délicieusement capital de pénétrer à la lisière du bois. Une fois encore, la soirée parut soudain très avancée. Même les premiers plans étaient mystérieusement barrés et chargés de vert, des ombres brouillaient les troncs massifs tandis que la voûte des arbres dessinait un éblouissement distant, qui remuait lentement. Les marronniers et les tilleuls qui faisaient un grand mur ondulant autour des terrains de sport étaient mêlés ici à des chênes vénérables et à de sinistres bosquets d'ifs. Les pensionnaires grimpaient là, se cachaient dans les broussailles à l'abandon autour du pied des tilleuls et creusaient des tunnels dans la terre envahie de racines. Par endroits, le sous-bois s'épaississait de manière artificielle avec des barricades de branches mortes : les camps camouflés qu'ils construisaient, avec des entrées dissimulées trop étroites pour qu'un maître pût s'y glisser. Aucun moyen de savoir si un bruissement était produit par un élève ou par un merle courant sur le tapis de feuilles mortes.

Le comportement de Paul trahissait son inquiétude croissante et, à nouveau, il ralentit ; il tendit le cou vers les cimes, trouvant un intérêt inexplicable à ce qui pouvait se cacher sous les feuilles par terre ; son léger sourire crispé d'admiration était presque comique à voir. « Viens », dit Peter et, quand Paul vint à lui, comme s'il avait abandonné de bonne grâce quelque chose qui l'intéressait davantage et qui requérait encore en partie son attention, il passa son bras sous son coude, lâchant une plaisanterie aussi brève que nécessaire, et accéléra le pas. « Suis-moi », dit-il, frissonnant, déglutissant tant il était excité, détectant en lui une violence latente. Il n'avait pas l'intention d'attendre une minute de plus : seule la vague conscience qu'à côté de son désir brûlant d'une séduisante nécessité, il pourrait encore y avoir des garçons, parmi les arbres, dans l'abri d'un camp retranché, le retint de saisir Paul rudement et sans plus tarder. Il sentait, bien sûr, que Paul avait besoin de ce genre de traitement, qu'il avait besoin que quelqu'un le soumette. N'empêche, après quelques pas, plongeant la tête en avant et se protégeant avec le bras, à travers les jeunes arbres et l'épaisseur du sous-bois, il dut subir le « Tu sais, en fait… ! » de Paul, geste et grimace pour se désengager moins effrayés qu'indignés.

« Désolé, mon cher, je te fais mal ? » La poigne de Peter se mua en une caresse raisonnable, il lui tint les mains maladroitement, deux doigts entrelacés pendant un bref instant, tendresse rehaussée par un agacement teinté d'humour, ressenti parce qu'on l'empêchait de faire ce qu'il voulait. Il regarda alentour comme s'il avait pensé à autre chose ; tout semblait aller bien. C'est alors que, ménageant une rapide pause interrogative, courtoise, suspendue, il embrassa Paul pleinement mais délicatement sur les lèvres. Il mit dans ce baiser la possibilité d'un retrait, un tremblement plein d'ardeur. À nouveau, comme submergé, Paul céda ; et de nouveau, lorsque Peter recula et sourit, il se mit à parler. « Oh, mon Dieu… », lâcha-t-il, d'une voix tragique et calme que Peter ne lui connaissait pas encore. « Oh, mon Dieu.

— Viens », dit Peter posément. Ils avancèrent avec une détermination renouvelée, assurés, vers l'épave massive et ancienne d'un arbre que Peter considérait comme une sorte de chêne de Herne. Au-delà se trouvait la ligne de partage, invisible mais puissante, comme toute règle ou interdit dans une école privée, qui séparait les bois accessibles de ceux qui ne l'étaient pas.

Peter déposa Paul à Marlborough Gardens, l'observa, mains sur le volant, tandis qu'il entrait chez lui, tournant la tête un instant mais sans lui adresser un signe. À la fenêtre d'une chambre, une lumière filtrait déjà à travers des rideaux roses sans doublure ; l'instant d'après, on alluma la lampe de la salle de bains. Peter crut alors effleurer du doigt l'existence intime et simple de cette maisonnée délimitée par des lumières, et celle de Paul à nouveau absorbé par sa routine, qui à la fois était et n'était pas la sienne ; dans une certaine mesure soulagé d'être rentré, mais radieux et distrait sans doute à cause de son nouveau savoir. Non sans mal, il passa la vitesse et, avec son manque de discrétion habituel, suivit la courbe de la rue.

Il se demanda si Paul ne lui était pas finalement trop étranger. Ce pourrait être une tâche difficile d'avoir un petit ami aussi peu bavard, dont la réserve pourrait signifier qu'il vous jugeait. Cela dit, autant s'accrocher à lui pendant cette période de pénurie sexuelle. Un autre n'aurait sans doute pas vu l'intérêt de sortir avec ce garçon-là – un autre qui n'aurait pas touché sa peau chaude et lisse, ressenti ses hésitations ou ses brèves mais brûlantes envies de lâcher prise. Il avait une belle queue, légèrement effilée, dure comme une patère, qu'il avait manifestement été stupéfié, presque horrifié, de voir dans les mains d'un autre que lui, puis dans la bouche du même. Le choc l'avait fait haleter et partir d'un rire nerveux. Et puis, presque tout de suite, il s'était agité : certes, il avait laissé Peter le serrer contre lui, lui tenir la main, mais il avait eu l'air inquiet, comme s'il craignait de s'être trahi. La fin de la rencontre avait été un peu précipitée, il fallait qu'il se retrouve chez lui au plus vite ; ils s'étaient séparés avec un simple « À bientôt » et un baiser rapide, et neutre, sur la joue, dans l'ombre précaire de la voiture. Toutefois, aux yeux de Peter, ces menues gênes augmentaient les enjeux et ne faisaient que l'exciter davantage. Cette histoire ne ressemblait pas du tout à d'autres liaisons qu'il avait eues, mais il ressentait la même fulgurance d'intuition étourdissante, comme l'avancée, la poussée d'un véhicule plus spacieux qu'une Hillman Imp brinquebalante. Sur le chemin de retour vers Corley, vitres baissées, une nouvelle odeur pénétra l'habitacle, l'odeur de la nuit humide et douceâtre, celle des champs et des arbres, d'autant plus mystérieuse que les nuits étaient courtes. Le soleil se lèverait un peu après quatre heures et les surprendrait, l'un et l'autre, chacun avec sa perception différente de ce qui s'était passé. Peter imagina que son esprit voguerait ailleurs pendant les cours, et Paul avec ses livres de comptes, préoccupé par ses sensations, perché sur son tabouret, envahi par la conscience qu'on pensait à lui et le désirait.

Peter ralentit et mit le clignotant, obliqua dans l'allée déserte, passa la grille, s'engagea dans l'obscurité plus lourde, bouchée, du parc. *Lumières du foyer… Le* mile *d'obscurité parfumée…* Les bois devaient s'être beaucoup étoffés depuis l'époque de Cecil ; ils cachaient les lumières de l'école. Ce *mile*-là, d'ailleurs, n'était qu'une distance poétique, à moins qu'elle n'ait été sociale, qui sait, destinée à marquer les esprits. C'était l'une des nombreuses invitations lancées par Cecil pour qu'on l'admire, mais sans doute pas pour qu'on vienne à Corley Court. Au lecteur, il apparaissait monté sur un cheval lancé au galop, au temps où le monde des voitures bon marché et des jets était encore superbement dans les limbes.

Entre collines du White Horse et pont de Radcot
Que des blés, des taillis et des prés ombragés,
Flèches grises des bourgs, chaumes en chemise,
Les longs matricaires voient sous les peupliers
Leurs ombres lunaires là sur la Tamise.

C'était l'un de ses meilleurs poèmes d'avant-guerre, malgré sa tendance au remplissage sonore qui, si l'on était sévère, gâchait presque tous ses écrits.

Peter se gara sur le gravier et tenta sans grand succès de fermer sa portière discrètement. La lune brillait au milieu de nuages effilés et, avant d'entrer, il longea la façade, traversa la pelouse jusqu'au bassin puis remonta le coteau en direction du portail qui donnait sur le plateau. Il crut traverser la complexe sérénité de la gratification sexuelle, porté par des images véloces, elliptiques, de ce qui était arrivé : il se surprit à magnifier ces instants, à les réchauffer par petites touches, avant de ressentir la fraîcheur contraire de quelque chose comme la gêne, la distance de la solitude. Si Paul avait encore été auprès de lui, ils auraient fait mieux et recommencé. Sans aucun doute, il était difficile pour tout le monde de faire la cour à quelqu'un d'autre, mais deux hommes… Il s'arrêta devant le temple ionique et scruta l'ombre profonde, se défiant bizarrement de la vie brûlante qui en était captive. Sans doute avait-il dérangé un lapin ou un hamster qu'il entendit bruisser et gratter ; une perruche sautilla, voltigea et fit tinter sa clochette. Il poussa plus loin, alla se poster derrière la grille, se retourna. Le clair de lune et ses ombres ôtaient de sa matérialité à la demeure : malgré toute sa masse hérissée de clochetons, on l'aurait crue en partie en ruine. Les dortoirs étaient plongés dans l'obscurité, mais la lumière de la télévision du directeur clignotait derrière sa fenêtre en encorbellement. La lune luisait d'un éclat vif sur la girouette pointue du pignon central, sous la pâle bannière en pierre de la devise des Valance, « Jouis de l'instant ».

Amusante, la façon dont Paul avait été excité par le tombeau de Cecil et par le fait que Corley ait été sa maison natale... Le frère de Cecil, bien sûr, l'avait occupé trente ans de plus, jusqu'à ce que la propriété soit investie par l'armée. Il était sans doute préférable qu'il ait fait recouvrir toute la décoration intérieure victorienne : ainsi, l'armée n'avait pas pu l'endommager. En réalité, la haine que Dudley Valance professait pour l'édifice l'avait préservé. Cela vaudrait la peine de lui demander d'évoquer ce temps-là, l'époque où Cecil était encore un petit garçon. Dans *Fleurs noires*, il avait mentionné son frère avec froideur et, par endroits, avec sarcasme. N'empêche, quel sujet : deux écrivains passant leur enfance dans cette demeure extraordinaire, tandis que l'époque qui l'avait vu naître courait vers son déclin. Sans doute Peter devrait-il saisir cette opportunité, commencer à récolter des matériaux, rencontrer des témoins comme la vieille Daphné Jacobs qui se souvenait encore de Cecil, l'avait aimé et, apparemment, en avait été aimée.

Les gens s'intéressaient-ils à Cecil ? Comment le situaient-ils ? Indéniablement un poète mineur, qui se trouvait simplement avoir écrit ici et là des vers qu'on n'avait pas oubliés… Mais sa vie était dramatique et brève, sans compter que maintenant tout le monde ne jurait plus que par la Première Guerre mondiale : ses élèves de dernière année apprenaient tous par cœur « Hymne à la Jeunesse condamnée » et aimaient les poèmes de guerre de Valance. Il y avait quelque chose de vaguement ambigu dans plusieurs de ces poèmes ; quelque chose qu'il suspectait chez Dudley, aussi. Dudley paraissait être des deux le plus « ambigu », d'ailleurs, avec son intense dévotion pour un homme qu'il appelait Billy Prideaux, tué à ses côtés lors d'une reconnaissance de nuit, et dont la mort semblait avoir déclenché chez lui une dépression nerveuse, décrite avec puissance dans son livre sans lever tout le voile.

Peter retourna au banc devant le bassin et alluma une cigarette. Il devrait se plonger dans la correspondance de Cecil. Il espérait qu'au cours de la soirée de la semaine précédente, son charme avait opéré sur George Sawle, qui devait avoir quantité de souvenirs utiles. Intéressant, aussi, ce qu'il avait dit sur Lytton Strachey, et la biographie qui allait sortir. L'ère des on-dit allait-elle enfin céder le pas à l'ère de la documentation ? Peter contempla le bâtiment, comme si dans ses murs résidait le mystère ; comme si, à sa façon victorienne, il lui imposait une telle tâche. Serait-il capable d'écrire une biographie ? Cela requérait-il un mode de vie mieux réglé que tout ce qu'il avait réussi à s'imposer jusque-là… ? Il était bizarre, songeait-il souvent, de se retrouver au milieu de quatre-vingts enfants et d'un groupe d'adultes qu'il n'aurait jamais choisis pour amis. Mais ce serait au moins un avantage symbolique, s'il décidait d'écrire ce livre. Les étoiles épaissirent au fin fond du ciel, et la lune, en s'affaissant, souligna le relief gothique du profil noir et pentu de la toiture. Il n'y avait pas un souffle, il faisait chaud : quasi-stagnation de l'été anglais idéal. La Journée Portes Ouvertes s'annonçait bien. Peter se leva et retourna vers le bâtiment, de bonne humeur et fatigué d'une bonne fatigue à venir.

Qu'était-ce ? Une main caressa sa nuque lorsque l'ombre d'une haute cheminée en brique au-dessus de la chambre du directeur se mit à remuer et à se déplacer. Une forme, qui aurait pu être celle d'un cerf-volant, se détacha et se déplaça avec une prudence songeuse sur les toits pentus ; quelques secondes plus tard, une autre, hésitante mais fervente, donna l'impression que l'ombre noir d'encre pouvait en abriter quantité d'autres. Elles étaient étrangement anciennes, ces deux silhouettes, de taille et de hauteur incertaines, et paraissaient glisser comme des ombres onctueuses, en robes de chambre ouvertes comme des capes. Elles rampèrent de cheminée en cheminée, vers la pente plus élevée du toit de la chapelle, dont la flèche s'élevait encore plus haut au-dessus d'elles. Une fois ou deux, Peter entendit très vaguement les trottinements ou les glissades de pantoufles.

QUATRIÈME PARTIE

Quelque peu poète

« Mrs Failing trouva dans ses papiers, après sa mort, une phrase qui lui parut énigmatique. "Je vois cette respectable et noble demeure. Je vois cette forteresse bourgeoise de la culture. Les portes en sont closes et closes les fenêtres. Mais sur le toit, les enfants dansent éternellement." »

E.M. FORSTER,

Le Plus Long des voyages,
Plon, 1952, chapitre XII
(traduction de Charles Mauron)

1

La pluie n'était pas violente mais le vent soufflait par rafales ; il fit le tour du square en hâtant le
pas, pébroque rabattu devant lui et lui cachant en
partie la vue. Les platanes rugissaient dans l'ombre
au-dessus et de grosses feuilles mouillées tourbillon-
naient autour de lui ou se pressaient aveuglément
contre son manteau. Dans sa main gauche, il tenait
une sacoche en cuir noir, striée de traînées de pluie. Il
venait de lire de la poésie à la bibliothèque, en compagnie de l'équipe du soir qui s'était peu à peu éclair-
cie. Quand l'homme brun, un certain R. Simpson qui,
apparemment, travaillait sur le théâtre de Browning,
avait commencé à ranger ses affaires, il avait rangé
les siennes ; mais à la sortie, face au déluge, Simpson,
pressé, était parti vers la droite, alors que lui-même
avait obliqué sur la gauche, avec son habituel mélange
de mélancolie et de soulagement, en direction du
métro. Il trouva l'empoignade avec le mauvais temps
étonnamment gratifiante.

À la tombée de la nuit, sur Bedford Square, on
distinguait, à travers les hautes fenêtres du premier
étage des maisons d'édition, les murs couverts de

bibliothèques et, souvent, un groupe de silhouettes réunies pour des festivités illuminées. Un de ces cocktails avait lieu en ce moment même : à la porte d'entrée, quelques invités partaient, et le rectangle lumineux s'élargissait et rétrécissait tandis qu'ils disparaissaient dans la rue, riant et plaisantant sur ce temps de chien. Un homme et une femme apparurent, têtes baissées ; derrière eux, il vit une silhouette menue, une vieille femme probablement, encadrée par le chambranle de la porte, en train de boutonner son manteau, d'ajuster son chapeau et de passer le bras dans l'anse de son sac. Lorsqu'elle sortit sur le trottoir, elle poussa sur le mécanisme d'un parapluie trop léger que le vent, s'en saisissant instantanément, souleva et replia derrière sa tête. Ses paroles lui parvinrent distinctement, cinglantes : « Oh, saloperie ! » tandis qu'il approchait, parapluie tanguant face au vent, il l'observa qui bataillait avec le sien. Elle tituba, réussit plus ou moins à stabiliser l'objet et s'éloigna rapidement, trébuchant presque – une baleine dépassait selon un angle impossible, étoffe rose relevée. S'ensuivit une accalmie puis une brusque rafale, le vent lui arracha des mains le parapluie et l'emporta sur la chaussée où il glissa avant de rebondir plus loin, décrivant de larges courbes entre les voitures stationnées là. Bien sûr, il aurait pu l'aider, courir après le parapluie, mais elle sembla, avec un téméraire bon sens, avoir déjà accepté son sort. Elle se retourna un instant, reflet d'un réverbère sur les verres de ses lunettes, et décida d'affronter sans protection le vent et la pluie réduite alors à une sorte d'humidité rugissante. Elle pressa le pas et Paul ressentit un tel pincement d'excitation angoissée qu'il se cacha derrière son parapluie pendant quelques secondes, ne sachant que faire. Il ralentit, presque comme pour la laisser s'échapper, mais se ressaisit. Luttant contre le vent, elle semblait effroyablement vulnérable, face aux éléments, face à la nuit londonienne et, incidemment, face à lui. Pourquoi personne n'avait-il volé à son secours et ne l'avait-il accompagnée jusqu'à un taxi ? Avec un sentiment presque douloureux, il s'approcha d'elle par-derrière : pénible comédie de l'avoir pendant dix secondes de plus, quinze, à portée de bras, son chapeau en feutre rouge enfoncé sur le crâne, sur ses cheveux blancs, rabattus en touffes par l'orage. Elle avait noué un foulard en soie rose autour de son cou, à l'intérieur du col noirci de son imper miteux dont il sentit très vaguement la vieille odeur de moisi, avant de lever son parapluie pour aller le rabattre entre elle et la tempête. « Tenez…, dit-il.

— Je sais, n'est-ce pas affreux ? répliqua-t-elle sans s'arrêter de marcher, lui jetant un coup d'œil sceptique mais peut-être aussi un rien rassuré.

— Vous ne devriez pas sortir par ce temps, Mrs Jacobs, déclara-t-il, efficace.

— La pluie s'est presque arrêtée, je crois. »

Paul sourit, la dévisagea, peut-être un peu trop. « Où allez-vous ? » Il était tout excité, par sa nervosité et sa perception, qui n'était sans doute pas partagée, du comique de leur rencontre. Il adapta son pas à celui de la vieille dame.

« Étiez-vous au cocktail ? » s'enquit-elle avec un air légèrement sentimental, comme si elle savourait encore la fête.

Il répondit sans réfléchir : « Oui, mais je n'ai pas trouvé l'occasion de vous parler.

— Caroline a tellement de jeunes amis… » Elle parut s'expliquer aisément la chose à elle-même. Il s'aperçut qu'elle avait beaucoup bu – l'emprise de la boisson lors de ces cocktails et les bêtises qu'on y débitait… Puis on en ressortait précipitamment, la gorge sèche, la tête un peu vide et avec l'espoir de ne pas être seul. La nuit était tombée pendant qu'on buvait. Il fut très direct, mais, Dieu sait pourquoi, continua de la taquiner : « Vous rappelez-vous de moi, Mrs Jacobs ? »

Elle répondit, comme si elle attendait cette question depuis longtemps, et sans le regarder : « Je n'en suis pas certaine.

— Pourquoi vous rappelleriez-vous ? Il y a au moins dix ans que nous ne nous sommes pas croisés…

— Ah, bon, fit-elle, soulagée mais encore dans le flou.

— Je suis *Paul*, Paul Bryant. Je travaillais à la banque, à Foxleigh. Je suis venu à… votre grande fête d'anniversaire, il y a si longtemps. » Voilà qui manquait peut-être de tact.

« Vraiment ? » Mrs Jacobs émit un petit hoquet bizarre, comme un grognement – Paul s'en aperçut trop tard, comme d'un obstacle dans le miroitement noir du trottoir juste devant eux. Pouvaient-ils bavarder d'un air détaché en évitant de mentionner la double tragédie ? Peut-être était-ce l'occasion de lui témoigner sa sympathie, de lui montrer qu'il connaissait son histoire et qu'elle pouvait lui faire confiance. « Oui, oui, dit-elle.

— Je suis navré. Pour… Corinna. Et… »

Mrs Jacobs manqua s'arrêter, elle posa une main sur sa manche, peut-être en guise de remerciement muet, mais il y avait aussi comme une intention de couper court. Elle leva les yeux vers lui. « Vous ne pourriez pas me trouver un taxi, s'il vous plaît ?

— Mais bien sûr », répondit-il, remis à sa place comme par plusieurs remontrances à la fois, mais soulagé tout de même de pouvoir lui venir en aide. Ils étaient au pied de l'impressionnante masse grise du nouveau YMCA avec, au-delà, le scintillement et le bruit de la circulation sur Tottenham Court Road. « Où voulez-vous aller ?

— Je dois me rendre à la gare de Paddington.

— Oh, vous ne vivez plus à Londres ?

— Je crois qu'il y a un train vers neuf heures moins dix. »

La pluie se mit à crépiter sur le parapluie. Ils se trouvaient devant la porte d'entrée éclairée du Y, dont sortaient des jeunes gens qui, enveloppés dans leur aura d'autosuffisance, mettaient leur capuche et se précipitaient au-dehors. « Voulez-vous attendre ici ? Je vais vous trouver un taxi. » À la lumière, il vit mieux à quel point sa tenue était miteuse. Elle s'était beaucoup poudrée, alors que son visage apparaissait à la fois émacié et boursouflé. La pluie avait éclaboussé ses bas marron et ses escarpins étaient éraflés. L'ouvrage du temps était sordide, plutôt effrayant, et Paul dut se rassurer en se remémorant ce qu'elle avait été jadis. Les garçons à la mine resplendissante qui sortaient à toute vitesse de la salle de musculation ou du sauna du YMCA n'avaient aucune idée de ce que cette femme représentait. Il lui parla fort, déployant tout son charme, pour bien leur montrer qu'elle en valait la peine. Elle appartenait au siècle dernier, avait traversé deux guerres, elle était la belle-sœur, d'une façon étrange et posthume, du poète sur lequel il écrivait. Pour Paul, l'habitat naturel de cette femme était un jardin anglais, et non pas le défilé venteux de Tottenham Court Road. Elle avait inspiré des poèmes qui, plus tard, avaient été mis en musique. Elle avait partagé l'intimité de personnalités devenues presque légendaires depuis. Mais se souvenait-elle de lui, il n'avait aucun moyen de le savoir.

Il lui fallut cinq bonnes minutes pour trouver un taxi sur la grande artère et lui faire signe de venir prendre en charge la vieille dame. Il la rejoignit en courant et, voyant son expression, inquiète et distraite à la fois, il comprit qu'il l'accompagnerait à Paddington ; en chemin, il s'arrangerait pour lui soutirer un rendez-vous. Il parla au chauffeur, alla la chercher et la conduisit à la voiture en la protégeant sous son parapluie. « Ce qui est stupide, c'est que je ne suis pas sûre d'avoir de quoi payer le taxi, déclara-t-elle.

— Ah », répondit Paul, presque sévèrement, « ne vous inquiétez pas », tout en se demandant si lui-même pouvait se permettre cette dépense. « Je vais vous accompagner, de toute manière. » Adoptant une expression neutre, sourd à ses protestations, il la poussa plus ou moins dans le taxi et fit le tour de la voiture pour monter de l'autre côté. Il estima qu'ils en auraient pour un quart d'heure.

Ils s'installèrent, plutôt tendus, et le chauffeur alimenta la conversation avec des remarques sur cette saleté de temps, jusqu'à ce que Paul se penche en avant et pousse la vitre de séparation. Cherchant son approbation, il jeta un coup d'œil à Mrs Jacobs, mais elle sembla, pendant un instant, dans les ténèbres sous-marines du véhicule, l'ignorer. Son doux visage paraissait bizarrement défait dans le jeu mouvant des ombres et des lumières.

« Je n'en reviens toujours pas, dit Paul. D'être tombé sur vous de cette manière.

— Je sais… » Elle oscillait entre gratitude, gêne et, comprit Paul, vexation.

Le taxi avait comme une odeur de nourriture laissée par des clients précédents, et la banquette était encore glissante, avec la trace de leurs vêtements mouillés. Paul déboutonna son manteau, s'assit de côté, une jambe repliée, impatient mais détendu. Mrs Jacobs avait l'aura transparente de son âge, elle semblait à la fois digne d'attention et négligeable. Elle avait posé son sac sur ses genoux, ses mains gantées par-dessus. Ce n'était pas le même sac que douze ans auparavant, mais il lui ressemblait, tout aussi informe et ventru, trop volumineux, en fait, pour être qualifié de sac à main. Ce qui semblait confirmer son affaissement.

« Comment allez-vous donc, depuis toutes ces années ? » Il avait instillé à sa question une timide note de sollicitude. Il calcula que la mort de Corinna et le suicide de Leslie Keeping devaient remonter à trois ans.

« Hum, très bien, vraiment. Compte tenu de… vous savez… » Un petit rire étranglé, comme au bon vieux temps, mais elle ne se départit pas de son air inquiet et préoccupé. Elle essuya la vitre sans grand résultat et regarda dehors, comme pour vérifier où ils allaient.

« Vous ne vivez donc pas à Londres… Je crois que la dernière fois que je vous ai vue, vous étiez à… Blackheath ?

« — Ah oui. Non, j'ai déménagé, je suis retournée vivre à la campagne.

— Londres ne vous manque pas ? » demanda Paul cordialement. Il voulait découvrir où elle habitait et devinait déjà sa répugnance à le lui révéler. Elle se contenta de pousser un soupir et de regarder le monde estompé de l'autre côté de la vitre que, se penchant en avant, elle baissa un peu, mais les vibrations du moteur eurent tôt fait de la refermer. « J'habite Londres depuis trois ans », dit Paul.

Elle rentra le menton. « Ah, mais vous êtes jeune. Londres est parfait quand on est jeune. Je l'aimais, il y a cinquante ans.

— Oui, je sais », répondit Paul. De manière quelque peu absurde, la description qu'elle avait donnée dans son livre de sa vie avec Revel Ralph à Chelsea avait en partie façonné l'idée qu'il s'était faite de ce que la vie londonienne pourrait lui offrir : la liberté, l'aventure, le succès. « J'ai quitté la banque, voyez-vous. Je crois que j'avais toujours voulu être écrivain.

— Ah oui…

— Et je dois avouer que cela semble assez bien marcher.

— Vous m'en voyez ravie. » Elle esquissa un sourire inquiet. « Nous sommes sûrs qu'il va bien à Paddington, n'est-ce pas ? »

Prenant la chose à la plaisanterie, Paul se pencha en avant : à travers l'arc tracé par l'essuie-glace, il aperçut un pub à l'angle brouillé d'une rue, l'entrée d'un hôpital, aussi peu reconnaissables l'un que l'autre. « Tout va bien, répondit-il. J'écris des critiques de livres. Vous avez peut-être même lu l'un de mes articles dans le *Telegraph* il y a environ deux mois…

— Je ne lis pas le *Telegraph*, par principe », dit-elle. L'air plutôt comique qu'elle prit alors exprima plus de soulagement que de regret.

« Je comprends ce que vous voulez dire mais, d'un autre côté, je trouve leurs pages littéraires aussi bonnes que d'autres. » Ce qu'il souhaitait vraiment savoir mais n'osait lui demander, c'était si elle avait lu sa critique de *La Courte Galerie* dans le *New Statesman*, un journal que, vraisemblablement, elle n'achetait jamais. Il l'avait faite par amitié, dénichant tout ce qui était bon dans le livre : ses petites critiques, il les avait ostensiblement teintées d'affection, et ses corrections des faits pourraient se révéler utiles pour une éventuelle réédition. Quand il rédigeait un papier, il lisait toutes les autres critiques du livre en question aussi avidement que s'il en avait été l'auteur. Les Mémoires de Daphné avaient été recensés soit par des survivants comme elle, certains loyaux, d'autres railleurs, soit par de jeunes plumes déterminées à faire valoir leurs idées ; mais, plus ou moins ouvertement, chacun lui avait reproché d'avoir trop brodé. Paul avait rougi quand il avait lu chez d'autres la mention d'erreurs qu'il n'avait pas su détecter, mais il s'était convaincu de sa grandeur d'âme du fait d'avoir été si gentil avec elle. Sa critique était de loin la plus indulgente qu'elle eût reçue. Quand il l'avait rédigée, il avait imaginé sa gratitude, l'avait même formulée pour elle de différentes façons et l'avait savourée ; pendant des semaines après la publication de son article – hélas en partie coupé mais on n'en suivait pas moins encore l'idée directrice –, il avait attendu une lettre d'elle, le remerciant, rappelant leur ancienne amitié, suggérant qu'ils se rencontrent, pourquoi pas un déjeuner, qu'il avait imaginé dans un hôtel paisible, voire chez elle à Blackheath, au milieu des encombrants souvenirs de ses quatre-vingt-deux printemps. En fait, l'unique réaction avait été une lettre à l'éditeur de sir Dudley Valance, signalant une erreur infime qu'il avait commise en faisant allusion à son roman *La Longue Galerie*, auquel renvoyait le titre de Daphné, en un clin d'œil narquois adressé aux initiés. Si même sir Dudley, qui vivait à l'étranger, lisait le *New Statesman*, alors Daphné l'avait peut-être lu ; ou bien son éditeur avait pu le lui envoyer. Paul avait ensuite pensé qu'une réserve de femme bien née l'avait sans doute empêchée d'écrire à un critique.

Elle retira ses gants. « Cela ne vous gêne pas que je fume ?

— Pas du tout. » Lorsqu'elle eut trouvé une cigarette dans son sac, il lui prit le briquet des mains et lui tint le bras délicatement tandis qu'elle se penchait vers la flamme. La fumée ajouta une note âcre, presque bienvenue, à l'air fétide. Et instantanément, avec son petit mouvement de la tête quand elle souffla la fumée, son visage et jusqu'aux reflets inclinés de ses lunettes semblèrent retrouver l'apparence qu'ils avaient douze ans auparavant. Encouragé, il dit : « Je suis d'autant plus ravi de vous rencontrer que je suis en train d'écrire sur *Cecil*… Cecil Valance », lâchant un léger rire, vite respectueux. Il ne révéla pas l'ampleur de son projet. « En fait, j'étais sur le point de vous envoyer une lettre et de vous demander si je pouvais venir vous rendre visite.

— Hum, je ne sais trop », dit-elle, mais plutôt gentiment. Elle souffla un nouveau nuage de fumée comme vers quelque chose au loin. « J'ai moi-même écrit un livre, je ne sais pas si vous l'avez lu. J'ai, pour ainsi dire, tout mis là-dedans.

— Mais bien sûr ! » Un nouvel éclat de rire. « J'en ai fait la critique.

— Avez-vous été horrible ? – sur le ton comique qu'il se rappelait d'autrefois.

— Non, j'ai adoré votre livre. Je vous ai encensée.

— Certains m'ont assassinée. »

Il ménagea une pause compatissante. « Je me suis dit qu'il serait très précieux de pouvoir m'entretenir avec vous ; naturellement, je ne veux pas vous déranger. Si vous voulez, je viendrai pour une petite heure quand cela vous conviendra. »

Elle fronça les sourcils et réfléchit. « Voyez-vous, je n'ai jamais prétendu être un bon écrivain mais j'ai connu des gens très intéressants. » Son petit rire eut un je-ne-sais-quoi de sombre.

Paul émit un son vague, révocation indignée de tous les critiques. « Bien sûr, j'ai lu votre interview dans le *Tatler* mais j'ai pensé qu'il y aurait peut-être plus à dire !

— Ah oui. » À nouveau, cet air d'être à la fois flattée et méfiante.

« Préféreriez-vous le matin ou l'après-midi ?

— Hum ? » Elle ne s'engagea pas pour une heure précise ni même pour quoi que ce soit, d'ailleurs. « Qui était ce très gentil jeune garçon au cocktail… je suppose que vous le connaissez ? Je ne me rappelle jamais les noms. *Lui aussi* me questionnait sur Cecil. » Elle sembla prendre un plaisir malicieux à le lui apprendre.

« J'espère qu'il n'écrit pas sur lui !

— Je ne suis pas certaine que ce ne soit pas le cas.

« — Oh, mon Dieu ! » Paul se sentit ébranlé mais réussit à dire tout en douceur : « Je suis sûr que, depuis la sortie de votre livre, l'intérêt pour Cecil a beaucoup augmenté. »

Elle tira longuement sur sa cigarette, et laissa ensuite remonter la fumée sur son visage, telle une vague endormie. « C'est la guerre, bien sûr. Les gens ne se lassent pas des histoires de la guerre.

— Je sais », acquiesça Paul, comme si lui aussi trouvait cet intérêt surfait. En réalité, il misait beaucoup sur ce phénomène.

D'un air presque hautain, elle scruta son visage dans les alternances zébrées d'ombres et d'éclats de lumière. « Je crois que les choses me reviennent maintenant, dit-elle. N'êtes-vous pas pianiste ?

— Ah, non, mais je sais à qui vous pensez.

— Vous avez joué des duos avec ma fille. »

Paul apprécia cette imposture involontaire, même s'il était inconfortable d'être pris pour Peter. « On s'est bien amusés à votre soirée d'anniversaire.

— Je sais, je sais.

— Foxleigh, c'était le bon temps, à bien des égards. » Paul recouvrit le lieu et l'époque d'un vernis chaleureux, comme s'ils avaient été beaucoup plus distants que ce n'était le cas. « J'ai pu y rencontrer votre famille ! » Il crut deviner qu'elle ne voyait là que vile flatterie. Il aurait voulu la questionner sur Julian et Jenny, mais toute question aurait été obscurcie par l'autre question, horrible, plus vaste, concernant Corinna et Leslie Keeping. Était-il approprié d'évoquer leur mémoire, ou était-ce présomptueux, importun ? L'effort qu'il devait fournir pour continuer la conversation lui fit marquer une longue pause.

« Ah, nous voici arrivés ! » lança Mrs Jacobs lorsque le taxi obliqua dans la longue rampe d'accès à la gare. Il comprit que pour elle le moment de s'échapper était aussi une obligation. À la dépose, il sauta du véhicule et se tint à la vitre du chauffeur, poignée du parapluie coincée sur son avant-bras et portefeuille ouvert dans la main. Il ne prenait le taxi que deux fois par an, mais donna son pourboire au chauffeur avec la joyeuse insouciance des jeunes gens de la City qu'il avait observés. Mrs Jacobs, qui était descendue tant bien que mal de l'autre côté, attendit, en dame du monde, que l'affaire fût faite. Paul la rejoignit avec un sourire heureux mais soumis.

« Vous devriez me donner votre adresse. Ainsi, je pourrai vous écrire.

— Oui, pourquoi pas, répondit-elle tranquillement, comme si elle y avait réfléchi.

— Et nous pourrons nous mettre d'accord ensuite… ! » Il sortit de sa sacoche un carnet qu'il lui tendit, détournant le regard quand elle inscrivit ses coordonnées. « Merci infiniment, dit-il sur un ton encore très professionnel.

— Merci de m'avoir secourue. »

Il étudia sa silhouette compacte, légèrement voûtée et miteuse, les lunettes gaies sous le chapeau rouge triste, le sac agrippé à deux mains ; puis il hocha la tête, comme s'il avait croisé une très vieille et loyale amie. « Je ne peux toujours pas y croire ! lâcha-t-il.

— C'est ainsi, dit-elle, faisant de son mieux.

— À très bientôt, j'espère. » Ils se serrèrent la main. Elle prenait un train pour… où ? Worcester. Au premier quai. Paul n'avait pas encore lu son adresse. Elle se détourna et fit quelques pas d'une allure déterminée, avant de se retourner d'un air hésitant, presque de conspiratrice, qu'il trouva charmant.

« Rappelez-moi votre nom, dit-elle.

— *Paul Bryant…* »

Elle hocha la tête et serra le poing en l'air, comme si elle avait voulu attraper une phalène. « *Au revoir** », lança-t-elle.

2

« Cher Georgie, lut Paul. Au déjeuner aujourd'hui, la Générale a eu la bonté de faire remarquer que ta visite à Corley Court avait été *relativement calme* et, lorsque je l'ai eue un peu poussée dans ses derniers retranchements, elle a déclaré que tu "n'avais presque pas commis de bévue". Ce "presque" peut te donner à réfléchir, mais elle a refusé d'en dire plus. En gros, je suppose qu'elle signifie que d'autres visites ne seront pas mal reçues. [...] Je te transmettrai bien sûr ses meilleurs vœux en personne demain après-midi, à 17 h 27 précises. Bénissons Dieu qui a fait Bentley Park et la camionnette de Horner (ou Homer ? – mot indéchiffrable. Pas Homère, l'auteur, j'ose espérer). Alors, le Middlesex sera tout entier à nos pieds. Ton CTV. » De l'autre côté de la vitre défilait le Middlesex, précisément, qui se dévoilait puis se cachait au gré des courbes de la voie de chemin de fer. Paul garda son index dans le volume de *La Correspondance de Cecil Valance* tout en contemplant le lumineux après-midi – soleil bas sur les maisons de banlieue, arbres nus entre les terrains de sport, puis un tunnel. Il regarda ensuite le portrait de Cecil, les yeux noirs légèrement exorbités, les cheveux bruns et bouclés, aplatis par la brillantine, le nœud sépia de la cravate avec son épingle, les épaulettes aux boutons en cuivre, les gros revers en sergé, insigne du régiment sur chacun, et le baudrier en cuir qui barrait son torse comme une écharpe. « Édition établie par G.F. Sawle », lisait-on sous le portrait. Le paysage urbain, vacillant, s'immisça de nouveau dans le compartiment et le train ralentit en arrivant dans une gare.

Paul s'était fait une vague idée, le *London A-Z* à l'appui, de l'emplacement de Deux Arpents. Mais à partir de la minuscule carte en noir et blanc, avec ses noms de rues coincés comme des dix-tonnes dans l'entrelacs des voies et avec, par endroits, des losanges et des triangles d'espaces vides dans les lointaines banlieues, on pouvait imaginer à peu près n'importe quoi. Les lettres de Cecil à George qui avaient survécu, une demi-douzaine, étaient adressées tout simplement, comme autrefois, à *Deux Arpents, Stanmore, Mddx.* Aucune mention de rue, rien ne suggérait que le facteur ait pu ignorer la demeure et ses occupants. On utilisait donc autrefois la camionnette de Horner pour aller à la gare et en revenir. Désormais, il était impossible de refaire le chemin de Cecil : la gare, « construite à l'imitation d'une église », d'après les notes méticuleuses de George Sawle, « ornée d'une tour crénelée et d'une flèche », avait été fermée à la circulation des passagers en 1956. Paul songea, comme à un tracas ignoré, qu'il aurait sans doute pu trouver à la British Library, voire à la bibliothèque de Stanmore, une carte historique détaillée. Mais, pour l'heure, le poème était son guide. Il existait une rue du nom de Stanmore Hill, or Cecil parlait des « hauteurs de Stanmore Hill toutes parées de hêtres » : c'était un bon point de départ. Il suggérait très nettement que le jardin était en pente (« ses sentiers roux et sa modeste butte », ses « marches effacées au crépuscule / Sous des arches de roses et de vert / Dans le vallon baigné d'ombre ») ; la demeure en soi, Paul l'imaginait, suivant des indices encore plus ténus, perchée au sommet, pour la vue. Bentley Priory, dans le *A-Z* un vaste pentagone vierge marqué « Royal Air Force », mais traversé par des sentiers en pointillés et la pastille d'un lac, paraissait aussi s'étendre à flanc de colline. Dans ses notes, George précisait l'histoire du prieuré : « Jadis demeure de la reine Adelaide devenue veuve, ce fut ensuite un hôtel : l'embranchement de la ligne de Harrow-Wealdstone à Stanmore avait été construit pour acheminer les clients – il y avait un train toutes les heures – puis ce fut une école de jeunes filles et, pendant la Bataille d'Angleterre, le quartier général du commandement des chasseurs de la Royal Air Force. » Sawle signalait une vague référence au *Paradis perdu* mais les références de Cecil au Middlesex cachaient-elles autre chose ? Dans tout le livre, Sawle abordait le paysage de son enfance d'un strict point de vue historique ; les initiales G.F.S. remplaçaient la première personne du singulier ; il était patiemment impartial. Mais il y avait des omissions, comme celle, dans la missive en question, signalée par des crochets scrupuleux. Qu'est-ce qui avait encore pu paraître choquant, à soixante ans de distance ?

Devant la station de métro, Paul ressentit l'habituel petit choc, l'inquiétude de la désorientation – vite occulté. À Londres, sa technique était de ne jamais montrer qu'il ne connaissait pas son chemin ; il lui en coûtait moins de se perdre que de devoir interroger un passant. D'ailleurs, sa recherche sur le terrain, les étranges palpitations qu'il ressentait à l'idée de pénétrer dans un paysage réel appartenant au passé de son sujet, comme lorsque Peter l'avait emmené à Corley Court et lui avait montré le tombeau de Cecil, lui donnaient le sentiment d'avoir un guide secret. Il avança sans se démonter, parmi les gens qui faisaient leurs courses à l'heure du déjeuner, les employés de bureau qui allaient au pub, avec son intime conviction du but à suivre : personne ne savait qui il était et ce qu'il faisait, personne ne ressentait le rythme plus ample de sa journée, qui dépassait leur routine. C'était ça, la liberté, avec son lot d'appréhension, alors que, naguère, lui aussi avait été soumis à cette même routine.

Stanmore Hill commençait comme une rue de village mais s'ouvrait rapidement, pour devenir une longue montée toute droite au sortir de l'agglomération, déjà morne en cet après-midi de novembre. Paul dépassa un grand pub, l'Abercorn Arms, mentionné dans l'une des nombreuses lettres de Cecil à George : les garçons y avaient pris une bière. Paul comprit l'importance de ce lieu pour son enquête mais il se sentait mal à l'aise s'il devait entrer seul dans un pub ; il continua donc l'ascension de la rue. À l'époque, ils étaient, bien sûr, de tout jeunes gens ; quand il avait rencontré Cecil, George était deux fois plus jeune que Paul aujourd'hui, pourtant ils avaient l'air d'avoir mené leur vie avec une certaine autorité, et la plus naturelle du monde, ce qui n'avait jamais été le cas de Paul. Non loin du haut de la montée, on distinguait une modeste tour à horloge surmontée d'une girouette qui coiffait une ancienne écurie à moitié cachée par les arbres ; bien qu'il fût certain que ce ne pouvait être Deux Arpents, elle lui parut, de façon un peu irrationnelle, en être la promesse.

Ensuite, la rue s'aplanissait et l'on voyait au loin un étang, noir et tout en longueur, entouré d'arbres dénudés ; c'est là que commençait le parc de Stanmore Common. Paul vit une femme qui promenait son chien, un caniche blanc si grand qu'il en était inquiétant ; dans la mesure où ils étaient les deux seuls promeneurs, Paul se sentit trop visible. Il obliqua dans une rue adjacente, regrettant de n'avoir pas interrogé l'inconnue ; pendant dix ou quinze minutes, il arpenta un réseau de rues qui, pour être modestes, n'en étaient pas moins légèrement mystérieuses, avec le soleil déjà bas dans le ciel au milieu d'arbres presque nus, les mares boueuses, le bois en pente un peu plus loin, et les vastes jardins, les maisons éparpillées, à moitié cachées par des haies ou des clôtures. Paul aurait aimé s'y connaître mieux en architecture pour pouvoir les dater plus précisément. George Sawle décrivait Deux Arpents comme un bâtiment en brique construit dans les années 1880. Son père l'avait acheté au premier propriétaire en 1890 ; sa mère l'avait revendu en 1920. Paul vérifia tous les noms en passant devant les maisons : « Le Chenil »… « Le Sénevé »… « Le Cottage du Jubilée ». Pouvait-il avoir manqué Deux Arpents ? Il pensa à l'épreuve que Cecil racontait en quelques lignes dans une lettre de jeunesse qu'il venait de lire, datant de ses premières semaines à l'école de Marlborough : il avait dû prouver à un élève de terminale qu'il savait où se trouvaient certaines choses et qu'il comprenait le sens de noms ridicules. « J'ai eu

tout juste, déclarait Cecil à sa mère, sauf le "kish",
le coton ouaté, ce pour quoi Daubeny a écopé de
quarante coups de fouet, car il n'avait pas su instiller
cette information vitale dans mon esprit bouillonnant.
Je crains que vous ne trouviez cela injuste. »

Revenu aux abords de la rue principale, Paul aperçut la femme au caniche qui arrivait en sens inverse.
Elle adressa un vague sourire à cet homme qui errait
dans les parages, une sacoche à la main, en plein après-
midi. « Vous avez l'air perdu, dit-elle en le croisant.

— Tout va bien maintenant, répondit-il, indiquant
la rue d'un mouvement du menton. Merci infiniment. » Et puis : « Quoique, en fait… », et lorsqu'elle
l'eut dépassé : « Pardonnez-moi. En fait, je cherche
une maison, Deux Arpents. »

S'arrêtant plus ou moins, elle se retourna ; le chien
tira sur la laisse. « *Deux* Arpents ? Non… Je ne vois
pas. Êtes-vous sûr que c'est ici ?

— Presque certain, oui. Cet endroit a inspiré un
poète célèbre.

— Hum, pas vraiment lectrice de poésie…

— Je me suis dit que vous en auriez peut-être
entendu parler.

— Oh, un instant, Jingo ! Non… » Elle fronça les
sourcils. « Deux arpents, c'est assez grand, vous vous
en rendez compte…

— Tout à fait.

— Nous n'avons qu'un tiers d'arpent et croyez-
moi, c'est déjà beaucoup de travail.

— Je suppose qu'autrefois…

— Ah, ça, autrefois… Jingo. *Jingo !* Ce chien est
fou ! Je suis désolée… Qui vit dans cette maison que
vous recherchez ?

— Je l'ignore », dit Paul, déplorant que le caractère intime et saugrenu de sa quête soit soudain étalé en plein jour, comme il savait qu'elle le serait s'il s'abaissait à demander à n'importe qui. Cela semblait d'ailleurs dépasser cette femme : elle adressa une grimace à sa sacoche, qui à ses yeux devait renfermer la raison de sa recherche, sur laquelle elle n'allait pas l'interroger – un représentant ou un agent sans doute.

« Eh bien, bonne chance », dit-elle, comme si elle s'était aperçue qu'elle avait perdu son temps. Et, en s'éloignant : « Essayez donc l'autre versant de la colline ! »

Ce que fit Paul, descendant une rue étroite, peut-être privée : il semblait y avoir là un nouveau lotissement dont les toitures étaient visibles plus bas. La rue obliquait pour suivre sur une trentaine de mètres une haute palissade sombre en mélèze, dont émanait, même par cette journée très fraîche, une vague odeur de créosote. Juste derrière se trouvait une maison dont n'étaient visibles que la longue arête de son toit et deux cheminées. À l'extrémité, des portes, de la même hauteur et du même matériau que la palissade, fermées par chaînes et cadenas, mais permettant, par l'interstice entre charnières et encadrement, de jeter un œil et de voir du gravier envahi de mauvaises herbes et une fenêtre au rez-de-chaussée, bizarrement fermée. Après quoi, une haie dense de cyprès, beaucoup plus haute que la palissade, la protégeait de la rue, se rapprochait de l'angle de la maison et faisait écran à une allée goudronnée à l'arrière, au début de laquelle se dressait un grand panneau, la représentation par un artiste d'une maison au toit de tuiles rouges, accompagnée de l'inscription : « Vieux Arpents – Six Maisons de standing, Deux disponibles. »

Paul trouva miraculeuse, quoique presque insignifiante à la lumière du jour, la légère transformation du nom. Il supposa que garder le nom « Deux Arpents » n'aurait fait que souligner aux acheteurs combien la taille de leur propriété était modeste ; peut-être le nom « Vieux Arpents » conférait-il une certaine « atmosphère » à des maisons toutes neuves, serrées sur des lopins de terrain selon des angles ingénieux au milieu des arbres qui devaient être des survivants du jardin des Sawle. Pour les initiés, du moins, il préservait un mot de l'ordre ancien. Mais Paul vit instantanément que « le jardin aux spacieuses retraites » n'était plus ; et que la maison en soi, dont il ne douta pas un instant que ce fût celle-là, semblait résister aux curieux. Il sortit son appareil photo de son sac et, traversant la chaussée, prit un cliché de la palissade.

Cela ne suffisait pas. Revenant sur ses pas, il observa, soucieux, l'entrée de la maison jouxtant Deux Arpents, « Cosgrove ». Une allée sinueuse s'enfonçait derrière des rhododendrons et, de la maison elle-même, qui se trouvait trop loin, on ne pouvait surveiller la grille. Il entra en souriant, avec la fausse décontraction de l'intrus qui prétend, de manière improbable, s'être perdu. Il avait beau être sur ses gardes, ses mouvements semblaient presque involontaires. À sa droite, une vaste pelouse, et des feuilles mortes soulevées par le vent et tourbillonnant en spirale. Un siège en teck, une table en pierre. Un plastique bleu enveloppant une plante qu'un instant il prit pour un jardinier. De ce côté-là, Deux Arpents était délimité par une rangée dense d'arbustes ; ensuite se dressait une muraille de vieux sapins, aux branches saillantes et dénudées, qui se pressaient contre un ancien garage en bois et une remise dont la toiture était recouverte d'une plaque de goudron et les fenêtres tissées de toiles d'araignées. Paul entendit la voix d'une femme, sans comprendre ce qu'elle disait, quelque part à l'extérieur, mais un monologue, comme au téléphone. L'espace entre le garage et l'abri pouvant lui procurer une couverture, il s'y réfugia ; il s'accroupit et avança à quatre pattes sur un ou deux mètres, se protégeant le visage avec sa sacoche ; il poussa de l'avant dans les feuillages drus et rudes, entre les troncs des sapins, et émergea, égratigné et échevelé, dans le jardin de Deux Arpents.

Il resta planté là à regarder alentour, pendant une bonne minute. Il se sentit floué, presque comiquement, mais, avec un entêtement rusé, son excitation circonvint sa déception. Il n'y avait pas grand-chose à voir. La muraille défensive de conifères coupait la vue à l'arrière de la maison, la privant d'un dernier panorama d'arbres au loin, sans doute le parc de Bentley Priory. L'espace clos était mort, déjà abandonné par le soleil. Le long de la petite pente recouverte de hautes herbes, de chardons morts et d'orties, serpentait une sente qu'un renard aurait pu tracer : Paul comprit qu'un animal ne serait pas dérangé ici, dans les parages d'une demeure condamnée par son propre désir d'intimité. Pris d'une envie soudaine, territoriale autant que physique, il tourna le dos à la maison, posa sa sacoche par terre et pissa d'un bref jet dru dans les herbes.

Il était incapable de percevoir l'ensemble de la maison mais il prendrait des photos pour revoir tout cela plus tard. Il s'approcha d'une petite fenêtre dans le mur de côté, à travers laquelle il vit, juste là sous ses yeux, une cuisine sombre, avec un évier en métal, et une porte ouverte vers un espace plus lumineux. Les ailerons de la petite ventilation en plastique intégrée dans la vitre tournèrent avec des spasmes quand il souffla dessus. La sensation qu'il avait eue, qu'il était possible que la maison soit encore habitée, s'évapora entièrement. Elle était vide et, de ce fait, sienne ; il éprouva la brusque certitude de pouvoir et même de devoir pénétrer à l'intérieur. Or, en reculant, il distingua, sous la corniche, un boîtier rouge et blanc en forme d'écusson : une alarme, Albion Security, défi qu'il n'était pas prêt à relever. Elle paraissait neuve, vigilante et insensible au plaidoyer des livres qu'il transportait dans sa sacoche et qui certifiaient qu'il n'était là que pour enquêter sur la vie d'un poète. Il contourna la maison vers l'allée de devant, une bande étroite bordée par l'horrible palissade à l'odeur de créosote, qui le cachait de la rue. Une autre courte allée de brique montait jusqu'à la porte d'entrée. Sur le chambranle, à hauteur de poitrine, se trouvait une petite boîte rectangulaire dans laquelle étaient percés trois trous circulaires, un fil électrique sortant de l'un d'entre eux. À un moment donné, avant cette ultime dégradation, Deux Arpents avait donc été divisé, sans doute en trois appartements, comme la plupart des maisons de ce type à Londres. Il y avait un trou de soixante ans dans son histoire, depuis l'époque où les Sawle avaient abandonné les lieux. Paul se demanda comment on avait procédé : nouvelles salles de bains, portes coupe-feu ; son regard se posa sur le miroitement noir des petites fenêtres du premier étage. Qui avait hérité de la chambre de Daphné ? La chambre où Cecil avait dormi était-elle devenue un séjour, une cuisine ?

Il passa dix minutes sur la propriété, comme hypnotisé mais déconcerté aussi, attiré par chaque fenêtre. Il chercha partout un tout petit quelque chose, assez petit pour rejoindre les livres dans sa sacoche. Pas un pot de fleurs ni une brindille mais un souvenir indiscutable d'avant la Première Guerre mondiale. Un fer à cheval rouillé au-dessus de la porte d'entrée avait glissé de côté sur son clou, la bonne fortune avait chaviré : il aurait pu le décrocher aisément mais n'aima pas l'idée ; il le remit d'aplomb – quelques secondes après, le fer retrouva sa position de guingois. Devant les fenêtres, il y avait des parterres de fleurs à l'abandon, du genre où les cambrioleurs laissent des empreintes : il se pencha au-dessus d'eux. Main en visière, il scruta la pénombre à l'intérieur, où des prises de courant, des lignes et des carrés noirs sur le papier peint constituaient désormais l'unique décoration. Une grande pièce dotée de portes-fenêtres côté jardin avait dû être un salon. Paul imagina aisément Cecil faisant la cour à Daphné devant la cheminée en brique. Un carré de moquette beige élimée et tachée recouvrait une partie du parquet. Au fond, il distingua vaguement une alcôve pleine d'ombres, sous une énorme poutre en chêne. Il crut discerner ce que ce décor pouvait avoir eu de romantique, voire de beau ; mais lorsqu'il s'éloigna de la fenêtre, pour se promener dans les hautes herbes et prendre d'autres photographies, il trouva à la maison un air de gigantesque carcasse. Il remarqua alors qu'une partie avait été démolie : il restait un gros triangle noir sur le briquetage qu'un toit avait dû jouxter jadis. La nouvelle fenêtre qu'on avait percée, destinée à une salle de bains, n'était pas dans l'alignement des autres. Si on le voulait vraiment, on pouvait ôter tout son charme à un endroit, jusqu'au charme du délabrement. Paul avait cru qu'il retrouverait les choses telles qu'elles avaient été en 1913, plus profondément ancrées, naturellement, discrètement modernisées, adaptées avec goût, mais que tout serait encore là : la rocaille, le « bosquet scintillant » devenu un bois charmant, et les arbres entre lesquels avait été pendu le hamac portant encore les marques des cordes dans leur écorce. Il avait cru que d'autres enthousiastes auraient eu la curiosité de venir, au fil des ans, visiter la maison et qu'elle aurait arboré un petit froncement de sourcils d'estime de soi, habitée par la conscience presque amicale qu'on l'admirait. Elle serait digne de sa réputation. Mais, vraiment, il n'y avait rien à voir. Les fenêtres à l'étage, le regard vide, paraissaient méditer sur les reflets des nuages.

3

Le premier écrit connu de Cecil Valance était une brève composition rédigée pour sa mère à l'âge de six ans. Elle était fidèlement reproduite dans le recueil de souvenirs de Sebastian Stokes qui préfaçait les *Œuvres complètes* de 1926.

VII AVRIL MCCM~~LXXX~~XCVII TOUTE LA VÉRITÉ SUR MOI

Je m'appelle CECIL TEUCER VALANCE. Teucer était un Soldat Célèbre c'était un Grant Archer et Cecil était un lord Célèbre au fait. Mon Père s'appelle sir Edwin Valance (2ᵉ Baronnet) et ma Grassieuse Mère est connue de tous comme lady Valance. Elle a une bèle robe rouge qui a rendu lady Adleen extrément jalouse quand elle la vu. Chez moi s'appelle Corley Court dans le Berkshire, si vous ne savez pas c'est l'une des grandes demeures du Comté. Ah si vous rencontrez un petit garçon qui dit s'appelé Dudley Valance c'est sans doute mon petit frère. Il peut être insupportable il vaut mieux que je vous le dise d'emblais. Lundi à la ferme j'ai vu IX nouveaux vots : ils étaient adorables sur leurres Petites Pattes tremblottantes. Aujourd'hui nous avons tous été abasardis par la nouvelle que lord PORTSCATHO a été tué dans une explosin il n'avait que ~~xxxx~~XLIIV. Mon pauvre Père était très prêt des Larmes en apprenant la triste nouvelle. J'ai beaucoup toucé mais bien rétabli. Aujourd'hui j'ai lu « Comment la pluie se forme » dans la Cyclopaedie de la Maison et beaucoup deux poemes pour mon age comme le dit Nounou, il y avait « Le ruisseau » par LORD TENNO-SYN, j'ai déssidé d'apprendre les IX couplés, s'est l'un des plus connus de tous les poêmes. J'ai aumis de dire que je suis quelque peu poète moi aussi, cette année j'en ai écrit pas moins de VII Poêmes « humblement dédiés » à MA MÈRE (LADY VALANCE).

Ce que ladite lady Valance prit pour ses ultimes communications fut décrit par Dudley Valance dans son autobiographie, *Fleurs noires* (1944) :

Ma mère, qui ne perdait jamais son temps (mais, cela va sans dire, volontiers celui des autres), n'en était pas moins engagée dans des tentatives pour converser avec l'autre monde. La certitude qu'on pourrait atteindre Cecil et lui parler l'accaparait avec le même mélange de tristesse et de détermination que lui aurait procuré un amour impossible. Quoique nettement réservée, dans l'ensemble, quant à ses sentiments personnels, elle permit avec une surprenante candeur que sa famille et une ou deux de ses amies fussent témoins de ses tendres désirs de communication avec « l'autre côté ». Sans doute se sentait-elle justifiée par son devoir et sa douleur de mère d'un héros tombé au front. C'est dans la bibliothèque de Corley qu'elle entreprit nombre de ces très longues et déroutantes « lectures mentales », suivant un système auquel l'avait initiée un ecclésias-tique à Croydon, par l'entremise de Mrs Leland Aubrey, médium notoire de l'époque, qui, pendant vingt ans après la guerre, exploita, dans les milieux aisés, les pitoyables espoirs des éplorés. Mrs Leland était elle-même sous le « contrôle » d'un esprit dénommé Lara, une Hindoue vieille de trois cents ans, d'où l'on comprendra que les liens entre communicants étaient loin d'être directs. Cet éloignement, toutefois, du fait de sa grande ressemblance avec le jeu dit « du téléphone arabe », était l'élément même où ma mère voyait le meilleur argument en sa faveur. Elle avait accepté ce fait comme point doctrinal, influencée en cela par le biais de sa médium et de son ecclésiastique, lequel avait un grand ascendant sur elle. C'est précisément parce que Mrs Aubrey n'était jamais venue à Corley, et qu'elle n'avait jamais eu de contacts avec ses occupants, n'avait aucune connaissance préalable de la bibliothèque ou de la disposition des pièces, qu'on la considérait comme la moins susceptible de faire des suggestions déplacées ou de s'adonner à une quelconque fraude. Son éloignement était signe de probité. C'était un coup hardi de la part de la manipulatrice, hardi mais subtil aussi : une fois acquis, ce point doctrinal autorisa les formes les plus folles et les plus obscures d'aveuglement. Tout message d'une provenance aussi irréprochable devait forcément être significatif, et les bribes éparses mises au jour par les lectures étaient épluchées par ma mère, en quête de messages ésotériques, avec autant d'enthousiasme que les entrailles d'une volaille par un devin antique. La responsabilité de cette imposture lui incombait entièrement, à elle ou à ses occasionnels compagnons de séances. Le summum, pour une femme aussi secrète que ma mère, était le fait que la médium ignorait tout du contenu du message, car elle se contentait de lui indiquer où elle pourrait le trouver. C'était donc un peu comme si ma mère avait ouvert une lettre de son fils défunt, que Mrs Aubrey n'aurait fait que lui remettre.

Voici comment les choses semblaient avoir débuté : ma mère reçut une lettre (une vraie, timbrée avec un vrai timbre d'un penny et demi) de l'ecclésiastique de Croydon, qui avait lui-même perdu un fils à la guerre : il prétendait qu'au cours d'une séance avec Mrs Leland Aubrey, pendant laquelle il avait reçu des lectures mentales de son fils, Lara avait aussi transmis un message provenant manifestement de Cecil et destiné à sa mère, lady Valance. Lui permettait-elle de lui faire parvenir la lecture ? Jamais requête ne tomba dans des oreilles plus avides ; nul doute que la médium et le pasteur l'avaient bien calculé : raviver la foi en un miracle depuis longtemps espéré. Ma mère avait déjà montré un certain intérêt pour le spiritisme et avait même, l'année suivant la mort de Cecil, assisté à des séances chez lady Adeline Strange-Paget, mère de mon grand ami Arthur, dont le jeune frère s'était noyé à Galipolli ; ces séances lui avaient laissé une impression mitigée mais avaient probablement aussi instillé en elle l'espoir qu'il pouvait exister d'autres pistes à explorer. La médium, à cette occasion, une associée de Mrs Aubrey, fut plus tard condamnée pour chantage. Il se trouvait que le propre fils du pasteur avait été dans le régiment royal du Berkshire, enrôlé dans la compagnie de Cecil pendant les semaines d'été qui avaient précédé l'offensive de la Somme ; il était mort trois jours après Cecil. Dans ses lettres, le garçon avait écrit tout son amour et son admiration pour mon frère. Dans de nombreux cas, des soldats qui avaient servi avec Cecil avaient écrit à mes parents après sa mort, ou les parents des soldats avaient envoyé des lettres de condoléances contenant des hommages tirés des lettres de leurs fils morts par la suite, concernant un officier qu'ils vénéraient. Le pasteur de Croydon garda l'hommage par-devers lui jusqu'à ce qu'il puisse en tirer le meilleur profit.

Mes parents étaient seuls lors de la première lecture mentale mais je suis bien placé pour parler des tentatives suivantes. Lors des lectures mentales, Mrs Aubrey entrait en transe ; Lara communiquait alors avec Cecil, et le résultat était écrit sur place par le pasteur, puisque la transe empêchait tout naturellement la médium d'écrire elle-même. Le message était ensuite transmis à ma mère, qui suivait immédiatement les conseils prodigués. Elle conservait tous ces messages avec les lettres de Cecil, les considérant comme la continuation de sa correspondance. En voici un exemple, dicté en la présence de mon épouse et de moi-même.

(Lara) *Ceci est un message pour la mère de Cecil. Il se trouve dans la bibliothèque. Quand vous entrez dans la pièce, il est sur une courte étagère à gauche, avant l'angle, la troisième en partant du bas, septième livre. Cecil dit que c'est un livre vert, il a du vert dessus ou à l'intérieur. Page 32 ou 34, une page très peu remplie mais qui constitue un message pour elle. Il veut lui dire qu'il l'aime et est toujours avec elle.*

La dernière phrase, qui figurait avec de menues variations à la fin de la plupart des messages, était manifestement ajoutée par la médium en guise d'assurance. Le reste, de façon tout aussi caractéristique, contenait, sous les apparences d'une information exacte, plusieurs ambiguïtés. Ainsi, la bibliothèque avait trois portes, la principale communiquant avec le hall, et deux autres plus discrètes, l'une menant au grand salon, l'autre au petit salon. Les indications pouvaient donc désigner trois endroits différents. Le petit salon était le sanctuaire de ma mère, qui ne doutait guère que Cecil imaginât qu'elle pénétrerait dans la bibliothèque par cette porte-là. Mon père, qui passait souvent du grand salon à la bibliothèque, aurait bien sûr vu les choses différemment ; mais, en cela comme dans beaucoup d'autres domaines, il laissait la préséance à ma mère. Ce soir-là, je me rappelle qu'ils avaient néanmoins hésité. L'indication d'une courte étagère à gauche et avant l'angle était très large puisque le premier angle se trouvait de l'autre côté de la pièce. Sur chaque bout de papier ma mère écrivait le nom du livre, de son auteur, et la citation. Sur celui-ci, elle a indiqué : « Courte étagère, 7ᵉ livre, *La Charité* de Wingfield – pas de vert. Essayant à l'autre extrémité (entrée par le salon) *Histoire du Lancashire*, Bunning, pas de vert. En entrant par le hall, 7ᵉ livre, en commençant par la droite, *Le Plateau d'argent* par E. Manning Greene (là était le « vert » !), p. 34 avec seulement écrit : "On pourrait dire que le chevalier était revenu, et se portait bien, mais son cœur était avec ceux qu'il avait laissés." Un véritable message de Cecil. » Dans ce compte rendu précis transparaissent à la fois l'honnêteté naturelle de ma mère et sa crédulité ; la remarque « en commençant par la droite » montre qu'elle sait fort bien que, normalement, on commence à compter par la gauche mais sa conviction, au final, reste inaltérée. Même son écriture carrée, plutôt informe, me semble aujourd'hui témoigner de son entêtement et de sa crédulité. En dessous, elle a écrit, comme toujours, « Présents », et chaque témoin a apposé sa signature, comme s'il souscrivait à une vérité qui dépassait la procédure. « Louisa Valance. Edwin Valance. Dudley Valance. Daphné Valance. 23 mars 1918. » (Quant à la participation de mon père, il était significatif que les messages de Lara ne fussent jamais adressés à lui, jusqu'à ce que, cette carence ayant été commentée lors d'une conversation téléphonique, la semaine suivante en apportât un à son intention spécifique.)

J'ai parlé facétieusement, en raison de ma répugnance pour ce processus, car il régnait lors de ces séances à la bibliothèque une atmosphère indescriptible mais inoubliable ; une atmosphère qui ne cessa de s'épaissir, de sorte qu'à d'autres moments aussi elle semblait alourdir l'air dans cette pièce déjà crépusculaire. Ce n'était pas du tout, à mon avis, le signe d'une présence surnaturelle mais plutôt un signe que les espoirs, et donc les appréhensions, y étaient mis à nu. D'une certaine façon, c'est de la bibliothèque que j'aurais voulu avant tout me débarrasser lorsque j'ai entrepris la rénovation de Corley ; l'atmosphère de cette méthode factice, de cette manipulation délibérée des cœurs brisés semblait hanter ses sombres alcôves et tout observer depuis les menus visages sculptés sur les étagères. Peut-être le lecteur trouvera-t-il étrange et veule que je n'aie pas abordé le sujet directement avec ma mère ; ce à quoi je ne peux opposer qu'une seule réponse : vous ne la connaissiez probablement pas.

Certains de ses amis, sans nul doute, approuvaient sa démarche et attendaient avec espoir les résultats de cette imposture psychique – lady Adeline, et le vieux brigadier Aston d'Uffington, qui avait perdu ses trois fils. Mais mon épouse et moi déplorâmes bien vite l'ascendant que cette Mrs Aubrey exerçait sur ma mère. Entrecoupant des lectures mentales évidemment aléatoires, s'en ajoutaient d'autres tellement spécifiques qu'elles suscitèrent tout de suite notre suspicion (mais chez ma mère seulement un renforcement de sa conviction). Un jour, une lecture mentale nous guida jusqu'à un numéro de la *Westminster Review* qui contenait un poème de Cecil, et les vers : « *Tu étais ici, moi parti bien loin / Cependant je humais dans l'air alpin / Les roses d'un beau mois de mai anglais.* » Ce poème, composé pour une jeune fille de Newnham qui lui plaisait, représentait pour ma mère une parabole parfaite de l'au-delà. Une autre séance mena à des vers de Swinburne (un poète qu'elle n'aimait pas auparavant) : « Je retournerai à la grande et douce mère » ; elle n'eut pas l'air de se soucier que « la grande et douce mère » en question était, en réalité, la Manche. Ma mère était habituée à recevoir des réponses à ses questions et à voir ses exigences satisfaites ; si elle n'avait été pathétique, j'aurais été porté à rire du spectacle de son acharnement face aux résultats nébuleux de ces *sortes Virgilianae* des temps modernes. Un jour, mon épouse eut l'audace de demander à sa belle-mère pourquoi, si Cecil avait voulu lui dire « L'amour est amour toujours », il ne l'avait pas tout simplement dit à Lara, plutôt que de lui imposer un jeu de piste dans la bibliothèque. Ce fut l'une des maintes remarques qui convainquirent la plus vieille femme des deux que la plus jeune n'était pas digne de devenir la prochaine maîtresse de Corley.

Mon épouse et moi-même vécûmes à Naughton Cottage jusqu'à la mort de mon père, et étions de ce fait incapables de mesurer et encore moins de contrôler ces activités. Mais nos suspicions s'accrurent et, pendant un temps, menacèrent de corrompre toute la teneur de la vie quotidienne à Corley, déjà mise à mal par la guerre. Mrs Aubrey était assez maligne pour ménager régulièrement des échecs (une lecture nous guida sans équivoque à une page d'équations du second degré, que même ma mère, quelque effort qu'elle fournît, ne réussit pas à déchiffrer). Mais la multiplication des platitudes lénifiantes crût au point que nous commençâmes à nous demander s'il n'y avait pas des complices dans la demeure, une bonne ou un valet qui aurait confirmé l'emplacement de tel ou tel volume. Il arriva que l'ouvrage en question n'ait pas été remis au bon endroit : un fait interprété sans doute comme preuve de l'omniprésence de Cecil, encore des années après sa mort. J'enrôlai Wilkes, promu majordome pendant la guerre et dont je savais qu'il était au-dessus de tout soupçon, mais ses enquêtes discrètes auprès du personnel ne révélèrent rien. J'ignore si j'éprouve plus de gêne que de fierté d'un tour que j'ai joué moi-même. J'avais appris à utiliser ma claudication de plusieurs façons, afin d'obtenir ce que je voulais ou simplement me mettre en travers du chemin des uns et des autres. Ce jour-là, arrachant la lettre à ma mère bien que chancelant, je traversai la pièce aussi vite que possible, un peu à l'instar d'un commis de magasin courant chercher un paquet de thé ; lui cachant les étagères, je lus : « *Quatrième livre, Mamma*, deuxième étagère », tout en prenant au hasard un volume de l'étagère au-dessus. J'ai oublié quel livre c'était, mais je n'oublierai jamais la phrase : « Son incapacité à voler conduisit inévitablement à sa disparition », le sujet étant, je crois, le moa géant : « Que veut-il dire ? » s'inquiéta ma mère face à la déclaration sombrement darwinienne de mon frère. Ah, si Cecil avait pu voler, que les choses auraient été différentes !

Depuis le début, nous nous demandions, bien sûr, ce que Mrs Aubrey retirait de tout cela. Il devint peu à peu manifeste qu'elle recevait des chèques d'un montant supérieur à ce que ma mère octroyait même aux causes les plus charitables. Comme elle l'avait souhaité, la « médium » tenait sous sa coupe une vieille dame fortunée, victime passionnément consentante. C'est alors que, par degrés infimes, presque imperceptibles, ma mère sembla abandonner cette quête vaine ; elle en parla moins, se fit évasive sur le sujet : pas sur les lectures en soi mais sur ses raisons de les interrompre, l'implication étant que le doute avait finalement eu le dessus sur son ardent et douloureux désir. Je pense que, lorsque mon père eut sa congestion cérébrale, les lectures avaient déjà entièrement cessé. L'étrange délicatesse timorée qu'impose à autrui une forte personnalité fit que nous nous retînmes de poser des questions. Ma mère recouvra une grande partie de la gaieté dépourvue d'humour qui avait été la sienne avant la guerre. Ses bonnes œuvres furent multipliées par deux en quantité et en efforts fournis. Avec la maladie de mon père, les soucis afférant désormais à la gestion d'un grand domaine consommèrent les énergies précédemment consacrées au passé. Elle prit bien soin de toujours passer quelques minutes tous les matins dans la chapelle, seule avec son premier-né ; mais qui sait si elle n'avait pas épuisé toute la douleur qu'elle avait en elle.

Paul relut le passage, dont il trouva qu'il l'excitait plutôt bêtement : ah, qu'il aurait été utile d'avoir des messages de Cecil en personne ! Un appendice à l'édition par G.F. Sawle de la correspondance de Cecil semblait suggérer que les bouts de papier des lectures mentales existaient encore, dans les archives Valance, que Paul imaginait entassées dans un grand bureau fermé comme dans *Les Papiers d'Aspern*, de Henry James ; George ne les évoquait que brièvement mais signalait leur importance comme preuve de l'engouement pour le spiritisme pendant et après la Première Guerre mondiale. Paul avait un exemplaire de *Fleurs noires*, la vieille édition Penguin de 1957 ; il observa à nouveau la petite photo de l'auteur en noir et blanc : un mystérieux rictus dans un rectangle gros comme un timbre-poste. En dessous se trouvait une note bibliographique décousue, circonstancielle.

Sir Dudley Valance, fils cadet de sir Edwin Valance, Bt, naquit en 1895 à Corley Court, dans le Berkshire ; il fit ses études à Wellington puis à Balliol College, Oxford, où il se spécialisa en langue et littérature anglaises. En 1913, il se distingua lors de ses premiers examens universitaires. À la déclaration de guerre, il s'engagea dans le régiment du Wiltshire (le régiment du duc d'Édimbourg), où il fut bientôt élevé au rang de capitaine mais, blessé pendant la bataille de la Loos en septembre 1915, il ne put retourner au service actif. Ses expériences de guerre sont mémorablement transcrites dans le présent volume, pour la plus grande part rédigé au cours des années 1920, bien qu'il n'ait été publié que vingt ans plus tard.

Son premier livre, *La Longue Galerie*, paru en 1922, fut encensé par la critique. Roman satirique sur la vie de la gentry, dans la tradition de Peacock, il disséquait joyeusement et sans merci trois générations de la vénérable famille Mersham, dont des personnages comme le général nationaliste sir Gareth « Joboy » Mersham et son petit-fils Lionel, pacifiste et doté de « penchants artistiques », dans la grande tradition de la comédie britannique. À la mort de son père en 1925, Dudley Valance hérita le titre de baronnet, son frère aîné ayant été tué à la guerre. Lorsque la guerre éclata de nouveau, Corley Court fut réquisitionné et transformé en hôpital militaire. En 1946, sir Dudley jugea préférable de vendre le domaine familial. À ses yeux, le royaume anglais avait évolué : il décida donc, avec son épouse, de passer la plus grande partie de l'année dans leur demeure fortifiée du XVIe siècle, dans les environs de Antequera en Andalousie. Un nouveau volume de Mémoires, *Quand les bois dépérissent*, parut en 1954. Sir Dudley Valance est Fellow de la Société royale de littérature et président des Amis britanniques du sherry.

Paul imagina que les réunions de ces deux groupes devaient avoir des ordres du jour assez similaires. Il avait failli rencontrer Dudley, se rappelait même s'être préparé à la rencontre lors du soixante-dixième anniversaire de Daphné, dans la rue à la lueur du crépuscule, et avoir été soulagé (comme tous les autres, apparemment) qu'il ne vienne finalement pas. Désormais, il n'y avait personne à qui il eût préféré parler ou, plus exactement, à qui il eût eu plus besoin de parler. Il avait encore davantage peur de lui maintenant qu'il avait lu ses livres, avec leurs longs portraits exaspérés de sa mère, et leur froideur perplexe à l'égard de Cecil, dont Dudley pensait de toute évidence que la réputation était surfaite. Il s'agissait de livres « masculins », d'un genre qui, à l'aune de l'esprit de la fin des années 1970, dans un contexte où tant de choses finissaient par remonter à la surface, paraissait être, de façon très intéressante, « gay » à l'anglaise, c'est-à-dire réprimé – « niable », comme aurait dit Dudley. Il était difficile de ne pas avoir l'impression que sa relation avec le soldat à la mort duquel renvoyait le titre du livre avait été bien plus amoureuse que son mariage avec Daphné Sawle. La note biographique de Penguin était amusante en ce qu'elle mêlait l'esquive et une candeur grincheuse – deux personnages intéressaient Paul au premier chef, mais Cecil n'était évoqué que de façon périphérique et la première lady Valance aurait pu ne jamais avoir existé. D'où les deux enfants qui auraient pu, tout aussi bien, n'avoir pas existé. Même dans le livre de Dudley, ils apparaissaient à peine. Il y avait une phrase vers la fin de l'ouvrage, qui commençait, de façon presque comique, par : « Désormais père de deux enfants, je commençai à envisager différemment tout ce que Corley impliquait » : c'était la première fois qu'il était fait mention de l'existence de Corinna et de Wilfrid.

Naturellement, Dudley fut la première personne à laquelle Paul avait écrit, à l'attention de son agent, mais son courrier, comme celui qu'il avait envoyé peu après à Daphné, demeura sans réponse. D'où son hésitation. Il fallait aussi approcher George Sawle, mais Paul repoussa la démarche à cause de ses sentiments mêlés de rivalité et d'inadéquation. À cette étape du projet, il avait eu la sensation d'archives éparpillées, d'un archipel de documents, d'images, de détails bizarres qui nourrissaient sa croyance intime qu'il était fait pour écrire la vie de Cecil Valance. La publication longtemps attendue de la correspondance éditée par Sawle avait bien préparé le terrain, à sa manière universitaire et sèche. Chez lui, à Tooting Graveney, Paul conservait à côté de l'ouvrage de George Sawle sa modeste collection de livres plus ou moins en rapport avec son sujet dont, pour certains, le lien avec ce dernier était très ténu mais, pour ainsi dire, magique ; les ouvrages qui ne mentionnaient Cecil que dans une note lui donnaient plus que tout le reste l'impression qu'il y avait un mystère à dévoiler. Ainsi *Sebastian Stokes : Une double vie*, par Winton Parfitt, avec sa jaquette déchirée et scotchée ; les carnets in-quarto noirs dans lesquels, à la British Library, il avait transcrit au crayon les lettres échangées entre Cecil et Elkin Mathews, l'éditeur de *Veillée et autres poèmes* ; l'étrange reliure rigide d'un registre publié à titre privé de *Kingsmen* morts pendant la Grande Guerre, avec son odeur particulière et entêtante de colle. Sur une brouette, dans Farringdon

Road, il avait trouvé un exemplaire de *Foins et soins du bétail* de sir Edwin Valance (1910), vingt-cinq pence, dont il trouvait que l'aridité témoignait du côté quasi mystique de la famille de son sujet. Il avait aussi les deux *Galeries…*, le roman de Dudley paru en 1922, dans lequel la description de la famille détraquée des Mersham s'inspirait manifestement des Valance, et les Mémoires, plus récents, de Daphné.

Dans une lettre à Winton Parfitt, il lui avait demandé sans détour s'il connaissait des matériaux sur les liens entre Stokes et Cecil qui auraient été mis au jour depuis la publication de son livre vingt ans auparavant. Le sous-titre *Une double vie* renvoyait, et c'était décevant, aux deux carrières de Stokes comme homme de lettres et discret intermédiaire dans les rangs des conservateurs ; Parfitt ne révélait nulle part que son sujet ait été « pédé » et ne tirait pas la conclusion pourtant évidente aux yeux de Paul qu'il avait été amoureux de Cecil. Son recueil, verbiage autour de l'image du « joyeux », de l'« exceptionnel » jeune poète, sans nul doute hautement acceptable par la vieille lady Valance, était aussi en soi un hymne d'amour non avoué. En fait, Parfitt était aussi diplomate et creux que le vieux « Sebby », et la jaquette bleu marine de son énorme biographie, avec ses citations enthousiastes des critiques les plus éminents, était désormais l'un de ces bouquins qui font que les librairies d'occasion se ressemblent toutes. L'ouvrage était « fabuleux » – un « événement », « une biographie qui fera date », « écrite pour le seul amour de l'art » – mais avec quelque chose d'inéluctablement suspect et de second ordre. Paul y voyait comme un avertissement. Cependant, il s'était imprégné d'une demi-douzaine de pages. Par exemple, un court paragraphe mentionnait la visite de Stokes chez les Valance, afin de réunir du matériel pour son recueil, mais la visite était éclipsée par les folles négociations qui avaient précédé la grève générale. Paul, lorsqu'il réussirait à parler à Daphné, avait l'intention de la questionner sur ce week-end-là à Corley ; il paraissait être un moment clé, une réunion à la mémoire de Cecil impossible à reproduire. Il aurait tant aimé y assister. Parfitt avait répondu par retour de courrier, depuis son manoir du Dorset, d'une belle écriture penchée, pour dire qu'il n'était au courant de rien de significatif, mais il lui transmettait ses encouragements, avant de glisser, avec un enthousiasme empreint de candeur, son effroyable conclusion : « Vous entrerez sans nul doute en contact avec le Dr Nigel Dupont, Sussex. Il m'a également écrit, eu égard à son travail sur Cecil, qui n'en finit décidément pas d'intriguer. »

Paul avait été très mécontent d'apprendre l'existence du Dr Nigel Dupont, mais ne savait que faire. Il ne put s'empêcher de penser que ce devait être l'inconnu que Daphné avait rencontré au cocktail de Bedford Square, le dangereux « agréable jeune homme » qui l'avait questionnée sur Cecil. « Sussex » signifiait probablement « Université du Sussex », et pas seulement que Dupont vivait dans ce comté-là. Ce devait être un jeune universitaire ambitieux, sans doute anglais, mais doté de l'inestimable élément français d'arrogance et de penchant pour la théorie. Écrivait-il aussi une vie de Cecil ? Il existait de nombreux moyens de le découvrir mais Paul fut incapable de faire la recherche. Il s'imagina, lors d'un cocktail, encore un autre, présenté à son rival… mais à ce moment du scénario, tout ralentissait et se perdait dans les brumes de son ignorance et de son inquiétude. « Cecil n'en finit décidément pas d'intriguer », et voilà qu'il encourageait ses deux biographes, comme par l'intermédiaire de « Lara », de son esprit malicieux et égotiste.

À Tooting Graveney, on vivait de plain-pied avec les morts. Karen, la propriétaire de Paul et apprentie complice dans ce qu'elle appelait « le boulot sur Cecil », travaillait à la librairie Peel de Putney, et lisait énormément d'épreuves, mal imprimées mais très recherchées, bien longtemps avant que les livres eux-mêmes ne soient publiés. Depuis neuf mois qu'il était son locataire, il s'était habitué à leurs ragots quotidiens sur Leonard et Virginia, Lytton, Morgan et les autres, dont elle parlait presque comme s'ils avaient été des intimes ; Duncan et Vanessa s'invitaient dans leur conversation aussi aisément que les clients dans la librairie. Apparemment, une rencontre avec Frances Partridge, quand Karen était adolescente, l'avait lancée sur la piste de Bloomsbury ; comme les livres sur le sujet sortaient désormais au rythme d'un par mois, elle vivait dans un état d'expectative constamment renouvelée. Certes, Cecil n'avait pas à proprement parler appartenu au groupe de Bloomsbury, mais il avait connu presque toute la branche cambridgienne, et Karen trouvait qu'elle avait beaucoup de chance d'avoir son biographe comme locataire. Elle le maternait et prenait un intérêt solennel au « boulot sur Cecil » (dont l'attrait pour Paul était que, précisément, ça n'en était pas un). Paul, qui préférait préserver un certain mystère autour de son travail, partageait néanmoins presque tout avec elle. La cuisine de Karen devint le Q.G. du projet et ils explorèrent de nombreux plans et spéculations au-dessus des vignes alambiquées de la nappe William Morris, autour d'une seconde bouteille de Rioja. Il appréciait son intérêt, son admiration, était impatient de lui raconter ce qu'il n'aurait autrement confié qu'à son journal et, par intermittence, craignait qu'elle en vînt à considérer que le « boulot » était en fait leur entreprise commune.

Un soir de l'étrange semaine entre Noël et le jour de l'an, Paul rentra tôt de la bibliothèque et vit qu'il avait reçu une lettre postée en Espagne. Karen l'avait posée à la verticale sur le guéridon du vestibule, pour suggérer qu'elle avait eu du mal à se retenir de l'ouvrir. L'adresse était tapée à la machine et on avait écorché son nom. Il l'emporta à la cuisine pour l'ouvrir correctement. Il comprit qu'elle lui apporterait une nouvelle – mais serait-elle bonne ou mauvaise ? Son couteau lui parut ouvrir l'enveloppe trop lentement.

El Amazán
Sabasona
Antequera

Cher Mr Bryan,

Mon époux est malade et m'a demandé de répondre à votre lettre du 26 novembre. Il est vraiment navré mais il ne sera pas en mesure de vous rencontrer. Comme vous le savez, nous vivons en Espagne la plupart du temps et mon époux est rarement à Londres.

Recevez, Monsieur, l'assurance de nos sentiments distingués,

Linette Valance

Pendant un instant, Paul se sentit bizarrement gêné et fut content que Karen n'ait pas été là pour le voir. C'était un coup dur, sans l'ombre d'un doute ; tant de choses dépendaient de Dudley et de son secrétaire cadenassé où il rangeait les documents familiaux. Paul glissa la lettre dans l'enveloppe. Quelques minutes après, il la ressortit, avec un sentiment proche de l'excitation, se disant qu'il en avait oublié le contenu ; hélas, à la deuxième lecture, la missive disait plus ou moins ce qu'elle avait dit la première fois. À moins que, peut-être, son apparente sécheresse ne dissimulât autre chose ? Après tout, même un refus était une forme de communication : la lettre, bien que concise et snob, établissait tout de même un contact, quelque infime qu'il fût. D'une certaine manière, elle s'ajoutait aux archives familiales. Il la laissa traîner sur la table de la cuisine quand il fit bouillir l'eau et prépara le thé. Chaque fois qu'il la voyait, il la trouvait un peu moins déprimante. C'était une rebuffade, donc elle devait être brève pour être efficace, mais était-elle vraiment convaincante ? Une réponse définitive aurait été formulée de la manière suivante : « Sir Dudley Valance refuse de vous voir et, d'autre part, s'oppose catégoriquement à ce que vous écriviez la biographie de son frère, le capitaine Cecil Valance, MC. » Rien ne suggérait un tel veto. Paul se mit à supposer que Linette elle-même pensait que l'affaire n'était pas close. Sa réponse était quelque peu défaitiste, c'était une tentative pour repousser l'inévitable, rien de plus. Les objections – ils étaient « rarement à Londres », « en Espagne la plupart du temps » – étaient fragiles et, de toute évidence, pas insurmontables : ne suggérait-elle pas même qu'ils ne voulaient pas se révéler être un fardeau pour Paul ? Il commença à se demander s'il ne pourrait pas prévoir d'aller à Antequera leur parler chez eux plutôt que de les déranger lors de leurs rares et brèves visites à Londres. Son dévouement les impressionnerait sans doute et, qui sait, peut-être seraient-ils même émus ; il se mit à imaginer les prémices d'une chaleureuse et subtile amitié, du genre qui apporterait de l'énergie vitale à son livre.

Plus tard, lorsque, dans sa chambre à l'étage, il confia à son journal qu'il avait reçu la lettre, il se carra contre le dossier de sa chaise et regarda par la fenêtre avec un brusque élan de sympathie pour ces pauvres vieux Valance, idée dont il fut persuadé qu'elle traduisait exactement l'essence de la personnalité d'un biographe. Ce qu'il avait pris pour du snobisme ne devait être que le signe d'une grande vulnérabilité, quelque chose que les classes supérieures avaient parfois du mal à cacher aux inférieures. Dudley était souffrant et, à quatre-vingt-quatre ans, trouvait pénible la perspective de rencontrer des inconnus : Paul pouvait n'être qu'un écrivaillon, il était bien compréhensible qu'il hésite ; et Linette elle-même ne comprenant qu'à moitié les ordres d'un mari malade, avait répondu à la hâte avant de retourner à son chevet pour le soigner. Une conversation avec Paul, lorsqu'elle aurait finalement lieu, pourrait se révéler un grand soulagement pour tous les deux. Il décida donc que, très bientôt, il rédigerait une réponse, plus personnelle et plus conciliante, comptant sur le contact chaleureux désormais établi entre eux.

4

La première personne que Paul interrogea pour son livre était quelqu'un dont la survie paraissait presque incroyable : un domestique de Deux Arpents à l'époque de la première visite de Cecil chez les Sawle. Au téléphone, le vieillard s'étonna que Paul ait réussi à retrouver sa trace, et ce dernier lui lut le passage de la lettre de Cecil à Freda Sawle dans laquelle il prétendait vouloir « kidnapper le jeune Jonah à la gare et réclamer une rançon impossible ». « Qu'est-ce que vous me chantez ? » s'exclama le vieux Jonah, indigné comme s'il avait cru que Paul lui faisait une proposition indécente ; il était très sourd. « Votre nom est inhabituel », répliqua Paul. George avait scrupuleusement mis en note de bas de page la référence : « Jonah Trickett (né en 1898), garçon à tout faire de Deux Arpents, désigné pour servir de valet à Cecil ; employé par FS de 1912 à 1915, date à laquelle il rejoignit le régiment du Middlesex. À partir de 1919, jardinier et chauffeur de H.R. Hewitt (voir aussi ci-dessous, p. 137, 139n). » Paul n'était pas certain que le vieil homme eût bien compris, au téléphone, sur quoi porterait la visite. Jonah accepta qu'il vienne, même s'il parut encore vaguement offusqué que quiconque jugeât utile une telle visite. « Vous êtes l'une des seules personnes vivantes qui se souvienne encore de Cecil Valance ! » déclara Paul. C'était curieux, d'ailleurs : il y avait des milliers de vieillards de quatre-vingt-un ans mais assurément personne en ce bas monde qui eût manié les effets personnels de ce poète mort en 1916, qui l'eût aidé à se vêtir, à se dévêtir et eût fait pour lui tout ce que faisait un valet. « Ah oui ? Ah bon, répondit la voix âgée mais tranchante. Puisque vous le dites… » Comme s'il avait commencé à s'apercevoir de sa propre importance potentielle dans l'histoire.

Paul partit donc pour une nouvelle expédition à travers le Middlesex, vingt-sept arrêts de métro jusqu'à Edgware, le terminus de la Northern Line, une rassurante éternité qui s'amenuisa peu à peu tandis qu'il répétait ses questions, imaginait les réponses, et les questions qu'elles susciteraient à leur tour. Il se doutait que Jonah serait peu disert, il devrait le faire sortir du bois, puis il l'aiderait à découvrir ce qu'il avait vraiment à dire. La perspective le rendait extrêmement nerveux, comme si lui-même allait être interviewé. Dans sa sacoche, il avait une lettre reçue le matin même, de Peter Rowe, qu'il n'avait pas encore ouverte : il la décacheta alors, avec un brin d'appréhension, dans la lumière hivernale de la rame vide. L'enveloppe contenait une carte postale qui, provenant de Peter, ne pouvait que représenter un vieux tableau, de préférence d'un homme nu, cette fois un saint Sébastien par l'un des millions de maîtres italiens dont Paul n'avait jamais entendu parler ; le message, en petites italiques marron, était le suivant :

Mon petit chéri ! J'ai distinctement senti une flèche pénétrer ma chair, juste en dessous du cœur, lorsque j'ai appris que tu écrivais la vie de CTV. L'incroyable souffrance s'est un peu estompée. C'est un livre que j'ai toujours cru que j'écrirais moi-même un jour, mais je ne suis pas certain que j'aurais fait aussi bien que toi. Bien sûr, je me sens en partie responsable, puisque je t'ai mené un soir il y a très longtemps voir le tombeau du poète. Serais ravi d'en parler avec toi… Ai quelques pistes sur le vieux C. qu'il pourrait être utile d'explorer !

Sempre, P.

P.S. : Mon livre sort en mars.

Paul aurait préféré ne pas avoir lu la lettre car la seule écriture de Peter, sa maîtrise instantanée, élégante et preste, de tout espace sur lequel elle se posait, mêla de l'inquiétude à son humeur du moment. Le Sébastien, quant à lui, un beau gosse monumental saisi en contre-plongée, attaché à un arbre, quoi qu'il ne ressemblât en rien à Peter, constituait un étrange rappel de sa vie quand Peter en faisait partie, lors du crucial été 1967. Peter était sur le point de sortir un livre sur les églises victoriennes ; il projetait aussi d'avoir sa propre émission à la télé et, apparemment, il donnait des conférences sur Radio 3. Paul pensa à lui avec un désagréable mélange d'envie, d'admiration et de regret.

Arnold Close était une enfilade de *cottages* crépis à proximité de terrains de sport. Paul s'approcha de la deuxième maison et ouvrit le portillon avec un tressaillement inédit d'appréhension et de détermination. Le petit jardin était dans les tons de brun, et nettoyé pour l'hiver même si quelques boutons roses avaient survécu au gel. Il fit mine de ne pas regarder à l'intérieur du séjour : la lampe allumée, les photos dans des cadres posés, dos tournés, sur le rebord de la fenêtre. La maison paraissait être à la fois sur ses gardes et sans défense. Il espérait en tirer quelque chose de valeur et, par la même occasion, lui rendre quelque chose, un intérêt et une distinction qu'elle ignorait avoir.

Il souleva le heurtoir et le relâcha, produisant un bruit plus fort qu'il n'avait escompté. Il eut vaguement conscience que la porte, avec son œil-de-bœuf divisé en quatre carreaux au-dessus de la fente de la boîte aux lettres, était la même que celle de sa mère autrefois ; et une impression plus vague, cris et sifflets de foot dans l'air, maigre romance des banlieues qui se fondent insensiblement dans la campagne, lui remémora le lotissement de l'oncle Terry à Shrivenham. Il connaissait des petites maisons comme ça, il reconnut presque la voix dans le vestibule et la silhouette qui, approchant, se déforma dans les volutes des vitres. Il se sentait crispé, et il prit un air sévère lorsque la porte s'ouvrit – une femme d'âge mûr, qui garda la main sur la poignée. « Bonjour… je suis venu voir Mr Trickett…

— Et vous êtes qui… ?

— Paul Bryant ! »

Elle fit oui de la tête et recula. « Papa vous attend », dit-elle, sans vraiment lui souhaiter la bienvenue. Elle portait un manteau épais à motif triste de tartan marron, et des gants moulants en cuir marron. Se glissant entre le mur et elle, Paul eut le temps d'apercevoir dans la glace le reflet de son visage, son air d'appréhension polie. L'ouverture prestigieuse qu'il représentait, le fait qu'il parlerait de son père dans son livre, paraissait la laisser totalement indifférente, ou peut-être cette perspective n'était-elle même pas souhaitable pour elle. « Papa ! cria-t-elle, comme si elle avait su qu'il ne l'entendrait pas. Il est arrivé. » Refermant la porte, elle se glissa à son tour entre le mur et Paul, et entra dans le séjour. « Mr Bryant est arrivé, dit-elle. Ça ira ? » Paul inspira profondément et poussa comme un soupir de satisfaction lorsqu'il la suivit. L'empressement, le charme, le sourire amical et assuré sans être enjoué, la note de respect avec un soupçon de conspiration : il espéra conserver tout ça dans sa plongée vers le parfait inconnu qui s'efforçait de se lever de son fauteuil, avec sa tête chenue légèrement penchée, et l'air interrogateur des sourds. « Vous devrez lui parler fort », l'avertit la femme.

Paul serra la main du vieillard. « Enchanté, Mr Trickett ! » Dieu sait comment, il avait oublié sa surdité mais entendit la note forcée qui était sortie de sa propre gorge.

« Vous êtes Paul ? demanda Mr Trickett, lâchant un rire nerveux et prenant à nouveau cet air d'attendre la réponse qui fait penser aux oiseaux.

— Exactement », répondit-il, comprenant qu'il n'était qu'un enfant aux yeux de ce vieillard, ou même l'un de ses déroutants petits-enfants. Cela aussi était agaçant mais il en tirerait le meilleur parti. Jonah Trickett était un homme de petite taille mais il avait les épaules larges, un gros visage avenant très finement dessiné, et de grands yeux bleus qui paraissaient encore plus perçants du fait qu'ils écoutaient autant qu'ils regardaient. Il avait encore tous ses cheveux et la dentition parfaite quoique impersonnelle qui confère un air d'enthousiasme involontaire au visage d'un vieillard. Paul comprit que, jeune, il devait avoir été séduisant : il avait encore un côté adolescent. Il chancelait un peu en marchant.

« J'ai une hanche toute neuve, avoua-t-il, vantardise un peu gênée. Prends le manteau de ce jeune homme, Gillian. » Sa voix était légèrement voilée et son accent, à l'image de la rue où il vivait, londonien avec une pincée de terroir.

Lorsqu'il posa sa sacoche et déboutonna son manteau, Paul jeta un coup d'œil à la pièce : des assiettes sur le mur mais pas de tableaux ; les photos sur le rebord de la fenêtre étaient, pour certaines, des photos de mariage en noir et blanc, alors que d'autres, plus récentes, étaient en couleurs. Le chauffage au gaz rendait la pièce étouffante. Sur la télé trônait la photo de Jonah avec une femme, qui devait être ou avoir été son épouse. Paul se dit qu'il devrait paraître reconnaissant mais pas fouineur, ce qui, bizarrement, était exactement le contraire de la réalité. « Eh bien, j'y vais », dit Gillian, allant pendre le manteau de Paul dans le vestibule. Lorsqu'il entendit la porte d'entrée se refermer avec un grand bruit, Paul sentit une effroyable gêne les envahir tous deux, et, à travers la fenêtre, il observa avec un sourire figé Gillian remonter l'allée et refermer le portillon derrière elle. On aurait dit que quelque chose d'extrêmement embarrassant venait d'être énoncé. Paul songea qu'il pourrait ne rester qu'une vingtaine de minutes si les choses ne se passaient pas bien. Ils s'assirent de part et d'autre du chauffage au gaz, un bol d'eau posé sur son bord. Les petits cylindres en porcelaine rougeoyaient et semblaient palpiter. Paul eut l'impression que sa visite avait été bien préparée : à côté de Jonah, sur la table, était posée une chemise en carton avec sa lettre sous un presse-papier en verre coloré. Il sortit son magnétophone, avec le micro sur pied, et prit une minute ou deux pour l'installer ; Jonah eut l'air de penser qu'avec cette nouveauté, Paul prenait des libertés mais il accepta, avec un sourire prudent, l'explication de ce dernier : « Chaque mot que vous pourrez prononcer est très important pour moi. » Paul appuya sur le bouton rouge. « Comment allez-vous aujourd'hui ? demanda-t-il.

— Comment ? »

Karen, qui avait fait du secrétariat, lui proposa de transcrire l'enregistrement sur sa machine à écrire à boule. Après deux soirées crispées de bruits de frappe sporadique et de bribes de voix d'hommes sortant de sa chambre par rafales de cinq secondes, constamment interrompues et répétées (sa voix n'était pas exactement la sienne et son grasseyement provincial ressortait plus qu'il ne l'aurait imaginé), elle descendit au rez-de-chaussée et lui tendit une liasse épaisse de papier ministre. « Il y avait des passages dont je n'étais pas certaine, dit-elle. J'ai mis mes interrogations entre parenthèses.

— Oh, d'accord. » Paul sourit pour montrer qu'il n'était pas du tout inquiet, saisit le document et se mit en quête de ses lunettes. Au premier coup d'œil, il vit que son travail était professionnel mais que la présentation posait un gros problème. Elle avait tapé la transcription en une seule colonne étroite, comme un livret de théâtre, pour une pièce qui aurait été une absurde épreuve faite de pauses et de contresens. « Nous avons encore les bandes, n'est-ce pas ? demanda Paul. Nous garderons tout tel quel pour les archives.

— Je ne suis pas sûre que ce magnéto soit très bon.

— Il n'était pourtant pas donné.

— La voix de Jonah passe bien, c'est la tienne qui est parfois à peine audible.

— Le micro était tourné vers lui. Ce qui importe, c'est ce qu'il a dit, lui. »

Le problème était en effet que, souvent, Karen n'avait pu comprendre les questions. Paul lut au hasard :

P.B. : George Sawle a-t-il (*inaudible*) ?

J.T. : Oh, non, pas du tout.

P.B. : Vraiment ? Comme c'est intéressant !

J.T. : Oh, Seigneur, non ! (*Ricanements.*)

P.B. : Cecil était-il… (*Inaudible : « heureux » ?*)

J.T. : C'est possible, oui. Mais je suppose que personne ne saurait l'affirmer à cent pour cent !

P.B. : En effet, personne ! Ce n'est pas ce qu'on imaginerait ! (*Rires.*)

Karen avait multiplié les points d'interrogation, et les indications scéniques à la George Bernard Shaw (« *Ricanements* », « *s'interrompt à regret* », « *avec une émotion soudaine* », *etc.*) : elle en avait accolé quantité à des déclarations très ordinaires. Elle essayait d'aider, voulait aider, sincèrement, mais, comme c'était souvent le cas, elle était plutôt une gêne. Parfois, la surdité de Jonah était un avantage car il demandait à Paul de répéter sa question plus fort. Dans plusieurs cas, Paul s'inquiéta de découvrir qu'il avait déjà oublié la phrase inaudible qu'il avait prononcée ; dans d'autres passages, il avait laissé le magnétophone écouter pour lui, quand Jonah parlait de la guerre, par exemple, des détails dont il n'aurait pas besoin pour le livre. Peut-être son inquiétude du moment lui avait-elle rendu l'écoute difficile. Tout ce qui l'avait intéressé, c'était de découvrir si Jonah savait quelque chose sur les relations entre Cecil et Daphné d'une part, Cecil et George d'autre part ; la conscience malaisée d'avoir dû adopter une stratégie et attendre distraitement le bon moment avait empiété sur sa concentration. Le lendemain, lorsque Karen fut partie au travail, Paul réécouta les bandes avec la transcription en regard, afin de vérifier s'il pourrait discerner ce qu'elle avait manqué ou mal interprété, le tout avec une sensation confuse de mécontentement à l'idée d'être parti du mauvais pied.

Il s'aperçut que, pendant une grande partie de l'interview, il avait laissé Jonah dévier de son thème principal, Cecil, pour parler du « bon vieux temps » en général et de sa vie après la guerre, avec Harry Hewitt, un riche homme d'affaires qu'il appréciait manifestement davantage que les Sawle. Les Sawle semblaient être pour lui l'objet d'une sorte de désapprobation vague, difficile à cerner, qui survivait sans doute aux raisons oubliées qui l'avaient causée.

P.B. : Donc, vous dites que Freda Sawle buvait trop ?

J.T. : Hum, je ne sais pas si c'était *trop*…

P.B. : Mais comment vous en êtes-vous aperçu ?

J.T. : On sait ce qu'on sait, non ? C'est ce qui se disait à (*pas clair : la cuisine ?*). Elle avait un péché mignon.

P.B. : Un péché mignon ? Je vois.

J.T. : Il y avait une Mrs Masters (? *vérifier*), sa femme de chambre, c'est elle qui le lui procurait.

P.B. : Vous voulez dire qu'elle lui procurait l'alcool ?

J.T. : Oui, du Bombay gin. C'est ça. Je me le rappelle, maintenant.

Paul avait demandé à Jonah s'il était retourné à la maison récemment et Jonah avait répondu : « Oh, je ne suis pas retourné par là-bas depuis des lustres », comme si ça avait été très loin. À vue de nez, Deux Arpents ne pouvait être qu'à deux, trois kilomètres. Le manque de sympathie de Jonah à l'égard de la demeure et de ses occupants s'étendait également à Cecil.

P.B. : Vous saviez que c'était un poète célèbre, n'est-ce pas ?

J.T. : Ça, on était au courant.

P.B. : Bien sûr, il a écrit là-bas son poème le plus connu, comme vous le savez sans doute.

J.T. : Ah oui ?

P.B. : Il s'appelle *Deux Arpents.*

J.T. : (*d'un air dubitatif*) : Ah, oui, je crois que j'en ai entendu parler.

P.B. : Vous rappelez-vous sa venue là-bas ?

J.T. : (*hésitant*) : Ah, c'était un (*pas clair : noble ?*). Pour sûr. [Paul fit repasser la bande pour confirmer son souvenir que le mot, couvert par sa toux et un bruissement de papiers, était « diable ».]

P.B. : Vraiment ? Comment ça ? Comment était-il ?

Paul en était donc arrivé, avec une certaine efficacité, après tout, à la grande – et simple – question ; or il semblait que des visites de Cecil à Deux Arpents, Jonah ne se rappelait quasiment rien. Pendant une minute ou deux, Paul nourrit de grands espoirs qui, sous le feu de ses questions, s'amenuisèrent et s'évanouirent vite. Ce qu'il en ressortit, affirmé avec une certitude compensatoire, était que, d'abord, Cecil était « une horreur ! », à savoir, apparemment, qu'il n'était rien de plus que « extrêmement désordonné ». Et qu'en second lieu, il portait des caleçons en soie très onéreux (« Hum, était-ce inhabituel ? » « Eh bien, j'en avais jamais vu avant. Comme ceux d'une femme, dis donc. J'oublierai jamais. »). Troisièmement, qu'il était très généreux – il avait laissé à Jonah un pourboire d'une guinée, et « quand il est venu la deuxième fois, deux guinées », ce qui, les appointements de Jonah ne s'élevant alors qu'à douze livres par an, plus les repas, devait représenter une somme mirobolante.

P.B. : Vous avez dû lui faire (*inaudible*) ?

J.T. : J'avais rien fait de particulier !

P.B. : Je ne suis pas certain de savoir ce qui se passait quand on était le valet de quelqu'un.

J.T. : C'était pas vraiment être valet, pas chez les Sawle. Ils ne s'y connaissaient pas, là-bas. « Faites simplement tout ce qu'il faut pour que ça paraisse bien », voilà ce que le jeune George avait dit, je me rappelle. « Faites tout ce qu'il vous demandera. »

P.B. : Et que vous a-t-il demandé de faire ?

J.T. : Je me rappelle pas, au juste.

P.B. (*rires*) : Vous avez dû tout de même bien vous entendre avec lui !

J.T. (*inaudible*) : … rien de ce genre.

P.B. : Mais était-il différent lors de son autre séjour ?

J.T. : Je me rappelle pas.

P.B. : Rien de particulier…

J.T. : (*montrant des signes d'impatience*) : Ça fait soixante-dix ans, mince, presque !

P.B. : Je sais, désolé ! Je veux dire… avez-vous fait quelque chose de plus la seconde fois pour mériter un pourboire double ? Désolé, ma question n'est pas très polie.

J.T. : (*après un silence*) : J'étais pas mécontent de l'extra.

Paul s'était arrêté, le temps de retourner la cassette et avait eu le sentiment, pendant ce bref intermède, tandis que Jonah changeait la répartition du poids de son corps et tirait d'un coup sec sur son coussin, qu'il avait agacé le vieil homme ; sentiment accompagné par l'indécision d'un novice : devait-il relâcher la pression ou l'augmenter ?

P.B. : Je me demandais si vous vous rappeliez quoi que ce soit que Cecil aurait dit.

J.T. : (*silence, rire gêné*) : Hum, tout ce dont je me souviens, c'est qu'il a dit qu'il était « païen ». Il refusait d'aller à l'église avec les autres le dimanche.

P.B. : Il était athée ?

J.T. : C'est ça. Il disait : « Je vous le recommande, Jonah. Ça signifie qu'on peut faire ce qu'on veut sans avoir à s'en inquiéter par la suite. » Ça m'avait un peu secoué ! Je lui ai dit que ça ne passerait pas bien s'il avait été domestique.

P.B. (*rires*) : Quoi d'autre ?

J.T. : Je me souviens que de ça. Je sais qu'il aimait parler. Il aimait le son de sa voix. Mais je me rappelle pas.

P.B. : Comment était sa voix ?

J.T. : Oh, très (*inaudible*). Comme un vrai gentleman.

Parce qu'il était nerveux et avait la gorge sèche, Paul avait réclamé un verre d'eau. Il trouvait quelque peu inamical qu'on ne lui ait rien proposé, une tasse de thé, au moins ; mais il est vrai qu'il était venu à quatorze heures trente, une drôle d'heure intermédiaire. Ces gens ne savaient pas plus que lui comment se comporter pendant une interview. Jonah le laissa se rendre seul à la cuisine. Gillian l'avait récurée ; un chiffon recouvrait les deux robinets. À travers la fenêtre, Paul vit le jardin avec sa petite serre et, derrière une haie de troènes, le cadre blanc d'un but de foot tout au fond. Encore une fois, il se sentit en terrain familier. Il resta planté là, avalant lentement l'eau froide, plongé dans une brève transe inattendue, comme s'il avait pu voir les décennies se succéder dans cette maison, ce carré de jardin, les trimestres scolaires, les années, les générations successives de garçons hurlant, et la longue vie de Jonah, avec ses routines et ses devoirs, sa femme, sa fille, tous les bibelots ignorés mais rassurants, dans la cuisine et le salon, et les pensées concernant Cecil Valance comme de simples et rares vacances au milieu de tout cela. Sur la bande, qui avait continué de se dérouler en l'absence de Paul, on entendait Jonah bouger des objets près du magnétophone, marmonner et lâcher un pet discrètement musical.

P.B. : Et comment Cecil se comportait-il avec George Sawle ?

J.T. : Comment il était ?

P.B. (*inaudible*) : George… vous savez…

J.T. : Je suis pas sûr de comprendre ce que vous voulez dire (*rire nerveux*).

P.B. : Ils étaient très proches, n'est-ce pas ?

J.T. : Je crois qu'ils s'étaient rencontrés à l'université.

P.B. : Vous ne fréquentiez guère les enfants Sawle vous-même ?

J.T. : Mon Dieu, non ! (*Il émet un rire asthmatique.*) Non, non, ça se passait pas du tout comme ça.

P.B. : Saviez-vous que Daphné était (*inaudible*) avec Cecil ?

J.T. : Hum, je me souviens pas. Nous savions pas ces choses.

P.B. (*silence*) : Quels étaient vos horaires, vous rappelez-vous ?

J.T. : Oui, je travaillais de six heures du matin à six heures du soir, je m'en rappelle très bien.

P.B. : Mais vous ne dormiez pas là-bas ?

J.T. : Je rentrais à la maison. Chaque matin, je me levais à cinq heures ! Ça nous était égal, pourtant !
[Jonah avait continué, avec ce que Paul avait perçu comme du soulagement, en décrivant la journée d'un domestique : une journée pendant laquelle les personnages de Paul n'apparaissaient, bizarrement, que comme des figurants et des incapables.]

À partir du moment où Jonah avait sorti son album photos, l'enregistrement était devenu trop énigmatique pour Karen. Paul écouta, resta le doigt appuyé pendant dix secondes sur l'avance rapide, arrêta derechef : murmures, grognements et rires chagrins, tels les bruits d'une intimité dont Paul était maintenant bizarrement exclu. Il s'était penché au-dessus du fauteuil de Jonah, lui retenant la main parfois, quand il tournait une page. Cette tâche avait été partagée, chacun guidant l'autre, Jonah encore intrigué et susceptible face à l'intérêt indu que Paul prenait à tout cela. « Hum, ce n'est pas grand-chose », dit-il, ce qui, d'une certaine façon, était vrai, même si le « pas grand-chose » semblait être une provocation. De vieux clichés 6 × 9 – les photos que Paul avait vues de lui-même enfant étaient presque aussi petites. Jonah se penchait sur eux et les cachait en partie avec la longue loupe rectangulaire qu'il utilisait pour lire le journal, les minuscules visages grossissant tour à tour tandis qu'il marmonnait des commentaires sur tel ou tel d'entre eux. Il y avait une photo du personnel de Deux Arpents, probablement juste avant la guerre : Jonah arborant un large sourire, en tenue de travail boutonnée jusqu'au cou, debout entre deux bonnes plus grandes que lui en tablier et coiffe, et derrière eux une femme à l'énorme derrière qui, bien sûr, était la cuisinière. Paul ne reconnut pas la porte et la fenêtre en arrière-plan mais on ne pouvait manquer de reconnaître Jonah, si lumineusement charmant que le vieux Jonah parut en être gêné lui-même ; à seize ans, il avait l'air d'être heureux à sa place en même temps que malicieusement curieux de ce qui se passait ailleurs. On voyait aussi plusieurs membres de la famille. « Voici donc leur mère ? Puis-je voir ? » demanda Paul en stabilisant la loupe : une femme à l'air robuste, au visage large, séduisante, et le sourire hésitant qui allait avec sa myopie. Il retrouva Daphné en elle, pas l'adolescente des photos mais la Daphné qu'il connaissait, plus vieille que sa mère ne l'était sur la photo. « Freda a belle allure. » « Oui, dit Jonah. Ça pouvait aller », bien que, sous la loupe, sa « faiblesse », ainsi qu'il l'avait appelée, semblât flotter à la surface ; Hubert Sawle, déjà atteint d'un début de calvitie et l'air responsable, debout à côté d'elle, ne pouvait manquer d'être au courant. Ils avaient l'air indéfinissable de personnages vivant une crise continue, que leur sourire ne s'attendait pas vraiment à cacher. « Et George... ? Ah, oui, ce doit être lui. » George jouait avec l'objectif, désignant Daphné, ou posant juste derrière elle, faisant le pitre. Daphné avait l'air vulnérable d'une jeune fille qui espérait faire croire pendant plus de cinq minutes qu'elle était adulte. Assise, elle souriait gracieusement sous son chapeau à large bord, une fleur en soie plantée sur le côté. Puis George avait dû s'approcher d'elle lentement, tel le méchant dans un film muet, et la faire sursauter. « Et là, est-ce… ? J'ai comme l'idée… », commença Jonah. Il laissa Paul reprendre la loupe et la positionner au-dessus du cliché dans l'angle : deux jeunes gens enfoncés presque jusqu'à terre dans des transatlantiques, George en canotier, le visage de l'autre plongé dans l'ombre photographique primitive par le bord de son chapeau, à l'exception du reflet d'un nez et d'un sourire. « Ça, c'est votre jeune homme, je crois, non ? » dit Jonah. Cela aurait pu être n'importe qui mais Paul répondit : « Oui, bien sûr, c'est lui… ! » Et lorsqu'il l'eut dit, il frissonna, certain que ça l'était.

Il n'aurait pas pensé que Jonah serait en possession d'un tel trésor ; apparemment, le mystérieux mais omniprésent Harry Hewitt avait acheté un appareil photo à Hubert, qui avait dûment pris des photos pour les offrir à tout un chacun. Jonah lui montra une photo des deux hommes ensemble ; sous le verre de la loupe, ses doigts carrés et marron cachaient à moitié ce qu'il désignait. « Je vois… oui… » Hubert était très différent sur cette photo, il fixait l'objectif, une cigarette tenue fébrilement tout près de sa poche de pantalon, tandis qu'à son côté, un bras passé autour de ses épaules, comme pour l'escorter vers quelque défi que, timide, il aurait évité jusque-là, se tenait un autre homme, nettement plus âgé, très élégant, le visage allongé, les joues creuses, de grandes oreilles et une grosse moustache étirée en pointes instables. « Ainsi, tel était l'homme pour lequel vous avez travaillé après la guerre... » Il y avait quelque chose de tellement gay dans la photographie que la question lui parut pleine de sous-entendus et peut-être à Jonah aussi. Plus tard, il retrouva le passage de la bande où il était revenu sur Hewitt.

J.T. : Mr Hewitt était un ami des Sawle. C'était un grand ami de Mr Hubert. Donc je le connaissais déjà, d'une certaine façon. Il avait toujours été gentil avec moi. Il habitait à Harrow Weald (*pas clair : Paddocks ?*).

P.B. : Pardon ?

J.T. : C'était le nom de sa maison.

P.B. : Oh !

J.T. : C'est une maison de retraite aujourd'hui. Les vieux sont là-bas (*gloussements poussifs*).

P.B. : Bon. Une grande demeure donc.

J.T. : Il était collectionneur, hein, Harry Hewitt. Je crois qu'il a légué sa collection à un musée, le Victoria and Albert, c'est ça, non ?

P.B. : Il n'avait pas d'enfants ?

J.T. : Oh non, non. C'était un gentleman célibataire. Il a toujours été généreux avec moi.

Ensuite, quand on tournait la page, Jonah changeait sa tenue de domestique pour du sergé épais et une casquette à visière trop large pour lui : dans une rangée de recrues toutes plus grandes que lui, il paraissait encore plus jeune que deux ans auparavant, sourire curieux devenu regard de travers, d'inquiétude infantile. Paul se redressa. Pendant un instant, l'air absent, il observa le vieux monsieur bien de sa personne avec l'album photos sur ses genoux, avant de se pencher à nouveau, respirant l'odeur forte et proprette de savon de rasage et de lotion tonique pour les cheveux.

Jonah dut se rendre aux toilettes, à l'étage, ce qui, avec sa nouvelle prothèse, lui prendrait sans doute un certain temps. Lorsqu'il eut atteint le palier, Paul arrêta la bande, traîna dans la pièce, porta un regard affable par la fenêtre au jardin côté rue et à l'allée. Puis il souleva le presse-papier posé sur la chemise, sur la table à côté du fauteuil de Jonah, jeta un coup d'œil intéressé à sa propre lettre, comme s'il en avait été le destinataire, et, d'un doigt, souleva la couverture cartonnée. Quelques coupures au papier cassant et jauni par le soleil, mots perdus dans les angles et dans les plis, enveloppes en papier kraft ramollies par l'usage et le frottement. Ce devaient être les documents de démobilisation de Jonah. Ensuite, le certificat d'un prix obtenu lors d'un concours d'œillets en 1965. Paul trouva aussi le compte rendu plié en deux d'une pièce de théâtre scolaire. Une photographie découpée dans le journal local de ce qui devait être le mariage de Gillian. Paul fut frappé par le fait que ce pauvre Jonah n'avait pas assez de trésors pour leur attribuer des classeurs différents : tout ce qui lui était précieux devait être rassemblé là. Paul feuilleta les documents par petites liasses. Ce n'étaient que des papiers de famille, du genre le plus banal, très éloignés du sujet et pathétiques, réunis là dans la croyance, sans doute, que l'interview porterait sur Jonah lui-même. Après quoi, jetant un dernier coup d'œil en reposant l'ensemble, Paul vit une grande enveloppe brune, destinée à *Hubert Sawle Esq., Deux Arpents*, dont l'adresse avait été barrée à l'encre : Paul la prit, le cœur subitement lourd. Jetant un coup d'œil rapide, mais inquisiteur, à l'intérieur de l'enveloppe, il en sortit en partie les deux ou trois premiers feuillets du dessus, et il vit des lettres, l'une signée H.O. Sawle : il ne s'agissait donc peut-être pas seulement de coupures et de souvenirs de Jonah. « Je vous souhaite bonne chance ! » – mai 1915… une grosse écriture penchée vers l'arrière. Puis Paul contempla, en dessous, victime d'une brusque montée accusatrice de rouge au visage, une écriture toute différente, l'écriture qu'il commençait à peine à distinguer de toutes les autres, comme l'écriture d'un nouvel amant. Une enveloppe minuscule, adressée au *Private* J. Trickett, Caserne du régiment du Middlesex, Mill Hill. L'imposant cachet noir était taché mais on lisait distinctement l'année : 1916. Reposant les autres documents, Paul était sur le point de l'ouvrir lorsque, à son grand étonnement, il s'aperçut qu'il avait retourné une autre liasse de papiers écrits par Cecil, plusieurs feuillets déchirés en deux, recouverts de vers écrits en petits caractères et raturés. Ses doigts tremblèrent lorsqu'il prit le premier, qui vacilla sous ses yeux incapables, soudain, de faire le point. Il connaissait le poème et ne le connaissait pas. Il le connaissait si bien qu'il ne put imaginer que ce fût ce dont il s'agissait et, quand il comprit, il s'aperçut que ce n'était pas sous la forme qu'il connaissait. « Vrai, jovial, vigoureux, entraînant… » C'est alors qu'il entendit la chasse des toilettes à l'étage, une succession de soupirs et de geignements étouffés dans les canalisations de la maison ; puis les pas de Jonah descendant l'escalier avec précaution mais sans lenteur excessive. Les cinq secondes qui suivirent vacillèrent sous l'effet d'une indécision déconcertée. Paul rangea les documents, referma la chemise et reposa dessus le presse-papier, essayant de se souvenir de l'image qu'il avait gardée de la façon dont il était posé avant qu'il ne le soulève ; il était persuadé d'avoir tout remis convenablement en place, il disposa même le presse-papier selon le bon angle ; mais, lorsque Jonah revint, son regard sembla se porter instantanément dessus et Paul se demanda si l'impression finale n'était pas si méticuleusement précise qu'elle en devenait invraisemblable.

Plus tard, en écoutant encore les enregistrements, étouffés, amateurs, feuilletant à l'endroit puis à rebours les gênantes semi-clarifications de la transcription, Paul fut envahi par le sentiment tenace qu'il avait déjà perdu quelque chose d'une grande valeur, sans être certain de savoir comment c'était arrivé, ou, d'ailleurs, ce que c'était. Jonah en savait-il davantage qu'il ne le disait sur l'amitié entre Cecil et George ? Il était naturel qu'il n'en parle pas, et sans doute n'aurait-il pas su comment l'exprimer ; il avait beau ne pas être bien disposé à l'égard de George ou de Daphné, il n'était guère susceptible de dévoiler les secrets espérés par Paul et concernant des gens qui étaient encore en vie et qu'il n'avait pas croisés depuis soixante-cinq ans... Obscurément lié à cela, demeurait l'énorme pourboire que lui avait laissé Cecil, plus d'un mois de salaire, doublé lors de sa seconde visite. Pourquoi avait-il fait cela ? Parce qu'il savait avoir été une « horreur » : mais que cachait vraiment ce mot ? Et pourquoi Jonah se rappelait-il cela et presque rien d'autre ? Paul se demanda si Cecil avait acheté son silence – d'une manière peut-être si efficace que Jonah l'avait en fait rayé de sa mémoire. À moins que ce n'ait été le sujet de la lettre qu'il lui avait envoyée à la caserne de Mill Hill ? Paul s'en voulut terriblement de n'avoir pas pris cette lettre. Pourquoi un jeune officier, aristocrate, aurait-il écrit à un simple soldat appartenant à un autre régiment ? Il était déjà assez particulier que Cecil ait parlé de Jonah à Freda. Paul savait par d'autres lettres qu'il avait lues que les aristocrates ne parlaient jamais entre eux des serviteurs, à moins qu'ils n'aient été d'un grand âge et d'une excentrique dignité, comme un majordome ou une vieille nounou. Et puis il y avait ce qui semblait être un manuscrit de « Deux Arpents », entraperçu comme dans un rêve, plein de variantes tout aussi oniriques.

Paul avait été mortifié, au moment de ranger son magnétophone et d'enfiler son manteau, de sentir flotter dans l'air et sur son sourire contraint la rebuffade du vieillard quand il l'avait raccompagné à la porte : son hochement de tête poussif, insistant, regrettant bien, certes, mais non, il n'avait aucune lettre, rien du tout de la main de Cecil Valance ; Paul avait été acculé, au moment de partir, à une impasse. Il dut prendre un air fuyant, voire faussement blessé : il avait cru détecter un nouveau plissement des yeux bleus de Jonah, à la fois suspicion et rejet. Paul n'avoua rien de tout ça à Karen mais le long trajet de retour à Tooting Graveney avait été plus inconfortable que le trajet aller.

5

« Shove ?

— Pardon ?

— Fredegond Shove.

— Ah oui… hum…

— Les *Poésies complètes*.

— Aha…

— Ou… attendez un instant, et ceci… ? » Il tendit à Paul un volume apparemment précieux, présenté sous une liseuse noire : *Une amitié singulière : Les lettres de sir Henry Newbolt à Sebastian Stokes.* « Vous seriez intéressé ?

— Voyons, en réalité… » Ce pourrait être intéressant, oui, pour ses recherches ; tous les services de presse qu'il prendrait, de toute façon, pourraient être revendus à profit tôt ou tard.

« Publication à compte d'auteur. Nous n'avons pas à le faire. »

Paul posa en équilibre la pile de livres qu'il avait déjà sélectionnés sur le bord de la table constellée de sucre et de café moulu. La puanteur de la fumée de Gitanes se mêlait à celle du lait tourné. Dans de vieux mugs fêlés, décorés de logos comiques, se formaient des croûtes bleuâtres de moisi. Le pied cassé de la table recouverte de piles d'une dizaine de volumes reposait sur d'autres livres à propos desquels ne paraîtrait sans doute jamais aucune critique. La misère du lieu était notable mais les employés (de jeunes gens en pantalon de velours côtelé vert olive, de jolies femmes bavardant au téléphone de Yeats ou de Poussin) ne semblaient rien remarquer. Ils restaient assis dans leurs box, entourés de détritus, de livres, de boîtes, de repas pas terminés, de vieux vêtements et d'impressionnantes piles d'épreuves annotées.

« En bref... gay, dit Jake, se frottant les mains.

— Oui, c'est ça ! répondit Paul, furieux contre lui-même de se sentir rougir.

— Nous en recevons pas mal de nos jours... » Malgré son anneau de mariage, Jake semblait très content de voir que Paul était gay. Il avait le même âge que lui, un peu moins peut-être, était manifestement fier de travailler au *TLS* et allègrement dévoué à la maison (« *Nous* faisons ci », « *nous* avons eu ça »). Paul s'imagina partageant son box, au-dessus de la rue, décidant ensemble du sort des livres. « Bloomsbury, je suppose... ?

— Bloomsbury... Première Guerre mondiale. » Paul distingua tout en bas de la pile une couverture de livre mauve foncé prometteuse, les livres gays se cantonnant d'ordinaire à cette gamme de couleurs, mais, quand il l'eut retiré de la pile, il vit que ce n'était qu'une étude sur les dés à coudre historiques : pas tout à fait assez gay ! « Je *crois* qu'il devrait paraître un nouveau volume de la correspondance de Virginia Woolf...

— Ah, oui mais il est pris. Norman s'en charge.

— Oui, bien sûr… » Paul sursauta et hocha la tête, comme pour reconnaître la pertinence de l'attribution, tout en se demandant qui, fichtre, pouvait bien être Norman ; il devina que ce n'était pas un nom de famille. Pour l'instant, il n'avait pu faire passer que deux articles dans la revue, tous deux largement coupés et relégués aux dernières pages, quasiment dans la section des petites annonces : l'un sur les pièces de Drinkwater, et une descente en flèche, à son cœur défendant, d'un roman du diplomate à la retraite Cedric Burrell. L'affaire avait causé une petite tempête, Burrell ayant séance tenante suspendu son abonnement au *TLS*, qu'il avait souscrit encore étudiant à Oxford en 1923. Au bureau, cependant, personne ne s'en était offusqué, ils avaient même paru plutôt contents, et Jake l'avait invité à venir « jeter un coup d'œil aux parutions » s'il passait dans les parages. Paul n'avait pas tenu quarante-huit heures.

« Rappelez-moi ce sur quoi vous travaillez.

— J'écris une biographie de Cecil Valance », répondit Paul sans détour, et sa prétention parut bêtement audacieuse dans ce nouveau contexte. Malgré tout, un jour, sans nul doute, son livre se trouverait sur cette table. Quelqu'un le demanderait. Peut-être, qui sait, « Norman » s'y collerait-il.

« Ah oui, *"Deux arpents bénis de sol anglais"*.

— Entre autres choses…

— N'avons-nous pas eu un ouvrage sur lui il y a quelque temps ?

— Peut-être la correspondance ? Il y a bien deux ans maintenant.

— Ce doit être ça. Alors il était gay lui aussi ?

— Entre autres choses… »

Une nouvelle fois, Jake fut aux anges. « Ils l'étaient tous, non ? »

Paul se dit qu'il devrait être un peu plus prudent. « Je veux dire qu'il a eu des aventures avec des femmes, mais je crois qu'il préférait les garçons. C'est une des choses que je veux découvrir. »

Un autre homme, plus âgé, probablement la cinquantaine, cheveux noirs gominés, nœud papillon à impression cachemire, tout juste sorti de son box pour prendre un café, regarda les livres puis Paul, par-dessus ses lunettes en demi-lune, avec un air de stratège. « Robin, laisse-moi te présenter Paul Bryant, qui écrit pour nous. Robin Gray.

— Ah oui », fit ce dernier, sur un ton patricien amical et en rentrant le menton. Il avait les yeux bleus d'un écolier dans le visage d'un *don* ou d'un juge.

« Paul écrit sur Cecil Valance, tu te rappelles… le poète.

— Bien sûr. » Robin lança un regard à droite puis à gauche, comme pour signifier le caractère plaisamment délicat du sujet. « J'avais entendu dire, en effet…

— Ah oui ? lâcha Paul, lui souriant en retour, et se sentant brusquement mal à l'aise. Mon Dieu !

— Je crois que vous avez rencontré Daphné Jacobs. » Il se gratta la tête, l'air presque gêné.

« Euh, oui…

— Et qui est donc cette Daphné Jacobs ? s'enquit Jake. L'une de tes anciennes gloires, Robin ? »

Celui-ci lâcha un petit rire bref sans quitter Paul des yeux. Paul comprit qu'il ne devrait pas répondre à sa place. Il se demanda vaguement quelle serait la réponse, d'ailleurs. « Aujourd'hui, dit Robin, elle s'appelle Mrs veuve Basil Jacobs, mais à une époque c'était lady Valance.

— Ne me dis pas qu'elle était mariée à Cecil, s'exclama Jake.

— Cecil ! » dit Robin, comme si Jake avait beaucoup à apprendre. « Non, non. C'était la première femme du frère cadet de Cecil, Dudley.

— Je devrais expliquer, dit Jake, que Robin connaît tout le monde. » À ce moment-là, comme on appela Jake au téléphone à l'autre bout du bureau, il abandonna ses deux interlocuteurs à une nouvelle relation inattendue. Ils pénétrèrent dans la semi-intimité du box de Robin qui posa son café sur sa table de travail ; à la différence des autres, il se servait d'une tasse et d'une sous-tasse en porcelaine, et ses livres étaient rangés avec un semblant d'ordre : une étagère d'auteurs grecs et latins de la collection Loeb Classics, une d'archéologie, une d'histoire ancienne… Sur le radiateur séchaient une serviette marron et un maillot de bain. Tout dans ce réduit renvoyait à une vie de célibataire, à une routine rigoureuse. Robin poussa les papiers qui encombraient la seconde chaise. « Je suis le rédacteur en chef de la section d'histoire ancienne, expliqua-t-il. Tout le monde trouve ça très approprié. » Paul risqua un sourire en s'asseyant ; à côté de lui il nota toute une étagère de *Debrett's* et de *Who's Who*, ainsi que les volumes sinistrement utiles de *Who Was Who* dans lesquels on trouvait les passe-temps et les numéros de téléphone des défunts de longue date. Tard, un soir, Karen et lui avaient appelé Sebastian Stokes : un moment de silence puis le bourdonnement saturé et négatif du néant. Naturellement, il fallait convertir les anciens indicatifs en nouveaux numéros – peut-être s'étaient-ils trompés. « Au fait, ne vous appuyez pas contre le dossier de cette chaise, vous risqueriez de vous retrouver par terre !

— Je m'inquiétais pour… *Daphné* », dit Paul, avançant sur son siège et revendiquant sa propre chaleureuse intimité avec la dame. « Personne ne semblait se soucier d'elle.

— Je suis certain que vous avez fait de votre mieux, dit Robin, un brin sur la réserve.

— Je n'ai vraiment pas fait grand-chose… La connaissez-vous depuis longtemps ? »

Robin le fixa et émit un grognement, à l'idée, sans doute, de l'effort que cela représenterait de tout expliquer, avant de répondre, enfin, très lentement : « La demi-sœur du deuxième mari de Daphné a épousé le frère aîné de mon père.

— Ah… *ah !*… bien… » Paul scruta le monde de l'autre côté de la vitre sale, l'étage du pub d'en face.

« Daphné est donc ma grand-tante par alliance.

— Précisément. Je suis ravi de vous avoir rencontré. Voyez-vous, je souhaiterais l'interviewer mais elle n'a pas répondu à un courrier que je lui ai adressé en novembre. Cela fait trois mois donc…

— Elle a été malade, comme vous devez le savoir. » Une fois de plus, Robin rentra le menton.

Paul fit une grimace. « Je craignais bien que ce soit la raison.

— Elle a cette dégénérescence maculaire.

— Ah, oui ?

— Elle n'y voit pratiquement plus rien. Et, comme vous le savez peut-être, elle a un emphysème.

— Est-ce que cela vient du fait qu'elle a beaucoup fumé dans sa vie ?

— Je crains que les deux en soient des séquelles, répondit Robin, poussant un soupir à l'intention de son cendrier.

— Va-t-elle mieux ?

— Je ne suis pas sûr que ce genre de maladie s'améliore jamais. »

Paul eut l'exécrable pressentiment qu'elle mourrait d'asphyxie avant qu'il ait eu l'occasion de l'interviewer. « J'ai été surpris de voir qu'elle fumait encore, après que Corinna… vous savez.

— Hum. » Robin laissa son regard s'attarder sur lui. « Vous connaissiez donc aussi Corinna.

— Oh, oui, plutôt bien », affirma Paul, notant, du coin de l'œil, pour ainsi dire, tout le bien qu'il pensait d'elle, maintenant qu'elle n'était plus là pour le démasquer et le diminuer ; elle était devenue un élément utile de son projet. « C'est par son intermédiaire que j'ai rencontré Daphné. J'ai travaillé pour Leslie Keeping pendant plusieurs années.

— Ah, vous étiez à la banque. Je vois. » Robin rangea son briquet et son paquet de cigarettes sur la table comme s'il s'était lancé dans un savant calcul. « Étiez-vous encore présent lors de la mort de Leslie ?

— Non, j'étais déjà parti.

— D'accord, d'accord.

— Mais j'en ai entendu parler, cela va de soi. » C'était l'événement le plus spectaculaire auquel Paul eût jamais été mêlé et, malgré son horreur, il y restait très attaché.

« Cela a beaucoup affecté Daphné, naturellement.

— Cela va sans dire… » Paul marqua une pause respectueuse. « La première fois que je les ai tous rencontrés, c'était en 1967. Mais je ne suis pas certain que Daphné s'en soit souvenue quand je l'ai revue plus tard.

— Sa mémoire est, il est vrai, quelque peu… disons… tactique. »

Paul rit bêtement. « Je comprends… Mais je me demandais… elle ne vit pas seule, n'est-ce pas ?

— Non, non… son fils Wilfrid, de son premier mariage… vous le connaissez ? Il vit avec elle.

— Je connais Wilfrid, oui. » Instantanément, Paul se remémora l'étrange danse amoureuse au Corn Hall de Foxleigh, la première et dernière fois qu'il l'avait rencontré. Il eut du mal à l'imaginer dans le rôle de garde-malade ou de gardien du palais. « Et son fils de son deuxième mariage ? » Robin agita énergiquement la tête, comme s'il avait été pris de frissons. « D'accord… » Paul rit. « Et les fils Keeping, ils ne la voient pas ?

— Oh, John est bien trop occupé, dit Robin, d'un ton ferme mais sans doute ironique. Et vous savez que Julian est devenu un marginal… (Il eut l'air perplexe d'un magistrat face à une déposition sur la foi d'autrui.) Wilfrid héritera du titre sous peu.

— Oui, bien sûr.

— Il deviendra le quatrième baronnet. » Ils se regardèrent tous deux d'un air pensif puis se mirent à rire, un peu gênés, comme à la suite d'un léger malentendu. Paul trouva qu'il y avait un certain sous-entendu sexuel à leur conversation, y compris dans la vitesse à laquelle ils avaient abordé le sujet au milieu des affaires courantes du bureau.

« Pour être franc », dit Robin, prenant une cigarette dans son paquet, tandis que Paul attendait, mal à l'aise, qu'il l'allume, inhale la fumée puis le scrute à nouveau de son regard bleu par-dessus la monture de ses lunettes, « je crois que Daphné a très mal pris votre article sur son livre dans le *New Statesman*... » Son air sembla témoigner qu'il partageait son avis. « Elle a eu l'impression que vous l'assassiniez.

— Mais pas du tout ! » rétorqua Paul, l'air coupable bien qu'une pointe de fierté à l'idée d'avoir été tranchant adoucît légèrement le soudain sentiment d'avoir été maladroit et grossier. « Mon article avait été sévèrement coupé, je le lui ai dit.

— Sans nul doute.

— Le journal a coupé tout un tas de compliments que je lui adressais. » Se la remémorant dans le taxi pour Paddington, il l'entendit se plaindre de la méchanceté de certains critiques. Le fait d'avoir prétendu ne pas avoir lu son compte rendu lui sembla, à rebours, témoigner d'une courtoisie et d'une dignité insignes. Elle avait réussi à l'accuser et à l'excuser dans le même souffle. « C'était mon intention d'écrire une sorte de lettre de fan.

— Je ne suis pas certain que c'est l'impression donnée. Bien que vous n'ayez pas été le pire.

— Loin de là. » (Dans le *Sunday Times*, le verdict de Derek Messenger avait été : « Malheureux fantasmes d'une épouse rejetée. »)

Robin sirota son café et tira sur sa cigarette, comme s'il avait mesuré les regrets et évalué les possibilités. D'une manière indéfinissable, il était dans son élément et Paul devina qu'il avait de la chance de l'avoir rencontré : s'il pouvait se le mettre dans la poche, sans doute pourrait-il aussi s'attirer les bonnes grâces de Daphné. « Je dois dire que j'ai aimé le livre », avoua Robin avec un nouveau hochement d'une totale franchise.

« Moi aussi, je l'ai beaucoup aimé. Il y a bien sûr d'autres détails que j'aurais souhaité apprendre… », déclara Paul, en adressant un sourire presque entendu à Robin ; mais il lui demanda d'abord quelque chose d'anodin : « Qui était vraiment Basil Jacobs ?

— Oh, Basil (Robin parut agacé lui-même par cette question trop faible). Eh bien, Basil fut certainement le plus plaisant de ses maris, quoique, d'une certaine façon, il ait été aussi… aussi affligeant que les autres.

— Oh, mon Dieu ! Revel Ralph, affligeant aussi ? »

Robin tira sur sa cigarette comme s'il avait voulu se stabiliser. « Revel était impossible. »

Paul sourit. « Vraiment ? Vous ne pouvez pas l'avoir connu, tout de même…

— Eh bien… » Robin joua de cette flatterie. « Je suis né en 1919, donc faites le calcul.

— Hum, je vois ! » dit Paul sans que ce fût vraiment le cas. Robin suggérait-il avoir eu lui-même des liens avec Revel ? Ce dernier avait quarante et un ans quand il avait été tué, il devait donc être encore très actif, si l'on peut dire, et Paul imaginait aisément que Robin ait pu être un jeune soldat plutôt coquin – mais il lui était impossible d'en demander plus.

« Oh, mon Dieu, oui ! s'exclama Robin qui, soudain dégoûté par sa cigarette, l'écrasa et la plia sous son pouce dans le cendrier. Basil n'était pas indécrottable de la même manière, il était beaucoup plus conventionnel. J'imagine que Daphné a pensé qu'elle avait eu sa part d'artistes caractériels.

— Que faisait-il ?

— Homme d'affaires… il avait une usine où l'on fabriquait… j'ai oublié, des sortes de… lessiveuses, me semble-t-il.

— Bien.

— Quoi qu'il en soit, il a fait faillite. Il avait une fille d'un précédent mariage et ils sont venus vivre chez elle. Ce fut cauchemardesque, je crois.

— Ah, oui, Sue…

— Exactement, Sue. » Robin esquissa un sourire, sur ses gardes. « Vous semblez connaître quasiment toute la famille.

— Oh… Ils ne me sont pas vraiment utiles dans mes recherches sur Cecil. Mais il est bon de savoir qu'ils sont de mon côté. » Il s'était levé, souriant, comme pour partir, et c'est alors seulement qu'il demanda, avec un hochement de tête désolé : « Que pensez-vous qu'il se soit réellement passé entre Cecil et Daphné ? »

Robin lâcha un rire sec comme pour signifier qu'il y avait des limites. Paul savait qu'une information était comme un bien : les gens qui étaient en sa possession aimaient la protéger, accroître sa valeur à coups d'allusions et de rétention. Ensuite seulement, sans doute, pouvaient-ils poursuivre en goûtant à la douce sensation issue de l'amour-propre et de l'abandon quand ils racontaient ce qu'ils savaient. « Eh bien… », dit Robin, rougissant un peu, sous la pression de sa discrétion personnelle.

« Voudriez-vous prendre un verre un de ces soirs ? Je ne veux pas vous ennuyer avec ça aujourd'hui. » Paul songeait qu'une rencontre discrète, avec une vague saveur de rendez-vous amoureux, pourrait plaire à Robin. Il vit, car il faisait exactement pareil lui-même, ailleurs, la façon dont ses yeux se posaient pendant une fraction de seconde à chaque mouvement du regard vers le haut ou de biais sur la convergence des jambes de son jean noir. Mais Robin hésita, comme pour contourner un autre obstacle.

« Voyez-vous, je ne bois pas pendant le carême, répondit-il. Mais après… (Suggérant qu'il buvait comme un trou pendant tout le reste de l'année liturgique.) Ah, Jake… » Jake était de retour, debout derrière eux, avec dans le regard la lueur qu'on voit chez ceux qui pensent détecter un secret.

« J'espère que je n'interromps rien.

— Point du tout, répondit Robin d'un ton suave.

— Je vous passerai un coup de fil, si vous m'y autorisez, dit Paul. Après Pâques ! »

Jake emmena Paul enregistrer ses livres dans le système, un processus incompréhensible de fiches et de cartes tapées à la machine. « Je viens de parler au rédacteur, dit-il. Nous nous demandions si vous aimeriez couvrir cette nouveauté pour nous. » Il lui tendit une feuille de papier. « Ignorez le haut de la page. » Deux autres noms avec des points d'interrogation et des numéros de téléphone, lourdement griffonnés à l'encre sans doute pendant des coups de fil qui n'avaient manifestement rien donné. « Il vous faudra rester là-bas une nuit. Il s'agit de seulement sept cents mots pour la colonne "Commentaires". » Difficile à ingurgiter : Balliol College, Oxford, une conférence, un dîner, le Warton Professor of English… Paul fut la proie d'un frisson de panique, qu'il fit évoluer en un rire voilé.

« Eh bien, si vous pensez que je peux faire l'affaire.

— Vous n'êtes pas un ancien de Balliol, au moins ?

— Oh que non ! » Paul frémit. « Absolument pas. Eh bien, merci… ah, je vois qu'il y aura une intervention de Dudley Valance.

— C'est en partie pour cela que je me suis dit que, peut-être… J'ignorais qu'il était encore en vie.

— Pas en bonne santé, je le crains.

— Vous devez le connaître…

— Seulement un peu… Linette et Dudley passent la plus grande partie de l'année en Espagne. » Paul ressentit à nouveau le picotement de l'étrange ; il vit là un signe secret, la réaffirmation du fait qu'il devait écrire son livre. Il y avait des moments dans la vie qu'on ne reconnaissait qu'au moment de les vivre, les moments décisifs, quand on s'apercevait que les décisions avaient déjà été prises pour nous.

Jake l'accompagna jusqu'à la porte du bureau, où ils bavardèrent quelque temps encore, mais ils durent s'écarter pour laisser passer un gros garçon en blue jean et T-shirt qui poussait un chariot chargé de balles serrées de journaux ; il en jeta un paquet sur le plancher, où les journaux produisirent un agréable son mat. « Lisez tout sur la grande affaire du moment ! » cria-t-il, observant leur réaction avec un curieux sourire cynique.

« Ah, tenez… voici », dit Jake, avec une vantardise charmante, pour amuser son hôte. Un ou deux autres employés se levèrent et s'agitèrent en quête de ciseaux, d'un couteau acéré, en ignorant le livreur qui repartit dans le couloir, arborant encore son maigre sourire. En un instant, le lien en plastique sauta et l'exemplaire du dessus fut arraché à la pile, retourné et offert à Paul avec un geste théâtral et désinvolte : « Pour vous ! » : le nouveau *TLS*, le *TLS* du vendredi, prêt le mercredi, « tout chaud sorti des presses », dit quelqu'un, goûtant sa réaction, même si le papier était frais, voire légèrement humide. On vérifia rapidement

– Paul se joignit d'ailleurs à la vérification – que les photos étaient bien sorties, qu'une correction de dernière minute avait bien été intégrée, et une atmosphère de satisfaction professionnelle parut saturer l'air puis (dans la mesure où cet événement capital était une routine hebdomadaire) s'estomper presque aussitôt, tandis que les employés retournaient à leur bureau et se concentraient de nouveau sur des numéros à paraître dans des semaines voire des mois. Paul prit congé de Jake et sortit, envisageant quantité d'autres rencontres de ce type.

En remontant le morne couloir, il obliqua vers les toilettes des hommes. Il venait tout juste de déboutonner sa braguette lorsqu'il entendit la porte bâiller dans son dos et, un instant plus tard, un « Aha…! » mi-content mi-gêné. Il se retourna. Légèrement déconcertant, Robin Gray ne suivit pas l'étiquette mais vint s'installer à l'urinoir juste à côté du sien, ignorant les trois autres vides. Il émit un murmure comique et fronça les sourcils en gigotant quand il se mit à l'ouvrage, dans sa posture robuste, comme sur un bateau en pleine tempête, et il lança un coup d'œil franc, amical mais professionnel aussi, à la progression de Paul de l'autre côté de la séparation en porcelaine. Puis, regardant devant lui, Robin dit : « Vous aviez tout à fait raison, au fait, tout à l'heure.

— Ah… vraiment? demanda Paul en le regardant de biais, un peu troublé. Quand?

— À propos de Cecil Valance et des garçons. »

Ce fut au tour de Paul de lâcher un « Aha…! Je m'en doutais ».

Robin rentra le menton et son air témoigna d'une discrétion lourdement connotée. « Pas maintenant, je pense. » Il lâcha un rire qui ressemblait à une quinte de toux. « Mais je crois que vous trouverez ça amusant. Je vous en parlerai lorsque nous nous reverrons. » Avec cette promesse rondelette, il remonta sa braguette et retourna à son bureau.

Paul descendit d'un pas léger le large escalier et arriva avec un grand sourire dans le hall du bâtiment du *Times.* Il avait dans sa sacoche *Une amitié singulière* et en lui le sentiment de quelque chose d'encore plus drôle – le premier signe d'un accueil favorable du monde littéraire ; les rideaux relevés pour lui, des portes entrouvertes sur des pièces à peine aperçues qui regorgeaient de bizarreries et de trésors paraissant presque normaux à leurs occupants. Dans le long hall d'entrée, tardivement éclairé d'une lumière d'après-midi, sur des tables basses entre des fauteuils en cuir, étaient étalés des exemplaires du *Times* du jour, du *Sun* et des trois suppléments du *Times*, preuve excitante de ce qui se passait à l'étage. Paul fit un signe au réceptionniste en uniforme lorsqu'il passa devant lui. La porte principale, à tambour, laissa passer un coursier en pantalon de cycliste et casque de moto, étiquettes rouges marquées URGENT sur un paquet qu'il avait à la main ; Paul arriva dans la rue, esquissa un sourire gracieusement affairé aux passants qui n'auraient jamais accès à ces arcanes. Il garda sous le bras, bien en évidence, son exemplaire du *TLS* du surlendemain. Il ne pensait pas que les gens dans la rue pussent en saisir toute l'importance mais, dans la salle de lecture nord de la British Library, il se dit que cela susciterait une bonne dose d'envie et maintes conjectures.

6

Paul descendit lestement le long escalier en pierre et sortit dans la cour, fronçant les sourcils, préoccupé, habité par un curieux sentiment d'imposture. Quoi qu'il eût l'âge d'être un *don*, il avait, par bouffées, l'impression de ressentir l'ignorance nerveuse d'un bizut. Il contourna respectueusement la pelouse, sous les rangées de fenêtres gothiques, agrippant sa sacoche et imaginant la soirée à venir, avec sa série de défis, l'apéritif dans la salle des professeurs, le dîner dans la salle d'apparat, des contacts, des collisions mondaines rendues plus intimidantes par les codes tacites dont la vie des *colleges* était imprégnée. À un moment donné, il en était presque sûr, ce soir ou demain, il aurait sa chance. Bien sûr, il était encore possible que le vieillard ne se présente pas au rendez-vous ; à quatre-vingt-quatre ans, il avait des excuses toutes trouvées. Avec une appréhension mêlée d'excitation, Paul se représenta le visage fermé, l'air autoritaire qu'il connaissait d'après les photographies et, lorsqu'il monta les trois marches qui menaient au bâtiment d'entrée, il le vit, sous l'arche, près de la loge du gardien, en manteau sombre, courbé sur sa canne.

Il manqua le saluer, retint son souffle et réprima un sourire quand il passa devant lui. Son cœur s'emballa face à cette soudaine opportunité. Il se retourna, se posta près de lui, de biais, comme s'il avait attendu quelqu'un. Ce serait horrible, bien sûr, si ce n'était pas lui ; mais non, il ne pouvait se tromper : le visage large, qui faisait penser à un faucon, peau tendue plus que burinée par l'âge, lèvres jadis épaisses un peu plus fines désormais, commissures tournées vers le bas, impressionnants yeux sombres qui fixaient l'horizon, cheveux grisonnants, lissés vers l'arrière et rebiquant sur la nuque. Paul fit un pas de côté pour lire les panneaux sous verre – sur lesquels se refléta, flottant, son visage, son sourire un peu gêné. Le vieil homme resta immobile, tapotant régulièrement les dalles avec l'embout en caoutchouc de sa canne. C'était à l'évidence un homme pour lequel tout avait toujours été organisé. Paul s'éclaircit la gorge et fit les cent pas, choisissant ses mots. À travers la fenêtre intérieure de la loge, devant le mur sombre de casiers, il vit une femme qui s'entretenait avec le portier. Ce ne pouvait être que Linette, cheveux d'un auburn improbable, épais et raides, se confondant avec le col retourné de sa veste en renard. Un visage dur et beau, au maquillage parfait, et cette attitude que Paul reconnut sans peine, avec ses sourires tendus et ses froncements de sourcils, d'une femme habituée à ce qu'on lui obéisse. Le portier passa un bref coup de fil, puis sortit, lui ouvrant la porte, et portant sa valise. « Bonsoir, sir Dudley ! Le principal descend en personne pour vous accueillir » – formule théâtrale dans laquelle Paul entendit un double respect, la loyauté quotidienne au principal et la déférence pour le visiteur. Linette avait rendu l'approche impossible et Paul alla à la recherche de son ami imaginaire près du grand portail de Broad Street. Il saisit le ton sans entendre le contenu de la conversation des Valance. Des étudiants passaient à vélo, la vie universitaire poursuivait son cours même pendant les vacances. L'instant d'après retentissaient dans son dos des appels et des rires poussifs. Lorsqu'il se retourna, Paul vit un petit homme grisonnant, vêtu d'une toge, qui montait les marches depuis la cour et faisait des effets de manches en courant accueillir ses hôtes : pas exactement comme de vieux amis mais sur la base de quelque entente claire et mutuelle, qui semblait émaner de son visage à l'expression ouverte et plutôt spirituelle. « Vous n'auriez pas dû vous déranger », dit sir Dudley, d'une voix d'une noblesse haletante, presque hautaine, et son épouse lui adressa un « Bonsoir, monsieur le principal », qui, malgré sa docilité, montrait qu'elle avait eu ce qu'elle voulait.

Ils s'éloignèrent et le principal offrit à sir Dudley son bras pour descendre les marches. « En quelle année êtes-vous parti d'ici ? » demanda-t-il, et Paul entendit : « 1914, voyez-vous… je n'ai jamais obtenu mon diplôme… je me suis marié… » Lady Valance rit avant le principal, comme pour signifier combien peu avait compté, finalement, cette absence de diplômes et, qui sait, pour montrer son acceptation de cette mention du précédent mariage de sir Dudley. Ils devaient être ensemble depuis une cinquantaine d'années, après les brèves neuf ou dix années avec Daphné, pour laquelle Paul eut une pensée d'autant plus affectueuse. Quel contraste : il se la représenta avec son imperméable et son chapeau miteux, à la place de cette femme magnifiquement conservée qui avait encore la démarche fière et nonchalante d'un mannequin. Il les observa depuis les marches. Deux garçons musclés en short blanc d'aviron déboulèrent par la porte, ralentirent et coururent sur place pour laisser passer le principal et ses invités ; puis ils filèrent, passant à toute vitesse devant Paul, sous le porche, et sortant dans la rue. Pour une fois, c'était l'homme le plus âgé qui avait retenu son attention et paraissait, à vrai dire, presque miraculeux, des tapotements princiers de sa canne au glapissement de ses voyelles. Lorsque le trio disparut sous une arche à l'autre bout de la cour, Dudley encore visiblement victime de la bataille de Loos, d'autres choses moins palpables semblèrent flotter autour de lui, des formules célèbres de son frère, dans *Poésies géorgiennes* ou le *Dictionnaire Oxford des citations*, et Paul sentit, d'une façon imbécile mais indéniable, qu'il avait presque *vu* Cecil en personne.

Comme il avait prévu de le faire, il remonta Broad Street, pour jeter un œil aux librairies. Les rameurs avaient déjà disparu dans la lumière de plus en plus dense de la fin d'après-midi : à l'ouest, le soleil frappait la rue de plein fouet, éblouissant les passants qui venaient en sens inverse puis le dépassaient, simple silhouette mystérieuse et libre, quant à elle, de les examiner à sa guise. Chez Blackwell, traînant autour de la table des biographies, feuilletant d'onéreuses nouveautés, vérifiant leurs index et leurs remerciements, il ne cessa de penser à Dudley, cet homme voûté mais élégant ; il se mit à entendre cette voix extraordinaire fournissant des réponses à ses questions. Il commencerait sa liste de remerciements par le frère de son sujet, devenu, ce serait idéal, à ce moment-là, « Feu sir Dudley Valance », lequel « m'a généreusement consacré une grande partie de son temps » et « ouvert ses archives sans poser ni questions ni conditions ». L'auteur de la nouvelle biographie de Percy Slater qu'il avait sous les yeux avait été « accueilli chaleureusement dans la maison familiale » – Paul devina que lui-même n'aurait sans doute pas cette aubaine.

Il avait l'habitude d'ouvrir ce genre d'ouvrages à la hauteur du gris foncé de la tranche, qui marquait les cahiers d'illustrations. Ses rêvasseries sur son propre livre s'attardaient souvent sur ce prolongement, presque décoratif, de l'œuvre : photos vite vues des ancêtres rébarbatifs, de la maison de naissance ou d'enfance, le sujet devenant plus présent à l'adolescence, au milieu de légendes momentanément déconcertantes (*ci-dessous à droite, ci-contre, page suivante…*), une ou deux photographies dignes d'apparaître en pleine page : les portraits les plus significatifs. Dudley accepterait-il jamais de lui fournir ces éléments ? Sans doute Paul devrait-il user d'un subterfuge. Comme Percy Slater avait plus de soixante-dix ans à sa mort, on avait fait figurer dans sa biographie les photos des épouses, des enfants, des clichés du Kenya, du Japon, une ultime photo en toge de diplômé à l'université d'Oxford, discutant avec Harold Macmillan, le président honoraire. Rien de tout cela pour Cecil, évidemment, juste une photographie de son tombeau, probablement.

Là-bas, au bout de la table, sobre jaquette brune, titre en rouge et jaune : la *Correspondance* d'Evelyn Waugh, ouvrage, songea Paul, entouré d'une certaine aura, gonflé de toute sa certitude d'être d'un grand intérêt. Paul regarda un autre livre d'abord, pour le plaisir de savourer et de bien focaliser son anticipation, puis, d'un air nonchalant, il prit l'imposant volume ; il parcourut l'index à rebours ainsi qu'il le faisait désormais systématiquement : Valance, Sawle, Ralph. Deux mentions de Dudley, une de Cecil, dans une note en bas de page qui identifiait Dudley comme « le frère cadet du poète de la Première Guerre mondiale ». Paul aurait aimé l'acheter mais il fut rebuté par son prix, quinze livres sterling, une semaine de loyer. Il fut envahi par un calme qui, pour être devenu familier, n'en demeurait pas moins extraordinaire. Il se rendit à la section Histoire, choisit un énorme ouvrage sur l'Angleterre médiévale qui faisait partie d'une série extrêmement érudite, couvertures bleu ciel, Clarendon Press, au prix de quarante livres sterling, et l'emporta à l'étage. Dans sa sacoche, il avait une carte avec les compliments de Jake au *TLS*, avec son nom dessus et un message griffonné : « 800 mots – fin mars » : il la glissa au début de l'ouvrage en continuant son chemin. S'arrêtant à la mezzanine, où se trouvait la section Littérature grecque et latine, il sortit son carnet pour noter un titre ; accroupi devant une étagère basse derrière une table, il griffonna trois ou quatre numéros de page et un point d'interrogation sur la page de garde du volume d'histoire sur les Plantagenêt. Il fallait ensuite emprunter un escalier en colimaçon pour monter au deuxième étage, où il demanda au jeune homme barbu s'ils achetaient des exemplaires de service de presse en bon état. Les Plantagenêt furent gratifiés d'un bref coup d'œil, la carte de Jake remarquée presque de manière subliminale, le livre vérifié, à l'affût de toute annotation qui en aurait fait baisser la valeur. « Nous ne pouvons les prendre qu'à moitié prix », dit le jeune homme. « Ah bon ? fit Paul, se mordant la joue. Bon… bon, d'accord, d'accord… je suppose. Si c'est la règle chez vous. Désolé… laissez-moi reprendre la carte… » L'article fut inscrit dans un livre de comptabilité, l'ouvrage lui-même transféré à un chariot de nouveautés, puis Paul se vit attribuer deux billets neufs de dix livres sterling. Quelques minutes plus tard, il rentrait au *college*, la *Correspondance* d'Evelyn Waugh dans sa sacoche, plus un bonus de cinq livres sterling.

La chambre qu'on lui avait assignée, au sommet d'un long escalier en pierre, portait le nom de Greg Hudson sur la porte. Si les draps et la serviette étaient propres, il eut l'impression d'être un hôte malvenu au milieu des livres, des disques et des vêtements que Greg avait laissés là pendant les vacances. Il avait glissé sous le lit ses tennis boueuses et l'affiche de Blondie était restée au-dessus du bureau. Dans un placard aux senteurs douceâtres de confitures et de café, Paul dénicha une bouteille de whisky pur malt à moitié vide, dont il se versa deux doigts dans un verre. Il le dégusta debout, un pied sur la dalle du foyer. Un poème de Steven Spender commençait, très bizarrement, par « Marston, la lâchant dans l'âtre, brisa sa pipe ». Paul s'en était souvenu au moment où, ouvrant la porte, il avait éprouvé le gênant déplaisir et l'excitation secrète de trouver la chambre pleine des affaires d'un autre. Le vers sur Marston faisait partie de sa vision fantasmatique et fugitive d'Oxford, d'étudiants connus par leur nom de famille et fumant la pipe ; il avait beau avoir oublié ce qui se passait dans le reste du poème, il se représenta Marston laissant tomber par inadvertance sa pipe sur le foyer en pierre, tout aussi aisément que lui-même aurait pu laisser tomber par inadvertance son verre de précieux Glenfiddich.

Il lut les cartes postales de Paris et de Sydney calées sur le manteau de la cheminée, toutes deux signées du prénom Jacqui suivi de nombreuses croix ; il décrocha la photo encadrée de la deuxième équipe de rugby du *college*, avec les noms écrits en dessous dans une écriture follement tarabiscotée. Tel était donc Greg, le géant au grand sourire de guingois, entrejambe caché par la tête ronde et hirsute de l'étudiant assis devant lui. Comme son grand corps transpirant devait peiner dans son petit lit de garçonnet : et lorsqu'il recevait la visite de Jacqui, comme ils devaient se serrer. Paul alla au bureau et ouvrit le tiroir du haut ; il était tellement bourré de documents qu'il n'eut pas le courage de les parcourir sur-le-champ. Hormis quoi, il n'y avait pour toute lecture que des livres de chimie. Pour une raison ou une autre, il n'ouvrit pas son nouvel achat – si l'on pouvait parler d'achat.

Il décida qu'avant de descendre au dîner dans une demi-heure, il devait feuilleter à nouveau les *Fleurs noires* de Dudley, afin d'avoir une citation sous la main au cas où il aurait la possibilité de lui parler autour d'un verre. « Je me demandais, sir Dudley, lorsque vous écrivez… » Puisqu'il connaissait Corley Court, l'endroit lui semblait être un bon point de départ. Il scruta la photo de l'auteur avec un intérêt renouvelé ; il eut l'impression qu'il paraissait plus jeune encore maintenant, le style de l'homme de lettres des années 1950 semblant le vieillir délibérément. Plutôt gêné avec son verre de whisky à la main, Paul s'assit sous la lumière du plafonnier. Un plaid en tartan rouge jeté sur le fauteuil masquait l'état inquisiteur de ses ressorts, sans doute déformés par les assauts répétés de Greg. Sur la métamorphose de Corley, Dudley avait écrit :

Un an après la fin de la guerre, mon père avait été terrassé et réduit au silence par une attaque ; il vécut jusqu'en 1925, prisonnier patient d'une chaise roulante, sa bonhomie naturelle apparemment diminuée en rien. Lorsqu'il prenait la parole, c'était dans une sorte de babil qui lui était propre et dont il ignorait que les sons dont il était constitué ne signifiaient rien aux oreilles de son auditoire. À son expression, on devinait que ce qu'il disait était la plupart du temps gentil et amusant. Il semblait parfaitement suivre nos conversations. Discuter avec lui nécessitait de notre part une grande persévérance, et une certaine dose de généreux faux-semblant. Son comportement, néanmoins, laissait entendre qu'il prenait grand plaisir à ces échanges ardus.

Naturellement, son travail sur *Le pourcentage des veaux roux chez les Angus noirs*, censé être sa principale contribution à la science agronomique, fut suspendu à jamais. Avec une remarquable efficacité, ma mère étendit son contrôle de la vie domestique à Corley à celle de tout le domaine ; mes efforts pour la seconder furent, sinon repoussés, du moins traités comme peu réalistes et plutôt fastidieux. Elle prétendait (affirmation plus qu'erronée, à mes yeux) qu'alors que mon frère Cecil s'y connaissait en agriculture, « en jardinage comme en élevage », aimait-elle à dire, moi je n'avais jamais montré la moindre aptitude en la matière. Bizarrement, le fait qu'en temps voulu je devrais probablement prendre la tête de Corley ne semblait pas compter. J'étais, il est vrai, un *mutilé de guerre** et l'objet de différentes précautions et exemptions ; or je n'aimais pas rester oisif. Peut-être le silence imposé aux autres plumes de notre famille, le poète et l'agronome, ouvrit-il la porte au cadet. Un psychologue de la vie familiale pourrait trouver là un schéma de motivations et de perspectives inconscientes. Quoi qu'il en fût, je me replongeai dans mes ébauches publiées des années plus tôt, dans le *Cherwell et l'Isis*, et fus satisfait par leur sarcasme juvénile. L'habitude prise par un grand nombre d'entre nous de penser à notre personnalité d'avant-guerre comme à un étranger, un habitant innocent de l'Arcadie, se révéla n'être, et ce fut rafraîchissant, qu'une vérité partielle.

J'ai écrit *La Longue Galerie* très vite, en un peu moins de trois mois, en proie à la fois à la tension, à l'irritabilité, et à une féroce bonne humeur. J'ai déjà évoqué brièvement son accueil et les changements, certains plaisants, d'autres pénibles, que ce petit livre apporta à notre vie. En attendant, le livre plus grave que je savais porter en moi refusait de sortir. J'avais l'impression qu'il me fallait faire le grand ménage ; sur lequel notre psychologue aurait eu beaucoup à dire. C'est ce genre de besoin, je crois, qui sous-tendait mon grand désir, après la mort de mon père, de nettoyer Corley. L'élimination de toute chose victorienne devint une sorte de mission pour moi qui avais hérité une grande maison de cette époque, d'une laideur et d'un inconfort exorbitants. Il est vrai que je me suis demandé parfois si, plus tard, pour les générations à venir, sa laideur ne jouirait pas d'un charme suranné. En quelques endroits, j'ai autorisé la démolition pure et simple des réalisations décoratives lourdes et tape-à-l'œil de mon grand-père : les plafonds chargés, les boiseries sombres, les affleurements enfantins et maladroits de gravures sur pierre et de mosaïques. Avec l'aide d'une décoratrice d'intérieur au goût résolument moderne, je les ai fait disparaître sous des coffrages. On a parfois vu en Waterhouse, dont les lugubres bâtiments néogothiques ont massacré mon *college*, le concepteur de Corley, qui, dans sa propension à heurter le regard, semblait tout à fait dans son style. Il est probable que mon grand-père l'ait consulté. Mais les plans qui ont survécu à Corley sont tous de la main d'un certain Mr Money, un praticien du cru connu seulement par ailleurs pour l'hôtel de ville de Newbury (un bâtiment dont mon frère et moi-même connaissions fort bien les inconforts car, enfants, nous accompagnions tous les ans notre père lorsqu'il remettait les trophées aux éleveurs de bestiaux). Bien sûr, à Corley, certaines choses étaient sacro-saintes, la chapelle dans le meilleur néogothique rayonnant que l'argent pouvait acheter, et où l'on ensevelit mon frère sous une grande quantité de marbre de Carrare. On ne pourrait jamais y toucher. Je laissai de même la bibliothèque, à la demande insistante de ma mère, dans son état de mélancolie caligineuse. Mais, dans toutes les autres pièces principales, les horribles inventions d'une époque antérieure furent avantageusement recouvertes par une clarté et une simplicité modernes.

Paul avait fini son whisky et pensa que personne ne remarquerait qu'il en avait repris une dernière goutte et, dans le cas contraire, on ne pourrait retrouver le coupable. Il retourna au placard, mû par une vertueuse impatience. Ce bâtiment, cette mansarde spartiate étaient-ils également dus à Waterhouse ? Il scruta la fenêtre au cadre de pierre, le rebord en chêne entaillé et taché, la cheminée bouchée, qui pouvaient avoir, après tout, un air de famille avec Corley Court. La chambre de Peter là-bas avait une cheminée semblable, la même pierre grise, la même forme, une sorte d'ogive aplatie… Il se rappela quand

Peter, tout excité, lui avait fait examiner un trou dans un plafond. Ces choses lui étaient tout à fait indifférentes mais Peter, lui, devait s'y connaître. Il avait fait ses études à Exeter College – mais avait-il eu des amis de l'autre côté de la rue, ici, à Balliol ? Paul le trouvait parfaitement adapté à Oxford, comme s'ils avaient été destinés l'un à l'autre. En se rendant aux toilettes, situées dans une drôle de petite échauguette, il regardait la cour ténébreuse en contrebas lorsqu'il aperçut une silhouette brune traversant les ombres avant de s'engager dans un escalier éclairé : ça aurait presque pu être Peter, avant qu'il eût fait sa connaissance, quinze ans plus tôt, se rendant chez un ami, un ancien amant : ainsi avaient été ses soirées débridées.

Quand il descendit pour l'apéritif, Paul était déjà en proie à une prudente bonne humeur. Dans la vaste salle des professeurs, un bâtiment étonnamment élégant et moderne, bien éclairé, il éprouva quelque mal à se défaire d'une secrétaire du bureau de la faculté d'anglais, une agréable jeune femme qui avait organisé une bonne partie des conférences. Leur timidité mutuelle les relégua dans un angle, à côté de la table sur laquelle étaient posés tous les journaux, dont le *TLS*. « Eh bien, vous y voilà ! » s'exclama Ruth, sa nouvelle amie, rougissant de satisfaction, de sorte que Paul éprouva l'inconfortable sensation qu'elle avait le béguin pour lui. La salle, emplie de bruits confiants, de présentations animées, de retrouvailles tapageuses, représentait pour lui un plongeon stupéfiant. Il s'aperçut que l'homme debout à côté de lui n'était autre que le professeur Stallworthy, dont la biographie de Wilfred Owen s'arrêtait en deçà des sentiments qu'Owen portait aux hommes. Soudain,

Paul ressentit la même réticence. Plus loin se trouvait un vieillard chenu dont l'uniforme était plutôt splendide : le général Colthorpe, l'informa Ruth, il parlerait de Wavell. Elle confirma que l'homme au large visage et à l'air cordialement pugnace qui s'entretenait alors avec le principal était Paul Fussell, dont l'ouvrage sur la Grande Guerre avait ému et éclairé Paul plus que tout ce qu'il avait lu sur le sujet, quoique, tristement, à l'instar d'Evelyn Waugh, il n'eût mentionné Cecil qu'en passant, dans une note de bas de page (« un épigone moins névrosé et moins talentueux que Brooke »). Paul regarda autour de lui, admiratif et inquiet, cachant avec sa main son minuscule verre de sherry vide ; il attendait l'entrée des Valance. « Avez-vous fait vos études à Oxford ? lui demanda Ruth.

— Non, pas du tout », répondit Paul avec un sourire presque timide, comme pour signifier qu'il comprenait et pardonnait la méprise de la jeune femme.

On lui présenta un jeune *don* avec qui il discuta avec feu mais de façon indirecte de Cecil ; les amples manches de la toge de son interlocuteur effleuraient les mains de Paul lorsqu'il bougeait et se tournait. Paul avait du mal à suivre ce qu'il disait ; il se retrouva dans la position du soldat du génie, de basse extraction, alors que Martin (avait-il bien entendu ?) parlait en termes stratégiques plus vastes, d'un air ironique mais convaincant. « Oui, oui, tout à fait ! » s'exclama Paul deux ou trois fois. Il comprit que le jeune *don* s'ennuyait avec lui et, d'ailleurs, lui-même fut bientôt douloureusement tendu et distrait par l'arrivée des Valance ; il se contenta donc de hocher la tête cordialement lorsque Martin finit par s'éloigner. Le ton de Dudley, à la fois heurté et traînant, ses voyelles qui semblaient remonter du passé, peut-être encore davantage marinées et conservées par trente années d'exil au pays du xérès, perçaient de loin en loin le jacassement général. Il était hélas aisé de le perdre au milieu d'invités plus grands, plus jeunes, au milieu du jeu des toges, de l'étrange intensité barbare des gens qui entrent en contact. Toutefois, le vert éclatant de la veste de soirée de Linette facilitait la traque du couple dans la foule. Pendant un instant, ils se retrouvèrent côte à côte, Linette et Paul dos à dos, Dudley de profil, voûté, avec à nouveau son air de bonne humeur prête à devenir mauvaise à tout instant, tandis qu'il essayait de suivre ce que lui disait un jeune Indien, en termes théoriques à la mode, sur la vie dans les tranchées.

« Oui. Je ne sais pas », protesta Dudley, maintenant un équilibre précaire entre une modestie suave et son assez évidente opinion que l'Indien racontait n'importe quoi. Finalement, il lui adressa un sourire dont Paul comprit qu'il signifiait qu'il mettait un terme à leur conversation, mais dans lequel l'érudit indien crut voir un encouragement à poser une autre question alambiquée : « Mais, *sir*, vous seriez d'accord pour dire que, dans un sens très réel, l'expérience de la guerre qu'ont la plupart des écrivains repose sur l'idée que...

— Mon chéri, tu ne devrais pas te fatiguer ! » lança Linette d'un ton sec, si bien que l'Indien, mortifié, s'excusa et recula devant son sourire vacillant. Ce fut un avertissement pour Paul de ce qu'il ne fallait pas faire avec eux. Dans l'instant de silence gêné qui suivit, il avait peut-être sa chance : il leva le menton pour parler mais, en proie à une étrange paralysie, il ne put que murmurer et cligner des yeux, s'excusant presque autant que le questionneur qui battait en retraite. Il aurait pu demander à Ruth de le présenter au couple mais il n'avait pas envie que Linette, en particulier, apprenne qui il était, du moins pour l'instant : il doutait que Dudley lui-même ait lu ses lettres. La nuque raide, Dudley semblait ne bouger la tête que rarement, et un appel de l'autre côté l'obligea à faire demi-tour, s'appuyant sur sa canne d'un mouvement bien rodé. Paul en garda le sentiment stupéfait de l'avoir presque touché, une grandeur quasiment à portée de main.

Lors du dîner, on l'avait encore placé à la droite de Ruth et, quand il s'exclama « Ah, formidable ! », il y croyait à moitié, tandis que, de l'autre moitié, il se sentait émasculé. On devait s'asseoir sur de longs bancs ; tout le monde demeura d'abord debout, puis un ou deux enjambèrent le banc tout en parlant, et ainsi de suite jusqu'à ce que tout le monde soit installé. Dudley le dépassa au milieu d'une file qui tanguait en direction de la table du principal, où l'on était assis sur des chaises. Le principal prononça un discours plus officiel de bienvenue à la conférence puis un long bénédicité en latin hâtif, comme s'il leur avait rappelé, en s'excusant, eût-on dit, quelque chose qu'ils savaient tous bien mieux que lui.

Paul était assez ivre pour se présenter au petit homme très laid (il y avait beaucoup plus d'hommes que de femmes) à sa gauche, mais ce dernier lui tourna bientôt le dos et, pendant dix minutes pénibles, il mit à rude épreuve la patience des deux convives en face de lui, engagés dans une discussion complexe sur les affaires de la faculté dans laquelle il était inutile d'essayer d'impliquer Paul, dont le statut d'envoyé du *TLS* perdait vite de son vernis. Il se pencha néanmoins vers eux avec un sourire d'intérêt forcé auquel ils furent impoliment imperméables. « Je couvre la conférence pour le *TLS*, expliqua Paul – en songeant qu'il l'avait déjà dit trop souvent – mais il se trouve que je travaille aussi sur une biographie de Cecil Valance.

— A-t-il jamais terminé son travail sur les Cathares ? demanda l'homme à droite.

— Pas qu'on sache », répondit Paul, absorbant l'horreur de la question avec quelque aplomb, lui sembla-t-il. L'homme confondait-il avec un autre ? À Cambridge, Dieu sait pourquoi, le sujet de Cecil avait été la Grande Mutinerie indienne. Quel était le rapport avec les Cathares ? Qui étaient les Cathares, d'ailleurs ?

« Ou est-ce que je me trompe ?

— Eh bien… il a surtout travaillé, sans parvenir au terme de sa recherche, sur le général Havelock.

— Ah, alors, aucun rapport avec les Cathares », fit l'homme en adressant un regard critique à Paul comme s'il avait été fautif.

L'autre, un peu plus avenant, dit : « Avant le dîner, je parlais justement à Dudley Valance, que vous devez connaître, manifestement. Il était ici en même temps qu'Aldous Huxley et Macmillan. Mais il n'a jamais obtenu ses diplômes.

— Pas plus que Macmillan, d'ailleurs, ajouta le premier.

— Ce qui ne l'a pas empêché de devenir président honoraire, dit Paul.

— Exactement, répondit le plus sympathique des deux hommes, en lâchant un rire prudent.

— L'affaire a été manigancée par ce foutu Trevor-Roper », dit le premier en lançant un regard glacial qui montra à Paul qu'il avait, avec la meilleure intention du monde, posé le pied sur un autre champ de mines universitaire.

Le repas se déroula, brouillé par la griserie d'un nouveau mélange de vins, le temps passa sans qu'on s'en aperçût ni le regrettât ; Paul savait qu'il buvait trop et craignait sa maladresse, en même temps qu'il comptait sur son assurance récemment acquise. Il fit comprendre à Ruth que les filles ne l'intéressaient pas, ce qui, confusément, ne sembla que les rapprocher davantage. Le principal frappa dans ses mains et prononça quelques mots, après quoi tout le monde se leva tandis que les hôtes à la table d'honneur se retiraient en file indienne ; le reste de l'assemblée fut invité à se rendre dans une salle dont Paul ne saisit pas le nom, pour y prendre café et autres rafraîchissements. Il semblait donc qu'il n'aurait sans doute pas l'occasion d'approcher Dudley ce soir. Or, une fois qu'ils furent dans la cour, parmi des convives qui allumaient leur cigarette et de nouveaux groupes qui se formaient, Ruth le retint et lui dit : « Pourquoi ne venez-vous pas discrètement avec moi dans la salle des professeurs ?

— Vous croyez que cela ne poserait pas de problème ?

— Je ne veux pas que vous manquiez quoi que ce soit. »

Ils rentrèrent donc dans le bâtiment, et Paul craignit soudain d'obtenir ce qu'il voulait. D'un coup d'œil circulaire lancé au-dessus du rebord de sa tasse de café, il vit que Linette avait été séparée de son mari : debout, elle parlait à un groupe d'hommes, dont un avait presque son âge, les deux autres plus jeunes que Paul. Il aborda un autre petit groupe qui s'était formé autour de Jon Stallworthy, et d'où il pouvait observer sa cible tout en opinant du chef régulièrement à ce qui se disait. Dudley était assis sur un long canapé de l'autre côté de la salle, en compagnie de plusieurs titulaires de chaire et d'une jolie jeune femme dont on eût cru qu'elle flirtait avec lui. Son magnétisme était palpable, même à son âge, et certains auraient certainement pensé que sa classe sociale n'y était pas étrangère. Sans lui, Linette paraissait désorientée, ravalée à son statut d'Anglaise de soixante-dix ans qui vivait à l'étranger la plus grande partie de l'année. Elle exigeait une certaine galanterie de la part des hommes, faite de longues descentes en piqué et de rires, de brèves séquences hésitantes de plaisanteries, peut-être destinées à cacher leur léger ennui et leur confusion face à cette femme. Dans une étrange transe énervée, Paul se retrouva à accepter un verre de cognac, traversa la pièce et rejoignit le groupe dont elle était le centre : il ignorait ce qu'il allait dire, cela semblait vain, sinon quelque peu pervers et, malgré tout, comme un défi qu'il s'infligeait, inéluctable. Sur sa veste verte était épinglée une grosse broche en jais, une fleur noire, qu'il examina tandis qu'elle parlait. Son visage, de près, avait une qualité hypnotique, il était figé et photogénique : visage consciemment offert à la vue, que Dudley Valance appréciait et était fier de voir tous les jours depuis un demi-siècle, un visage aussi beau que le sien, à sa manière, et aussi dédaigneux face à l'impertinence du monde moderne. Elle était contrainte de parler du travail de son mari mais Paul avait le sentiment que leur vie et le milieu qu'ils fréquentaient n'avaient rien de littéraire. Il se les représenta installés dans leur demeure fortifiée, sirotant leurs vins fortifiés, au milieu de connaissances, tous expatriés britanniques à Antequera. Il y avait autre chose, aussi, à propos de la crinière auburn rigide et des longs cils noirs : Paul eut l'intuition absolue qu'elle n'était pas, à l'origine, du même monde que Dudley, même si elle en portait désormais la carapace laquée. Quoi qu'il en fût, son arrivée fut plus ou moins ce que les autres espéraient tous et, après un instant, au prix de murmures et de signes de tête courtois, ils s'égaillèrent dans différentes directions, les laissant tous les deux ensemble. « Je dois vérifier ce que fait mon époux », dit-elle, son regard passant par-dessus l'épaule de Paul, le sourire affable pas encore tout à fait effacé de ses lèvres. Paul eut l'impression que tout changerait quand il révélerait son identité.

« Je suis impatient, dit-il, d'entendre la conférence de votre époux demain, lady Valance.

— Oui, je sais », répondit-elle, et il manqua rire, avant de s'apercevoir que ce n'était que sa manière habituelle d'acquiescer. Ce qu'elle dit ensuite était beaucoup plus pensé : « C'est une bonne affaire pour vous tous ici d'avoir réussi à le faire venir.

— Je crois que tout le monde s'accorde sur ce point », répondit Paul, ajoutant très vite : « J'espère qu'il parlera de son frère. »

Linette renversa légèrement la tête. Comme si elle n'était que vaguement au courant qu'il avait un frère.

« Oh, Seigneur, non, répliqua-t-elle, hochant à peine la tête. Non, non… il parlera uniquement de son œuvre. » Un nouveau doute flotta dans son regard, dans le bref pincement des lèvres et l'angle que prit sa tête. « Je ne pense pas avoir saisi votre nom.

— Oh, Paul Bryant. » Il lui sembla absurde de tourner autour du pot mais il fut heureux d'ajouter : « Je couvre la conférence pour le *TLS*.

— Pour… ? (elle tendit l'oreille).

— Pour le *Times*…

— Vraiment ? » Et, avec une hésitation quelque peu embarrassée : « Avez-vous écrit à mon époux ? »

Paul prit un air intrigué. « Oh, à propos de Cecil, vous voulez dire ? Oui, en fait… »

Linette lança un regard approbateur en direction de Dudley. « Je crains que toute requête de ce genre ne tombe dans l'oreille d'un sourd.

— Je ne veux pas le déranger. » Paul hésita. « Il y a donc eu d'autres…

— Oh, régulièrement, au fil des ans, quelqu'un veut fouiller dans les papiers de Cecil, or nous savons que ce serait une catastrophe, alors il est préférable de refuser. » Elle prenait l'affaire plutôt bien. « Sa correspondance a été publiée, j'ignore si vous l'avez consultée.

— Naturellement ! » Paul n'aurait su dire si cela pourrait jouer en sa faveur ou pas. Elle semblait vouloir lui faire avouer qu'il était une catastrophe en germe.

« Avez-vous lu les livres de mon époux ?

— Certainement. » C'était le moment d'être vilement flatteur. « *Fleurs noires*, de toute évidence, est un classique…

— Alors, je crains de devoir confirmer que vous avez lu tout ce que mon époux a à dire sur… ce pauvre vieux… hum… Cecil. »

Paul sourit comme en remerciement pour la grande contribution de Dudley mais cela ne l'empêcha pas de poursuivre : « Il y a tout de même un ou deux points… »

Linette semblait distraite. Mais, après un instant, elle se retourna vers Paul, lui opposant à nouveau son regard d'un humour hautain, face auquel il se demanda si elle se moquait ou l'invitait à rire avec elle de quelque chose d'autre : « On a écrit beaucoup d'idioties à son sujet.

— Ah oui… ? » Paul aurait bien voulu savoir lesquelles.

Linette fit une grimace du genre *Oh ça alors !* : « Des idioties incroyables ! »

« Lady Valance ? Je ne sais si ce serait le moment ? » C'était le *don* d'un certain âge. « Pardonnez-moi de vous interrompre…

— Ah, pour le… hum… ?

— En effet, si vous souhaitez voir… » Le vieillard souriant laissa flotter dans sa voix une dose tout juste suffisante de devoir pour la persuader qu'elle ne pouvait décliner une telle faveur.

« J'ignore si mon époux… » Mais son époux paraissait tout à fait content. Et, comme par miracle, le vieux *don* emmena Linette, ils sortirent, le léger et aguicheur vacillement de ses talons hauts entraperçus sous l'aile relevée de la toge du *don*, et Paul put enfin approcher sa proie.

En fait, c'est Martin qui fit les présentations : « Sir Dudley, je ne sais pas si vous connaissez…

« — Non, nous ne nous sommes pas encore rencontrés », précisa Paul, se penchant comme avec l'intention de lui serrer la main, ce qui sembla irriter Dudley. Paul, d'un ton joyeux, poursuivit avant que quiconque ait pu prononcer son nom : « Je couvre la conférence pour le *TLS*. » Martin était au courant des recherches qu'il avait entreprises sur Cecil mais pas forcément de la résistance de Dudley.

« Ah oui, le *TLS* », dit Dudley, tandis que Paul se voyait octroyer le fauteuil bas à angle droit de son interlocuteur, à l'extrémité du canapé. Il l'avait en face de lui et devait donc lâcher le morceau. « J'ai un différend avec le *TLS* », déclara Dudley, esquissant à peine un sourire qui n'était pas à proprement parler empli d'humour.

« Oh, mon Dieu ! » dit Paul, le verre de cognac dans sa main semblant lui imposer un comportement différent, une sorte de convivialité frémissante. Mais le sourire de Dudley resta rivé sur sa remarque suivante :

« Ils ont écrit une mauvaise critique à mon sujet, un jour.

— Vous m'en voyez navré… Pour quoi était-ce ?

— Pardon ? Oh, pour l'un de mes livres, intitulé *La Longue Galerie*. »

La fausse modestie de la formulation rendit la chose moins amusante mais un homme de l'autre côté rit et s'exclama : « Cela doit remonter à soixante ans, non ?

— Hum, un peu avant mon époque », dit Paul, renversant la tête en arrière pour boire son fond de cognac. Il trouvait Dudley déconcertant, de par son tranchant et son étrange indifférence passive à ce qui se passait autour de lui, comme s'il cherchait avant tout à économiser son énergie : peut-être une question d'âge. Il semblait montrer qu'il n'attendait pas grand-chose de cette compagnie et de la manifestation à laquelle chacun participait, tout en jugeant sans doute sa propre participation capitale. Paul voulait faire dévier la conversation sur Cecil avant le retour de Linette, mais sans dévoiler ses plans. C'est alors qu'il entendit un étudiant américain, qu'il avait rencontré brièvement un peu plus tôt, demander : « Pourriez-vous nous dire, sir, ce que vous pensez de l'œuvre de votre frère ?

— Oh... » Dudley s'enfonça dans le canapé. Mais il demeura courtois, peut-être lui plaisait-il même de critiquer autrui. « Eh bien... voyez-vous... elle paraît très datée aujourd'hui, n'est-ce pas ? Quelques jolies phrases... Mais ça n'a jamais vraiment été une grande œuvre. Quand j'ai relu "Deux Arpents" il y a quelques années, j'ai pensé que ce poème avait vraiment eu besoin de la guerre pour prendre tout son sens. Aujourd'hui, il paraît extrêmement sentimental.

— Il a bercé mon enfance, dit quelqu'un, avec un petit rire et n'exprimant pas un désaccord profond.

— Hum, moi aussi, dit Paul doucement au-dessus de son verre.

— J'ai toujours été plutôt amusé, reprit Dudley, que mon frère, héritier de mille cinq cents hectares, soit surtout connu pour cette ode à deux arpents. » C'était mot pour mot ce qu'il avait écrit dans *Fleurs noires*, et la plaisanterie passa plutôt mal dans la salle des professeurs de Balliol, où elle fut accueillie par de petits rires obséquieux, notamment de la part de Paul. « Ah... ! » Le général Colthorpe venait d'entrer dans la pièce ; alors qu'on était entre civils, nombre d'entre eux esquissèrent un mouvement gêné, comme pour se lever.

« De qui parlez-vous ? s'enquit-il.

— De mon frère Sizzle, mon général, s'entendit dire Dudley.

— Ah, oui, oui. » Le général déclina la place sur le canapé qui lui était proposée, préférant une chaise qu'il alla chercher, faisant le tour du groupe, ce qui donna un air stratégique à la réunion. « Oui, tragique. Un écrivain si prometteur…

— Oui… ? – Dudley était plus prudent, cette fois.

— Le maréchal Wavell connaissait plusieurs de ses poèmes par cœur. C'est "Rêves de soldats", n'est-ce pas, qu'il a inclus dans *Les Fleurs des autres hommes*, mais il ne tarissait pas d'éloges, non plus, sur "L'Ancienne Compagnie".

— Oui, très certainement, oui, dit Dudley.

— J'en toucherai un mot demain. Il récitait volontiers – le général battit des cils : "C'est l'ancienne compagnie, soit, / Mais sans les anciens compagnons", l'une des choses les plus vraies écrites sur l'expérience de tant de jeunes officiers. » Il regarda autour de lui : « Ils revenaient, voyez-vous, ils revenaient, s'ils s'en sortaient, et puis la compagnie avait complètement changé, ils avaient tous été tués. La compagnie avait ses traditions, scrupuleusement suivies, mais les seuls qui se souvenaient des vieux soldats mouraient bientôt à leur tour, personne ne se souvenait de ceux qui se rappelaient. Vraiment, c'est un grand poème, à sa façon. » Il hocha la tête, en signe de candide soumission. Paul devina que certains, dans le groupe, n'étaient pas convaincus mais la remarque du général sur la vérité du poème les rendait hésitants.

« C'est un sujet sur lequel j'ai écrit moi-même, déclara Dudley, d'une voix étrangement creuse.

— Oui, en effet », dit le général, sans doute moins au fait de l'œuvre du frère cadet ou bien alors gêné par sa vision de l'armée. En qualité de personnage cultivé du monde de l'action et du pouvoir, le général Colthorpe, avec son long visage d'intellectuel et son regard perçant auquel on n'échappait pas, était si imposant que Dudley lui-même se mit à avoir l'air plutôt efféminé et décadent par comparaison, avec ses beaux boutons de manchettes, sa canne à pommeau en argent et les boucles grises de ses cheveux qui rebiquaient sur son col à l'arrière. Le général fronça les sourcils en guise d'excuse. « Je me demandais… personne n'a encore écrit sa vie, n'est-ce pas ? »

Paul sentit son pouls accélérer subitement et il rougit à la mention de ce qui n'était encore qu'un souhait quasiment secret. « Eh bien…, s'exclama Martin en lui adressant un sourire complice.

— De Sizzle, non…, dit Dudley. Il n'y a pas assez de matière. George Sawle a fait du bon boulot, très complet, sur sa correspondance il y a quelques années… presque trop complet. Il a retrouvé un tas de lettres concernant ses petites amies et ce genre de chose : mon frère était friand de jeunes filles romantiques. De toute façon, j'ai laissé carte blanche à Sawle parce que c'est un gars sain d'esprit, je le connais depuis des lustres. » Dudley regarda autour de lui, prudent dans cette atmosphère universitaire. « Et, naturellement, il y a le vieux recueil de souvenirs, vous rappelez-vous ? Celui de Sebby Stokes, excellent travail, un peu daté aujourd'hui, mais tous les faits sont là. »

Paul se retrouva dans une position absurde. Il s'avança sur son coussin et venait juste de dire : « En fait, sir Dudley, je me demandais… » lorsque Linette réapparut, seule, à l'autre extrémité de la pièce.

« Ah, te voilà ! » s'exclama Dudley, avec un détonant mélange de moquerie et de soulagement.

Linette avança, de sa manière encore envoûtante, contente d'être le centre des regards, souriant comme si elle gardait par-devers elle une information un petit peu trop pernicieuse pour la partager. Le général se leva, puis un ou deux autres hommes, un peu honteux de n'avoir pas songé à le faire de leur propre chef. Linette savait qu'elle devait prendre la parole mais hésita d'une façon tout à fait charmante. « Mon chéri, le doyen… vient de me montrer le plus merveilleux… comment pourrait-on dire… ? » Elle esquissa un sourire.

« Je ne sais pas, mon amour… »

Elle lâcha un rire de gorge. « C'était une sorte de… très grande… *très* jolie – elle leva la main, qui donna une image de la chose encore plus vague.

— Animal, végétal ou minéral ? s'enquit Dudley.

— Tu es méchant, voyons », dit Linette avec une moue badine, de sorte que, pendant un instant, Paul se sentit inclus dans un spectacle semi-public du genre dont leurs amis devaient profiter sur leur terrasse d'Antequera : c'était légèrement embarrassant mais exécuté avec confiance et sans la moindre gêne de par leur certitude d'être un couple fascinant. « J'allais dire : j'espère qu'ils ne te fatiguent pas. Mais maintenant j'espère qu'ils le font !

— Lady Valance, dit le général Colthorpe, lui offrant sa chaise.

— Merci infiniment, mon général, mais je suis plutôt fatiguée moi-même. » Elle lança à Dudley un regard où se mêlaient taquinerie et reproche : « Ne penses-tu pas ?

— Vas-y, mon amour, je vais rester bavarder un moment de plus en cette agréable compagnie. » À nouveau, la courtoisie déstabilisée par l'éclat d'un sourire comme un sarcasme ; à moins qu'il n'ait réellement eu envie de profiter de cette rare occasion de parler avec de jeunes lecteurs et érudits ; ou peut-être, songea Paul, tandis que Martin se levait pour raccompagner Linette aux appartements du principal, ce que Dudley voulait vraiment, c'était un autre grand verre de whisky.

Le lendemain matin, Paul fut réveillé par le bruit d'une cloche funèbre. Il souffrait d'une gueule de bois aggravée par le fait de se retrouver dans l'inconfortable étrangeté de la chambre de Greg Hudson. Il resta allongé, le poing pressé contre son front douloureux, dans la pose du penseur. Il ne pouvait s'ôter de la tête la soirée de la veille, une étonnante farandole nauséeuse de souvenirs. Il ressentit du mépris pour sa faiblesse juvénile en matière d'alcool face à l'appétit et à l'endurance de l'octogénaire au regard vitreux. Il se rappela, avec un pincement au ventre, le moment où il avait évoqué Corinna et le regard fixe de Dudley, juste derrière son épaule droite, qu'il avait d'abord pris pour une tendre gratitude, voire une espèce d'encouragement timide, mais qui, après vingt-cinq secondes à peine, s'était révélé être le contraire, une opposition glaciale face à une pareille intimité. Dieu merci, Martin, le jeune *don*, était revenu à ce moment-là. Pourtant, à la fin, peut-être grâce à l'alcool, n'y avait-il pas eu un je-ne-sais-quoi de direct et d'amical dans la façon dont ils s'étaient souhaité une bonne nuit ? Sur le pas de la porte de l'appartement du principal, sous la lampe, la morosité grimaçante de Dudley fragmentée en un sourire, une appropriation de l'instant, des salutations chaleureuses : Paul l'entendait encore, personne ne lui avait parlé depuis, les paroles lui étaient encore directement accessibles, loin d'être effacées. « Oui, à demain matin, donc ! » S'il arrivait à court-circuiter Linette, une nouvelle conversation pourrait avoir lieu, enregistrée, cette fois. Il avait oublié la plupart des choses que Dudley avait dites la veille.

Lorsqu'il se leva, il fut surpris de trouver le short de sport sale de Greg et un ou deux autres articles intimes sur le plancher, mais les horribles souvenirs brouillés de ses singeries de la veille s'effacèrent devant son besoin de se rendre aux toilettes, où il parvint juste à temps. Après avoir vomi, en une longue tirade, il éprouva une faiblesse presque délicieuse et une amélioration quasi simultanée ; son mal de tête ne disparut pas mais diminua, s'estompa et, lorsqu'il se rasa quelques minutes plus tard, il observa son visage reparaître par bandes, fasciné et fier.

Bien sûr, Dudley ne prit pas le petit déjeuner dans la grande salle commune ; donc, à neuf heures vingt, Paul descendit au téléphone en bas de l'escalier et composa le numéro de l'appartement. Il ressentait encore le picotement bizarrement plaisant de la faiblesse alliée à la désorientation. Une secrétaire serviable répondit d'abord puis, presque immédiatement, Dudley lui-même, d'une voix suave de gentleman avec, peut-être, une pointe tactique de fragilité pour devancer toute requête malvenue : « Dudley Valance…

— Bonjour, sir Dudley… c'est Paul…! » Tout bonnement le genre de contact dont ce dernier avait rêvé.

S'ensuivit un moment de silence pensif et potentiellement inquiétant et puis un très charmant « Paul, oh, Dieu merci…

— Ah…! » Paul rit de soulagement et, après un instant, Dudley fit de même. « J'espère qu'il n'est pas trop tôt pour vous appeler.

— Pas du tout. Merci d'appeler. Je suis désolé, pendant un horrible instant, j'ai cru que c'était Paul *Bryant*! »

Paul ne sut pourquoi il se mit à ricaner aussi, tandis que le rouge lui montait aux joues et qu'il regardait autour de lui pour vérifier si personne ne pouvait le voir ou l'entendre. « Oh… hum… » C'était aussi pénible que d'avoir entendu quelque chose qu'il n'aurait pas été censé entendre, une désastreuse vision fugitive de lui-même et de Dudley par la même occasion : il saisit en une seconde toute l'inextricable délicatesse du problème, la capacité à encaisser l'insulte étant la révélation de la gaffe… Il n'en lâcha pas moins : « En fait, c'est bien Paul Bryant, euh…

— Ah bon. Pardonnez-moi, alors! » Un petit rire défaillant. « C'est fâcheux. »

Encore trop troublé pour recevoir le coup de plein fouet, Paul reprit, incohérent : « Je ne vous dérangerai pas maintenant, sir Dudley. Je vous verrai à la conférence. » Et il raccrocha, après quoi il contempla le combiné avec incrédulité.

C'est pendant la conférence du général Colthorpe sur le maréchal Wavell que Paul comprit brusquement et rougit une fois de plus : rougeur indignée mais impuissante de l'identification stupidement retardée. Très discrètement, d'en dessous le bureau, il sortit de sa sacoche le livre de Daphné Jacobs. C'était quelque part, dans un passage sur les exploits de Dudley le plaisantin, efforts qu'elle détaillait comme de classiques mots d'esprit, laissant très finement à l'appréciation du lecteur le droit de juger par lui-même de leur cruauté ou de leur inanité. Comme avant, Paul eut l'impression que le général Colthorpe l'observait, lui, en particulier, et même d'un air accusateur, de derrière le pupitre, mais, avec un art consommé de la dissimulation, il retrouva le passage, celui où Daphné racontait sa première visite à Corley ; regardant pieusement le général entre deux phrases, il lut la description désormais évidente de Dudley répondant à un coup de téléphone de son frère :

La voix bien connue lui parvint, la ligne était très mauvaise, du bureau du télégraphe à Wantage. « Dud, vieille branche, Cecil à l'appareil, m'entends-tu ? » Dudley ménagea un silence, arborant le sourire d'infamie féline qui amusait tant ceux qui n'étaient pas les victimes de ses canulars, puis il répondit, avec un petit rire de soulagement supposé : « Ah ! Dieu merci ! » Cecil était à peine audible mais, témoignant d'une réelle surprise et sollicitude : « Tout va bien ? » Ce à quoi Dudley, regardant dans la glace à la fois son reflet et moi dans le hall derrière lui, répondit : « Pendant un horrible moment, j'ai cru que c'était mon frère Cecil. » D'abord, je fus troublée, puis éberluée. J'étais la proie de taquineries constantes de mes frères, mais je n'avais jamais entendu taquinerie plus audacieuse. C'est une blague que je l'entendis jouer à plusieurs autres amis ou, plutôt, ennemis, ainsi qu'ils se découvraient être, contre toute attente. Cecil, cela va de soi, répondit seulement : « Espèce d'âne ! » et continua la conversation ; mais la plaisanterie me revint souvent à l'esprit lorsque, des années plus tard, il ne fut plus question de recevoir un coup de téléphone de Cecil.

7

Paul écrivit dans son journal :

13 avril 1980 (89ᵉ anniversaire de Cecil !) 22 h 30

J'écris ceci à partir de notes prises tant que mes souvenirs sont encore frais. Dans l'autocar de retour de Birmingham, j'ai voulu réécouter l'enregistrement de l'interview et me suis aperçu qu'il n'y avait plus rien sur la bande au bout de deux minutes ; la pile du micro avait dû rendre l'âme. Extraordinaire qu'après vingt interviews, cela doive arriver précisément pendant celle-là. Je n'aurai aucune preuve documentaire du matériau le plus important en ma possession pour l'instant. Des révélations faramineuses (si elles sont dignes de foi !).

J'avais R.-V. à 14 h 30. Les Sawle sont à la même adresse (17 Chilcot Av., Solihull) depuis les années trente ; grande maison mitoyenne en brique rouge, pignon noir et blanc en façade. Ils l'ont achetée neuve. George Sawle m'a fait visiter le jardin avant que je prenne congé, et m'a montré le colombage néo-Tudor : il a dit que tout le monde à l'université trouvait hilarant que deux historiens vivent dans une maison néo-Tudor. Un étang, plein de têtards, qui l'intéressent grandement. Et une rocaille. Il me tint par le bras pendant toute la promenade. Il m'a raconté qu'il y avait à Deux Arpents « une rocaille très ambitieuse » où Hubert, Daphné et lui jouaient enfants : il a donc toujours aimé les rocailles. Hubert a été tué au cours de la Première Guerre mondiale. Leur père est mort de diphtérie en 1903 « ou à peu près » et Freda Sawle « vers 1938… Je crains que les dates ne soient pas mon fort », avoua George, ajoutant avec fierté qu'il avait quatre-vingt-quatre ans, alors que, plus tôt, il avait prétendu n'en avoir que soixante-seize. (Il a, en réalité, quatre-vingt-cinq ans.)

C'est Madeleine qui m'a ouvert : elle s'est plainte longuement de son arthrite, dont elle semblait me rendre responsable en grande partie. Elle marche avec une béquille (m'a fait penser à maman). Entrée en matière : « Je ne sais si vous arriverez à lui soutirer grand-chose. » Franche mais peu avenante ; ne suis pas certain qu'elle se soit rappelé que j'étais présent au soixante-dixième anniversaire de Daphné. Sa surdité a beaucoup empiré en treize ans, hormis quoi, elle n'a guère changé. Son sens de l'humour se limite à l'irritable suspicion qu'autrui puisse trouver quelque chose amusant. « Je vous accorde une heure, ce qui est peut-être même déjà trop » : ce n'était pas du tout prévu et j'ai donc un peu paniqué. G.F.S. était dans son bureau ; l'air décontenancé quand je suis entré, mais s'est déridé quand j'ai annoncé la raison de ma venue. « Ah oui, ce pauvre Cecil, cher vieux Cecil ! » Un air filou, comme s'il voulait faire comprendre qu'il savait depuis le début, mais beaucoup plus amical que je ne me le rappelais lors de l'anniversaire de D. En fait, vers la fin, plutôt *trop* amical (voir ci-dessous !). Désormais complètement chauve, barbe blanche longue et hirsute, l'air un peu dingue. Habillé d'un assemblage très coloré de vêtements disparates : chemise à carreaux rouges sous un pull vert, vieux pantalon de costume à rayures remonté haut, tellement serré qu'on ne sait pas trop où regarder. Je lui ai rappelé que nous nous étions déjà rencontrés, et il a accepté l'idée gaiement, tout en disant plus tard : « Quel dommage que nous ne nous soyons pas rencontrés plus tôt. » D'abord, j'ai été gêné par ses oublis (pourquoi est-on gêné quand les gens perdent la mémoire ?) mais, ensuite, comme il n'en était pas conscient et que nous étions seuls, je me suis dit que ça n'avait aucune importance : c'était une affaire purement privée. Il s'installa sur le siège à côté de son bureau et je m'assis dans un fauteuil bas. J'ai pensé : le tutorat, ce doit être quelque chose comme ça. Trois murs étaient tapissés de livres, la pièce elle-même était habitée mais morne. Je lui ai demandé d'emblée comment Cecil et lui s'étaient rencontrés (ce que, bizarrement, il ne précise pas dans son introduction à la correspondance). « À Cambridge. Il m'a fait élire à la Société des apôtres. Je ne suis pas censé en parler, bien sûr (l'air plutôt pudique). Ils distinguaient et évaluaient ce qu'ils appelaient des étudiants "aptes" mais la Société était si secrète que ces étudiants ne savaient pas qu'ils étaient sélectionnés. C. fut mon "père", comme ils appelaient cette fonction. Pour une raison ou une autre, il s'enticha de moi. » Je lui dis que cela confirmait qu'il devait être « apte ». « Oui, ce doit être la raison, non ? » répondit-il en m'adressant un drôle de regard. « J'étais extrêmement timide, or C. était à l'opposé. On était ravi d'être distingué par lui. » Comment était-il à ce moment-là ? C'était « une des grandes figures du *college* » mais il se dispersait. Il a même manqué la mention dans un *tripos* d'histoire parce qu'il était toujours ailleurs à faire autre chose ; il se lassait aisément des activités comme des gens. Deux fois il a essayé d'obtenir une chaire, deux fois il a échoué. Il jouait constamment au rugby, ou bien il faisait de l'aviron ou il partait à la montagne. « Pas dans le Cambridgeshire j'imagine ? » Rire de G.F.S. « Il faisait de l'escalade en Écosse, et parfois dans les Dolomites. Il était très fort et avait de grandes mains. Son effigie, sur son tombeau, ne lui ressemble en rien, le sculpteur lui a quasiment fait des mains de fille. »

C. adorait monter sur scène. Il jouait dans une pièce française qui a été donnée tous les ans plusieurs années de suite. « Mais il était très mauvais acteur. Il ne jouait jamais que lui-même. Dans le *Dom Juan* de Molière (vérifier), il jouait le serviteur, ce dont il était incapable. » C. était-il incapable de comprendre les autres ? G.F.S. a répondu que c'était son éducation, il (C.) pensait que sa famille et son domaine comptaient plus que tout et, d'une façon assez « innocente », il croyait que tout le monde devait s'y intéresser aussi. Était-il snob ? « Ce n'était pas du snobisme à proprement parler, davantage une assurance mondaine qui ne doutait de rien. » Et ses écrits ? G.F.S. a dit que, dans ce domaine-là non plus, il ne doutait de rien, il a composé tous ces poèmes sur Corley Court… J'ai répondu qu'il avait aussi écrit des poèmes d'amour. « Oui, les gens ont pensé de lui que c'était une sorte de Rupert Brooke aristocrate. Un aristocrate poète de second ordre. » J'ai dit que je n'arrivais pas à comprendre d'après la *Correspondance* s'il connaissait bien Rupert Brooke ou pas : on ne trouve que deux ou trois mentions sarcastiques et rien dans l'édition Keynes de la correspondance de Rupert. « Oh, il le connaissait. Rupert appartenait aussi à la Société. Rupert avait trois ou quatre ans de plus que lui. Ils ne s'entendaient pas. » Il dit que C. jalousait Rupert pour plusieurs raisons. Par nature, C. aimait la compétition et Rupert lui faisait de l'ombre, comme poète et comme « bel homme ». C. n'a-t-il pas la réputation d'avoir été très beau ? G.F.S. a dit qu'il était très frappant, des yeux sombres, malicieux, dont il se servait pour séduire les gens. « Rupert possédait une beauté parfaite, alors que

624

Cecil était beaucoup plus fort et viril. Il avait une queue énorme. » Je vérifiai que la bande continuait bien de tourner et notai ce détail avant d'oser regarder G.F.S. à nouveau : il avait dit cela sur un ton parfaitement naturel mais eut tout de même l'air surpris de l'avoir lâché. J'ai dit qu'ils avaient dû aller nager ensemble. « Oui, de temps à autre. » Comme s'il n'avait pas compris la pertinence de ma remarque. « C. se déshabillait volontiers, il était connu pour ça. » Difficile de rebondir là-dessus. Les poèmes d'amour avaient-ils été inspirés par des personnes réelles ? « Oh, oui. » Margaret Ingham et D., bien sûr ? « Miss Ingham était un bas-bleu et une fausse piste (rires). » Je me suis dit que c'était le moment. C. séduisait-il des hommes autant que des femmes ? G.F.S. m'a regardé comme s'il y avait eu un petit malentendu. « C. baisait n'importe qui. »

À ce moment-là, M.S. frappa à la porte avec sa béquille et elle entra, apportant un plateau avec deux tasses de café. G.F.S. a un problème de prostate mais prétend que le café est bon pour sa mémoire. « Je commence à perdre la mémoire », dit-il. « Un peu ! » dit-elle. G.F.S. (doucement) : « Tu n'entends pas toujours ce que je te dis, tu sais, ma chère. » Elle a répliqué que le café l'excitait et lui embrouillait les idées ; il se trompait constamment. Elle parlait de lui à la troisième personne. G.F.S. : « Peter m'interrogeait sur Cecil à Cambridge. » Elle ne l'a pas corrigé et moi non plus (plus tard, je suis devenu Simon et, au moment de partir, j'étais Ian). « Mais je me souviens très bien de C., ma chérie. » M.S. m'écrasa presque en se perchant sur le bras de mon fauteuil ; elle dit qu'elle n'avait jamais rencontré C. mais qu'elle n'avait pas une bonne opinion des autres Valance. Le vieux sir Edwin paraissait convenable, mais il ne disait plus que des âneries au moment où elle l'avait rencontré et, avant, il ne parlait apparemment que de vaches ; ç'avait toujours été un raseur. La mère de C. était un tyran et une brute. Dudley était instable : il avait beaucoup souffert de la guerre et, par la suite, s'en était servi comme excuse pour attaquer ses amis comme ses ennemis. J'ai demandé : « Ne lui arrivait-il pas d'être charmant ? Son premier roman était très amusant et D. écrit qu'il avait une personnalité "magnétique". » « Peut-être pour un certain type de femme. Daphné a toujours succombé facilement au charme des hommes. J'ai été soulagée quand ils se sont séparés car nous n'avons plus été contraints d'y retourner. Corley Court était un endroit affreux. » Et, sur ce, ayant gâté l'atmosphère, elle est ressortie. G.F.S. n'a guère semblé affecté par sa venue ; il produisit les signaux requis et continua de parler avec une approximation sereine du passé récent, alors que des événements vieux de soixante ans et plus étaient très clairs pour lui (« plus clairs que jamais », a-t-il dit, comme pour me faire comprendre que j'avais de la chance). N'empêche, il saute du coq à l'âne et est difficile à suivre. (Il s'est mis à parler de façon incohérente de la Première Guerre mondiale, quand il était dans l'espionnage, rien à voir avec C.)

Je voulais le réaiguiller sur le sujet dont nous parlions avant d'être interrompus. Il m'a fallu un moment pour comprendre qu'il avait perdu entre-temps toute notion de qui j'étais. Je le lui ai rappelé avec tact. Je lui ai dit que j'avais rencontré Dudley récemment, pour la première fois. « Oh, vous voulez dire Dudley Valance ? » Il s'est lancé alors dans un long discours sur Dud : qu'il avait été « d'une beauté renversante, mais dangereuse, très sexy ». Beaucoup plus que C. : il avait des jambes et des dents magnifiques. Dud avait toujours été espiègle et caustique. C. était le préféré de ses parents, ce que Dud supportait mal : il causait donc toujours des problèmes. Par la suite, il était devenu un effroyable salaud. J'ai dit que, dans l'une de ses lettres, C. écrivait que son frère était un homme à femmes. G.F.S. : c'était le mot qu'à l'époque tout le monde utilisait à Cambridge pour parler d'un hétérosexuel, ça ne signifiait rien. « Des gens comme Lytton l'employaient tout le temps – ils avaient une peur bleue des femmes. » Moi : Mais C. n'en était pas un. « Il l'était et il ne l'était pas, il ne comprenait pas plus les femmes que les domestiques. » Moi : Vous n'avez pas précisé l'acception de l'expression « homme à femmes » dans la *Correspondance*. Est-ce que ça n'avait pas donné là une mauvaise impression ? G.F.S. : Dud a lu le livre et ça ne l'a pas gêné. Il aimait probablement l'idée qu'on l'imagine en séducteur. La vérité sur Dud, c'est qu'il n'était pas très intéressé par tout ça : il aimait seulement jouer avec les femmes. Après la naissance de Wilf, il a plus ou moins arrêté : ça a été très dur pour D. C'était l'une des séquelles psychologiques de la guerre dont il était affecté.

Je lui ai demandé s'il avait été surpris par le mariage de Daphné et Dud. G.F.S. : « C'était très fréquent, les femmes épousaient souvent le frère de leur fiancé tué au front. C'était une forme de souvenir, de loyauté, il y avait là-dedans une bonne dose d'autosuggestion. La jeune femme n'avait pas à aller chercher un autre jeune homme quand il y en avait un presque pareil à portée de main. » C. et Dud se ressemblaient-ils beaucoup ? « Ils habitaient la même demeure, or Daphné avait été fascinée par Corley dès le jour où elle avait rencontré C. C. était le premier amour de D., mais il la tétanisait. Elle était plus proche en âge de Dud et s'entendit bien avec lui dès le départ. » Moi : C. avait écrit de France à la fois à D. et à Ingham une lettre dans laquelle il leur demandait : « Accepterais-tu d'être ma veuve ? » Était-il fiancé à D. ? G.F.S. : « Je ne pense pas, mais bien sûr, il y avait cet enfant. » De quel enfant parlait-il ? G.F.S.

parut réellement perdu pendant un instant, avant de répondre : « Eh bien, la fille, n'est-ce pas ? » Il a siroté son café, l'air encore dubitatif. « Voyez-vous, je ne suis pas sûr qu'elle le sache. » Voulait-il parler de Corinna ? G.F.S. : Oui. Moi : Vous savez qu'elle est morte il y a trois ans. Ce fut un moment atroce : son vieux visage se figea, rongé par l'inquiétude, puis la colère perça, comme si je lui avais menti, mais quand je lui ai dit qu'elle avait eu un cancer des poumons, cela lui sembla logique. Il a dit : « Pauvre vieux Leslie. » Je n'ai pas osé lui parler du suicide de Leslie. Il marmonna que c'était affreux, mais je le vis progressivement accepter les faits, l'air plutôt boudeur. « Ça n'a plus d'importance, alors. » Je ne savais toujours pas ce qu'il voulait dire. J'ai donc demandé : « Et Corinna ? » Je devais absolument apprendre la vérité. Il a dit que, pendant sa dernière permission, deux semaines avant sa mort, C. avait passé la nuit à Londres avec D. et l'avait mise enceinte. (Dans son livre, D. raconte qu'ils ont mangé au restaurant et qu'ensuite elle est rentrée chez elle.) Dud pensait-il être le père de Corinna ? G.F.S. l'ignorait.

Bien évidemment, j'étais terriblement excité par tout ça, mais, en même temps, les dates posaient problème. Corinna était née en 1917, mais quand ? J'étais furieux qu'elle soit morte : la découverte d'une enfant vivante aurait été formidable pour mon livre ! J'ai eu la chair de poule en pensant que cette femme que j'avais vue plusieurs fois par semaine jusqu'à mon départ de la banque pouvait avoir été la fille de C. Même son mauvais caractère, ses grands airs et l'impression qu'elle donnait de déroger se paraient d'une aura plus romantique et m'encourageaient à lui pardonner. Dire que, pendant tout ce temps, je n'avais rien su. Or, maintenant, elle n'était plus. Méchantes crises du syndrome des occasions perdues : je me dis donc, et je l'espère peut-être un peu, que ce n'est pas vrai. J'ai dit à G.F.S. que Corinna et Wilf ressemblaient beaucoup à Dud. Il semblait impoli et probablement vain de le défier. Je lui ai demandé si c'était D. qui lui avait raconté ça. Il a répondu : « Eh bien, voyez-vous… »

J'ai dû aller aux toilettes. M.S. était assise dans le hall à côté du téléphone, prête, eût-on dit, à appeler mon taxi. Aurais-je dû lui demander ce qu'elle savait ? Le désir de protéger G.F.S. me retint. Me suis interrogé sur leur mariage. J'imagine qu'elle craint qu'il ne fasse des bêtises. Elle est taciturne mais manifestement inquiète : elle a dit qu'il prenait des médicaments pour le cœur qui ont des effets néfastes sur sa démence ; ils peuvent être très désinhibants : l'alcool est complètement proscrit. Je n'ai pas voulu dire qu'il paraissait désinhibé même sans alcool. (Ce que j'ignore, c'est s'il partage avec elle tous ces secrets – ou ces suppositions.)

À mon retour, je dus cette fois encore amener G.F.S. à reprendre le fil de notre conversation. Je voulais le questionner sur Revel Ralph. (Pas vraiment pertinent pour le livre mais je voulais savoir.) « Oh, j'adorais R.R., c'était un charmeur, très séduisant, très sexy, mais pas d'une manière conventionnelle. Vous savez qu'il a épousé ma sœur. Elle s'est enfuie avec lui : ça a fait scandale à l'époque, parce que Dud était sans cesse dans les journaux. Il méprisait la publicité mais ne pouvait s'en passer. En réalité, il a paru plutôt bien s'accommoder de la chose : il a épousé un mannequin, une blonde avec de belles jambes. Une véritable harpie. » J'ai demandé si D. et R.R. avaient été heureux ensemble. G.F.S. : « R.R. était beaucoup plus gentil que Dud et plus jeune, bien sûr ; ils n'avaient pas beaucoup d'argent mais ils devinrent un couple célèbre ; ils habitaient Chelsea. Je disais à l'époque qu'ils se nourrissaient des menus luxes de la vie. [C'est la phrase que D. emploie dans son livre.] Vous voyez ce que je veux dire : des Picasso aux murs, mais les vêtements des enfants étaient troués. Wilf adorait Revel mais Corinna ne l'aimait pas. R.R. était un décorateur de théâtre fort connu. Il était pédé et plutôt faible. D. tombait toujours amoureuse d'hommes difficiles qui ne savaient pas l'aimer – ils ne pouvaient pas lui donner ce qu'elle désirait. R.R. prenait de la drogue et ils buvaient tous deux comme des trous. » Ai demandé si D. prenait aussi de la drogue. « Je le suppose. Je ne serais pas surpris qu'elle ait au moins essayé. » L'avait-il beaucoup vue dans les années trente ? « Nous n'étions pas proches. Elle est encore vivante, vous savez. » Moi : Mais vous ne vous voyiez jamais ? Je crois qu'il ne savait vraiment pas. « Je ne crois pas que nous nous voyions souvent, non. »

R.R. était-il infidèle ? (Mes questions étaient très directes mais je trouvais que c'était parfait ainsi, entre la « désinhibition » et la perte de mémoire.) « J'en suis persuadé. Il était très sexuel, il baisait n'importe qui. » (J'ai ri mais il n'a pas semblé comprendre pourquoi. Ai eu l'impression qu'il pensait que tout le monde faisait beaucoup plus l'amour que lui.) Moi : Et le fils que D. a eu avec R.R. ? Le père de Jenny Ralph ? L'avait-il connu ? « Il y a eu un fils mais, naturellement, R.R. n'était pas le père. » Encore une fois, j'ai pensé préférable de ne pas le déstabiliser en montrant ma surprise. À nouveau, il m'adressa un regard complice : « C'est un secret de polichinelle : le père était un peintre du nom de Mark Gibbons. Ils ont eu une liaison. » Je supposais que Mark Gibbons, lui aussi, baisait n'importe qui, mais j'ai préféré m'abstenir de poser la question. Me suis rappelé l'avoir vu au soixante-dixième anniversaire de D. danser avec elle : il y avait peut-être donc du vrai dans ce qu'il racontait. (Note : M.G. vit-il encore ? Aurait-il connu C., par hasard ? Et aussi Jenny Ralph sait-elle qui est son grand-père?) G.F.S. : « Je suis presque sûr de mon fait, mais vous feriez mieux de ne pas parler de ça. » Je ne lui ai pas promis de m'abstenir.

Je lui ai demandé s'il avait des photos de C. « Je suis sûr que j'en ai, oui ! » Il est allé jusqu'à une étagère basse de l'autre côté de la pièce, où était empilé ce qui ressemblait à de vieux albums photos et à des cahiers d'archives ; il s'est mis à les déplacer pour les poser sur une table. En le regardant, penché, le cul en l'air, langue entre les dents, grognant, louchant, j'ai pensé aux photos de G.F.S. à dix-neuf ans dans l'album de Jonah, cet air affecté mais secret dont j'avais trouvé qu'il me ressemblait un peu. J'ai dit qu'il y avait de bonnes photos dans la *Correspondance.* « Ah, ah bon ? » Ce que je voulais, c'étaient des photos de G.F.S. et C. ensemble. « C'est justement ce que je cherche. » Il retira du lot un gros album à la couverture souple ; en le posant sur la table, il fit tomber plusieurs petites photos qui s'éparpillèrent par terre. Les anciens cartons de montage devaient avoir disparu. J'en ai pris une ou deux et ai noté où d'autres étaient tombées (dont celle, formidable, de C. faisant la lecture à Blanchard et Ragley, qui se trouvait dans la *Correspondance*).

« Bien, voyons donc… » Il flotta alors dans l'air la nette sensation que ni l'un ni l'autre nous ne savions ce que nous allions découvrir. Il s'est appuyé légèrement sur mon bras, penché devant moi pour examiner certaines photos ; sa tête chauve et sa barbe me bloquaient la vue, mais il a continué de bavarder comme si j'avais pu voir ce qu'il regardait. Les albums remontent aux portraits en sépia de la fin du XIXe siècle, des familles de ses parents (Freda Sawle était à moitié galloise, apparemment, et son oncle était un chanteur connu). G.F.S. se laissait facilement distraire, il louchait pour lire les légendes à l'encre blanche, s'interrogeait tout fort, se corrigeait, il respirait bruyamment sur la page. J'ai dit que je pensais que Hubert avait un appareil photo. « Exactement. Je me rappelle quand Harry Hewitt le lui a donné. » Ce vieux H.H. refit donc surface. Je m'interrogeais sur l'opinion que G.F.S. avait de lui. « H.H. était très riche, il vivait à Harrow Weald. Il était dans l'import-export, verre, porcelaine, etc., il commerçait avec l'Allemagne. Certains pensaient que c'était un espion. » Moi : « Mais ce n'était pas le cas ? » G.F.S. me pinça le bras et rit : « Il était pédéraste, voyez-vous, il était amoureux de mon frère Hubert, qui a été tué à la guerre. » Mais Hubert ne lui rendait pas cet amour ? « Hubert n'était pas du tout comme ça. Il était très timide. H.H. n'arrêtait pas de lui offrir des cadeaux somptueux, qui devinrent gênants à la longue. » C. ne connaissait-il pas H.H. ? « Ils se sont rencontrés quand C. est venu nous voir à Deux Arpents, et ils se lièrent plus ou moins d'amitié. » H.H. était-il aussi amoureux de C. ? « Sans doute pas, il était très loyal… il avait besoin de protéger et d'aider quelqu'un. C. avait trop d'argent pour intéresser H.H. » C. aurait-il flirté avec lui ? « C'est plus que probable. » (Rires.)

« Ah, regardez, Simon ! » Des photos de « ce pauvre vieux C. » : les meilleures figurent déjà dans la *Correspondance*, celle de lui en short avec un ballon de rugby, l'air furibond. « Vous voyez quelles jambes magnifiques il avait ! » Moi : « J'aimerais pouvoir reproduire celle-ci. » G.F.S. : « Où feriez-vous ça ? » « Dans le livre que j'écris sur lui. » « Ah oui, je crois que vous devriez. Excellente idée. Voyez-vous, personne n'a jamais écrit de livre sur lui. Je suis content que vous le fassiez, ça ouvrira les yeux des gens. » Suivait la photo d'un petit groupe à D.A., sur la pelouse, la maison en fond, que je reconnus, C., D., G.F.S. et une imposante vieille femme en noir. « C'était une Allemande qui habitait près de chez nous : ma mère l'avait prise en pitié. Elle était à Bayreuth

632

quand la guerre a éclaté et elle n'a pas pu rentrer en Angleterre. Sa maison a été détruite par les gens d'ici. Quand elle a fini par rentrer après la guerre, ma mère l'a prise pour ainsi dire sous son aile. Elle nous faisait peur, mais elle était probablement tout à fait inoffensive. Ah, voici C. et moi : c'est une photo intéressante, mais ma femme trouve que ce n'est pas une bonne photo de moi. » Je me suis penché en avant pour mieux la voir et G.F.S. a posé la main sur mon épaule. « Elle a été prise à Corley Court, on pouvait monter sur le toit. » Il me fallut un instant pour reconnaître l'endroit : Peter m'y avait emmené deux ou trois fois. Moi : « On pouvait y monter à partir de la buanderie. » G.F.S. : « Eh oui, c'était justement pour ça. » C. et G.F.S. étaient appuyés contre la cheminée, C. torse nu, G.F.S. la chemise entrouverte, l'air timide mais excité. Photo minuscule, bien sûr, mais nette. Le corps noueux de C., un peu de poils noirs sur la poitrine et descendant sur le ventre, un bras levé contre la cheminée, biceps nettement dessinés. Il sourit, genre rictus, il a l'air beaucoup plus âgé que G.F.S., qui semble toujours très emprunté sur les photos. Il était très beau à vingt ans : étrange aperçu de son torse imberbe : il a l'air d'un écolier à côté de C. Moi : « Qui l'a prise, je me demande ? » G.F.S. : « Moi aussi. Sans doute ma sœur. » Ce qui pourrait expliquer l'air confus de G.F.S., si elle venait de les surprendre. C'est la première photo qui me donne une véritable idée du corps de C., et parce que l'appareil est comme un intrus, j'ai brusquement senti que ce devait sans doute être comme ça, de se retrouver soudain en sa présence : mon sujet ! Très bizarre et même un peu bandant : ce que semblait ressentir G.F.S. lui-même : « J'ai vraiment l'air d'un débauché là-dessus, vous ne trouvez pas ? » Moi : « Vous l'étiez ? » Et j'ai senti sa main, me frottant le dos de manière encourageante, descendre juste au-dessus de ma taille, pas tout à fait innocemment. « Je crains de l'avoir été, oui, voyez-vous… »

L'atmosphère est devenue un peu tendue et je lui ai jeté un coup d'œil pour voir à quel point il en était conscient lui-même. « De quelle manière, diriez-vous ? » (en me dégageant un peu, sans vouloir l'effrayer). Il continua de regarder la photo, respirant lentement mais bruyamment, comme s'il doutait : « Eh bien, de la façon habituelle », ce qui, j'imagine, était une bonne réponse. J'ai dit quelque chose comme : « Vous auriez eu tort de vous en priver. » « Horrible, n'est-ce pas ? Je n'étais pas mal, à l'époque ! Et regardez-moi aujourd'hui. » (Tournant le visage vers moi en avançant son menton barbu tandis que sa main poursuivait sa descente dans mon dos avec un petit mouvement affirmé jusqu'à mes fesses.)

Nous y étions, le célèbre (co-)auteur d'*Une histoire quotidienne de l'Angleterre*, me regardant droit dans les yeux avec Dieu sait quels souvenirs et conjectures, m'agrippant les fesses d'une main, d'un air appréciateur. J'ai lâché un rire gêné mais soutenu son regard longue-ment, avec de la curiosité et la conviction maintenant que C. l'avait touché exactement de cette manière, près de soixante-dix ans plus tôt, et que j'étais sans doute responsable de ce qui m'arrivait en réveillant ces souvenirs chez lui. Et que cela n'avait pas la moindre impor-tance, car j'allais bientôt quitter cette pièce aux murs tapissés de livres, dans laquelle il resterait ; toute la maison redeviendrait ce que j'avais imaginé qu'elle serait avant d'y pénétrer, une vraie maison Tudor pleine d'ob-jets chargés d'histoire. J'ai pensé au gribouillis méticu-leux que j'avais fait autour de son nom et de celui de Madeleine sur la page de titre de leur livre quand j'avais douze ans ou à peu près ; pendant un moment, j'ai cru qu'il allait m'embrasser, et me suis demandé comment je réagirais – d'une certaine façon, j'avais envie qu'il le fasse – mais il a baissé le regard et en même temps j'ai pensé soudain : ça, c'est une histoire que je vais raconter. J'ai poursuivi poliment : « Et les lettres que C. vous a envoyées ? Vous avez dit qu'elles étaient perdues ? » G.F.S. : « Oui, je ne sais pas vraiment ce qui est arrivé. Ma mère les a détruites, elle les a presque toutes brûlées. Au fait… (sa main agrippant encore ma fesse gauche, mais plus parce qu'il avait besoin de se raccrocher à quelque chose que pour le plaisir qu'il pouvait en retirer) mieux vaut ne pas parler de tout ça à ma femme. » Difficile de savoir à quoi « tout ça » renvoyait. Moi : « D'accord. » Il me lâcha. G.F.S. : « Ç'a été une grande perte, une perte pour la littérature. Plutôt ébouriffantes, certaines d'entre elles ! »

Nous n'étions pas plus tôt rassis que M.S. est entrée dans le bureau et a annoncé qu'elle allait m'appeler un taxi. Nous sommes sortis dans le vestibule. M.S. tint absolument à téléphoner elle-même : lunettes de lecture, numéro vérifié dans un vieux carnet, ton impatient quand elle a eu la communication. En parlant, elle fronçait les sourcils face à son reflet dans la glace, admirant sa gestion efficace de la personne au bout du fil qu'elle n'arrêtait pas de mal entendre. « Vingt minutes ! » s'exclama-t-elle. Il y avait donc un vide à remplir. Elle : « J'espère que vous saurez faire preuve de discernement concernant ce que mon mari vous a raconté. » Je me suis dit qu'elle avait dû être un professeur redoutable. J'ai répondu que je l'espérais moi aussi. « Je n'aurais pas dû vous laisser le rencontrer, ses idées sont très embrouillées. » J'ai répondu qu'il en connaissait sans doute davantage sur C. que toute autre personne vivante. M.S. : « Pardonnez-moi de vous poser cette question, mais vous a-t-il confié quoi que ce soit, des documents ou autres ? » J'ai répondu que je n'avais rien pris que des notes, mais qu'il m'avait promis de me prêter des photos pour le livre, plus tard. Elle

m'a regardé droit dans les yeux ; j'étais capable, cependant, de soutenir son regard ; elle a jeté un coup d'œil
à ma sacoche mais, à ce moment-là, la porte du bureau
de G.F.S. s'est ouverte et il est sorti. « Oh, *hello* ! » : il a
paru très content de me voir. « Paul s'en va, mon chéri
(première utilisation de mon prénom). » « Oui, oui… » :
il arborait un sourire tout à fait rusé pour dissimuler les
choses aux franges de sa mémoire (très récente), un ton
tolérant envers elle, presque. M.S. : « Est-ce qu'elle t'a
plu, cette conversation, George ? » G.F.S. : « Oh, énormément, ma chérie, oui », m'adressant un regard qui
aurait pu être une tentative furtive pour deviner qui
j'étais ou une mutine répétition mentale de ses caresses.
M.S. : « Et de quoi avez-vous parlé ? J'imagine que tu as
oublié. » G.F.S. : « Oh, tu serais étonnée. » C'est alors
qu'il a proposé la petite promenade dans le jardin, que
M.S. a autorisée, bien que j'aie été un peu plus réservé,
compte tenu de ce qui s'était passé à l'intérieur. De
toute évidence, mes efforts polis pour faire comme s'il
n'était rien arrivé perdirent bientôt tout leur sens car il
avait tout oublié. M.S. : « Regarde les têtards, George. »
Ce qu'il fit dûment, sous le regard de M.S., là-bas, à la
fenêtre. G.F.S. : « Frétillants petits bonshommes. »

8

Ils passèrent Didcot puis Swindon, et, au fur et à mesure que les faubourgs plus ou moins familiers défilaient, de brusques regains d'allégeance le distrayaient de la conviction plus puissante de sa mission à Worcester Shrub Hill. Il apprécia le temps que prenait le trajet, tout au sentiment enfantin que, dans cette course lumineuse au milieu de nulle part, des fermes et des courbes douces du paysage de part et d'autre, son rendez-vous capital avec Daphné Jacobs était constamment repoussé comme par magie ; même si, à chaque longue décélération et pendant les arrêts (Stroud ? et, un peu plus tard, Stonehouse), la fin approchait inéluctablement. Bien sûr, il était impatient de se retrouver là-bas, à « Olga », comme s'appelait, étonnamment, la maison de Daphné, mais il voulait aussi continuer à être bercé toute la journée par ce train plaisamment peu fréquenté. Il n'arrivait pas à se préparer ; il avait rédigé une série – ou une volée – de questions, grâce auxquelles il avait espoir de l'entraîner vers la lumière du sommet, mais il ne toucha pas à sa sacoche, sur le siège à côté de lui, pourtant lourde de preuves marquées par des signets.

Après Stonehouse, le train entama la longue descente du versant ouest des Costwolds vers ce qui ressemblait à une large plaine qu'on distinguait à peine dans la lumière glauque du jour. Paul n'était jamais allé aussi loin dans cette direction. La sensation qu'il avait de pénétrer une toute nouvelle région de son île natale était comme un rêve, mais le perturbait aussi. Quelques minutes plus tard, ils entraient à vive allure dans la gare de Gloucester, des petits groupes de voyageurs sur le quai, randonneurs, militaires, approchant des wagons ou longeant le quai, jetaient un regard anxieux ou menaçant sur le convoi qui ralentit brusquement. Il y avait tout de même encore Cheltenham avant Worcester.

L'instant d'après, Paul dut bouger ses affaires pour laisser de la place à une femme accompagnée de ses deux enfants, qu'elle houspillait, l'air absent, traits tendus par l'inquiétude ; lorsque le train redémarra, Paul eut le sentiment que le charme romantique du trajet depuis Londres, dont il ne savait rien, avait été laissé derrière lui et que débutait une période de compromis et de cohabitation. Il garda sa sacoche sur la tablette, empêchant le petit garçon d'étaler son cahier de coloriages. Son antipathie pour les enfants, avec leur capacité protéiforme à lui causer de la gêne, se traduisit par un regard noir concentré sur *La Courte Galerie*, qu'il leur brandit littéralement sous le nez. La conscience que l'interview à venir était primordiale pour son livre et donc pour sa carrière l'étouffait, l'emprisonnait, comme le déclenchement de quelque maladie indétectable par autrui. Si l'on pouvait se fier aux dires de George, alors les conversations de Paul et Daphné, ce jour-là et le lendemain, constitueraient forcément un drôle de jeu, au cours duquel il devrait faire mine d'ignorer ce qu'il espérait par-dessus tout qu'elle avouerait.

Il feuilleta une fois de plus le premier chapitre du livre, le « portrait » de Cecil par Daphné :

Par cette belle soirée de juin, la dernière fois que je le vis, Cecil m'a emmenée chez Jenner et m'a offert un dîner spartiate du genre qui, aux yeux d'une jeune fille amoureuse, est un véritable banquet. Soupe de pois, je m'en souviens, cuisse de poulet et blanc-manger à la fraise. Ni l'un ni l'autre, je crois, ne se soucia le moins du monde de ce que nous avions dans notre assiette. C'était l'occasion d'être ensemble, sous la cape magique de nos sentiments exacerbés, loin du tonnerre de la guerre, c'est ce qui comptait avant tout. Lorsque nous eûmes terminé, nous nous sommes promenés pendant une heure, sur l'Embankment, observant la lumière passer sur toute la largeur de la Tamise. Le lendemain, Cecil devait reprendre le bateau pour la France, et l'énorme offensive que nous savions en préparation. Il ne me demanda pas alors (seulement dans sa dernière lettre, quelques jours plus tard) si j'accepterais de l'épouser, mais l'air du soir semblait chargé de grandes interrogations. Dans notre conversation, cependant, nous nous bornâmes à évoquer des choses simples et heureuses. Il m'accompagna jusqu'à un taxi que je dus prendre pour aller attraper mon train à Marylebone, et la dernière image que j'ai de lui a pour fond les imposantes colonnes noires de Saint-Martin-in-the-Fields : il agite sa casquette, avant de faire brusquement volte-face vers un avenir que nous envisagions tous deux avec une grande excitation, et une grande peur.

Peut-être n'était-ce valable que pour lui, mais Paul se dit que personne ne serait capable de se rappeler le menu d'un repas dégusté il y avait quatre ans, alors soixante-quatre, pensez... en revanche (ou cela aussi n'était-il valable que pour lui, son expérience étant assez limitée?), on se rappelait toujours quand on avait fait l'amour. L'inquiétante atmosphère de cliché et d'irréalité de l'ensemble de la scène était accrue par la cuisse de poulet et le blanc-manger à la fraise, dont, dans une certaine mesure, Paul n'aimait pas supposer qu'ils remplaçaient la vérité platement dissimulée d'une nuit passée dans l'appartement des Valance à Marylebone : même la mention de la gare cachait quelque chose. Qu'en était-il, d'ailleurs, de « l'énorme offensive » à laquelle Cecil se préparait ?

Se mordillant la langue, Paul examina la photo de Daphné sur la quatrième de couverture. On l'y voyait en plan américain, en simple tailleur noir, avec un chemisier et un seul rang de perles, regard fixé sur l'objectif, esquissant un sourire, empreinte d'un certain charme global, peut-être dû, qui sait, au fait qu'elle ne portait pas ses lunettes. Juste derrière elle se trouvait une arche, à travers laquelle on distinguait vaguement un vaste hall et un escalier. En étudiant son visage, on s'apercevait que c'était un flou subtilement retravaillé, lisse et argenté, une retouche autour des yeux, une autre sous le menton ; le photographe lui avait retiré quinze ou vingt ans. L'ensemble donnait l'impression d'une belle femme fortunée, un bon parti, dans un cadre dont il était tout juste nécessaire de rappeler discrètement la splendeur. Il était difficile de faire le lien avec la vieille dame débraillée au secours de laquelle Paul avait volé dans la rue.

Néanmoins, la possibilité que l'autre personne existât était subtilement perturbante.

À Worcester, il se réjouit soudain d'être en vadrouille ; il fit la queue devant la file de taxis Cathedral Cars ; c'était la première fois qu'il montait dans un taxi depuis leur course commune au mois de novembre. Il sut montrer de l'aplomb face au chauffeur quand ils sortirent de la ville et qu'au compteur se mit à défiler une somme toujours plus élevée, sous forme de joyeuses petites fractions vertes. Il pensa qu'il pourrait apprécier davantage les petites routes de campagne sur le chemin du retour : pour l'heure, son regard ne se posait sur les granges et les haies que pour imaginer la scène à Olga. Ils parvinrent enfin à Staunton-Saint-Giles, dépassèrent les grilles d'un manoir puis longèrent une rue large et assez laide, deux rangées de maisons populaires mitoyennes ; un monument aux morts, l'église derrière, une épicerie de village puis le bureau de poste, un pub, L'Ours noir, où il faillit s'arrêter mais c'était l'heure de la fermeture. « Savez-vous où se trouve Olga ? demanda-t-il au chauffeur.

— Ooh oui », répondit ce dernier comme si Olga avait été une figure locale. Ils dépassèrent une élégante demeure en pierre, le Vieux Presbytère, une enfilade de vieux *cottages* qui avaient l'air beaucoup plus fiers que les autres maisons du village : un bel endroit pour les dernières années de Daphné. Le taxi ralentit et, obliquant dans une ruelle, s'arrêta devant un bungalow décrépit. « Pile douze livres. »

Paul attendit que le taxi soit reparti en sens inverse pour avancer de quelques pas et prendre plusieurs photos du bungalow, par-dessus le muret du jardinet, une tâche documentaire qui l'aida à surmonter sa grande gêne face à l'état de délabrement du lieu. Il cacha dans sa sacoche son appareil photo qu'il ne ressortirait que lorsqu'il saurait si Daphné accepterait de se faire photographier. Parfois, après le plaisir égocentrique d'une interview, les gens trouvaient le fait brut d'une photographie trop dissonant et importun.

Le nom OLGA était écrit en lettres de fer forgé sur le portail en fer forgé. Paul s'engagea dans l'allée de gravier parsemé de mauvaises herbes et contempla le jardin abandonné, l'herbe verte et drue dans les gouttières, le rosier grimpant desséché qui pendait au-dessus de la véranda, une vieille Renault 12, la carrosserie cabossée, l'aile rouillée du côté du conducteur, et la mousse qui poussait le long des rebords en caoutchouc des vitres. On avait tondu deux ou trois bandes de pelouse peut-être la semaine précédente, et la tondeuse avait été abandonnée là. Les parterres de fleurs étaient pleins des feuilles mortes de l'an passé. Paul s'inquiéta de ce qu'il allait trouver à l'intérieur. Il sonna : un *ding-dong* alangui qui se répéta de son propre gré, comme pour signaler l'impatience que le visiteur pouvait avoir espéré dissimuler, et Paul vit son reflet déformé de façon effrayante sur la vitre gondolée de la porte d'entrée ; on aurait dit qu'il fonçait sur leurs vies par vagues successives. C'est Wilfrid Valance qui répondit. Il était exactement comme Paul se le rappelait mais aussi, après treize ans passés à avancer tant bien que mal, effroyablement différent : un enfant au visage large, avec des joues ridées et une houppette grisonnante, rebelle, au milieu du front dégarni. « Comment allez-vous ? s'exclama Paul.

— Hum, vous nous avez trouvés », dit Wilfrid avec un sourire nerveux mais sans croiser son regard. Paul comprit que sa visite était un événement pour eux.

« Oui, à peu près… », répondit-il de façon absurde, tendant son manteau et son écharpe. Le vestibule était très étroit, avec d'autres portes vitrées, dans une atmosphère lumineuse années 1960 déjà devenue obscurément déprimante. « Et comment se porte votre mère ? » Pendant un instant, il fut comme frappé de stupeur, d'une crainte réprimée jusque-là, car il allait la voir, la survivante, l'amie des défunts depuis longtemps disparus. Un élancement comme de l'envie à la pensée des liens amicaux qu'ils auraient pu nouer s'il n'avait pas été biographe.

« Oh, elle… » Wilfrid hocha la tête et sourit ; Paul se rappela ses hésitations, comme un bégaiement réprimé au milieu des phrases, mais, cette fois, le reste de la phrase ne vint pas.

Il faisait une chaleur étouffante dans le séjour, où était allumé un chauffage électrique à deux barres : un gros appareil comme un brasero, avec du faux charbon rougeoyant, à peine visible à la lumière du jour. Une forte odeur de poussière brûlée. Paul entra, avec un joyeux « *Hello,* Mrs Jacobs ! », déterminé à ne rien trahir du choc qu'il avait ressenti face au délabrement de la pièce. Assise dans un fauteuil à oreillettes recouvert d'un chintz rose miteux, elle lui tournait quasiment le dos. Elle était entourée par un bazar effarant, extrême au point qu'il comprit instantanément qu'il devrait en faire abstraction. Inquiétante sensation d'éphémère devenu permanent, empilements d'objets épousant les formes du mobilier, lui-même couvert de nappes et surmonté dangereusement de lampes, de vases et de figurines.

« Tout va bien, dit-elle, en ne tournant la tête qu'à moitié et sans le regarder. Wilfrid a corrigé mon erreur.

— Ah, oui… ? » Paul lâcha un rire prudent : elle affrontait donc la question de sa critique de manière directe.

« Vous n'êtes pas le pianiste.

— Non, en effet, vous avez raison.

— J'ai une excellente mémoire, Maman, comme tu le sais, dit Wilfrid, comme s'il continuait à la contredire. Le pianiste était grand… séduisant…

— Oh, comment s'appelait-il ? Ce charmant jeune homme… si doué… »

Paul tourna autour du pot… presque comme s'il avait du mal à se souvenir lui-même. « Vous voulez dire Peter Rowe ?

— Peter… voyez-vous. Je l'aimais bien.

— Oh, oui… hum », dit Paul tout bas en allant se poster devant elle ; elle ne parut pas disposée à lui serrer la main. Elle portait une épaisse jupe grise et un chemisier sous un gilet élimé. Elle lui adressa un regard calculateur, peut-être tout simplement parce qu'elle ne le voyait pas bien. Après les premiers instants délicats, il vit là un danger potentiel pour les heures à venir.

« Qu'est-il devenu ? je me le demande.

— Peter ? Oh, il va bien, je crois », répondit Paul d'un ton neutre. Il se tenait dans le petit espace entre le feu et une table basse jonchée de livres et de journaux : presque comme un défi que se serait lancé un enfant, car ses mollets commençaient à lui brûler.

« Il enseignait à Corley Court, la demeure l'intéressait beaucoup, voyez-vous.

— Oui, tout à fait, dit Wilfrid, en hochant la tête.

— Énormément, oui. Il voulait qu'on restaure les coupoles en forme de moules à gelée et je ne sais quoi que Dudley avait fait disparaître sous des coffrages.

— Quand vous y viviez, bien sûr », dit Paul pour l'encourager à parler, comme si l'interview avait déjà débuté. Il se déplaça vers le fauteuil face à elle et sortit le magnétophone de sa sacoche, furtivement.

« Voyez-vous, c'est l'un de ceux dont j'aurais cru qu'ils finiraient par écrire sur Cecil, avoua Daphné. Il s'intéressait beaucoup à lui, aussi.

— Il s'intéressait à tout !

— J'ai beaucoup de problèmes aux yeux », dit Daphné, avançant le bras vers le guéridon à côté d'elle sur lequel se trouvaient une lampe et des livres. Pouvait-elle encore lire ? se demanda Paul. Il se dit que ses lettres seraient peut-être là, au milieu du fourbi.

« C'est ce que *Robin* m'a laissé entendre, en effet, dit-il sur un ton affectueux à l'égard de cet ami commun.

— Vous n'avez pas bloqué l'allée, n'est-ce pas ?

— Oh… non. Je suis venu en taxi depuis la gare de Worcester.

— Ah, vous avez pris un taxi Cathedral. Hors de prix, n'est-ce pas ? » Daphné arbora un petit air satisfait. « Trouvez-vous un endroit où vous asseoir. Un jour, très bientôt, Wilfrid va ranger cette pièce mais je crains que, jusque-là, nous devions supporter ce capharnaüm. Il est amusant de penser qu'à une époque, j'avais trente-cinq domestiques.

— Bonté divine ! » dit Paul, soulevant un dossier en cuir marqué au nom du *Radio Times* et une pile de chaussettes en laine épaisse, peut-être destinées à être reprisées, posées sur le fauteuil. Paul était convaincu que, dans son livre, elle avait écrit : vingt-cinq. Il installa le microphone au-dessus des livres sur la table basse entre eux. « Pourquoi cette maison s'appelle-t-elle Olga, au fait ? demanda-t-il, surtout pour tester le niveau du son.

— Ah ! Voyez-vous, expliqua Wilfrid sur un ton pieux, lady Caroline l'avait fait construire pour sa vieille gouvernante, qui s'appelait Olga. Elle s'est retirée ici… loin des yeux de tous mais pas totalement… hors d'atteinte.

— Et maintenant lady Caroline vous la loue, dit Paul, observant la flèche rouge trépidante qui retombait, comme sous l'effet de la gravité, quand personne ne parlait.

— Nous payons trois fois rien. »

Daphné émit un gloussement étranglé. « Qu'avez-vous là ? demanda-t-elle.

— J'espère que cela ne vous dérange pas que j'enregistre notre conversation… » Paul appuya sur la touche et rembobina.

« Ce n'est pas plus mal de faire bien les choses », dit Daphné d'un ton incertain. Les vieilles insinuations du magnétophone : flatterie et méfiance. Certains le considéraient comme une tierce présence, plutôt désagréable, d'autres étaient bercés par la discrète rotation des bandes, alors que des individus d'une autre catégorie, telle la vieille Joan Valance, petite-cousine de Cecil qu'il avait retrouvée à Sidmouth, devenaient de véritables moulins à paroles, soulagés d'avoir un auditoire aussi impartial et réceptif. Daphné tripota ses coussins. « Je vais devoir faire attention à ce que je dis.

— Oh, j'espère que non, dit Paul, écoutant malgré lui le son idiot de la lecture inversée rapide.

— *Très* attention.

— Si vous voulez dire quelque chose de non officiel, prévenez-moi, je l'arrêterai.

— Non, je ne crois pas que ce sera nécessaire. » Daphné lui adressa un bref sourire. « Ne vas-tu pas nous servir des rafraîchissements, Wilfrid ?

— Si vous voulez me dire ce que vous souhaiteriez… »

Tous deux demandèrent du café. « Apporte-nous deux cafés, Wilfrid, puis trouve-toi quelque chose d'utile à faire. Tu pourrais commencer par ranger le garage.

— Oh non, c'est un énorme chantier, Maman », répliqua Wilfrid, du ton de qui ne s'en laisse pas conter.

Lorsqu'il fut sorti, elle dit : « Ce n'est un énorme chantier que parce qu'il n'arrête pas de le remettre à plus tard. Il est si… désorganisé. » Elle changea encore son coussin de place, eut un tressaillement, se tourna à demi et, pendant un instant, les verres de ses lunettes tachés de poudre et de fumée parurent opaques à la lumière. Cette nervosité, cette irritabilité pourrait être difficile à gérer. Paul aurait voulu lui remémorer l'ancienneté de leurs liens mais il craignait d'évoquer Corinna. Tandis qu'ils attendaient, il se permit donc seulement de dire :

« Je me demandais… voyez-vous beaucoup John, et Julian… et Jenny ? » On aurait dit des personnages d'un livre pour enfants.

« Pour être franche, nous sommes un peu éloignés de tout, ici. » Il comprit qu'elle n'avouerait jamais qu'elle se sentait abandonnée.

« Que font-ils maintenant ? » Paul jeta un coup d'œil à l'aiguille rouge.

« Eh bien… » Elle mit du temps à se détendre face à la question. « Eh bien, ils sont très occupés, et ils ont du succès, comme vous pouvez l'imaginer. Jennifer est docteur… non, je veux dire… pas médecin, bien sûr. Docteur de l'université, elle enseigne à Édimbourg. Je crois que c'est Édimbourg, oui. Wilfrid me corrigera si je me trompe.

— Elle enseigne la littérature française ?

— Oui… et John a son négoce de vins qui marche très bien.

— Il tient de son grand-père, alors, dit Paul, d'un ton presque affectueux.

— Son grand-père ne fait pas commerce de vins.

— Non, je voulais dire… il me semble que sir Dudley fréquente le monde du sherry, non ?

— Ah, je vois… Et Julian… Julian est l'artiste de la famille. Il est très créatif. »

Paul devina à sa voix, également affectueuse, mais à l'accent définitif, qu'il n'était pas censé demander dans quel domaine s'exerçait cette créativité. Il se dit que son intérêt secret pour Julian, l'élève de terminale, risquait de transparaître. Daphné s'enquit : « Avez-vous donc rencontré Dudley ?

— Oui », répondit Paul simplement, sans savoir quelle ligne il devait suivre en parlant de lui. Il raconta à Daphné la conférence d'Oxford, d'une manière qui lui sembla juste, découvrant par là même qu'il avait déjà censuré dans son esprit et pardonné le camouflet du coup de téléphone ; en tant qu'anecdote, sa valeur pouvait compenser la discussion qu'ils n'avaient jamais eue ensemble. « Il a suscité la polémique en disant que les poèmes de guerre, écrits sur le vif, n'étaient, dans l'ensemble, pas très bons, "ineptes, amateurs"… je crois que ce sont les termes qu'il a employés ; il leur a opposé les grandes œuvres de guerre écrites en prose plus tard, parues dix ans après… davantage encore dans son cas, cela va de soi.

— Du Dudley tout craché.

— Il a refusé de parler de Cecil. »

Elle réfléchit un instant, et il crut qu'elle allait parler de lui. « Bien sûr, ils l'ont nommé professeur honoris causa, n'est-ce pas ?

— Je l'ignorais.

— C'est un fait. Nous parlons de ton père, dit Daphné à Wilfrid qui rentra à ce moment-là.

— Ah… ! » Wilfrid fit une grimace d'une froideur étonnante.

« Pas la personne préférée de Wilfrid », expliqua Daphné.

Lorsque ce dernier fut ressorti, l'atmosphère changea vite, elle fut empreinte d'une nouvelle intimité involontaire, comme si Paul avait été médecin et près de demander à Daphné de déboutonner son corsage. Il vérifia encore la bande magnétique. Daphné adopta un air de résignation conditionnelle. Paul s'éclaircit la gorge et consulta ses notes, son plan conçu pour conférer à leur échange l'air d'une véritable conversation, plus convaincante pour tous les deux. Mais son ton lui parut plus guindé qu'il ne l'aurait voulu : « Je m'interrogeais sur la façon dont vous aviez écrit vos Mémoires, euh… *La Courte Galerie*, cette série de portraits d'autres personnages plutôt que de vous-même. » Il craignit qu'elle ne perçût pas son sourire respectueux.

« Ah, oui. » Elle renversa la tête insensiblement. Nul doute que la sombre question de sa critique rôdait quelque part à l'arrière de la question présente, comme de toutes les questions du jour. « Eh bien…

— Je veux dire (Paul lâcha un rire)… pourquoi avez-vous choisi cette formule ? Je me rappelle que, déjà lors de notre première rencontre, vous m'aviez dit que vous écriviez vos Mémoires, donc cela vous a pris très longtemps. Il y a treize ans, n'est-ce pas ?

— C'est exact, cela m'a pris énormément de temps. Beaucoup plus de treize ans, en fait.

— Puis-je vous certifier que j'ai beaucoup aimé votre livre ?

— Oh, très aimable, rétorqua-t-elle sèchement. Je suppose que la principale raison est que j'ai eu la chance de connaître quantité de gens plus talentueux, plus intéressants que moi.

— Bien sûr, mais, d'un autre côté, j'aurais aimé que vous vous racontiez davantage.

— Je me raconte un peu, du moins je l'espère. » Elle loucha en direction du magnétophone, consciente qu'il avait enregistré le baratin de son interlocutrice et la réaction qu'elle avait eue. « De par mon éducation, j'ai toujours considéré que c'étaient les hommes autour de moi qui faisaient les choses importantes. Nombre d'entre eux ont écrit leurs Mémoires et, vous le savez bien, d'autres se chargent d'écrire leur biographie… il va bientôt en sortir une nouvelle de Mark Gibbons.

— Ah, oui, j'en ai entendu parler. » Karen avait réussi à obtenir les épreuves, sans l'index, mais, rien qu'en le feuilletant, Paul avait vu que les références à Daphné étaient rares et discrètes. Daphné aussi semblait les avoir consultées.

« L'éditeur me l'a envoyée. Wilfrid me la lit parce que je ne peux plus lire. Naturellement, cette femme a fait plein d'erreurs.

— Vous a-t-elle consultée ?

— Oh oui, elle m'a écrit. Mais, vraiment, tout était déjà dans mon livre : tout ce que j'ai jugé bon d'inclure sur Mark, qui était un ami très cher, bien sûr.

— Oui, je sais. » Paul lui adressa un regard plutôt circonspect ; à son sourire dur à peine esquissé, il comprit instantanément qu'il était inutile de compter qu'elle avoue avoir porté son enfant. « Je me rappelle l'avoir rencontré à votre soixante-dixième anniversaire.

— Ah, vraiment... » Elle accepta sa déclaration. « Oui, il devait y être. N'est-ce pas terrible, j'ai oublié, dit-elle avec un sourire plus doux, comme si elle avait trouvé un moyen d'éviter ses prochaines questions.

— J'espère, moi, ne pas faire d'erreurs, dit Paul. Avec votre aide ! » Il sirota son café très allongé. Il songea que si Daphné l'avait davantage aidée, la biographe de Mark Gibbons n'aurait peut-être pas commis les erreurs qu'elle déplorait à présent. C'était un petit nœud récurrent de résistance autodestructrice que la plupart des biographes de sujets récents devaient rencontrer et dénouer. Les gens se refusaient à vous raconter ce qu'ils savaient, puis vous reprochaient de ne pas le connaître, à moins d'être George Sawle, chez qui le flot de secrets avait été tellement désinhibé qu'il en était quasiment inutilisable. Toutefois, comme Daphné était une vieille dame à laquelle il portait une certaine affection, il dit : « Je suppose que vous vouliez remettre les pendules à l'heure.

— Eh bien, un peu, oui. Sur "Deux Arpents" et d'autres points. Dans le poème, je n'apparais que sous la forme d'un pronom, alors que, chez Sebby Stokes, je suis devenue "Miss S." ! »

Paul lâcha un rire compatissant, gêné en partie par une soudaine interrogation : et si le pronom représentait George ? « Sir Dudley parle de vous dans son livre.

— Certes… mais il est toujours tellement prêt à massacrer tout le monde.

— Je suis surpris qu'il parle si peu de Cecil.

— Je sais… » Elle resta aimable mais parut lassée à la seule mention de *Fleurs noires*.

« Je suppose que Cecil devait être le premier écrivain que vous ayez rencontré ?

— Oh, oui, comme je l'ai écrit dans mon livre, c'était la personne la plus célèbre que j'avais rencontrée avant mon mariage, même s'il n'était pas très connu à l'époque. Il avait déjà publié des poèmes à droite à gauche, mais pas encore un recueil ou quoi que ce soit d'approchant.

— *Veillée et autres poèmes* date de 1916, n'est-ce pas, quelques mois seulement avant sa mort ?

— Vous devez avoir raison. Et c'est à partir de là qu'il est devenu célèbre.

— Mais vous aviez lu plusieurs poèmes de lui avant de le connaître.

— Un ou deux, je pense.

— Il devait donc, à vos yeux, être un personnage fascinant avant même que vous le rencontriez.

— Nous étions tous excités par sa venue.

— Que vous rappelez-vous de sa première visite à Deux Arpents ? Ne voulez-vous pas me la raconter ? »

Elle rentra le menton. « Eh bien. Il est arrivé…, commença-t-elle, paraissant déterminée à affronter la question sans détour.

— Il est arrivé à dix-sept heures vingt-sept, dit Paul.

— Vraiment… ? Oui.

— Je pense que… votre frère… l'avait déjà rencontré.

— Cela va de soi.

— Non… ! Je veux dire… il était allé l'attendre à la gare.

— Oh, très certainement.

— Vous rappelez-vous le tout premier instant où vous avez vu Cecil ?

— Ce dut être alors.

— Avez-vous été instantanément attirée par lui ?

— Hum, il était très frappant. Je n'avais que seize ans… j'étais innocente. Nous l'étions toutes en ce temps-là. Je n'avais jamais eu de petit ami ou quoi que ce soit d'approchant. J'aimais beaucoup lire, je dévorais des romans d'amour, mais je ne connaissais pas l'amour… Je lisais beaucoup de poésie, Keats, et nous aimions tous Tennyson. » Paul sentit qu'elle se laissait aller à un discours routinier servi par une intonation douce et artificielle. Il la laissa poursuivre, avec une expression distraite et impatiente tout en envisageant la forme de sa prochaine question, beaucoup plus aiguisée. Lorsqu'elle donna l'impression d'en avoir terminé et se tourna pour prendre sa tasse de café, il passa à l'attaque :

« Puis-je vous demander ce que vous pensiez de l'amitié de votre frère avec Cecil ?

— Oh… » Le nez au-dessus de sa tasse, elle maugréa. « Eh bien, elle était très inhabituelle.

— Dans quel sens ? » Paul hocha la tête.

« Eh bien… Il n'avait jamais eu d'ami avant. Pauvre George. Je crois que nous avons tous été plutôt ravis lorsque tout à coup il en a sorti un de son chapeau. »

Paul sourit, éprouvant à son corps défendant une sensation d'empathie qui parfois le surprenait dans ses interviews. « Compreniez-vous pourquoi ils étaient tellement amis ? Paraissaient-ils très proches ? »

Daphné poussa un soupir, comme pour signifier qu'il valait mieux qu'elle joue franc jeu. « Je pense que c'était simplement un cas de… eh bien (elle marqua une pause et sirota son café), de culte du héros, à l'ancienne, ne croyez-vous pas ? George était très jeune pour son âge, sur le plan des émotions. J'imagine que Cambridge l'a encouragé à sortir de sa coquille. » Elle fit la grimace. « Franchement, George a toujours été un pisse-froid. »

Se donnant le temps de la réflexion, Paul joua mentalement avec des expressions encore plus franches mais, à la voir, il hésita et eut peur de la dégoûter. « Je me demandais si vous pensiez qu'il avait été jaloux de votre liaison avec Cecil.

— George ? Non, non. » Et, comme insatisfaite de sa précédente rebuffade ou pensant que, désormais, tout cela n'avait plus d'importance : « George n'a jamais vraiment éprouvé d'émotions normales, voyez-vous. J'ignore pourquoi. Et je dois avouer qu'il ne s'en est pas plus mal porté : la vie est sans doute bien plus simple sans elles, quoiqu'un peu terne, ne croyez-vous pas ? » Paul, se représentant George en compagnie de Cecil torse nu sur la toiture de Corley, sourit en son for intérieur, ignorant dans quelle mesure elle croyait à ce qu'elle racontait, dans quelle mesure elle s'attendait à ce qu'il la croie, et dans quelle mesure sa mémoire était fiable. « Vous seriez venu quelques années plus tôt, je vous aurais dit d'aller lui parler mais je crains qu'il ne soit plus le même, maintenant ; ça ne fonctionne plus très bien là-haut, dit-elle en tapotant sa tempe, vous me comprenez ? Je crois que la pauvre Madeleine a bien du mal avec lui.

— Je suis navré de l'apprendre.

— Il aurait été quelqu'un de très utile à qui parler. Et, comprenez-moi, je ne veux pas dire qu'il ait été ennuyeux. C'était un intellectuel, il a toujours été le cerveau de la famille. »

Paul laissa passer un moment, jeta un coup d'œil à ses notes, joua la pantomime du parfait intervieweur, plus pour sa propre gouverne, d'ailleurs, que pour celle de Daphné. « Pardonnez-moi de vous demander… vous écrivez dans votre livre qu'il s'était agi d'une histoire d'amour, entre Cecil et vous…

— Tout à fait.

— Vous vous écriviez mais vous rencontriez-vous ?

— N'ai-je pas… ? Nous nous rencontrions assez souvent, je pense.

— La guerre, sur ces entrefaites, a éclaté.

— La guerre, oui, la guerre. Nous ne nous sommes plus vus aussi souvent, alors.

— J'ai essayé de reconstituer d'après les lettres les périodes où il se trouvait en Angleterre – il s'est engagé presque tout de suite, en septembre 1914.

— Il adorait la guerre.

— En décembre, il était en France, après quoi il n'est rentré que rarement en permission, jusqu'à… jusqu'à sa mort, dix-huit mois plus tard.

— Vous devez avoir raison, oui », lâcha Daphné, avec une petite toux impatiente.

Avec tact mais avec, également, un sourire aussi bref que contrit, Paul demanda : « Puis-je sauter dans le temps et en venir directement à votre dernière rencontre ?

— Oh, oui… » Elle haleta, comme prise d'un soudain vertige.

« Qu'est-il arrivé alors ?

— Eh bien, là encore… » Elle hocha la tête, comme pour dire qu'elle aurait aimé pouvoir l'aider. « Je crois que tout s'est passé à peu près comme je l'ai décrit dans mon livre. »

Paul lut donc, dans les grandes lignes, le passage qu'il avait parcouru plus tôt dans le train, et qu'elle écouta d'un air curieux, avec une sorte de douce défiance. Une fois encore, il ne sut comment s'y prendre : comment demander à une vieille dame de quatre-vingt-trois ans si quelqu'un l'avait… il n'osait même pas prononcer le mot. Et si Cecil lui avait fait un enfant, elle pourrait enfin se libérer de ce fardeau, dans un élan éploré de soulagement, mais un je-ne-sais-quoi dit à Paul que rien ne se déroulerait ainsi, compte tenu de l'atmosphère ambiante. Cependant, quand il releva la tête, il vit qu'elle était troublée par ses propres mots. « Eh bien, voilà ! » lâcha-t-elle en hochant la tête. Ce fut l'un de ces moments déroutants, trop fréquents dans la vie de Paul, où il comprenait qu'il avait raté quelque chose et après lequel, quand il y repensait, il ne comprenait pas le changement d'humeur chez l'autre personne. Il se demanda si elle allait se mettre à pleurer. C'eût été gênant, mais merveilleux pour le livre, si sa ruse avait marché et s'il avait porté au jour un tout nouveau souvenir ; il jeta un coup d'œil à la patiente révolution de la bande. Puis il vit qu'il s'était encore trompé, à moins qu'elle ne lui ait refusé l'accès à son changement d'humeur. « À dire vrai, j'ai souvent l'impression d'être enchaînée à ce pauvre vieux Cecil. C'est sa faute, en partie, parce qu'il s'est fait tuer ; s'il avait vécu, nous aurions été de simples ombres dans nos passés respectifs et je doute que quiconque s'en serait soucié le moins du monde.

— Oh, je crois que les gens s'en seraient tout de même souciés, oui ! » La taquinait-il ? La rassurait-il ? « Vous envisagiez de vous marier ?

— Même si nous nous étions mariés, je ne pense pas que ça aurait été un grand succès.

— Il y a la lettre où il demande : "Accepterais-tu d'être ma veuve ?" » Paul pensa que ce serait manquer de tact, même si longtemps après, d'évoquer le fait que, le même jour, Cecil avait posé la même question à Margaret Ingham. « J'imagine qu'il était plutôt... inconstant, peut-être ?

— Sans l'ombre d'un doute. Mais ce qu'il faut que vous compreniez, c'est que Cecil vous faisait croire que vous étiez le centre de son univers. » Paul ressentit alors à la fois de la pitié et un soupçon d'envie envers son hôtesse.

Bientôt, ce fut le moment de l'habituelle, de la nécessaire, de la fréquemment utile visite aux toilettes : une fuite bienvenue dans l'intimité, un coup d'œil dans le miroir, et une occasion de fourrer son nez sans être vu dans les habitudes et l'attitude du sujet face à l'hygiène et au sens de l'humour. À Olga, sans doute devait-on voir une touche d'humour fou dans le fouillis entassé et coincé contre les murs des toilettes exiguës, lugubres et sentant le moisi. Derrière la porte se trouvait une pile d'images encadrées aux verres brisés et une table de jeu pliante ; sous le lavabo, le long coffre d'un jeu de croquet marqué JACOBS, au pochoir, sur le couvercle et face au lavabo, l'épaule de Paul effleura un grand tableau glauque dont il nota plusieurs manques au cadre doré tarabiscoté : le portrait d'un jeune homme pâle en chapeau noir et à l'expression prétentieuse, avec des traces comme si quelqu'un avait essayé de le nettoyer avec une éponge pleine de boue. Les W.-C., qui n'avaient jamais dû être lumineux, étaient encore plus déprimants du fait qu'une vigne vierge recouvrait la partie inférieure de la fenêtre, en verre dépoli, et avait forcé le passage à travers le vasistas entrouvert : une longue branche se frayait un chemin en travers du mur, au-dessus d'un tas de gros objets recouverts d'une nappe. Paul n'eut guère envie d'utiliser la cuvette, sombre comme de la tourbe sous la ligne de flottaison et agrémentée de ce que Peter Rowe appelait une lunette de lesbienne – qui ne tenait pas droite toute seule. La nappe dissimulait des cartons de vin fermés avec du ruban adhésif jauni et cassant, qu'il serait utile d'explorer lors d'une prochaine visite. Le long du mur près de la cuvette des W.-C. : des piles de livres et de magazines de plus d'un mètre de haut avec, sur le dessus, l'exemplaire du *Tatler* dans lequel figurait l'interview de Daphné et un numéro de *Country Life* vieux de six ans, contenant un article sur Staunton Hall, « demeure de lady Caroline Messent » – gardé là, se dit Paul, comme un petit rituel réconfortant. Les livres lui firent penser à une vente de charité dans laquelle il ne serait pas impossible de découvrir une perle : manifestement, Daphné ou Wilfrid avait l'habitude de marquer la page où il ou elle s'était arrêté à l'aide d'un bout de papier-toilette. En ce lieu, la cohabitation de la mère et du fils oppressa Paul plus qu'il n'eût pu l'expliquer. Il s'assit un instant et regarda les titres des ouvrages. Or là, quelques centimètres au-dessus du sol, il découvrit *Fleurs noires*, un exemplaire avec sa jaquette déchirée et tachée, mais la première édition de 1944, sur du papier bon marché du temps de guerre, dédicacé : « Pour Wilfrid, Dudley Valance. » Trop saisissant et précieux pour être abandonné là et Paul le retira donc de la pile et le plaça dans un endroit où il pourrait le récupérer plus aisément en une autre occasion. Il se lava les mains et se regarda dans la glace pour évaluer ses progrès et s'infliger un rapide discours d'encouragement, légèrement perturbé par le rictus trouble du jeune homme dans le cadre derrière lui.

Devinant sa brève absence, Wilfrid était revenu, se déplaçant avec précaution à l'extrémité du séjour, de toute évidence à la recherche de quelque chose. « Je dois vraiment vous demander, dit Paul précipitamment, si vous avez encore en votre possession le carnet qui contient le manuscrit de "Deux Arpents". J'adorerais le consulter.

— Pas de chance, désolée.

— Vous ne l'avez plus ? »

Daphné fronça les sourcils, presque en colère. « Où est-il, Wilfrid ?

— Je crois qu'il est à Londres, Mère, répondit celui-ci, examinant l'intérieur d'un grand panier en osier au-dessus d'une pile de vieux rideaux. Quelqu'un est en train de le photographier.

— Oui, on est en train de le photographier, confirma Daphné. Il est très fragile : que voulez-vous, soixante-dix ans, n'est-ce pas ? *Presque* soixante-dix…

— C'est une excellente idée. Qui s'en charge ?

— Je ne me rappelle pas son nom… celui qui prépare la nouvelle édition des poèmes de Cecil.

— Oh, dans ce cas, vous êtes entre de bonnes mains.

— Comment s'appelle-t-il ?

— Je crois qu'il s'appelle Nigel Dupont.

— C'est ça. Il me dit qu'il se sent tout spécialement proche de Cecil parce qu'il a fait sa scolarité à Corley.

— Vraiment ?

— Il s'est intéressé à lui parce qu'il voyait constamment son tombeau dans la chapelle.

— Comme c'est intéressant », dit Paul, tandis que la pesante probabilité qu'il ait été l'élève de Peter se resserrait autour de lui. « Nigel… hum… est-il venu vous voir ?

— Non, ça a été très facile, nous avons réglé ça par courrier.

— Un recommandé, précisa Wilfrid.

— Il ne s'attache absolument pas, vous savez, au côté biographique, dit Daphné : c'est un éditeur de textes, je ne sais pas comment l'on dit de nos jours.

— Hum.

— Toutes les éditions différentes et je ne sais quoi.

— Fascinant. » Paul regagna son siège tant bien que mal. Dehors, la lumière de l'après-midi qui commençait à faiblir opacifiait les vitres sales.

« Oui, c'est fascinant, en effet : il prétend qu'elles sont truffées d'erreurs. C'est la faute de Sebby Stokes, voyez-vous, il a bricolé les textes, apparemment, croyant sans doute les améliorer.

— Et si c'était le cas ? »

Se retournant, Daphné demanda à Wilfrid : « Pourquoi Mr Bryant et toi ne faites-vous pas le tour du village ?

— Nous ne savons pas si Mr Bryant en a envie.

— Descendez à la ferme. Tu aimes y aller, non ? »

C'était une diversion audacieuse, de la part de Daphné, d'interrompre l'interview de la sorte, mais Paul, de son côté, avait justement espéré pouvoir parler à Wilfrid seul à seul. Ils sortirent donc, Paul empruntant une vieille paire de bottes noires trop grandes pour lui, dont Wilfrid lui dit, une fois qu'ils furent sur la route, qu'elles avaient « appartenu à Basil ».

« Ah bon ? » fit Paul, n'appréciant guère de porter les bottes d'un mort ; elles traînaient et claquaient sur le bitume. « Je ne sais pas pourquoi, je ne l'avais pas imaginé aussi grand… » Plus tard, il se dit qu'il était étrange que Daphné les ait gardées même après avoir déménagé. Wilfrid avait mis une paire de bottes de chantier crottées, et une sorte de caban sur son gilet doublé de molleton. Il n'avait pas protégé sa grosse tête de moine, avec ses touffes de cheveux grisonnants.

« Ce n'est pas un joli village pittoresque », déclara Wilfrid. Ils remontèrent la rue principale, passèrent la boutique avec sa vitrine embuée, les maisons d'ouvriers, avant de s'engager dans une rue qui longeait un parc clos, avec des champs labourés de l'autre côté.

Plus ils s'éloignaient du bungalow, plus Wilfrid parlait avec aisance mais plus il était inquiet, aussi : « Elle peut rester toute seule pendant une demi-heure.

— Elle a de la chance de vous avoir. » Paul trouva sa remarque d'une politesse peu convaincante.

« Oh, elle me rend dingue ! » s'exclama Wilfrid, avec un sourire d'excitation coupable. Ils grimpèrent sur le bas-côté pour éviter un tracteur dont la remorque laissait tomber sur la chaussée de gros paquets de fourrage. Wilfrid dévisagea le conducteur sans le saluer. Paul ne sut que dire : il avait l'impression que mère et fils s'amusaient à se rendre mutuellement dingues et que c'était ce qui les faisait tenir.

« Elle a bien récupéré, finit-il par dire.

— Grâce à l'infirmier Valance », répliqua Wilfrid d'un drôle de ton mutin.

Paul ne pouvait imaginer ce que Wilfrid aurait fait s'il n'avait pas eu à s'occuper de sa mère. « Mais on vous aide ?

— Rien de substantiel. Et, bien sûr, ça rend les choses difficiles pour moi… pour avoir une amie. »

Paul réussit à lever les sourcils en signe de sympathie. « Oui, j'imagine…

— Mais c'est comme ça ! Maintenant, je serai avec elle jusqu'à la fin. Bien, là-bas, c'est Staunton Hall, c'est ce qu'elle voudrait que je… que je vous montre. C'est là que vit lady Caroline.

— L'ex-patronne d'Olga.

— Olga, c'est ce qu'elle appelle son… Petit Trianon. » Paul distingua, deux ou trois champs plus bas, parmi les arbres, la masse d'une grande demeure carrée. Le soleil frisait désormais les haies derrière eux et les petites fenêtres du grenier de la demeure luisaient comme s'il y avait eu de la lumière à l'intérieur. « Voulez-vous visiter la ferme ?

— Pourquoi pas ?

— Ça ne m'aurait pas gêné d'être agriculteur. »

Ils continuèrent à marcher pendant un moment, puis Paul s'exclama : « Ah mais oui, bien sûr, votre grand-père…

— J'ai toujours aimé les animaux. Nous avions deux fermes à Corley. J'ai grandi… dans cette atmosphère. » Il revint à son ton précis, administratif, pour couvrir, qui sait, l'étrange disjonction entre présent et passé. Ainsi que Robin le lui avait rappelé, Wilfrid serait bientôt le quatrième baronnet.

« Avez-vous des souvenirs de votre grand-père ?

— Oh, fort peu. Il est mort quand j'avais… quatre ou cinq ans. Je l'appelais… grand-père Olly-Olly, parce que c'était tout ce qu'il était capable de dire.

— Il avait eu une attaque, c'est cela ?

— Il n'arrivait qu'à produire ce son… olly-olly.

— En aviez-vous peur ?

— J'imagine, oui, un peu. J'étais un gamin nerveux. » Il avait l'air de contempler un passé étranger.

« Votre père l'aimait bien.

— Je doute qu'il ait eu beaucoup de temps à lui consacrer.

— Mais il le ménage dans son livre.

— C'est vrai. »

L'épaisseur de boue augmenta sur le chemin, puis, après un tournant à angle droit, ils débouchèrent sur l'entrée de la ferme ; au portail se trouvait une plate-forme en béton destinée aux bidons de lait, suivie par un bourbier brun, huileux et luisant de bouses

jusqu'aux portes ouvertes de la grange en tôle ondu-
lée. « Ce doit donc être ça ! » dit Paul, ne voyant
guère l'utilité de salir les bottes de feu Basil Jacobs ;
quant aux bottes de Wilfrid, elles ne faisaient pas du
tout l'affaire. Wilfrid paraissait à la fois gêné et irrité
d'avoir dû l'amener là. Tout à coup, il dit : « Nous
ferions sans doute mieux de rentrer.

— Voyez-vous votre père de temps en temps ?
demanda Paul tandis qu'ils rebroussaient chemin.

— Pas souvent, répondit Wilfrid d'un ton ferme, le
regard perdu au-delà des champs.

— Il a dû être bouleversé… Votre sœur.

— C'est ce qu'on pourrait croire… n'est-ce pas ? »

Se doutant qu'il avait déjà suffisamment insisté,
Paul changea de sujet, évoquant son hôtel, qu'il n'était
pas sûr de savoir retrouver.

« Ce qui est terrible, le coupa Wilfrid, c'est qu'il n'est
pas venu à l'enterrement. Il avait *promis* qu'il viendrait
mais cette semaine-là, bien sûr, Leslie… s'est fait sauter
la cervelle, l'enterrement de ma sœur a été repoussé, en
conséquence de quoi il n'est pas venu, en fin de compte.
Il a simplement… fait livrer une horrible gerbe.

— C'est affreux. » Paul aurait voulu demander si
Dudley n'avait pas eu des problèmes psychiatriques.
Mais il se dit que Wilfrid en avait hérité, et se contenta
donc de poser un regard respectueux sur lui.

« De toute façon, il ne l'a jamais aimée. Ce n'était
sans doute pas bien mais ce n'était peut-être guère…
surprenant.

— Non, je comprends…

— Bien que, parfois, il arrive… qu'il soit surprenant que quelqu'un colle tellement au personnage
qu'il est censé être.

— Vous voulez dire qu'en cette occasion particulière, vous auriez pensé qu'il aurait tout de même fait ce qu'il fallait ?

— Bêtement, oui. » Après cela, il ne sembla pas à y avoir grand-chose à ajouter. Mais Paul, lui, eut du grain à moudre.

Le soleil avait plongé dans des bancs de nuages noirs à l'ouest et l'arrière du village était recroquevillé sur lui-même, clair mais maussade, dans la lumière neutre du début de soirée. Des poulaillers, des abris de jardin, des tas de déchets de jardinage jetés par-dessus les haies tout au long de l'année ; une automobile posée sur quatre piles de briques, une serre peinte en blanc, la bousculade de hautes antennes de télévision sur fond de ciel froid. Paul se représenta avec un frisson de nostalgie sa rue à Tooting, les bus rouges à impériale tout éclairés. Peter appelait ça *la nostalgie du pavé**, cette envie panique de Londres. « Ah, mon chéri, disait-il volontiers – à Wantage ou Foxleigh –, je ne vais pas mourir ici ! »

Lorsqu'ils arrivèrent au bungalow, Paul les remercia tous les deux : « Mais je devrais sans doute prendre congé maintenant. » À sa grande surprise, Daphné ne le laissa pas partir : « Prenez donc un verre, d'abord. » Et elle se dirigea, prenant appui sur la table et une chaise, vers l'angle de la pièce où, sur une surface encombrée, se trouvait un assortiment de bouteilles, un seau à glace, des fioles de Tabasco et des bitters, tout l'attirail de l'heure du cocktail. Elle envoya Wilfrid au garage chercher de la glace dans le congélateur. « Il sait bien que nous en avons besoin, alors pourquoi fait-il toujours cette grimace…? Gin and tonic ? » Paul acquiesça et sourit en repensant à leur première rencontre, autour du même breuvage, quand, assis dans le jardin, il avait essayé de ne pas regarder sous sa jupe. Daphné ouvrit une bouteille de tonic avec un *pschitt* de spécialiste : le tonic déborda en pétillant autour du goulot et coula sur son poignet. « Tu l'as ? demanda-t-elle à Wilfrid, qui revenait avec un seau en plastique argenté. Voyons, tu nous as rapporté un énorme morceau... tu vas devoir le casser, je ne peux pas l'utiliser ! Vraiment, Wilfrid ! » – tournant sans grand enthousiasme son agacement en comédie à l'intention de leur invité.

Lorsqu'ils furent installés, Daphné, d'un air cordial mais résolu, revint à la nouvelle biographie de Mark Gibbons qu'elle était en train de « lire ». (Paul devina qu'elle voulait dire que Wilfrid lui en faisait la lecture mais, comme d'habitude, son aide était, allez savoir pourquoi, occultée.) Elle répéta que le livre n'était pas bon du tout, sans compter que, s'agissant de Mark, on perdait la moitié de l'intérêt de la chose si les illustrations étaient en noir et blanc. Elle fit remarquer qu'il était amusant que certaines personnes émergent du grand abîme du passé, alors que d'autres étaient totalement oubliées. Mark avait eu une sorte d'homme à tout faire du nom de Dick Mint, un sacré personnage qui réparait l'automobile, s'occupait du jardin et était souvent assis dans la cuisine de Mark à Wantage, à bavarder sans fin avec ses employeurs. En fait, c'était un raseur mais il faisait des remarques amusantes : pour lui, par exemple, les postimpressionnistes avaient un rapport direct avec les Postes et Télégraphes. Il devait être connu de... combien... vingt personnes ? Pas ce qu'on appelle une célébrité. Il vivait dans une caravane. Or, maintenant, grâce à ce livre, des milliers de gens, sans doute, allaient le connaître – il deviendrait un nom sur la grande scène du monde. Il serait connu par des Américains. Alors que la femme qui venait s'occuper de la maison, dont, d'après Daphné, le nom devait être Jean, qui faisait tout le lavage et le nettoyage, n'était même pas citée : désormais, personne ne pensait plus à elle.

« Je dois lire cette biographie de Mark Gibbons, dit Paul, regrettant de ne pas avoir allumé le magnétophone.

— À votre place, je ne me donnerais pas cette peine. »

Paul rit de la remarque de Daphné. « Cela doit vous arriver souvent, dit-il.

— Pardon ?

— Vous devez connaître beaucoup de gens dont on a écrit la biographie.

— Oui, ou alors ils apparaissent dans celle des autres.

— Comme toi par exemple, Maman ! s'exclama Wilfrid.

— Le problème, c'est qu'ils se trompent tous. » Elle retombait dans l'humeur massacrante qui, de toute évidence, lui convenait tant.

« Peut-être pas les meilleurs ?

— Ils assassinent les gens ou alors quelqu'un à qui ils parlent a des comptes à régler et leur raconte des idioties. Et eux notent tout comme si c'était parole d'évangile ! » C'était là, de toute évidence, un avertissement, énoncé toutefois comme si Daphné avait complètement oublié qu'il écrivait une biographie lui-même. Menton rentré, regard intense rivé sur lui, si ce n'est, comme il dut se le rappeler, qu'elle le voyait à peine ; même si le courant semblait passer entre eux, par le biais frissonnant de la chaleur crépitante du chauffage électrique.

« Bien… ! » Paul marqua une pause respectueuse. Les premiers assauts du gin semblèrent lui procurer un aperçu de toutes les questions qu'il était en son pouvoir de poser ; il était au courant des nombreux doutes, rumeurs et médisances qu'on propageait sur elle et sa famille. Avait-elle la moindre idée, par exemple, de ce qui s'était réellement passé entre George et Cecil ? Wilfrid connaissait-il la théorie selon laquelle sa sœur aurait été la fille de ce dernier ? Paul marchait sur des œufs mais il comprenait de mieux en mieux que l'auteur d'une biographie n'écrivait pas seulement sur le passé et que les secrets qu'il découvrait pouvaient avoir toute sorte de conséquences sur d'autres vies, dans les années à venir. Wilfrid présent – il buvait goulûment un jus d'orange –, Paul ne pouvait aborder certains points intimes, poser des questions d'ordre privé, alors que Daphné, après un verre, devenait plus expansive : il aurait pu être profitable d'essayer…

Malgré tout, un je-ne-sais-quoi lui souffla de ne pas accepter un second gin et, à dix-neuf heures, il demanda s'il pourrait appeler un taxi. Daphné lui adressa un sourire assuré et Wilfrid dit qu'il serait heureux de le ramener à Worcester avec la Renault.

« Je ne veux pas vous obliger à revenir à la nuit tombée », répondit Paul, son opposition courtoise couvrant une nervosité naturelle concernant la voiture autant que le conducteur.

« Oh, j'aimerais l'emmener faire un tour », répondit Wilfrid, de sorte que, pendant un instant, Paul crut que Daphné les accompagnerait. « Ce n'est pas bien pour elle de… rester garée dans l'allée d'une semaine sur l'autre. »

Daphné se leva et, s'accrochant d'abord au gros coffre en chêne, traversa la pièce, d'un tout nouvel air chaleureux et enthousiaste. « Où habitez-vous ? demanda-t-elle, presque comme si elle envisageait déjà de lui rendre visite.

— Je vis à Tooting Graveney.

— Ah, oui… Est-ce près d'Oxford ?

— Non, pas vraiment, non… c'est près de Streatham.

— Streatham, oh ! » Le mot même prit un air d'aventure.

Ils se serrèrent la main. « Merci infiniment. » C'était peut-être le moment de l'appeler « Daphné » mais il préféra repousser cette familiarité jusqu'à leur prochaine rencontre. « Demain, même heure, donc ? »

Paul se demanda par la suite si elle avait vraiment mal compris ou s'il s'agissait d'une plaisanterie à la Dudley. Marquant un temps d'arrêt à la porte, elle leva la tête, comme confuse. « Oh, vous revenez ? demanda-t-elle.

— Eh bien… Je crois que c'était ce qui… ce que nous étions convenus ! » Il n'avait rien réussi à lui soutirer pour l'instant, et considérait donc la séance passée comme un échauffement en vue des explorations de l'après-midi du lendemain.

« Que faisons-nous demain, Wilfrid ?

— Je serais surpris que nous fassions quoi que ce soit. » À son ton, Paul se demanda si sa patience et ses supposées crétineries n'étaient pas une forme très maîtrisée et détachée de sarcasme.

Dans la Renault, on aurait presque pu croire qu'un enfant conduisait un adulte, tous deux faisant comme si ce n'était ni inquiétant ni surprenant. Le bouton des codes étant cassé, soit ils roulèrent lentement en feux de position, sous la menace indistincte des faîtes des haies, soit ils encoururent les appels de phares des automobilistes venant en sens inverse, aveuglés. Wilfrid s'arrangeait de l'une et de l'autre situations avec sa patience fantasque. Paul ne souhaitait pas le distraire mais, une fois qu'ils eurent rejoint la route principale, il se permit de demander : « J'espère que ma visite ne fatigue pas trop votre mère.

— Je crois qu'elle s'amuse beaucoup », répondit Wilfrid et, avec un regard de biais dans le rétroviseur, comme pour vérifier qu'elle n'était pas là : « Elle aime raconter des histoires. »

Paul aurait bien voulu qu'elle lui en raconte une en particulier. « Je crains, dit-il, que tout cela ne se soit passé il y a tellement longtemps…

— Elle se refusera à parler de certaines choses… Je pense que nous pouvons vous faire confiance sur ce point-là – avec une pointe de solidarité inattendue avec sa mère, après ses précédentes récriminations à son égard.

— Hum… » Paul fut déchiré entre la discrétion qui venait de lui être réclamée, et le désir de demander à Wilfrid de préciser ce à quoi il faisait allusion. « Il est bien évident que je ne voudrais rien écrire qui pourrait la heurter, elle ni aucun membre de la famille. » Wilfrid, lui, serait-il prêt à parler ? Paul ignorait complètement ce dont il était capable mentalement. De toute évidence, il aimait sa mère et détestait son père, mais il pourrait ne pas être l'allié dont

Paul avait besoin dans ses investigations concernant les Sawle et les Valance. Si Corinna était effectivement la fille de Cecil, alors la froideur choquante de Dudley à son égard pourrait avoir une explication plus profonde qu'on ne le croyait.

« Je ne pense pas que vous soyez marié, n'est-ce pas ? » s'enquit Wilfrid en scrutant la chaussée dans la lumière éblouissante et néanmoins brouillée des faubourgs de Worcester.

« Non…

— C'est ce que pensait ma mère.

— Ah, oui… eh bien, hum.

— Pauvre vieux Worcester », dit Wilfrid un instant plus tard, tandis que la voiture se déportait vers une sorte d'autoroute urbaine presque au seuil de la cathédrale ; en hauteur, trop près pour qu'on puisse le voir dans le détail, se cabrait un ouvrage illuminé, la grande tour gothique. « Comment ont-ils pu faire un tel carnage ! » Paul entendit cette remarque comme une rengaine maintes fois répétée, imagina la mère et le fils la prononçant chaque fois qu'ils descendaient en ville. « Si près de la cathédrale », dit Wilfrid, s'aventurant sur la voie de droite en tendant en même temps le cou comme pour encourager Paul à faire de même : un coup de klaxon phénoménal retentit alors, un camion tout illuminé, aussi haut que la tour, crissa derrière eux, puis les dépassa à toute allure.

Wilfrid obliqua à gauche puis, sans faire le moindre cas d'un sens interdit, emprunta à contresens une rue en sens unique, s'offusquant modérément de la goujaterie des automobilistes qui venaient en sens inverse, avant de tourner et de déboucher sur le seuil de l'hôtel Feathers. « Formidable ! s'exclama Paul.

— Je connais la vieille ville comme ma poche, déclara Wilfrid.

— Je vous vois donc demain, dit Paul en ouvrant la porte.

— Voulez-vous que je vienne vous chercher ? » demanda Wilfrid, avec, se dit Paul, à peine un soupçon d'essoufflement, une touche d'excitation face à ce visiteur surgi dans leur vie. Paul l'assura qu'il lui convenait tout à fait de prendre un taxi Cathedral. Il regarda la voiture s'éloigner dans la nuit.

9

Daphné opta pour son régime habituel ce soir-là, une tasse de lait chaud, accompagnée d'un petit verre de cherry brandy pour s'ôter le goût écœurant et soporifique de la première. Elle avala son calmant avec les dernières gorgées de lait refroidi. Elle fut ensuite envahie par la plaisante certitude que la journée était bouclée, bien avant que son corps ne cède au témazépam. Ce soir, le cherry brandy paraissait célébrer ce fait. « À quelle heure revient-il ? » demanda-t-elle juste pour se voir confirmer que ce n'était pas avant le déjeuner. Wilfrid mit le film qui commençait après les informations, mais, à cause de sa dégénérescence maculaire, Daphné trouvait la télévision à la fois ennuyeuse et contrariante. Elle se leva donc et, sans oublier de lui tapoter en passant le bras ou l'épaule, se rendit à l'autre extrémité d'Olga (si tant est qu'Olga eût une autre extrémité).

Cette semaine-là, l'émission *Un livre avant la nuit* présentait l'autobiographie d'une femme (Daphné ne se rappelait plus son nom ou ce qu'elle avait fait exactement au Kenya, la veille au soir, quand le sommeil l'avait gagnée avec assez de bon sens pour la prévenir d'éteindre la radio et sa lampe de chevet). Sur la coiffeuse, un horrible meuble bon marché blanc et doré, étaient disposées des photos qu'elle ne regardait jamais vraiment, mais elle les observa pourtant ce soir, d'un de ses regards en biais dont elle était coutumière, lorsqu'elle s'appliqua sa crème de nuit sur le visage. Leur intérêt parut accru par le passage du jeune homme, et elle fut heureuse qu'il ne les ait pas vues. Sa préférée était celle avec Corinna et Wilfrid près du bassin, à Corley – une photo si petite... mais tellement nette : elle la tourna vers la lumière avec son pouce enduit de crème. Qui l'avait prise ? Cette photo, qu'elle connaissait par cœur, témoignait d'une occasion dont elle avait tout oublié. La photo de Revel en uniforme, prise par Cecil Beaton, était – comme c'était plaisant – presque célèbre : d'autres portraits de la même séance avaient été reproduits dans des livres, dont l'un dans le sien, mais cette photographie-là, dans laquelle il relâchait momentanément la pose, ce bout de langue mutin sur la lèvre supérieure, lui appartenait en propre. Le photographe avait tiré du hideux pardessus une vertu picturale, du genre que Revel en personne lui avait appris à comprendre. Son visage maigre et son crâne rasé de frais étaient encadrés par le col retourné : il avait l'air d'un écolier immensément retors, alors qu'elle savait que, si l'on regardait de près, on distinguait les ridules autour des yeux et de la bouche, que Beaton avait retouchées pour la publication.

Daphné se réveilla en pleine nuit, échappant à un rêve, presque un cauchemar, concernant sa mère ; c'était en temps de guerre, et elle la cherchait, elle entrait dans des magasins et des cafés pour demander si on l'avait vue. Elle se souvenait rarement de ses rêves mais était néanmoins certaine de n'avoir jamais rêvé de sa mère auparavant : sa mère était une nouveauté, une intruse ! C'était stimulant, déconcertant, voire amusant, une fois, du moins, que Daphné eut cherché à tâtons, trouvé puis pressé l'interrupteur au col de la lampe, plissé les yeux pour vérifier l'heure et bu un verre d'eau. Freda était morte en 1940, de sorte que la toile de fond, le Blitz, était tout à fait logique. Nul doute que son entretien avec le jeune homme, la nécessité de faire face à ses questions bêtes et plutôt désagréables, avait repêché sa mère au fond de sa mémoire. Au fil de la conversation, elle l'avait à peine évoquée, et elle ne se rappelait pas du tout sa présence en 1913, mais cela avait dû suffire pour raviver le souvenir de la vieille dame, comme si elle avait attendu qu'on lui prête à nouveau attention. Daphné laissa la lumière allumée un bon moment, avec l'impression à peine consciente que, dans son enfance, elle aurait fait de même, elle aurait eu besoin de sa mère et en même temps elle aurait été trop fière pour l'appeler.

Dans l'obscurité revenue, elle se trouva à un point critique, soulagement face à la fin de l'hier qui refluait, et irrévocablement, déjà, la crainte du lendemain, qui, bien sûr, était déjà aujourd'hui et s'épaississait comme un regret qui lui enveloppait le cœur. Pourquoi diable avait-elle accepté qu'il revienne ? Pourquoi l'avait-elle même autorisé à venir une première fois, après cet article idiot et condescendant dans le *Listener*, à moins que ça n'ait été dans le *New Statesman* ? Il faisait simplement semblant d'être un ami, ce que, sans doute, jamais aucun intervieweur n'avait été. Paul Bryant… ce n'était qu'un sale petit indic aux cheveux drus, au long nez, avec sa veste en tweed et sa façon foutrement obstinée d'aborder les choses. Elle se retourna dans son lit, victime d'un spasme d'agacement confus, à cause de lui, à cause d'elle-même. Elle ignorait ce qui était pire, les questions vagues et cordiales ou celles précises et sévères. Il l'appelait « Cecil » tout le temps, pas comme s'il l'avait connu, pas vraiment, mais comme s'il avait pu l'aider. « Comment était Cecil ? » Quelle question stupide… « Quand vous dites, dans votre livre, qu'il vous a fait la cour, qu'est-il arrivé exactement ? » Elle avait répondu : « Je passe. » Plutôt malin. Comme au Mastermind. Elle se dit que, le lendemain, elle répondrait « Je passe » à toutes les questions.

Et Robin. Il n'avait que Robin à la bouche. Elle se demandait quelle avait été l'intention de Robin en l'envoyant, en le recommandant ; quoique, tout à coup, une sorte de vague compréhension, sinistre, légère, presque indicible (cette vieille *chose* qu'elle ne se représentait même pas), chavira et après un instant se reposa à côté de son esprit… Mais il y avait davantage, peut-être un bien pour un mal : pendant de longs moments, le jeune Paul Bryant n'avait pas écouté ce qu'elle lui avait raconté. Il croyait qu'elle ne pouvait pas le voir du tout, en train de lire pendant qu'elle lui parlait ; puis, tout à coup, il l'avait pressée ou était intervenu, sur un sujet qui n'avait aucun rapport. Sans doute pensait-il déjà connaître toutes les réponses mais, dans ce cas, pourquoi l'interroger ? Bien sûr, il avait déjà tout sur son fichu magnétophone mais cela ne l'exemptait pas de la politesse la plus élémentaire. Elle se dit que, le matin venu, elle téléphonerait à Robin à son bureau et lui dirait ses quatre vérités.

Une fois de plus, elle se retourna dans son lit et, avec un spasme d'autosatisfaction, se mit à somnoler ; elle était très près de se rendormir pour de bon lorsque l'idée évidente qu'elle pourrait tout simplement refuser de voir Paul Bryant le lendemain la réveilla brusquement et merveilleusement. Wilfrid l'avait ramené à cet horrible hôtel, le Feathers : elle était contente qu'il dorme là-bas. Il avait l'air de penser que c'était du dernier chic ! Seulement deux étoiles mais très confortable, avait-il dit... Elle ferait téléphoner par son fils tôt le matin. Et c'est ainsi qu'elle resta allongée, complotant, somnolant, imaginant l'après-midi sans lui, liberté teintée, mais pas irrémédiablement gâtée, par la culpabilité. Elle était à peu près certaine de lui avoir permis de venir deux fois, sans compter qu'il avait fait le voyage exprès de Londres. Mais pourquoi devrait-elle accepter d'être ainsi exploitée à l'âge de quatre-vingt-trois ans ? Elle n'était pas en bonne santé et ses yeux étaient une source d'inquiétude... Elle ne devait pas se soucier de lui. Il avait lu toutes les lettres que Cecil lui avait envoyées, et le prétendait manipulateur, apitoyé sur son sort : sans doute avait-il raison mais que voulait-il d'elle encore ? Il exigeait des souvenirs, trop jeune qu'il était pour savoir que les souvenirs n'étaient que des souvenirs de souvenirs. Il était très rare de se rappeler un moment de première main. Sans compter que si jamais cela lui arrivait, Paul Bryant ne serait guère la personne avec qui elle le partagerait.

Daphné était censée être dotée d'une bonne mémoire, réputation qui la soutenait tant bien que mal face à ses multiples oublis. Les gens avaient été stupéfaits par tous les éléments qu'elle avait réussi à rassembler dans son livre mais le plus gros, et elle l'avait pour ainsi dire admis face à Paul Bryant, était, non pas fictif, car il ne faut pas jouer à ça avec la vie des gens, mais une sorte de reconstruction poétique. En fait, tous les événements intéressants et décisifs de son existence d'adulte avaient eu lieu quand elle était plus ou moins paf ; elle avait très peu de souvenirs de ce qui s'était passé après, disons… dix-huit heures quarante-cinq, or le flou des soirées, ces soixante dernières années, et peut-être plus, avait aussi gagné les journées. Son problème majeur, lorsqu'elle avait conçu son livre, avait été de se rappeler ce que les gens avaient dit ; en réalité, elle avait inventé toutes les conversations, en s'appuyant (pour respecter la stricte vérité) sur des paroles éparses qui avaient très certainement été prononcées mais avec une fourchette d'erreur de cinq ou, au plus, dix ans, autour de l'incident rapporté. Était-elle seule responsable ? Régulièrement, des gens lui rappelaient ce qu'elle-même était censée avoir dit, des plaisanteries qu'ils n'oublieraient jamais : c'était plutôt gratifiant mais ne devait-elle pas traiter la chose avec la même suspicion ? Parfois, elle savait qu'on la prenait pour une autre. Elle avait sans doute mis trop longtemps à écrire ses Mémoires. Basil l'avait encouragée, lui avait dit très ouvertement d'écrire sur Revel, et Dudley avant lui, des « personnages marquants ! », avait-il déclaré, avec une certaine autodérision. Mais la rédaction avait pris trente ans, pendant lesquels elle avait oublié quantité de choses qu'elle connaissait fort bien au moment où elle avait commencé. Si elle avait tenu un journal, c'eût été différent, mais ça n'avait jamais été le cas, et son expérience de mémorialiste, si elle était représentative, ne pouvait que jeter une lumière des plus inquiétantes sur plus de la moitié des Mémoires publiés. Certaines scènes étaient indubitablement liées au Berkshire et à Chelsea, mais beaucoup d'autres se déroulaient dans un décor générique, comme dans un théâtre de répertoire, dont les plateaux à boissons, les miroirs et les canapés recouverts de chintz fondaient toute vie mondaine dans une même saison incroyablement prolongée.

Elle éprouva un sentiment identique mais pire, d'une certaine façon, à propos des centaines et des centaines d'ouvrages qu'elle avait lus, romans, biographies, quelques livres sur la musique ou la peinture : elle avait tout oublié, de sorte qu'il devenait vain de même dire qu'elle les avait lus ; les gens accordaient beaucoup de poids à ce genre de prétention mais elle se doutait bien qu'ils ne se rappelaient pas davantage qu'elle-même. Il arrivait qu'un livre subsiste à la périphérie de sa vision, comme une ombre colorée aussi floue et irrécupérable que ce que l'on voit depuis la vitre d'une voiture sous la pluie : si on regardait directement, ça disparaissait entièrement. Parfois une atmosphère, voire les rudiments d'une scène, se dégageait : un homme dans un bureau donnant sur Regent's Park, la pluie dans les rues ; gravure brouillée d'une situation dont elle ne retrouverait jamais, ne pourrait jamais retrouver la provenance, dans quelque roman lu, Dieu sait quand, au cours des trente dernières années.

À son réveil, percevant la lumière grise qui s'étalait au-dessus des rideaux, elle estima prudemment l'heure qu'il devait être. Ces réveils matinaux étaient d'inquiets calculs de gains et de pertes : était-il assez tard pour ne pas s'offusquer de s'être réveillée ? Pouvait-il être assez tôt pour s'offrir raisonnablement la possibilité de dormir un peu plus ? Avec l'arrivée du printemps, on se retrouvait encore plus désarmé. Six heures moins dix : acceptable. Dès qu'elle se demanda si elle devait aller aux toilettes, elle s'aperçut qu'elle en avait envie. Elle se leva donc : pantoufles, robe de chambre enfilée sur le pyjama ; elle était heureuse de ne pas voir davantage d'elle-même dans la glace qu'un ballot indistinct. Elle alluma la lumière, passa devant la chambre de Wilfrid, petit grincement des lattes disjointes du parquet, mais il ne se réveillerait pas pour autant. Il avait la capacité de dormir beaucoup, comme un enfant. Elle avait de lui une image, qui n'avait guère changé en cinquante ans, de sa tête sur l'oreiller, d'un enfant à qui il n'arrivait jamais rien, du moins à sa connaissance. Mais maintenant, il y avait cette Birgit, avec ses projets obscurs. Le pauvre Wilfrid était tellement naïf qu'il ne voyait pas qu'elle en avait après sa fortune ; et quelle fortune ! Daphné fit *tss tss* en tâtonnant à l'intérieur du placard sombre dans lequel le lavabo et les toilettes étaient comme des intrusions surréelles dans une montagne de déchets.

Le matin venu, le premier acte de lady Caroline Messent fut de l'appeler pour l'inviter à venir prendre le thé. À Olga, le téléphone était fixé au mur de la cuisine, Caroline ayant sans doute imaginé Olga elle-même enfermée constamment dans cette pièce, et plus ou moins au garde-à-vous quand elle lui parlait.

« Je ne peux pas, ma chère, répondit-elle, j'ai ce jeune homme qui revient me voir…

— Oh, décommandez-vous, répondit Caroline, avec son débit comique tant il était précipité. Qui est-ce ?

— Il s'appelle… Il me fait subir un interrogatoire, je suis prisonnière dans ma propre maison.

— Chérie…, dit Caroline, acceptant qu'Olga fût, pour l'instant du moins, la maison de Daphné. Je ne supporterais pas ça. Vient-il relever le compteur du gaz ?

— Oh, bien pire. » Daphné prit appui sur le plan de travail, dont elle vit vaguement que c'était un dangereux amas de plats sales, de bouteilles à moitié vides et de boîtes de médicaments. « Il est arrivé hier. Il est comme le représentant de Kleeneze.

— Vous voulez dire qu'il fait du porte-à-porte ?

— Il prétend que nous nous sommes rencontrés chez Corinna et Leslie, mais je ne m'en souviens absolument pas.

— Ah, je vois…, lâcha Caroline comme si elle avait commencé à prendre parti pour l'intrus. Mais que veut-il ? »

Daphné poussa un long soupir. « Des cochonneries, essentiellement.

— Des cochonneries ?

— Il essaie d'écrire un livre sur Cecil.

— Cecil ? Oh, vous voulez dire Valance ? Oui, je vois.

— Il se trouve que j'ai déjà tout écrit sur lui. »

Caroline marqua une pause. « J'imagine qu'il fallait s'y attendre, c'était une simple question de temps.

— Hum ? Je ne comprends pas ce qui lui a pris. Il insinue des choses, si vous voyez ce que je veux dire.

Il prétend plus ou moins que je n'ai pas tout dit dans mon livre.

— Ce doit être effroyablement vexant.

— Eh bien, moins effroyablement que foutrement, en réalité, comme Alfred, lord Tennyson, l'a dit un jour à mon père.

— C'est amusant, ça…

— À vrai dire, Cecil ne signifie rien pour moi, j'ai été folle de lui pendant cinq minutes il y a soixante ans. Ce qui compte à mes yeux, en ce qui concerne Cecil, continua Daphné, à moitié consciente qu'elle se laissait emporter, c'est qu'il m'a menée à Dud, et aux enfants, et à toute ma vie adulte, avec laquelle il n'a, bien sûr, absolument rien à voir !

— Eh bien, dites-le donc à votre Mr Kleeneze, ma chère. » Caroline pensait manifestement que Daphné se plaignait trop.

« Vous devez avoir raison. » Daphné comprit qu'elle aurait quelque honte à suivre le conseil de Caroline, et, de ce fait, à réduire encore son intérêt pour le jeune homme. Tout à coup, elle se dit que Caroline devait déjà le connaître. « Je suis convaincue qu'il était à votre soirée de lancement, dit-elle. Paul Bryant.

— Vous ne voulez pas dire le jeune homme de… Était-ce Canterbury ?… De l'une de ces universités flambant neuves…

— Ce pourrait être lui, oui. Il travaillait à la banque avec Leslie.

— Ah, non. Mais il y avait, de cela j'en suis sûre, un jeune homme très intelligent, vous avez raison, qui travaillait sur la poésie de Cecil.

— Non, je sais de qui vous parlez, j'ai oublié son nom. Mais je me suis déjà occupée de celui-là. Non, il s'agit d'un *autre* jeune homme.

— Hum, ma chère, manifestement, l'heure de Cecil a sonné. »

10

Le lendemain matin, Paul relisait ses notes dans sa
chambre d'hôtel, plateau à portée de main, cafetière
en métal grêlé avec poignée brûlante, tasse avec traces
de rouge à lèvres, bol de sucre en poudre enveloppé
dans des tubes souples de papier dont il vida toute une
série dans les trois cafés forts qu'il but, ce qui le rendit
bientôt excité et survolté. Sur une assiette couverte
d'un napperon, cinq biscuits qu'il mangea tous alors
qu'il venait de prendre son petit déjeuner ; ils étaient
si familiers (le « Bourbon », le « Nice » saupoudré de
sucre, le rébarbatif « Gingembre et Noix » dont il ne
fit qu'une bouchée) qu'un bref instant, il fut frappé
par la pauvreté et la constance de la vie anglaise qui
était comme cristallisée dans l'assortiment de la boîte
de biscuits Peek Frean. Calé dans son fauteuil, il
mastiqua et posa un regard distrait sur le reflet, dans
la glace, des mouvements appliqués de sa mâchoire ;
une sensation moins confortable l'envahit alors. Il ne
s'était jamais regardé manger et fut éberlué par son air
de rongeur déterminé, par le bizarre affaissement d'un
côté de son cou quand il mâchait, par le tremblote-
ment de ses tempes. C'est ainsi qu'il devait apparaître

à autrui, voilà ce que Karen avait en face d'elle tous les soirs à dîner : cette prise de conscience le fit ralentir pensivement, puis arrêter net de mastiquer, en pleine action, avant de recommencer comme s'il avait voulu se prendre la main dans le sac. Il n'était pas du tout sûr qu'il aurait voulu confier ses secrets à cet homme-là.

Il consignait dans son journal des éléments supplémentaires concernant la rencontre de la veille ; son journal dans lequel les rares traces de sa propre vie étaient désormais largement remplacées par les détails ramifiés de celle des autres. De temps en temps, il réécoutait l'enregistrement, plus pour la sensation qu'il lui procurait qu'en raison d'un quelconque espoir de pouvoir en tirer quelque chose. Il avait beaucoup oublié, mais il savait qu'il y avait dans ses interviews de longs moments pendant lesquels il n'écoutait pas la personne interviewée ; à cause, en partie, de sa gêne perpétuelle, de la sensation qu'il avait de jouer un rôle – il riait, soupirait, hochait la tête d'un air triste –, ce qui éclipsait toute possibilité d'engranger ce qui était dit ; et, en partie, à cause d'une conscience plus froide que l'interviewée lui échappait ou se répétait, l'ennuyait et lui faisait perdre son temps exprès. C'était effarant, tout ce dont ces gens ne pouvaient se souvenir ; ses témoins les plus importants, tous dans les quatre-vingts ans, il les voyait embourbés dans une ornière, ou comme dans une roue, pourchassant obstinément les mêmes rares souvenirs aplanis par le temps, avec leurs narines et leurs pattes. Quand il s'était penché sur le poème « Le Hamac » avec Daphné, dont il avait espéré aiguillonner la mémoire, elle avait réutilisé les mêmes mots et expressions que dans son livre, ce qu'elle faisait sans doute d'ailleurs depuis cinquante ans. Dans son livre, elle avait monté en épingle cette amourette d'adolescence et Paul avait compris que ce qu'elle en avait fait avait remplacé à la longue l'expérience première : il était donc désormais vain d'espérer tirer d'elle des détails remontant à cette époque lointaine. Elle ne paraissait plus véritablement s'intéresser à Cecil, et encore moins à l'occasion que Paul lui offrait, à la fin de sa vie, de remettre de l'ordre dans sa mémoire. Il riait prudemment lorsqu'il pensait à sa petite rebuffade quand il avait pris congé, la veille (« Vous revenez donc ? ») – d'une certaine manière elle n'avait fait que renforcer sa détermination.

La théorie de George sur Corinna, si elle était attestée, jetterait un éclairage nouveau sur le personnage de Dudley. Sans doute Paul devrait-il tenter d'aiguiller Daphné sur le sujet de son premier mariage, et la contraindre par la ruse, ou presque, à avouer. George avait dit que ce genre de mariage était monnaie courante en ce temps-là. Bien sûr, Paul devrait retrouver le certificat de naissance de Corinna. À quel point Dudley avait-il été complice ? C'était un triangle amoureux des plus inhabituels. Dans *Fleurs noires*, Dudley traitait les amours de son frère avec son ton habituel, louvoyant, désobligeant.

Mon épouse rencontra Cecil avant la guerre, à l'époque où il tenait en quelque sorte le rôle de mentor auprès de son frère, George Sawle ; c'est après sa visite au *cottage* des Sawle à Harrow qu'il écrivit « Deux Arpents », un poème qui connut un certain retentissement dans les années de guerre et après. J'imagine qu'elle fut éblouie par son énergie et sa personnalité ; ardente consommatrice de poésie romantique, elle fut sans aucun doute impressionnée par cette rencontre avec un poète vivant, au regard sombre et aux cheveux noir corbeau. À certains signes, on se doute qu'il avait une grande affection pour elle, sans qu'il faille pour autant exagérer la chose ; mon frère avait l'habitude d'être adulé et, dans l'ensemble, était charmant avec ceux et celles qui l'idolâtraient. Il composa son célèbre poème à sa demande en guise de souvenir dans son carnet de dédicaces, mais il ne l'avait rencontrée que l'avant-veille. Je trouvai amusant que Cecil, héritier de mille cinq cents hectares, fût principalement connu parce qu'il avait célébré deux arpents. Très poliment, il l'invita à Corley lorsque son frère vint aussi y séjourner.

Suivaient plusieurs remarques sarcastiques sur les visites de George chez les Valance.

Il témoignait d'un grand intérêt pour la demeure et les terres. S'il avait parfois, à son insu, l'air d'un agent immobilier ou d'un huissier, ses préoccupations étaient, à n'en pas douter, intellectuelles avant tout. Il arrivait que Cecil et lui disparaissent pendant des heures puis reviennent nous conter l'histoire de trouvailles merveilleuses dans ses caves labyrinthiques ou ses greniers secrets, sans oublier des comptes rendus, que mon père entendait avec bonheur, de la qualité des pâtures ou du travail des forestiers dans les fermes de Corley.

Paul pensa une fois encore à la photographie de George et Cecil sur la toiture, au riche et difficile éventail des témoignages tacites, images et implications. Dudley suggérait-il là quelque réalité qu'il ne pouvait énoncer clairement ?

Daphné, de deux ou trois ans sa cadette, était plus ouverte, plus à l'aise : elle donnait son avis d'une manière qui parfois dérangeait ma mère mais me ravissait. Elle avait grandi en compagnie de deux frères aînés et avait l'habitude d'être gâtée. C'est la nature quelque peu exclusive des passe-temps de Cecil et de George qui nous rapprocha, et nos relations furent d'abord fraternelles ; il était clair qu'elle idolâtrait Cecil mais à mes yeux elle était une compagne naïve et amusante, que n'affectait en rien le regard que la famille portait sur moi, le mouton, sinon noir, du moins gris. Elle aimait beaucoup discuter, son expression s'illuminait à la moindre plaisanterie. Pour elle, Corley Court était moins une affaire d'historien qu'une vision tirée d'une ancienne romance : les aspects inhumains du lieu participaient à son charme. Les vitraux des fenêtres qui empêchaient la lumière d'entrer, les hauts plafonds qui s'opposaient à toute tentative de chauffer les pièces, le labyrinthe de guéridons surchargés, de sièges et de plantes en pot qui emplissaient les pièces, étaient à ses yeux investis d'une indéniable magie. « J'aimerais beaucoup vivre dans une maison semblable », déclara-t-elle lors de sa première visite. Quatre ans plus tard, je l'épousai dans la chapelle de Corley et, en temps voulu, elle en devint la châtelaine.

Paul songea que les hôtels n'étaient pas les meilleurs endroits pour travailler. On était assailli par des bruits de tous côtés : lorsqu'un client levé tard ôta la bonde de la baignoire, toute l'eau tomba avec des bruits de mousse impudiques et des gargouillis dans les tuyauteries, à quelques centimètres à peine du bureau où Paul était installé ; la femme de chambre était déjà venue deux fois, alors qu'on ne devait libérer la chambre qu'à onze heures ; décontenancée mais invaincue, elle passait l'aspirateur dans le couloir ou montait et descendait, ouvrant et refermant les portes avec fracas; dans une chambre adjacente à gauche, où, jusque-là ignorée, quelque réunion d'affaires avait débuté, des rires ponctuaient le discours décousu d'un homme qui argumentait et dont on entendait à travers la cloison fine comme du papier à cigarettes une phrase de loin en loin, complètement incompréhensible. Paul se cala dans son siège avec un gémissement de frustration; mais il comprit que la scène avait déjà pris une sorte de qualité anecdotique, et il la consigna dans son journal, rappel du triste sort du biographe.

De retour à Olga, juste avant quatorze heures, il trouva la porte d'entrée ouverte et entendit la voix de Wilfrid venant de la cuisine : il parlait de façon plus régulière et appuyée que la veille. Paul eut l'impression d'être tombé sur une scène embarrassante au caractère intime. Une crise se préparait-elle? Cependant, il ne comprit pas ce que disait Wilfrid. Plutôt que d'appuyer sur la sonnette, il entra dans le vestibule et, sacoche à la main, resta planté là, penché en avant, avec l'air de s'excuser de quelque chose. Il comprit soudain que Wilfrid faisait la lecture à sa mère : « Bois ton gilet maman et l'orangeade », crut-il entendre. Une fraction de seconde, Paul ne comprit pas de quoi il retournait; puis, bien sûr, il saisit : « Voit-on jamais des hamadryades / Entre les voiles dansantes de vert...? » Il lui lisait un passage de « Deux Arpents » et Daphné émettait un bruit comme un ronchonnement ou anticipait certains mots comme pour signifier que la lecture était inutile; était-ce une sorte de préparation pour cette seconde journée d'interview ? Paul fut plus ou moins rassuré, sans compter qu'il y avait un je-ne-sais-quoi de bizarrement touchant dans le renversement des rôles, le fils lisant à la mère. « "Halte-là, suivez ce chemin caché, où les fou…" » « "… où les fougères au rythme des hanches ont bougé", compléta Daphné. Tu ne le lis vraiment pas bien.

— Préférerais-tu que je m'en dispense, alors ? répliqua Wilfrid sur son ton habituel, à la fois patient et sec.

— La poésie… tu n'as aucune idée de comment il faut lire la poésie. Ça n'a rien à voir avec les résultats du football.

— Tu m'en vois navré.

— Le couvre-feu sonne le glas du jour qui passe : *Un*. Le berger rentre, de sa démarche lasse : *Zéro*. » Daphné s'amusait ; elle ne se maîtrisait plus vraiment. « Quand je ne serai plus là, tu devrais te faire engager à la télé.

— Ne… dis pas des choses pareilles », repartit Wilfrid. Paul, qui ne voyait pas leurs visages, ne comprit pas tout de suite que ce n'était pas la moquerie de sa mère qui gênait le fils mais le fait qu'elle ait évoqué sa disparition. Qu'adviendrait-il de lui, en effet, alors ? Intrigué par son propre mélange d'affection et d'irritation à l'égard de Daphné, Paul ressortit à pas de loup et appuya sur la sonnette.

Exactement comme la veille, mais avec une chaleur voulue et inédite, Paul lança à Wilfrid : « Comment se porte votre mère aujourd'hui ?

— Je crains qu'elle n'ait très mal dormi, répondit Wilfrid sans croiser son regard. Il vaudrait mieux… faire court aujourd'hui. » Paul entra dans le living, installa le micro et jeta un dernier coup d'œil à ses notes, avec la nette impression qu'ils le tenaient responsable de la mauvaise nuit de Daphné. Mais, lorsqu'elle entra, elle paraissait plus guillerette que la veille. Elle se fraya un chemin entre les obstacles secourables de la pièce avec le sourire intérieur d'une personne âgée qui sait qu'elle n'a pas encore dit son dernier mot. Paul devina qu'il s'était passé quelque chose depuis hier ; bien sûr, elle avait réfléchi, revu sa position, la nuit, éveillée dans son lit – Paul devrait découvrir au fur et à mesure si sa vivacité recouvrée était un signe de conciliation ou de résistance.

« Belle journée, n'est-ce pas ? » fit-elle en s'asseyant ; puis, redressant la tête pour vérifier si Wilfrid préparait du café dans la cuisine : « Vous a-t-il raconté, pour sa pépée ? demanda Daphné.

— Oh… hum… j'ai compris… » Paul esquissa un sourire distrait en vérifiant le magnétophone.

« Il a soixante ans ! Il ne peut guère s'occuper d'une jeunette pleine d'entrain… c'est à peine s'il peut s'occuper de moi !

— Peut-être est-ce elle qui s'occuperait de lui ? »

Daphné objecta avec un petit rire plutôt truculent : « Ce n'est pas un méchant homme, il ne ferait pas de mal à une mouche, et pas même à une puce sans doute, mais il est totalement dépourvu de sens pratique. Regardez cette baraque ! C'est un miracle que je ne me sois pas encore cassé une jambe ; ou le poignet ; ou le cou !

— Vit-elle dans les environs ?

— Dieu merci, non… elle habite en Norvège.

— Oh, je vois…

— Birgit. Ils s'écrivent, ne vous l'a-t-il pas dit ?

— La Norvège, c'est loin.

— Ce n'est pas l'avis de Birgit. Elle a des vues sur lui.

— Croyez-vous ? »

D'une sincérité tranquille, Daphné répondit : « Elle désire être la prochaine lady Valance. Ah, le thé, Wilfrid, formidable !

— Tu as demandé du café, Maman. » Daphné prit sa tasse d'un geste délicat.

« Dois-je aller chez Smith chercher ta commande… ?

— Non, non, reste donc et parle avec nous. Ce sera plus amusant pour Mr Bryant, et tu pourras m'aider, ma mémoire est si mauvaise !

— Appelez-moi Paul », dit celui-ci, adressant à Wilfrid un sourire féroce – s'il restait, il était certain que sa mère ne dirait rien d'intéressant ; il fallait à tout prix lui confier une mission, mais laquelle ?

« Bien sûr. Je porte le plus grand intérêt à… l'important projet de Paul.

— Je le sais bien. » Daphné sirota son café. « Hum, excellent. »

Paul se demanda comment s'accommoder de la situation. Comme toujours, il avait concocté un plan, qui se révélait désormais impossible à suivre, or il n'avait jamais su improviser ; lorsque c'était possible, il s'en tenait tout de même à son plan. Il rappela à Daphné Corley Court, les occasions où il avait visité la demeure, et déclara qu'il aimerait y retourner : il avait d'ailleurs écrit au directeur de l'école ; Daphné ne montra pas le moindre intérêt pour le sujet. « Vous reste-t-il beaucoup de choses de cette époque ? » lui demanda-t-il. Et si ces nappes, ces couvertures dissimulaient des trésors de la famille Valance, des petits objets poussiéreux qui auraient appartenu a Cecil, ou qu'il aurait manipulés...? L'idée que le terreau inconnu de la vie de Cecil se trouvait si près et en même temps obstinément hors de portée submergeait parfois Paul comme dans un rêve, par vagues alternées de possibilités et d'obstacles.

« Je n'ai pas hérité de grand-chose. Seulement le Raphaël.

— Ah bon... » En entendant le ton de Daphné, Paul plissa les yeux.

« Vous avez dû l'apercevoir dans les toilettes.

— Oh... oh, le portrait d'homme... Seigneur... Il doit valoir une petite fortune. » Paul détesta le ricanement qui lui échappa... il n'avait aucune idée de la valeur du tableau.

« C'est ce qu'on était en droit d'espérer. Hélas, c'est une copie, exécutée quand, Wilfie ?

— Vers 1840, me semble-t-il, répondit ce dernier, sur un ton désinvolte mais aussi avec une certaine fierté.

— Vous l'ignoriez à l'époque ?

— Hum, je crois... vous savez... Quoi d'autre ? » Daphné regarda autour d'elle comme quand on est aveuglé par la réverbération.

« Le cendrier, dit Wilfrid.

— Ah, oui... J'ai hérité du cendrier. » Sur le guéridon, à côté de sa tasse de café, se trouvait une petite coupelle en argent à bord festonné. « Regardez-le. » Elle le souleva et Paul se leva pour le prendre. C'était le genre d'objet qu'on gardait dans une vieille valise dans la chambre forte à la banque, mais tout terni et éraflé par les attentions prolongées d'une fumeuse invétérée.

« Regardez dessous, indiqua Wilfrid.

— Ah, je vois…

— Je suppose que Dudley avait un complexe, un rapport particulier à la propriété, en tout cas. Il a fait ajouter ça à bon nombre d'objets de valeur que, ce faisant, il a probablement beaucoup dévalués. » En lettres fluides, comme certaines inscriptions plus conventionnelles gravées dans l'argent, figuraient les mots « *Volé à Corley Court* ». Paul rendit le cendrier, rougissant de cette référence à ce vice particulier.

« Je m'interrogeais sur le portrait derrière vous », dit-il pour détourner l'attention de Daphné. À sa manière, le chaos de la pièce laissait échapper de menus trésors, prix de consolation pour la conversation que Daphné tentait d'empêcher.

« Oh, ça, c'est un Revel, bien sûr, répondit-elle, comme si elle faisait référence à un grand peintre.

— Et c'est manifestement… vous !

— Je suis très attachée à ce portrait, pas vrai, Wilfie ?

— Exact…

— De quand date-t-il ? » Paul se leva et se glissa entre le dossier du fauteuil de Daphné et le lampadaire pour aller examiner le tableau de plus près. Soudain, il eut l'intuition que Daphné avait, bon gré mal gré, reproduit à Olga le « labyrinthe » victorien de mobilier et d'objets décoratifs de Corley. Sans doute le fouillis gagnait-il toujours, à la longue.

« C'est un très beau portrait », déclara Daphné. Il représentait une jeune femme au visage rond, aux cheveux sombres, des couettes de part et d'autre du visage. Un foulard léger était noué, lâche, au-dessus du col ouvert de son chemisier. Daphné se penchait en

694

avant, lèvres entrouvertes, comme si elle avait attendu la chute d'une plaisanterie. Le portrait était ce que Paul imagina être une sanguine et il était dédicacé *À Daphné – R.R. Avril 1926.* « Nous avions tous deux la plus effroyable gueule de bois, mais je ne trouve pas qu'on puisse s'en douter chez l'un ou chez l'autre. »

Paul rit nerveusement mais ne se hasarda pas à exprimer son opinion. Lorsqu'il réfléchit à la date, elle lui parut avoir une certaine importance. « J'aimerais voir d'autres tableaux de lui », dit-il, triste de s'entendre se soumettre de son plein gré à une nouvelle diversion par rapport à son sujet d'élection, mais avec le sentiment qu'il réussirait à revenir à Cecil plus tard.

« Vraiment, cela vous plairait ? s'exclama Daphné, apparemment surprise mais prête à obtempérer. Qu'avons-nous donc ? Eh bien, j'imagine que nous devrions regarder les albums de Revel. Tu sais où ils sont, toi, Wilfrid…

— Oui… voyons… » Wilfrid hocha la tête en cherchant dans une commode derrière son fauteuil. Paul commençait à penser que l'incapacité de Wilfrid, depuis de nombreuses années, à mettre de l'ordre cachait en réalité un classement très personnel mais très efficace. « Tenez, il y a celui-ci, déjà… » Et Paul eut donc le droit de regarder, plus rapidement qu'il ne l'eût souhaité, un grand album à couverture noire d'esquisses de Revel Ralph ; Daphné l'ouvrit sur ses genoux, flanquée de Paul et de Wilfrid, qui se penchèrent tous deux poliment alors qu'elle observait les croquis selon des angles bizarres pour mieux voir et tournait trop vite les pages, comme si, en fin de compte, elle regrettait de les montrer. Certaines pages étaient consacrées à des maisons géorgiennes – réelles ou imaginaires, Paul n'en eut aucune idée –, jolies mais plutôt ennuyeuses, dont Wilfrid expliqua que c'étaient des projets de décor pour *L'École de la médisance* ; il y avait aussi des études pour le portrait d'une lady quelconque, « une femme très pénible » ; puis une série de dessins rapides et beaucoup plus inspirés, une dizaine ou douzaine de pages d'un jeune homme nu, allongé, assis, debout, dans toute une déclinaison de positions idéalisées qui pourtant paraissaient naturelles, chaque détail de son anatomie merveilleusement rendu, à l'exception de sa queue et de ses bourses laissées à l'imagination d'un seul coup de crayon, ostensiblement discret, faisant comme si ce n'était pas là l'important. Daphné sembla deviner l'intérêt que lui porta Paul. « Qu'est-ce ? » demanda-t-il, repoussant l'album vers elle afin qu'elle puisse mieux voir. « Oh, tu te souviens de lui, Wilfie, le jeune domestique écossais de Corley. Revel l'aimait énormément, il a fait quantité de dessins de lui, je me rappelle qu'ils sont devenus très amis.

— J'étais trop jeune pour me le rappeler », dit Wilfrid, et, regardant Paul par-dessus la tête de Daphné : « Je n'avais que sept ans quand nous… euh, quand nous avons déménagé à Londres. »

Malgré tout, Paul se demanda si Wilfrid n'était pas décontenancé en regardant ces esquisses, d'autant plus hardies qu'elles étaient intimes, les études des cuisses du garçon écossais, de ses fesses, de ses tétons, en présence de sa mère ; et que pensait Daphné elle-même, ayant épousé un homme qui dessinait de telles choses ? « Je me souviens qu'il est venu à plusieurs de nos soirées à l'atelier », dit-elle, comme si elle avait encouragé le regard vagabond de son époux. Paul eut l'impression qu'elle le taquinait.

« Tout cela devrait être dans un musée, déclara-t-il, embarrassé.

— Ils le seront bientôt, j'en suis sûre. Mais j'aime les avoir auprès de moi, alors, pour l'instant, je les ai, je les garde. » Et elle referma l'album alors qu'ils n'étaient parvenus qu'à la moitié, comme pour signifier qu'elle lui avait déjà suffisamment fait plaisir.

« Je voulais vous demander si vous aviez des photos de Deux Arpents. » Quelque chose lui dit qu'il était plus astucieux de demander des photos de la maison plutôt que de ses habitants : il avait l'air plus désintéressé et nul doute que les deux catégories de photos étaient réunies dans le même album. Une fois encore, Wilfrid accéda aux souhaits de Paul : « Cet album était celui de grand-mère Sawle, déclara-t-il.

— J'aimais cette maison, dit Daphné, posant ce nouvel album sur son genou gauche et levant un sourcil soupçonneux. Ça, c'est la vue depuis l'allée, n'est-ce pas, oui... là, c'était la fenêtre de la salle à manger, avec les quatre cerisiers devant.

— "Un blanc nuage de neige à Pâques", lâcha Paul (ce n'était pas le vers le plus original qu'eût jamais écrit Cecil).

— Aha ! fit Wilfrid de l'autre côté de la pièce.

— Nous y voilà, dit Daphné. Et la rocaille, regardez. Seigneur, tout me revient brusquement...

— Cela me fait plaisir, avoua Paul en lâchant un rire franc.

— Hum, qui est-ce là ? Wilfie, est-ce grand-mère ?

— Oh... » Paul reconnut la dame allemande corpulente dont George lui avait parlé, mais, bien sûr, il ne connaissait pas son nom. Cette femme l'agaça, cette personne sans intérêt qui ne cessait de requérir l'attention d'autrui. Il se souvenait que George avait dit qu'elle était très ennuyeuse. En noir de la tête aux pieds – le noir qui absorbe la lumière –, elle était assise dans un transat dont on se demandait comment elle allait s'en extraire.

« Quoi ? demanda Wilfrid en s'approchant. Je ne connais pas tout le monde, je n'étais même pas né, tu as oublié ? Oh, mon Dieu, non, ce n'est pas grand-mère. Non, non. » Il partit d'un rire voilé. « Grand-mère était vraiment une… plutôt belle femme… de beaux cheveux auburn.

— Je ne dirais pas qu'ils étaient auburn, le contredit Daphné. Mais blond foncé. Elle en était très fière. » Daphné n'aurait sans doute pas dit cela d'elle-même.

Paul regarda Wilfrid : « C'était cette Allemande, n'est-ce pas ? dit-il.

— Exactement… », répondit Wilfrid, l'air déjà ailleurs, se penchant vite en avant pour tourner la page. « Il y a longtemps que je n'avais pas regardé ces photos…

— Je me demande ce qui est arrivé à la maison, dit Daphné.

— Elle n'existe probablement plus, Mère. » Paul connut alors l'un de ces instants où il comprenait qu'il avait en son pouvoir d'informer et peut-être de contrarier la personne auprès de laquelle il était venu quérir des renseignements. « Elle tient encore debout, déclara-t-il.

— Vous l'avez vue, je parie », rétorqua Daphné, cinglante.

Paul retroussa les lèvres pour exprimer son regret. « Je ne crois pas que vous la reconnaîtriez.

— Vraiment ? dit-elle, d'un ton léger mais l'air grave.

— Ou plutôt non, en fait, je crois que vous la reconnaîtriez », répondit-il, songeant en même temps : Mais vous n'y retournerez jamais, vous ne la reverrez jamais. Il eut l'impression qu'elle l'accusait de tous ses déménagements, des années vécues dans des appartements, de la vente du jardin, qu'elle l'accusait de savoir ce qu'il savait et ce qu'elle aurait préféré ne pas savoir.

« Je préfère que vous ne me disiez rien, le pria-t-elle.

— Et puis nous avons le poème, n'est-ce pas ? dit Wilfrid.

— Naturellement, il reste toujours le poème. »

L'album ne contenait pas de photos de Cecil, ce qui, dans la mesure où il n'avait passé en tout que six nuits à Deux Arpents, était peu surprenant, mais, bien sûr, décevant tout de même. Paul examina toutes les photos où George figurait, du petit garçon de six ans en costume de marin à l'étudiant de Cambridge avec son canotier, et douta de moins en moins que toute chaleur que ce « pisse-froid » ait pu éprouver, il l'eût éprouvée pour d'autres jeunes hommes. Il demanda à Daphné si elle l'autoriserait à reproduire deux photos de la maison et du jardin ; elle répondit n'y voir aucune objection, mais elle se montra nerveuse jusqu'à ce que Wilfrid ait remis l'album dans sa cachette. Lorsqu'ils se furent tous rassis, Paul s'éclaircit la gorge et fixa Daphné d'un regard plus affûté qu'auparavant, avec l'impression accrue que, de quelque façon qu'il la regardât, elle, de son côté, ne le verrait pas. D'un air désinvolte, il se jeta à l'eau : « Il y a une chose… », commença-t-il, juste au moment où, avec un petit ricanement, souriant presque, exprimant, eût-on dit, une grande satisfaction, elle s'exclama : « Eh bien ! Je suis désolée mais j'ai promis à mon amie Caroline d'être chez elle à quatre heures ; nous allons donc devoir mettre un terme à cette réunion, avec un ban de remerciement pour Wilfrid Valance, qui nous a servi les rafraîchissements ! »

Paul rougit et il se raidit. Il n'avait pas l'intention de se laisser damer le pion. Il hocha ostensiblement la tête en regardant sa montre. « Bien, si je prends le cinq heures dix…, dit-il.

— Ah, mais c'est parfait », commenta Daphné, mielleuse.

Paul ne savait pas si Wilfrid avait l'intention de le conduire à la gare, et il s'apprêtait donc à téléphoner aux taxis Cathedral. Il se leva, commença à ranger son magnétophone et ses papiers dans sa sacoche en tentant de dissimuler de son mieux sa déception, s'offrant même le luxe de quelques remarques destinées à repousser un peu son départ et à normaliser la situation. « Je vous suis extrêmement reconnaissant, déclara-t-il.

— Je ne suis pas sûre de vous avoir été d'un grand secours.

— Vous avez été très aimable », répondit Paul, mentant éhontément. Il sortit son exemplaire de *La Courte Galerie.* « Auriez-vous l'obligeance de me le dédicacer ? » C'était l'exemplaire qu'on lui avait donné pour écrire son article. Il espéra qu'elle n'était plus en mesure de lire les notes dans les marges, au cas où elle songerait à vérifier.

« Qu'est-ce ?

— Oh, Paul voudrait que tu lui dédicaces ton livre, Maman, dit Wilfrid, manifestement content de la requête.

— Oh, si vous voulez... » Après avoir fouillé un peu partout à la recherche d'un stylo-bille et jeté tant bien que mal un regard à la page de titre, Daphné écrivit quelque chose, de son écriture à grosses boucles : Paul ne regarda pas mais cela le ramena, au cours d'un moment confus, au soir où elle avait écrit son adresse à la gare de Paddington, et, bien plus tôt encore, au matin où, à Foxleigh, il l'avait vue rédiger un chèque, avec des précautions comiques, comme si elle n'avait pas su ce qu'elle faisait. Il y avait un petit quelque chose dans son écriture, avec ses boucles un peu carrées d'une taille exagérée, qui semblait la lui montrer sous les traits d'une jeune fille : quelque chose de spontané et de presque imperméable au temps, les mêmes « d » bien ronds et les « p » qui ressemblaient à des crosses, qu'elle aurait utilisés pour signer ses lettres à Cecil Valance avant la Première Guerre mondiale, et avec lesquels elle écrivait aujourd'hui sa dédicace. Elle referma le livre et le rendit à Paul, puis se leva à son tour, avec l'air incertain de qui vient de se tirer d'un mauvais pas. Paul referma sa sacoche d'un coup sec.

« Parfait ! Je vous recontacterai », dit-il. Il n'était pas certain de jamais les revoir. « Et, comme je vous le disais, je vous tiendrai informés de la date du lancement du livre. Vous devrez absolument venir ! » Elle demeura impassible et il avança, lâchant un soupir rapide et amical ; il toucha son bras, ce qu'elle n'avait pas prévu : c'est seulement après qu'il eut déposé un baiser sur sa joue, au moment où il s'apprêtait à lui en donner un second, que la résistance de Daphné se manifesta : un petit grognement et un mouvement de recul déconcerté, comme pour marquer l'étendue de leur incompréhension mutuelle.

CINQUIÈME PARTIE

Les Anciens Compagnons

« Personne ne se souvient de vous, du tout. »

MICK IMLAH,
In Memoriam Alfred Lord Tennyson

1

La femme assise à côté de lui dit : « Je ne sais pas si Julian va venir. Et vous ?

— Malheureusement pas, répondit Rob.

— Je crois qu'ils étaient très amis. Je ne suis pas certaine que je le reconnaîtrais. » Elle se retourna et tendit le cou. À son chapeau noir pendait une mince voilette et une fleur violette se dressait au-dessus de son oreille droite. Pas d'alliance, mais plusieurs bagues anciennes, de famille sans doute, aux autres doigts. Elle portait un ensemble en soie et velours léger froissé, noir et rouge foncé, stylé mais pas exactement du dernier cri. Elle lui sourit encore, mais il ignorait si elle croyait l'avoir déjà vu ou avait tout simplement jugé qu'elle n'avait pas besoin de le connaître pour lui adresser la parole. Il y avait une pointe de malice dans sa voix assurée et sa diction aristocratique. « Un bon nombre d'invités vont devoir rester debout. » Elle regarda avec satisfaction l'embarras des derniers arrivés, tandis qu'ils remontaient les rangées ou s'asseyaient soudainement, comme si ça ne les gênait pas, sur quelque impossible rebord ou radiateur ; un vieillard s'était perché, tel un arbitre de tennis, au sommet de l'échelle de la bibliothèque. Il n'était encore que deux heures moins dix, mais ce genre de réunion suscitait chez les gens un zèle étrange. Rob avait eu de la chance de trouver un siège, au bout de la rangée, vers l'avant. « Êtes-vous allé à l'enterrement ?

— Non, malheureusement pas.

— Moi non plus. Je ne suis pas fan.

— Oh…

— Des enterrements, veux-je dire. J'ai atteint l'âge où l'on découvre, avec un douloureux désarroi, qu'on est invité à plus d'enterrements que de soirées.

— J'imagine qu'on pourrait dire que cet événement se situe entre les deux… » Il ouvrit le programme de la cérémonie, sur lequel figuraient neuf intervenants. Inévitablement, sous le coup de l'émotion, par inexpérience ou par pur égotisme, presque tous parleraient ou liraient trop longtemps, et l'on ne se ruerait pas avant quatre heures sur les verres et sur le buffet encore recouvert d'un drap, tout juste visible à l'extrémité de la bibliothèque. La salle était rehaussée d'une splendeur funéraire – Rob contempla les étagères de livres reliés cuir, d'un œil discret et sceptique de professionnel. Un ample arc de plusieurs rangées de chaises emplissait l'espace et l'on avait dressé un podium sur lequel était disposé un lutrin doté d'un micro. Les serveurs, en veste noire, étaient de plus en plus nerveux ; il fallut apporter des chaises supplémentaires. Une telle réunion devait représenter un défi pour les habitudes du club, et la déférence due automatiquement à un membre défunt était sans doute malmenée par une foule aussi hétéroclite. Deux jeunes gens avaient été contraints de mettre une cravate, mais un groupe d'hommes en cuir étaient trop étrangers au code vestimentaire de la maison pour que soit envisagée une action réparatrice de ce type, et on les avait donc autorisés à entrer sans protester. Le seul autre homme qui ne portait pas de cravate était un évêque, en gilet lilas.

De son siège, Rob voyait la première rangée de profil, indubitablement des membres de la famille, ainsi que des orateurs ; il reconnut Sarah Barfoot, Nigel Dupont et Desmond, le mari de Peter. Rob, qui avait eu une passade avec Desmond dix ou douze ans plus tôt, l'observa avec cet étrange sentiment d'imprévu qui menace souvent sous la rassurante routine de toute réunion. Sans doute les autres intervenants pouvaient-ils être identifiés d'après la liste. Rob ne savait absolument pas qui était le Dr James Brooke. Au bout de la rangée, un homme d'une soixantaine d'années, au long nez, les lunettes pendues à une cordelette, révisait les notes dactylographiées qu'il allait lire. Il paraissait se tenir à l'écart de l'excitation et de l'esprit d'entraide du reste de l'équipe, sa nervosité peut-être dissimulée derrière son air renfrogné et le regard brusquement impatient qu'il adressait à la foule dans son dos. Or, à ce moment-là, il reconnut quelqu'un, à qui il adressa un hochement de tête abrupt et plutôt drôle. Rob pensa que ce devait être Paul Bryant, le biographe.

Sortant ses lunettes de vue, la voisine de Rob demanda : « Quel âge avait-il ? »

Il regarda le recto du carton, la petite photo noir et blanc, l'inscription PETER ROWE – 9 OCTOBRE 1945 – 8 JUIN 2008 – HOMMAGE. « Hum… soixante-deux ans. » La photo était moins flatteuse que représentative du personnage : prise lors d'une soirée, Peter engagé dans une discussion, un verre de vin à la main. Lors de ces cérémonies commémoratives, on témoignait souvent d'une grande indulgence pour les faiblesses des défunts. Soudain, Rob entendit dans sa tête la voix de Peter, affectée, amusante, puissante, une voix qu'il avait beaucoup aimée.

« Vous deviez bien le connaître.

— Pas vraiment, non. J'ai passé mon enfance à regarder ses émissions à la télé mais je ne l'ai connu que beaucoup plus tard.

— J'adorais ses émissions, pas vous ?

— Nous travaillions beaucoup avec lui… Désolé, je devrais préciser que je suis libraire. » Rob sortit de la poche de sa veste une petite boîte en plastique transparent, et tendit sa carte de visite : *Rob Salter, Garsaint.com, livres et manuscrits.*

« Ah ! Parfait… » Elle examina la carte.

« Il avait une bibliothèque d'art impressionnante.

— Je veux bien le croire. Est-ce votre domaine ?

— Nous sommes spécialisés dans le post-1880 – littérature, peinture et design. »

Elle fourra la carte dans son sac à main. « Je suppose que vous ne faites pas de livres français ?

— Nous pouvons retrouver des titres précis, si vous en cherchez. » Il haussa les épaules aimablement. « Nous pouvons retrouver tout ce que vous voulez.

— Hum, il se pourrait bien que je fasse appel à vos services.

— Maintenant que toutes les informations sont accessibles…

708

— C'est incroyable, n'est-ce pas ? » dit-elle, piochant sa propre carte de visite, aux coins abîmés, avec un numéro de téléphone personnel écrit à la main : *Pr Jennifer Ralph, St Hilda's college, Oxford.* « Tenez.

— Oh…, fit Rob, oui, bien sûr… Villiers de L'Isle-Adam, me semble-t-il ?

— Bien joué !

— J'ai vendu plusieurs exemplaires de votre ouvrage.

— Ah, lâcha-t-elle, ravie mais froide. Lequel ? »

C'est alors qu'un horrible bruit strident sortit des haut-parleurs. Le grand corps de Nigel Dupont s'était approché du micro et venait de reculer en souriant. Il s'en approcha de nouveau et n'avait pas plutôt dit « Mesdames et messieurs » qu'un crissement retentit dans la salle avant de rebondir en échos sur les murs et le plafond. Même si ce n'était pas sa faute, il avait l'air un peu ridicule, ce à quoi, de toute évidence, il n'était pas habitué. D'un geste distrait, il repoussa sa mèche remarquablement blonde. Quand le problème fut réglé, il se contenta de dire, plissant les yeux pour lire un SMS sur son iPhone : « Je suis persuadé que vous comprendrez… nous allons avoir un peu de retard : la sœur de Peter est coincée dans un embouteillage. »

« Le célèbre Dupont, je présume, dit Jennifer à voix haute, tandis que les conversations reprenaient. Nous sommes très honorés.

— Je sais… », dit Rob. Dupont avait un visage oblong, bronzé hors saison ; il portait des lunettes à la monture presque invisible et un costume qui à lui seul témoignait de la supériorité d'une chaire bien rémunérée à l'université de Californie du Sud.

« Connaissez-vous par hasard l'homme au bout de la rangée… avec… hum… la cravate verte ? demanda Jennifer, choisissant son trait le moins distinctif.

— Eh bien, je pense que ce doit être Paul Bryant, non ? Il a écrit des tas de biographies… dont celle qui a tant fait jaser, à cause de l'évêque de Durham. »

Jennifer hocha lentement la tête. « *Bonté… divine…* mais oui, c'est lui ! La dernière fois que je l'ai vu doit remonter à… quarante ans. »

Rob fut amusé par l'air mi-absorbé mi-moqueur de sa voisine tandis qu'elle regardait dans la direction de Bryant. « Comment l'avez-vous rencontré ? s'enquit-il.

— Ah ! Eh bien… » Jennifer s'enfonça un peu sur sa chaise comme si elle avait voulu se cacher de Bryant mais aussi parce qu'elle entamait là une conversation plus confidentielle avec Rob : « Il y a des années, il écrivait un de ses livres, le premier, en fait… qui a également créé la controverse… sur… pour ainsi dire mon grand-oncle. » Elle se dispensa de l'explication inutile.

« Ah oui… Cecil Valance, c'est cela ?

— Exactement.

— Cecil Valance était votre grand-oncle…, dit Rob, sur un ton surpris, presque taquin.

— Que voulez-vous… » Elle prit une inspiration et il se la représenta dans son *college*, lors d'un entretien délicat avec un étudiant sur Mallarmé ou un autre sujet dépassant les capacités de l'élève : « Voulez-vous vraiment savoir ?

— Oui, vraiment », répondit Rob, sans mentir, se disant même qu'il serait dommage que la cérémonie démarre tout de suite. Il était étudiant lorsque était sortie la biographie de Valance, et il se rappelait en avoir lu des extraits dans un journal du dimanche : il avait savouré l'aspect « révélations » du livre sans être particulièrement intéressé par les gens impliqués.

« Ma grand-mère avait épousé le frère de Cecil, Dudley Valance, qui était également écrivain, plutôt oublié aujourd'hui.

— *Fleurs noires*, oui, tout de même…

— Exactement. N'oublions pas que vous êtes libraire ! Quoi qu'il en soit, elle l'a quitté et a épousé mon grand-père, le peintre Revel Ralph.

— Oui… absolument. » Rob remarqua que le sourcil de Jennifer s'était levé tout à coup.

« Mon père a surtout travaillé en Malaisie, c'était un grand nom du latex mais, bien sûr, on m'a envoyée faire mes études en Angleterre, et je passais souvent mes vacances chez ma tante Corinna, la fille de Dudley. C'est à cette époque-là que j'ai rencontré Peter, au fait. Il jouait des duos de piano avec elle. Elle était excellente pianiste… elle aurait pu devenir professionnelle.

— Je vois », dit Rob, distrait parce qu'il se représentait le père de Jennifer en tenue de latex, même si sa pensée lubrique ne se trahit que par un sourire d'encouragement. « C'est très intéressant.

— En effet, c'est intéressant, dit Jennifer d'un ton sec, en rentrant le menton. Mais, d'après Paul Bryant, tout ce que je viens de vous raconter est faux. Voyons donc… Soi-disant, ma tante n'était pas la fille de Dudley mais celle de Cecil, Dudley était gay, même s'il a réussi à avoir un fils avec ma grand-mère, et le père de mon père n'était pas Revel Ralph, qui était, lui, vraiment gay… mais un peintre du nom de Mark Gibbons. Je simplifie peut-être les choses… »

Rob sourit et hocha la tête, car il n'avait pas tout suivi. « Et ce n'est pas vrai ?

— Qui sait ? Paul était plutôt fantaisiste, nous le savions tous. Mais il a causé un bel esclandre à l'époque. La femme de Dudley a même tenté de faire interdire le livre.

— Oui, bien sûr. » C'était l'impression qu'il avait eue : la vieille garde tentant de resserrer les rangs, en vain.

« Vous rappelez-vous ? Et, bien sûr, cela jetait une lumière guère enviable sur ma pauvre grand-mère.

— Je comprends.

— Elle avait eu trois maris, et voilà que Bryant avançait que deux de ses trois enfants n'étaient pas de ses maris, sans compter que… ai-je oublié de préciser que Cecil avait eu une liaison avec son frère ? Eh oui, ça aussi.

— Oh là là ! » Rob ne réussit pas à deviner où Jennifer se situait dans l'affaire. Elle semblait déplorer l'existence de Paul Bryant mais ne remettait pas vraiment en cause ses allégations. Son ton académique plutôt drôle laissait transparaître une touche de snobisme, une petite réserve de classe qu'elle n'avait pas souhaité renier. « Je présume qu'elle n'était plus en vie au moment de la publication…

— En fait, si, mais elle était extrêmement vieille, et pratiquement aveugle, de sorte qu'il n'y avait guère de chances qu'elle pût lire cette biographie. Tout le monde a essayé de la lui cacher. » Jennifer tressaillit, consciente du ridicule comme de l'horreur de la situation. « Mais, comme vous le savez certainement, il y a toujours un très cher ami qui trouve impératif de tout vous dévoiler. Je crois que ça l'a achevée. Elle avait elle-même écrit un livre, plutôt mauvais, sur sa liaison avec l'oncle Cecil et cela lui a fait un choc d'apprendre qu'il avait aussi eu une liaison avec son frère.

— Débusquer les auteurs gays était très à la mode dans ces années-là.

— Certes, fit-elle avec un hochement de tête franc et intense, si ce n'était que ça… »

Rob avait les yeux posés sur elle quand le titre de la biographie lui revint : « *L'Angleterre tremble* », dit-il tout à coup. Depuis longtemps épuisé, bien qu'une version américaine en livre de poche eût fait surface depuis : il se rappelait la photo de Valance sur la couverture et l'accroche : « *"Une bombe !" Le* Times *de Londres* » ou quelque chose de cette veine.

« *L'Angleterre tremble*, oui, c'est ça…, répéta Jennifer, baissant les commissures des lèvres, de la façon dont les Français expriment l'indifférence. Mais ce qu'il y a… »

Un puissant ronronnement, un murmure préparatoire plein d'autosatisfaction s'éleva au-dessus du brouhaha, puis : « *Mesdames et messieurs*, merci infiniment, je m'appelle Nigel Dupont… »

« Ah… » Rob fit une grimace.

« Il y a aussi toute une histoire autour de *Monsieur* Bryant, dit Jennifer, hochant la tête et faisant signe qu'elle continuerait plus tard. Il faut se méfier des apparences… » Rob se cala sur son siège, avec un sourire d'appréciation, mais amusé aussi de devoir réserver son jugement en la matière.

Apparemment, la famille avait promu Dupont maître de cérémonie ; il assumait le rôle avec une évidente bonne volonté, une autorité naturelle et le zeste de maladresse autorisée, comme pour leur rappeler à tous qu'il ne faisait que prêter main-forte par gentillesse. « Nous voici donc rassemblés », commença-t-il, observant attentivement et avec un sourire d'une patience exagérée la sœur de Peter, troublée, rouge d'avoir traversé Londres à toute allure, rangeant encore ses sacs et ses papiers, au premier rang. Puis, le sourire s'étendit à toutes les rangées : « Je suis conscient que nombre d'entre vous connaissaient… euh, Peter bien mieux que moi et nous les entendrons bientôt. Peter était extrêmement apprécié par tous et il avait des amis extrêmement différents. J'en vois ici de toutes sortes. » Il engloba la salle d'un regard plein d'humour, son regard d'expatrié, provoquant l'étonnement et même les rires de ceux qui se demandaient soudain à quelle catégorie d'amis ils pouvaient bien appartenir. « Peut-être devrions-nous considérer cette réunion de ses amis comme la dernière de ses célèbres soirées, au cours desquelles on pouvait croiser n'importe qui, d'un duc à… un D.J., d'un évêque à un marchand des quatre-saisons. » Dupont trahissait là sans doute une certaine perte de contact avec la société anglaise contemporaine ; l'évêque au deuxième rang esquissa un sourire empreint de tolérance. « De nombreuses amitiés naquirent sous les auspices de ces soirées. Une partie de mes meilleurs travaux n'aurait sans doute pas vu le jour si je n'avais pas assisté à des réunions initiées par… hum, Peter. » Dupont réfléchit ostensiblement : il donna l'impression de vouloir continuer sans notes, ce qui créa une certaine tension, une gêne latente, suivie par du soulagement lorsqu'il reprit sa lecture. Le nom de Peter semblait toujours sur le point de lui échapper. « Néanmoins, pour l'heure, Terence, le père de Peter, a suggéré que je dise quelques mots sur l'époque où j'ai rencontré son fils, quand il avait une vingtaine d'années. J'en avais moi-même douze. » Dupont esquissa un sourire distant, habité de nobles sentiments à l'évocation de ce souvenir, tandis que l'aspect vaguement dérangeant de ce qu'il avait dit imprégnait les esprits : Rob jeta un coup d'œil alentour et croisa le regard d'un homme de grande taille, blond, souriant, et plus particulièrement à Rob malgré son air globalement jovial. Rob pensa qu'il devait l'avoir déjà vu, mais malgré sa bonne mémoire il fut incapable de le resituer. Il baissa les yeux et vit que Jennifer, tout en affichant une attention polie, dessinait discrètement sur le verso du programme, avec un portemine : une petite esquisse experte du professeur Dupont.

« Brièvement, pendant à peine plus de trois ans, Peter a enseigné dans une école privée du Berkshire, Corley Court. C'était son premier véritable emploi. Auparavant, je crois qu'il avait travaillé au département Hommes de Harrods plusieurs mois, au cours desquels, d'ailleurs, il avait acquis son goût pour la vie londonienne : "la vie de l'entrejambe", comme il l'appelait ! Il était sorti d'Oxford avec une bonne mention mais la véritable recherche universitaire ne serait jamais le *Fach* de Peter. » Dupont lança un regard complaisant aux étagères d'ouvrages reliés en cuir, tandis que ses propos soulevaient un frémissement de perplexité dans l'assistance. « Naturellement, il avait la passion du savoir, mais ce n'était pas un spécialiste, et c'était parfait pour Corley, où il devait tout enseigner, à l'exception, je crois, des mathématiques et du sport. Corley Court était un manoir victorien d'un genre très décrié, mais Peter fut d'emblée fasciné par ce lieu. Il avait été construit pour un homme du nom d'Eustace Valance, à qui sa fortune gagnée avec les graines de gazon avait valu un titre de baronnet. Son fils était également agronome mais ses deux petits-fils, Cecil et Dudley, devinrent chacun à sa manière des écrivains reconnus. » Rob adressa un regard de biais à Jennifer, qui hocha la tête en retour, tout en accentuant la virgule enfantine de la mèche de Dupont.

« Vous connaissez sans doute tous par cœur des vers de Cecil », continua-t-il, souriant aux rangées densément remplies et suscitant à nouveau un mélange de résistance et d'enthousiasme ; on aurait pu croire qu'il allait demander à n'importe lequel d'entre eux de réciter les vers qu'il connaissait. « C'est le parfait exemple de poète de second ordre qui pénètre dans la conscience collective plus profondément que nombre de grands maîtres. "L'Angleterre tremble dans l'envol / Des fleurs d'églantine au seuil de mai"… "Deux arpents bénis de sol anglais". » Il leur adressa à tous un regard presque taquin, comme s'il était lui-même maître dans une école privée. « Certains d'entre vous savent peut-être que j'ai établi l'édition de la poésie de Cecil Valance, un projet que je n'aurais sans doute jamais entrepris sans les encouragements de Peter. » Il hocha lentement la tête, comme pour en souligner la nature providentielle. Rob avait oublié ce fait, qui liait Jennifer et Dupont d'une de ces façons inattendues qu'il aimait tant.

« Donc… » Dupont marqua une pause, comme pour recouvrer son équilibre, une astucieuse petite vanité glissée à nouveau dans son invitation à le regarder improviser. La moitié de l'assistance parut séduite ; l'autre, des collègues plus âgés de Peter, des amis de la famille qui n'avaient jamais entendu parler de Dupont et ne comprenaient pas encore la raison de son intervention, exprimait une neutralité légèrement offusquée, l'attitude par défaut de toute assemblée. Une ou deux personnes, bien sûr, ayant lu les ouvrages capitaux de Dupont dans le domaine de la théorie *queer*, étaient peut-être plaisamment surprises de découvrir que, si nécessaire, il était capable de s'exprimer de manière claire. Rob sentit encore qu'il n'avait pas à prendre parti, et il regarda avec humour et curiosité le genou de Jennifer qui, avec son petit sourire, commissures des lèvres tirées vers le bas, lui tendit son carton d'invitation : elle avait parfaitement saisi Dupont dans son esquisse, entre portrait et caricature. Rob étouffa un rire et, parcourant la pièce du regard, s'aperçut qu'à nouveau le grand blond lui souriait et lui faisait un clin d'œil appuyé avant de détourner la tête. Au sentiment qu'il n'était pas convenable de draguer pendant une cérémonie funèbre se mêlait celui que cela n'aurait en rien gêné Peter. Rob jeta un coup d'œil sur le côté et son regard tomba, avec une sorte de curiosité respectueuse, sur Desmond, assis très droit, mais les yeux rivés sur les richelieux noirs de Dupont. « Donc, disait Dupont, ce que… euh, Peter appelait une "demeure violemment victorienne" et un poète de la Première Guerre mondiale dont la vie privée avait été intéressante. Nous comprenons désormais que Corley Court fut crucial pour le travail de Peter, ainsi qu'il le serait plus tard pour le mien. Ses deux émissions révolutionnaires, *Écrivains en guerre*, pour Granada, et *Le Rêve victorien*, pour B.B.C.2, avaient d'une certaine manière germé dans cet endroit extraordinaire, à l'écart du reste du monde et pourtant de tant de façons… – tout à la beauté de sa pensée, il adressa à l'assistance un sourire convaincant – … témoin de ce dernier. »

Le regard de Rob se promena sur le premier rang, où les intervenants suivants adressaient à Dupont des sourires pleins d'impatience et d'inquiétude polies. Au bout de la rangée, Paul Bryant griffonnait sur son texte imprimé, comme s'il participait à un débat. Le père de Peter avait l'air terrassé par le chagrin mais intéressé, comme s'il découvrait encore des faits importants concernant son fils. La date de la réunion, quatre mois après le décès de Peter, était sûrement difficile pour lui. Mais il y avait quelque chose d'autre, à la fois gênant et comique, qu'on ne pouvait plus ignorer. Très lentement, le ronronnement puissant de la voix de Dupont, sorte d'intimité amplifiée, qui tombait impartialement sur la salle aux hauts plafonds depuis les deux haut-parleurs, s'était d'abord réduit à un son d'une portée plus modeste mais plus clair, avec la disparition de l'effet de masque de l'écho, puis carrément à un son étouffé, comme si on avait découvert un humble fonctionnaire aux manettes d'une machine fabuleuse. Dupont s'apercevait lui-même que ses paroles ne lui revenaient pas au volume optimal. « Lorsque Peter nous emmenait en voiture à Oxford, poursuivit-il, nous allions d'abord voir la chapelle de Keble College… » « On n'entend rien ! » Un cri hautain fusa du fond de la salle, semblant jouir de sa mauvaise humeur – d'autres, plus poliment et obligeamment, lui embrayèrent le pas. Baissant les yeux, Dupont s'aperçut que le micro sur pied, ayant ployé telle une fleur qui manque d'eau, était désormais dirigé vers ses parties.

Rob sourit et jeta un coup d'œil au grand blond, seulement pour se rendre compte qu'il échangeait un regard avec l'un des hommes en cuir de l'autre côté de la salle. Légèrement agacé, il se tourna sur son siège pendant qu'on réglait la hauteur du micro, et regarda les étagères les plus proches. Il comprit qu'on avait dû ranger là les ouvrages écrits par des membres du club. Plusieurs noms connus se détachaient du reste, pour la plus grande fierté du club ; d'autres membres, dont Rob ignorait jusqu'à l'existence, avaient consciencieusement et opiniâtrement donné un exemplaire de tous les livres qu'ils avaient publiés : décolorés, jaunis, fanés, n'ayant probablement jamais été ouverts depuis des décennies. Il aimait l'effet de déclin, de travaux fièrement offerts et aussitôt oubliés : cachés et pourtant à la vue de tous, ignorés jusque par ces membres dont le regard effleurait ces étagères tous les jours ; c'était le genre de terrain mystérieux que recherchait le libraire aux aguets.

« Je pourrais parler de Peter pendant des heures, déclara Dupont, mais il est temps d'écouter un peu de musique. » Il descendit du podium et l'on écouta Janet Baker chanter *Ich bin der Welt abhanden gekommen*, de Mahler, si fort que le système audio éructa et crépita, et que le jeune homme chargé du son dut l'éteindre brusquement, après quoi, voyant les sourires interrogateurs de certains dans l'assistance, il monta à nouveau le volume, souriant et glissant quelques mèches derrière ses oreilles. Rob sortit son stylo et prit des notes au dos de son programme.

Ensuite, Nick Powell, qui avait été étudiant à Oxford en même temps que Peter, décrivit le voyage qu'ils avaient fait ensemble en Turquie, un été : lui aussi lut son texte, mais avec un effet plus hésitant et plus personnel auquel Dupont n'était pas parvenu en improvisant ; il n'avoua pas clairement avoir eu une liaison avec Peter mais cette éventualité semblait emplir l'espace entre son évocation des souvenirs et la manière dont les auditeurs se les représentaient. Une fois encore, comme voilée par l'émotion, la voix s'appauvrit et s'amenuisa, et la longue plainte crescendo d'une moto passant à toute allure sur Pall Mall donna soudain une triste réalité au monde extérieur. On entendit les bruits de marteaux sur un chantier, un lointain crissement de freins. Une femme plus compatissante se leva pour signaler le problème du micro. Puis retentit à nouveau la voix venue du fond : « On n'entend rien ! », comme si l'incapacité de l'intervenant à se faire entendre confirmait la désastreuse opinion que le personnage avait déjà de lui-même.

À partir de là, les défaillances du micro devinrent une partie éprouvante de la réunion et finirent imperceptiblement par la miner. La patience de chacun fut mise à mal, le technicien du son, avec son air inepte d'en savoir moins encore que tout le monde, ne cessait de se lever et de revisser la vis papillon qui tenait le micro en place, tandis que croissait l'irritation de l'assistance à son égard. On dut appeler une aide extérieure. D'une façon à peine consciente, l'assistance se retourna contre les lecteurs et les orateurs. On finit par détacher le micro du pied et les derniers intervenants durent le tenir à la main, comme un chanteur ou un comique, ce qui déclencha des effets Larsen ou, à nouveau, la graduelle disparition du son quand, à leur insu, ils l'écartaient trop de leur bouche. Il était difficile à maîtriser et la main de Sarah Barfoot tremblait visiblement quand vint son tour.

Au fil des interventions, Rob prit des notes : Peter jouait du tuba et avait « un niveau presque acceptable »; il avait construit un temple dans le jardin de ses parents mais, n'ayant pas terminé, il l'avait baptisé « la fausse ruine ». C'était Peter tout craché, affirmat-on. « Peter était le parfait *"don"* des médias, décréta un homme de la B.B.C., sans être un *don* d'Oxford ou de Cambridge et même sans maîtriser la technique des médias. Les producteurs avec qui il a travaillé ont été déterminants pour le succès de ses émissions. » Au moins trois personnes dirent qu'il avait été un grand communicant, expression qui, dans l'expérience de Rob, était équivalente de raseur à l'ego hypertrophié. Rob avait beau ne pas avoir bien connu Peter, il fut frappé par la teneur de certaines remarques, l'implication à peine contenue que, tout en ayant été « merveilleux », « exaltant », « bourré d'humour », et malgré le fait que tous ceux qui le rencontraient l'adoraient, il n'avait été rien de plus qu'un amateur, que la rapidité et la ferveur mêmes de son enthousiasme l'avaient empêché d'approfondir les choses comme il sied à un érudit de le faire. Bien sûr, c'était un hommage, donc on jeta un voile sur ces défauts mais sans laisser entrapercevoir la main qui le jetait ou le tact qu'on s'imposait par pur respect des convenances. On passa quatre-vingt-dix secondes de la voix de Peter, extraites de son émission *Passions privées* : Peter parlant de Liszt. Sa voix, au timbre profond, aviné, et son esprit de feu follet caustique semblèrent prendre possession de la salle et les remettre tous, avec une certaine indulgence, à leur place, comme si, tout en étant irrémédiablement loin d'eux, il avait été vivant, et les avait observés depuis les murs de livres. On entendit même des rires, reconnaissants et attentifs au choc de cette présence, alors que Peter était loin d'être amusant dans cet extrait-là. Rob n'avait jamais écouté ce morceau, *Aux cyprès de la Villa d'Este*, joué à un volume presque douloureux, de sorte qu'il était difficile de juger si Peter avait dit vrai en le traitant de « vision de mort » : Liszt avait rejeté la dénomination d'élégie, parce que trop « tendre et consolatrice », il avait préféré le terme « mélopée », dont il avait déclaré que c'était un air de deuil pour la vie même. Sur le dos du carton, Rob écrivit les deux mots, avec leurs racines étymologiques différentes. Jetant un coup d'œil au premier rang, il vit Paul Bryant, le prochain orateur, qui manifestement ne savait pas combien de temps durait le Liszt, appliquer discrètement un baume sur ses lèvres, avant de se pencher en avant et de fixer le sol avec un sourire pincé mais indulgent. Puis il se retrouva au lutrin, et saisit le micro avec l'air de quelqu'un qui attendait depuis longtemps d'avoir un tel objet entre les mains.

Rob lança un regard de biais à Jennifer, qui plissait les yeux et faisait tourner son crayon entre ses doigts d'un air absent. Bryant était un bon sujet, petit, râblé, un long nez busqué au milieu d'un visage rougeaud mais à l'expression sensible, des cheveux crépus et grisonnants, ramenés avec précaution sur son crâne pâlot. Il se posta juste à côté du lutrin, caressa sa cravate avec sa main libre. Il précisa que, en qualité de biographe littéraire, on lui avait demandé d'évoquer les penchants littéraires de Peter, ce qui, naturellement, en sept minutes, était absurde ; Peter méritait une biographie en bonne et due forme, et peut-être l'écrirait-il un jour, d'ailleurs quiconque avait une histoire à raconter était invité à venir le voir à la fin de la réunion, dans la plus stricte confidentialité, bien entendu. Cette remarque lui valut des rires étonnamment chaleureux, mais Rob se demanda, après ce que Jennifer lui avait révélé, s'il ne dévoilait pas ainsi sa tendance à trahir les secrets d'autrui.

Bryant avoua franchement, d'une manière que Nick Powell avait joliment évitée, que Peter avait été son amant : Rob jeta un coup d'œil à Desmond, qui demeura impassible ; la différence d'âge, de trente ans entre eux, en disait long sur l'endurance et le charme de Peter. Paul avoua n'avoir pas bénéficié de l'avantage que donnait une éducation universitaire, « mais, de plus d'une façon, Peter Rowe fit mon éducation. Peter fut la personne magique que nous rencontrons tous, si nous avons cette chance, qui nous montre comment vivre notre vie, comment être nous-mêmes ». Cette déclaration suscita des supputations sur le sujet complètement inconnu de la vie privée de Bryant. « À l'instar de... du professeur Dupont, j'ai été amené à Cecil Valance par Peter. Je me rappelle fort bien le jour où il m'a montré le tombeau du poète à Corley, lors de notre tout premier rendez-vous ; un rendez-vous inhabituel, mais du Peter tout craché ! Ce jour-là, il formula même le projet d'écrire lui-même sur Valance mais je crois que nous nous accordons tous pour penser qu'il n'aurait jamais eu la patience ou l'énergie d'écrire une biographie en bonne et due forme ; quand j'ai commencé à travailler sur ma biographie de Valance, il m'a envoyé une lettre, affirmant que j'étais l'homme de la situation. » Rob regardait le carton de Jennifer pendant qu'elle écrivait, d'une écriture rapide et élégante : « NON ! » « Quand j'eus pris mes marques dans le monde littéraire, j'eus le plaisir de recommander Peter comme critique et il rédigea plusieurs merveilleux articles dans le *TLS* et ailleurs, même si les délais, ai-je entendu dire, lui posèrent toujours problème… »

Il était vrai, bien sûr, que le lyrisme du chagrin était souvent accompagné ou suivi de près par une petite envie plus prosaïque, la volonté déplacée de saisir une occasion de dire la vérité, puisque le principal intéressé ne pouvait plus s'en offusquer… Il y avait un certain ton particulier, de candeur indulgente dans l'amusante rectification des faits, qui virait trop aisément et subrepticement au règlement de comptes, assez éloigné de l'objectivité. « Un jour, il a plus ou moins admis, lâcha Bryant avec un rire triste, qu'il savait tout juste jouer du piano mais que, devant un public de jeunes garçons dans une école privée, il arrivait à faire illusion. » Jennifer secoua la tête et poussa un soupir, comme si elle était déçue mais loin d'être surprise. Quand il se rassit, Paul n'avait presque rien dit de la vie de Peter Rowe dans le domaine de l'édition, hormis qu'il n'avait réussi qu'à produire des adaptations pour la télé. Était-ce de la jalousie ? Il était manifeste qu'ils ne s'étaient guère croisés depuis quarante ans, et cette intervention avait donc été une occasion manquée : Rob songea à ce qu'il aurait pu dire sur la bibliophilie de Peter.

Le dernier à parler fut Desmond. Il agrippa le micro à deux mains avec un air beaucoup moins souriant. Il devait y avoir une douzaine de gens de couleur dans la salle, mais Desmond était le seul orateur noir, et Rob ressentit l'infime et complexe ajustement de sympathie et de gêne qui traversa l'assistance ; puis il éprouva un pincement inattendu d'émotion, à la pensée de Desmond dix ans plus tôt. Il s'était épaissi et avait le visage plus carré, il avait totalement perdu son côté charmant d'adolescent, hormis dans le frisson de sa détermination. Rob fronça légèrement les sourcils en se rappelant la cicatrice que Desmond avait dans le dos, son corps presque imberbe et son nombril saillant, mais il comprenait que la magie de son désir sexuel à l'égard de Desmond ne persistait en lui que comme une sorte de triste et sentimentale loyauté. Il savait qu'au cours des six années où Desmond avait été avec Peter, les réactions avaient été variées, surtout parmi les vieux amis de Peter : était-ce un envoyé des dieux ou un effroyable raseur ? Aujourd'hui, il avait la dignité maladroite du survivant le moins amusant dans le couple, et il testait la loyauté de ces mêmes amis. Peut-être le chagrin lui-même l'avait-il subtilement asexué, juste au moment où, d'une façon ou d'une autre, il lui faudrait tout recommencer.

Il parla d'une voix claire, avec une certaine raideur, et son expression trahit une pointe de reproche face à toutes les banalités qui venaient d'être débitées. Sa diction nigérienne, belle et carrée, toute en consonnes adoucies et voyelles dures, avait été lentement effacée par Londres au fil des années, depuis que Rob l'avait rencontré à une soirée et l'avait raccompagné en taxi, grelottant, chez lui. Il dit qu'avoir été l'ami de Peter avait été le plus grand privilège de sa vie, que d'avoir été marié avec lui pendant deux ans avait été non seulement merveilleux mais une célébration de tout ce en quoi Peter avait cru et ce pour quoi il avait œuvré. Il avait toujours souligné à quel point la fameuse loi de 1967 avait changé sa vie et celle de beaucoup d'autres comme lui, quand il était jeune et enseignait à Corley Court, mais qu'elle était encore très imparfaite, que c'était seulement un début, qu'il restait beaucoup d'autres batailles à gagner et que l'avènement du pacte civil entre membres du même sexe avait été une grande avancée non seulement pour eux mais pour la vie citoyenne dans son ensemble. Cette déclaration fut accueillie par plusieurs secondes de vifs applaudissements et des regards surpris mais, dans leur majorité, favorables parmi ceux qui n'applaudirent pas. Rob applaudit et Jennifer, étonnée mais consentante, se mit à applaudir un instant plus tard. Il était satisfaisant de voir un thème qui, après tout, avait occupé toute la vie de Peter plus clairement et de façon plus provocante que la sienne, abordé là, sous les chapiteaux corinthiens dorés d'un célèbre club londonien. On sentit que les plus âgés faisaient des efforts pour ne pas paraître déconcertés. Ensuite, Desmond déclara qu'il allait lire un poème et il sortit un morceau de papier plié de la poche intérieure de sa veste de costume rayé. « Oh, ne me souris pas si enfin / Tes belles lèvres cèdent à un autre… » Rob ne reconnut pas le poème mais éprouva toute l'étrangeté de la poésie quand elle est lue par qui ne la maîtrise pas ; puis il ressentit soudain exactement le contraire : la rude intensité des mots qu'un acteur aurait transformée en une démonstration douteuse de virtuosité professionnelle. « À toi l'œil bleu, les lèvres rieuses / Qui, à la fin, à jamais me sourient. » Rob adressa à Jennifer un regard perplexe, elle se pencha vers lui et, mettant la main devant sa bouche, dit dans un murmure : « Oncle Cecil. »

Rob escorta Jennifer, à travers les chaises qu'on rangeait et entassait déjà, jusqu'à la foule réunie autour du buffet, Jennifer faisant tout du long et plutôt fort des confidences sur certains orateurs, tandis que lui-même rallumait discrètement son portable. « Dommage pour le son, dit-elle. Ce jeune homme était un incapable !

— Je sais…

— On aurait pu les croire capables de régler un problème aussi basique, tout de même. » Rob vit qu'il avait reçu un SMS de Gareth. « J'ai trouvé l'Écossais très ennuyeux, pas vous ? »

R.-V. 9h Style Bar – à très vite ! XxG

« Il était plutôt… », commença Rob, distrait un instant par un afflux de sang au cerveau qui le désorienta, avant de glisser son portable dans sa poche et de regarder autour de lui. Le grand blond s'était raccroché au groupe des folles en cuir. L'idée de l'emballer, née simplement d'un sourire complice partagé, ne fut pas instantanément effacée par ce rappel qu'il avait un rendez-vous imminent avec un autre garçon.

Les infinies rangées de tasses et de soucoupes blanches prévues pour le thé et le café n'empêchèrent pas Jennifer d'annoncer qu'il lui fallait « de l'alcool ». Rob, qui ne buvait jamais dans la journée, répondit : « Je vous accompagne. » Avec un frisson, elle prit un verre de vin rouge, puis, voyant que les plateaux de sandwichs étaient déjà réduits aux napperons en papier saupoudrés de cresson, elle se glissa entre deux invités qui attendaient et se construisit une petite montagne de friands à la saucisse et de gaufrettes au chocolat. Elle se comportait comme une touriste déterminée à profiter au maximum d'une excursion ; Rob songea que les installations à Saint-Hilda's College devaient être plutôt spartiates, alors une visite à Londres… Elle tenait son assiette et son verre d'une seule main experte, et mangeait vite, presque goulûment. Il se demanda quel était son parcours affectif : pas les femmes, se dit-il. Il émanait d'elle un frémissement d'énergie sexuelle, fourré inopinément sous son chapeau, écrasé, en velours. Ils s'éloignèrent ensemble, chacun regardant à droite et à gauche, cherchant, eût-on dit, à libérer l'autre. Rob comprit qu'elle l'appréciait, sans qu'il l'intéressât : une de ces associations temporaires et pas moins heureuses pour autant. « Vous disiez donc… ? » demanda-t-il, et elle : « Comment ? Ah oui… donc, Paul Bryant a commencé, avant de devenir une grande figure littéraire, comme humble employé de banque… » Rob lança un coup d'œil alentour. « Oh, justement… », dit-il, touchant le bras de Jennifer. Les lecteurs et orateurs s'étaient, bien sûr, mêlés à la foule, avec leur statut incertain, amis du défunt et interprètes. Bryant, juste à côté d'eux, se dirigeait vers le buffet tout en parlant à une femme d'une carrure imposante et à un séduisant jeune Chinois qui portait des lunettes et une pince à cravate. « Oh, je sais ! disait Bryant, c'est scandaleux, toute cette affaire ! » Il avait un côté efféminé et déclamatoire. Rob comprit qu'il continuait de chevaucher la vague de sa prestation : il croyait encore être le centre d'attraction. « J'ai besoin d'un verre ! » s'exclama-t-il, et on aurait dit Peter ; il passa derrière Jennifer, avec un hochement de tête affairé mais gracieux, un regard neutre et candide, deux lourdes secondes de possible reconnaissance, une volte-face, le souffle coupé, sans doute, et puis le déni. « Andrea, que prends-tu ? » Mais, curieuse et intrépide, Jennifer lui tapotait déjà l'épaule : « Paul ? » Quand il sursauta et se retourna, elle avait transformé son visage en un merveilleux masque hésitant entre moquerie, salutation et reproche. Rob se dit qu'elle devait être une prof redoutable.

Bryant recula d'un pas, agrippa l'avant-bras de Jennifer, la dévisagea comme s'il avait eu la berlue, tandis qu'un calcul hâtif mais extrêmement complexe se déroulait dans ses yeux. Puis : « Jenny, ma chérie, je n'arrive pas y croire.

— Pourtant, c'est bien moi.

— Oh, Peter aurait été aux anges », hochant la tête, ravi. Étaient-ce des retrouvailles ou une prise d'armes ? À nouveau, Bryant se pencha en avant : « Je ne peux y croire ! » Il embrassa Jennifer.

Elle rit, « Oh », rougit légèrement et répondit tout de suite : « Eh bien, Peter a beaucoup compté pour moi, il y a longtemps.

— Ah, quelle vieille pute c'était… », dit Bryant, en regardant Rob avec attention, ignorant, bien sûr, quel rôle il avait pu jouer dans la vie de Peter. « Un grand homme, Peter Rowe-ma-chère, comme vous l'appeliez, vous vous souvenez ? » Il s'en tenait à la vision affectueusement possessive du défunt, avec ses piques débitées sur un ton indulgent. « Andrea, laissez-moi vous présenter Jennifer Ralph, du moins autrefois… je ne sais pas si… ?

— Toujours Ralph.

— Une très vieille amie. Andrea… qui était la voisine de Peter, à ce qu'il me semble ?

— Rob », dit Rob, hochant la tête sans leur donner du grain à moudre, même si Jennifer l'appuyait avec un murmure de soutien : « Oui, Rob…

— Rob… enchanté. Et voici… où es-tu donc ? *Viens ici !* Bobby », dit-il au jeune homme chinois, patient, auquel il avait tourné le dos : « Mon partenaire. »

Rob serra la main de Bobby et lui sourit dans la chatoyante brume complice des présentations gays, la surprise, les conjectures. « Pacsés ? » demanda-t-il.

Bryant répondit « Hum, la plupart du temps », et Bobby, lui adressant un sourire doux mais las : « Oui, nous sommes pacsés. »

Bientôt, on leva les verres, Bryant observa Jennifer au-dessus du sien d'un air prudent, Jennifer qui dit, de son ton sincère : « J'ai lu votre livre.

— Oh, mon Dieu », fit-il avec un petit hochement de tête ; après quoi : « Lequel ?

— Vous savez bien, oncle Cecil.

— Ah, *L'Angleterre tremble*, oui.

— Vous avez fait scandale avec celui-là.

— À qui le dites-vous ! Oh, les problèmes qu'il m'a causés. » Il expliqua à Andrea : « C'est le livre dont j'ai parlé dans mon discours, si tu t'en souviens… La bio de Cecil Valance. Mon premier livre, pour tout dire. » Il se tourna vers Jennifer. « Par moments, j'ai vraiment pensé que j'avais eu les yeux plus gros que le ventre.

— Je n'en doute pas.

— N'est-ce pas l'auteur de "Deux Arpents" ? s'enquit Andrea. J'ai dû l'apprendre à l'école.

— Alors, vous devez encore le savoir, l'assura Jennifer.

— Quelque chose sur le quelque chose du sentier de l'amour…

— Il a été écrit pour ma grand-mère, expliqua Jennifer.

— Ou, selon la théorie que je défends, pour votre grand-oncle, dit Bryant hardiment.

— C'est extraordinaire. » Andrea regarda autour d'elle. « Je dois vous présenter mon mari, c'est un grand amateur de poésie. »

Bryant lâcha un petit rire gêné. « Votre chère grand-mère m'a donné du fil à retordre.

— Vous lui avez rendu la monnaie de sa pièce », répliqua Jennifer, et Rob se dit qu'il s'agissait finalement bien d'une passe d'armes.

« Ai-je été horrible ? Impossible de lui tirer les vers du nez.

— Probablement parce qu'elle avait envie de garder tout ça pour elle.

— Hum, Jenny, je vois que vous désapprouvez.

— Qui était-ce ? s'enquit Andrea.

— Ma grand-mère, Daphné Sawle, répondit Jennifer, comme si cela n'avait requis aucune autre explication.

— Je savais qu'elle ne le verrait jamais, donc… »

Jennifer n'avait pas l'intention de céder un pouce de terrain et Rob, qui supposa qu'ils avaient tort tous les deux, chacun à sa manière, n'était pas d'humeur à assister à une querelle. Il dit à Bobby : « Avez-vous connu Peter ? », l'entraînant de côté pour aller chercher un autre verre de vin. Il regarda autour de lui, songeant avec quelque soulagement aux deux cents personnes à qui, s'il l'avait voulu, il aurait pu parler dans cette salle. Il vit le grand blond regarder par-dessus l'épaule de l'homme avec qui il s'entretenait et lui adresser un regard franchement égrillard, comme si Rob avait été en train de draguer Bobby. Lequel avait un large sourire, cheveux courts noirs et lustrés – et une foi inébranlable et complaisante dans le travail de son époux. Il faisait peu de cas de son propre boulot d'informaticien (« Trop barbant ! »). Ils vivaient à Streatham et, même si Paul travaillait souvent à la British Library, lui-même se rendait rarement à Londres. Ils étaient ensemble depuis neuf ans. « Et vous ? » s'enquit Bobby. « Oh, je suis du genre célibataire endurci », répondit Rob avec un sourire, devinant que Bobby était légèrement triste pour lui. Regardant alentour, il s'aperçut que Nigel Dupont s'approchait d'eux et du buffet : « Cette femme se montre plutôt agressive avec Paul ! » dit Bobby. « Oui, je sais… » En fait, Bryant s'était à demi détourné de Jennifer.

« Mon projet actuel ? Je ne peux rien vous dire, était-il en train d'avouer à une femme en tailleur noir. Oui, bien sûr, une nouvelle biographie. Mais bouche cousue, je suis certain que vous me comprendrez ! Ah, Nigel… – avec un petit air subtil de déférence.

— Salut, Paul ! s'exclama Dupont, d'une amabilité prudente, et bizarre aussi, puisqu'ils venaient de se côtoyer sur le podium.

— J'ai adoré ce que vous avez dit, dit la femme. Très émouvant.

— Merci…, dit Dupont. Merci infiniment.

— Connaissez-vous Jenny Ralph ?

— Ah, ravi de vous voir ici, dit Dupont d'un ton chaleureux, laissant ouverte la possibilité qu'ils aient déjà pu se croiser.

— Vous connaissez Bobby et…

— Rob Salter.

— Rob… Salut ! » – lui serrant la main avec gratitude, le regardant droit dans les yeux.

Rob lui sourit en retour. « C'était intéressant d'en apprendre davantage sur votre école… et le lien avec les Valance.

— Exactement… Tout cela est de l'histoire ancienne.

— Voici donc son éditeur…

— … dans le coin rouge ! dit Bryant.

— Ah… et son biographe !

— Exactement…, répéta Dupont.

— Nous sommes de vieux amis, dit Bryant, se serrant contre Dupont, comme s'il n'avait fait que plaisanter. Ça s'est bien passé, dans l'ensemble, non ? Chacun creusait comme un fou, de son côté, suivant son point de vue. » Il pencha la tête d'un côté puis de l'autre. « Je découvrais quelque chose, ce vieux Nigel une autre.

— Oui, ça s'est bien passé », confirma Dupont, d'un ton qui montra qu'il savait pardonner, et que tout ça remontait à loin. Leurs recherches sur les Valance paraissaient désormais être de lointains prolégomènes à des réalisations plus sensationnelles.

« Bien sûr, c'est moi qui vous ai mis sur la piste du manuscrit Trickett, dit Bryant, agitant l'index.

— C'est vrai… Si seulement vous aviez pu aussi retrouver les poèmes manquants… », dit Dupont avec un hochement de tête enjoué.

« Ils ont disparu, ne croyez-vous pas ? Je suis convaincu que Louisa les a brûlés, s'ils ont jamais existé !

— Qu'est-ce que ce… manuscrit Trickett ? » demanda Rob, intéressé par cette histoire de manuscrit et de poèmes perdus.

Dupont, que Rob, renonçant soudain à son parti pris, trouvait maintenant complètement charmant, voire sexy, marqua une pause avant de passer au mode d'échange universitaire : « Oh, il s'agissait de strophes d'un poème jamais publiées, qui se révélèrent être une sorte de manifeste homo, mais en couplets pentamétriques…

— Ah bon ?

— Écrits en 1913, très intéressants…

— Au fait, je dois vous reprendre sur un point de votre allocution, dit Bryant.

— Oh, Seigneur, fit Dupont, avec un mouvement de recul comique.

— Tout à l'heure, quand vous avez dit que la vieille Hillman Imp de Peter était vert pomme.

— Pardon ? » Dupont parut dérouté.

« Je pourrais jurer qu'elle était beige. » Bryant sourit et plissa les yeux.

« Je ne crois pas. Je suis souvent monté dans cette voiture. Je l'ai même lavée, un jour, avant une virée en groupe au château de Windsor, pour le cas où on apercevrait la reine.

— Je ne vous dirai pas ce que j'ai fait dedans ! dit Bryant avec un hoquet. Mais, vraiment, je suis certain que vous vous trompez.

— Vous êtes peut-être daltonien, dit la femme en noir.

— Pas du tout. De toute façon, quelle importance !

— Il est vrai que parfois elle paraissait beige, quand elle était très sale », dit Dupont d'un air intelligemment déconcerté.

Jennifer : « Je suis nettement de l'avis du professeur Dupont. »

Rob trouva qu'il était plutôt comique que ces deux-là, qui s'étaient bagarrés à propos de Cecil Valance, recommencent à cause de Peter Rowe. Il sentait que Bryant, écrivain couronné d'un modeste succès, après tout, et de plus de soixante ans, paraissait exaspéré, comme si on ne lui accordait pas le mérite qui lui était dû, et déterminé à l'obtenir, fût-ce par la provocation. Rob songea qu'il devrait se procurer *L'Angleterre tremble* et juger sur pièce.

Une demi-heure plus tard, après trois verres, et une excursion au sous-sol, aux toilettes en marbre et acajou, où le père de Peter, sortant d'un cabinet, se lança dans une conversation des plus sérieuses avec lui devant les lavabos, tandis qu'une douzaine d'invités éméchés entraient et sortaient comme des flèches ou en titubant, il remonta avec le vieil homme le grand escalier et songea à prendre congé. On avait allumé les énormes chandeliers en cuivre et l'assemblée se clairsemait. Le grand blond semblait être parti : Rob en fut presque soulagé. Ce n'était vraiment pas le moment… sans compter qu'il avait rendez-vous avec le jeune et enthousiaste Gareth dans une heure, au Style Bar. Il chercha des yeux Desmond, qu'il avait évité, sans que ce fût intentionnel.

Il l'aperçut en pleine conversation avec un couple âgé, témoignant d'une telle courtoisie que Rob, lorsqu'il s'approcha, la trouva presque humiliante. Il lui adressa par-dessus les deux têtes chenues un chaleureux petit sourire rétablissant leur ancienne intimité. Desmond croisa son regard sans s'interrompre pour autant : « Nous en parlerons à Anne, tout se passera bien », toujours aussi raide, de sorte que Rob, dans un instant de confusion momentané, lui fit simplement l'accolade, de côté, avant d'être ensuite présenté à Mr et Mrs Sorley.

« Connaissiez-vous bien Peter ? » demanda Mrs Sorley, petite, avenante, sans doute un peu troublée par un verre de vin et tout ce monde. Ils étaient originaires du Yorkshire, semblaient y vivre encore.

« Pas très bien, répondit Rob. Je lui ai vendu beaucoup de livres très chers.

— Oh… oh, je vois ! Nous sommes de vieux amis de Terry et de Rose… Bill était à l'armée avec Terry et, bien sûr, j'ai connu Rose aux Wrens, il y a si longtemps ! » Preste et franche présentation.

« Donc vous avez connu Peter en culottes courtes, dit Rob en souriant.

— Oui », répondit-elle en accompagnant sa réponse d'un petit hochement de tête consciencieux. « Je disais juste à Desmond… que Petie montait des pièces quand il était tout gamin. Sa sœur et lui jouaient tous les rôles. De vraies pièces pour adultes, *Jules César*…

— Je n'ai aucun mal à l'imaginer ! » Rob songea que ces gens-là n'avaient sans doute jamais pensé qu'un demi-siècle plus tard, ils se retrouveraient à Londres, à une réunion en mémoire de Peter, en train de parler avec son petit ami. Il eut envie de leur témoigner de la sympathie mais aussi de les féliciter.

« Excusez-moi, je dois dire un mot à sir Edward, dit Desmond, avec un sourire poli.

— Bien, bravo pour aujourd'hui, dit Rob, mélancolique, tête penchée de côté.

— Ouais, merci, Rob. Nous resterons en contact, nous avons votre adresse courriel, je crois. » Avait-il donc déjà un nouvel homme dans sa vie ? Ou le « nous » n'était-il qu'affaire d'habitude, la façon dont il s'envisageait, Peter, lui, leur maison ? Embrassant Mrs Sorley, mais pas Rob, Desmond traversa la salle, au milieu de sourires de sympathie et de regards neutres mais appuyés.

Rob parla encore un peu aux Sorley. Il était blessé par la froideur de Desmond et, bien sûr, tout à fait incapable de protester ou de s'expliquer. Il est vrai qu'il n'avait pas assisté à l'enterrement, qu'il ne l'avait pas contacté depuis 1995. Il ne signifiait plus rien pour Desmond. Et il lui passa par la tête, jetant un coup d'œil par-dessus l'épaule de Bill Sorley, que Desmond croyait peut-être qu'il n'était venu qu'en vue d'acquérir la bibliothèque de Peter : ce qui, d'ailleurs, n'était pas entièrement faux. Même s'il y avait plus que cela, beaucoup plus.

Il comprit que les Sorley tentaient de s'accrocher à lui puisqu'ils l'avaient sous la main, au milieu de tous ces inconnus, et de ces célébrités inquiétantes sur lesquelles, parfois, ils n'arrivaient pas à mettre un nom. Paul Bryant et Bobby partaient : Bobby se retourna et lui adressa un petit signe de l'index. Ils sortirent par les doubles portes, bras dessus bras dessous pendant un instant, et il se sentit déconcerté par leur évident sentiment d'autosuffisance. « C'est très amusant, dit-il à Bill Sorley, oui… » : le couple paraissait heureux de faire toute la conversation. Il aperçut Jennifer près de la cheminée en marbre blanc, conversant avec un homme qu'il avait vu arriver une demi-heure plus tôt, comme s'il avait été retenu ou s'il lui avait été impossible d'arriver à l'heure à n'importe quel rendez-vous. Il avait un visage doux et intelligent mais très nerveux, des cheveux longs et épais, grisonnants, sales et rebelles, dans lesquels il passait sans cesse les doigts en parlant. Son costume était vieux, râpé et élimé. Rob se douta qu'il avait dû avoir du mal à passer l'accueil ; il ne pouvait savoir d'après l'expression de Jennifer, qui semblait osciller entre chagrin et hilarité, si elle avait besoin qu'on vienne la secourir. Il sourit et fit mine d'être las et de regretter : « Bien, je crois qu'il faut vraiment que j'y aille… »

Quand il s'approcha, elle leva les yeux et lui adressa un signe de tête, comme s'ils avaient été partenaires, ou du moins avaient pour l'occasion scellé un pacte chevaleresque et utilitaire. L'homme se retourna en partie : « Ça a été un plaisir de te voir, ma chérie » : une voix cultivée, des dents affreuses, un sourire hésitant, l'air d'en avoir assez d'être une gêne pour les autres.

« Pour moi aussi ! » repartit Jennifer, chaleureuse au moment de s'éclipser mais qui sait aussi s'il n'y avait pas davantage. « C'est l'heure d'y aller ? » dit-elle à Rob. Puis : « Je vous présente Julian Keeping.

— Bonjour. » Rob lui adressa un grand sourire, se pencha en avant et lui serra la main, d'une poigne osseuse.

Keeping tapota son autre main, comme pour dire qu'il n'allait pas les déranger plus longtemps. « Un vieil ami de Peter, d'il y a très longtemps, dit-il. Trop longtemps ! » Il dégageait une odeur triste – Rob devina qu'elle n'était pas due à l'alcool, ce relent aigre-doux qui agressait les narines, plutôt au tabac, sûrement, car il avait le bout des doigts et les ongles tachés de nicotine ; mais, au-delà, une négligence compacte et infinie. Rob lui adressa un dernier hochement de tête et suivit Jennifer jusqu'à la porte.

« Prenez-vous un taxi ? » demanda-t-elle au sommet de l'escalier, et Rob s'aperçut, ce qui lui avait échappé auparavant, qu'elle était ivre. Elle descendit les marches avec précaution, levant bien les pieds, souriant légèrement, préoccupée peut-être par des pensées concernant cet homme infortuné. De son côté, Rob, très en forme, excité par la boisson, riait, d'un rire un peu coupable, à l'écho de sa propre voix dans le grand escalier en marbre. « Vous pouvez ne pas me croire, dit-elle, mais c'était mon premier amour.

— Vraiment. Hum… » Il lui lança un regard de biais, ignorant ce qu'elle ressentait et dans quelle mesure elle le lui dévoilerait.

« On ne peut pas dire qu'il ait bien vieilli.

— Hum, non…

— C'est le fils de Corinna.

— Ah bon ? » Rob la regarda en plissant les yeux. « Votre cousin. Et, si je ne me trompe, le petit-fils de Cecil Valance ?

— Si vous croyez cette version des faits. Oh, mon Dieu ! »

Ils rejoignirent leurs vestiaires respectifs, puis il l'attendit sous les colonnes du vestibule. Les lumières étaient allumées et, par les portes vitrées, il s'aperçut que le soir avait déjà pris possession de la rue. Jennifer revint, aux lèvres un sourire où transparaissait l'humour avec lequel elle acceptait cette marque de courtoisie, les joues un peu rougies, mais, à nouveau, de toute évidence, résolument concentrée sur le présent. Son manteau était long, d'une couleur sombre, coupé dans une étoffe gaufrée et légèrement lustrée, d'un luxe timide, et donnant une fois de plus l'impression qu'elle suivait une mode très personnelle. « C'était si amusant de revoir Paul Bryant, déclara-t-elle, d'un ton redevenu sec, quand ils traversèrent le vestibule.

— Ah oui, répondit Rob, content qu'elle n'ait pas oublié sa promesse.

— Je ne devrais sans doute pas raconter ça…

— Vous croyez ? » – surprenant son regard espiègle sous le chapeau avec sa fleur, et notant presque malgré lui le contraste avec la sobriété du gardien en pantalon rayé. Jennifer se retourna. « Il a toujours été affabulateur, voyez-vous. Il m'a raconté les histoires les plus pitoyables sur son père, supposément pilote de chasse, abattu pendant la guerre… quelque part…

— Vous avez oublié ?

— Non, c'est lui qui avait oublié. L'histoire changeait constamment. Ma tante et moi nous sommes renseignées, elle trouvait qu'il y avait quelque chose de louche dans cette affaire, elle détectait immédiatement ce genre de foutaise.

— Vous parlez de Corinna, c'est cela ?

— Oui… Quoi qu'il en soit, le fin mot de l'histoire, c'est qu'il ne connaissait pas son père, c'est un bâtard, dit-elle à sa manière vieux jeu et innocente. Sa mère, qui travaillait dans une usine pendant la guerre, est tombée enceinte. Je ne me rappelle plus trop mais elle devait être malade, me semble-t-il. Ce qui était peut-être vrai, bien sûr, mais, forcément, on finissait par douter de tout ce qu'il racontait. »

Rob jeta un nouveau coup d'œil au portier, dont le regard fixe semblait simultanément offensé et indifférent. Rob ne voyait pas là un argument particulièrement pertinent à l'encontre de Bryant : au contraire, ça ne le rendait que plus mystérieux et sympathique. « Vous avez donc dit tout à l'heure qu'il avait d'abord été employé de banque ? (Il avait dans sa manche les exemples de T.S. Eliot et de P.G. Wodehouse.)

— Oui, dans la banque de mon oncle. La chose plutôt horrible, c'est que mon oncle a dû le licencier : je crois qu'il a eu beaucoup de chance de ne pas se retrouver au tribunal. » Ils sortirent et descendirent les marches dans la fraîcheur qui les attendait sur Pall Mall, les phares des voitures, momentanément bloquées, avançant vers eux, dans le flot lumineux et impersonnel de la nuit londonienne. « Pour fraude. Il était plutôt malin, Paul Byrant, il l'est encore, à sa manière, et je crois qu'il a été difficile de trouver des preuves, mais oncle Leslie n'avait aucun doute. Paul lui-même, d'ailleurs, n'avait pas été étonné, d'après ce qu'on m'en a dit, d'être congédié. À l'époque, je préparais mon doctorat, et il m'a envoyé une carte postale, de manière impromptue, pour m'annoncer qu'il quittait la finance afin de poursuivre une carrière littéraire. »

D'un ton vaguement humoristique et regardant autour de lui, Rob répondit : « Pour pouvoir passer plus de temps avec sa famille.

— En fait, avec la mienne !

— Et c'est ainsi que se font les biographies », conclut Rob avec un sourire de sage, tandis que le taxi qu'il avait hélé s'immobilisait devant eux. Il ouvrit la portière et invita Jennifer à monter.

2

Le magasin que Rob avait baptisé « chez Raymond »
s'appelait en fait Antiquités de Chadwick, même si
l'endroit avait d'abord été, au siècle précédent, la
meilleure boutique de mode de Harrow. Sur le carre-
lage usé de l'entrée en retrait, on lisait encore le nom
MADAME CLAIRE encerclant le mot à peine déchiffrable :
MODES. Désormais, les deux larges vitrines où, jadis,
à l'époque édouardienne, on installait des manne-
quins sans tête (les chapeaux étant disposés, tels des
gâteaux, sur des présentoirs séparés) étaient barrica-
dées avec des tas de meubles anciens, de fonds d'armoires en bois brut, de tables juchées les unes sur les
autres, parmi lesquelles un unique objet, un buste en
plâtre de Beethoven ou une coupe à gâteau en cristal, était parfois exposé sans artifice au public. Rob
n'avait jamais rencontré Hector Chadwick, c'était
toujours Raymond qu'il voyait, lorsqu'il passait par
hasard dans le quartier ou si Raymond lui faisait
savoir qu'il avait une rareté pour lui. De temps en
temps, les vieilles maisons de Harrow renfermaient
des trésors, parmi les cargaisons de livres quasi inven-
dables qui se retrouvaient dans la boutique avant de

poursuivre leur chemin vers les brocantes et les magasins de charité qui sentaient le renfermé dans les quartiers nord de Londres.

Rob poussa la porte ; dans un coin invisible de la boutique, une clochette sonna avec nonchalance et puis sonna encore. La salle d'exposition, ainsi que l'appelait Raymond, était divisée par des remparts sombres de mobilier et il était difficile de dire s'il y avait quelqu'un ou pas. Peu de lumière du jour filtrait et des lampes théoriquement proposées à la vente brillaient de loin en loin sur des bureaux et des dessertes. L'impression générale de secret et de sécurité était amoindrie par une gêne enfantine. Au fond, se trouvait un mur de livres que Rob avait inspectés parfois, jaquettes déchirées, tissu des reliures brungris, obscures possibilités, frémissement prudent d'excitation le plus souvent aussitôt éteint, dans l'odeur de poussière et d'abandon. Le parfum des livres était comme une drogue, une promesse de plaisir traversée par une sorte de regret anticipé. Dans ses rêves, Rob grimpait ou flottait sur des bibliothèques de ce genre, où des exemplaires d'une valeur indéfinissable d'éditions qui n'avaient jamais existé se cachaient sous de timides couleurs mates, de vieux verts, des ocres et des jaunes délavés : des prototypes inexploités de livres, un roman de Virginia Woolf dont un seul exemplaire avait été imprimé, un inédit de Compton-Burnett au titre toujours changeant, *Bons génies et gêneurs*, *Une maison et son maçon*, *Ami et amuseur*. Rob se fraya un chemin entre les rangées. « Raymond ?

— Ohé, Rob ? » Le cliquetis d'un clavier. « Je suis à vous dans un instant. » Raymond et son ordinateur vivaient ensemble dans une intense codépendance, comme s'ils avaient partagé un seul cerveau, l'immense mémoire non sélective de l'antiquaire soutenue, complétée par la machine, perpétuellement enrichie par elle. Raymond lui-même était énorme, d'une façon allègrement provocante. Ce à quoi ressemblait sa vie hors des limites de son magasin, Rob n'en avait aucune idée. « Viens juste de récupérer un nouvel ouvrage pour vous.

— Ah ouais… ?

— Vous allez aimer.

— Hum, je me demande. »

Dans un coin de la boutique, un box chaotique servait de bureau. Rob sourit, par-dessus les piles de documents et les entortillements poussiéreux de câbles, au visage rond de Raymond éclairé par la lumière artificielle de son écran ; Raymond rebondit légèrement sur son fauteuil lorsqu'il hocha la tête en signe de bienvenue. Sa barbe rousse, longue et hirsute comme celle d'un martyr, s'étalait sur son T-shirt, recouvrant en partie le slogan qui vantait son site web *VIVE LES POÈTES ! Voixdelameute.com*, au-dessus d'une photo improbable de W.B. Yeats hilare. Il leva la tête et la hocha à nouveau. « Je viens de terminer Tennyson : vous voulez voir ? »

Sur *Voixdelameute.com*, Raymond diffusait d'étranges petites vidéos de poètes morts depuis longtemps lisant eux-mêmes leurs poèmes, d'authentiques enregistrements sortant des bouches de photographies animées digitalement. Il était clair d'après les commentaires que certains internautes croyaient réellement voir Alfred Noyes lire « Bandit de grand chemin ». Et même ceux qui n'étaient pas dupes étaient apparemment impressionnés par les mouvements des bouches (qui rappelaient ceux des poissons), et par le clignement rythmique des paupières.

« Ouais, pourquoi pas..., dit Rob, approchant quand Raymond eut repoussé son fauteuil. Ils sont un peu effrayants, non ?

— Vous croyez ? demanda Raymond, manifestement satisfait. Ouais, je suppose que les gens peuvent avoir les jetons en les voyant. »

Rob ne trouvait pas les animations le moins du monde convaincantes mais, d'une certaine manière, cela les rendait d'autant plus dérangeantes. La mâchoire tombante, comme des marionnettes, la désagrégation et la reconstitution kitsch des traits étaient comme les preuves supposées d'autres impostures : les photos trafiquées des séances de spiritisme d'autrefois, plus effrayantes et déprimantes pour Rob que ne l'auraient été de véritables communications avec les morts. Rob rencontrait ses amis défunts dans des rêves spirituels et poignants qui ne les représentaient pas du tout comme ces paquets de matière en train d'articuler. « Allons-y », dit Raymond, agrandissant l'image et augmentant le volume à fond. La tête et les épaules reconnaissables de lord Tennyson emplirent l'écran : joues creuses, crâne haut, cheveux gras et emmêlés, barbe sombre, hirsute et grisonnante. La barbe, du moins, était une bénédiction dans la mesure où elle recouvrait entièrement la bouche, empêchant l'animation macabre des lèvres. Raymond appuya sur le bouton PLAY et, sur fond de tempête de sifflements et du bruit saccadé du cylindre, la voix résolue et chevrotante du grand poète s'élança à sa manière enfiévrée dans la récitation de « Entre dans le jardin,

Maud ». Rob avait toujours trouvé cet enregistrement mystérieux en soi : l'effet, chaque fois qu'il l'avait entendu, avait été tour à tour comique, touchant et impressionnant. Il s'aperçut que Raymond l'observait tandis qu'il regardait la vidéo et il esquissa à peine un sourire, comme s'il avait réservé son jugement. La barbe du barde frémissait comme un animal dans une haie, alors que le visage célèbre exécutait sur l'écran des mouvements répétitifs, grimaces et masti-cations. Rob eut l'impression que, par son regard particulier, avec son air inquiet et presque agressif, le vieux Tennyson, outré, le suppliait directement de condamner la honte infligée au bas de son visage. La vidéo se terminait abruptement sur le copyright de Raymond (protégeant non pas l'enregistrement ni le portrait mais le spectacle de marionnettes qu'il en avait fait), qui barrait le visage cette fois figé de Tennyson.

« Incroyable, dit Rob : écouter un homme lire un poème qu'il a écrit il y a cent cinquante ans…

— Ah… oui », répondit Raymond, comprenant qu'ainsi il esquivait le problème.

Rob recula d'un pas. « J'imagine que c'est le plus loin qu'on puisse remonter, non ? (Il cherchait à se rassurer.) Ce doit être le premier enregistrement d'un poète.

— Au sens strict, oui, bien que, cela va de soi, on puisse recréer des voix, si on veut, répondit Raymond, avec un coup d'œil, étrange chez un homme d'âge mûr, typique d'un adolescent qui aurait tenté sa chance.

— Oh, non, pas ça !

— Non, ce serait un peu nul, sans doute. » Raymond enfouit le fond de sa pensée derrière un changement de sujet qui se voulut cordial. « Que puis-je faire pour vous, Rob ? »

Ce dernier plissa les yeux. « Vous avez dit avoir quelque chose pour moi…

— Ah, oui, c'est vrai. » Raymond pivota sur son fauteuil et regarda d'un air perplexe autour de lui : petit titillement pour masquer son excitation. Il passa les doigts dans sa barbe en même temps que son regard balayait les étagères. « Je me suis dit : ça, c'est pour Rob… Si seulement je pouvais le retrouver… Ah, je sais, je l'ai mis dans mon tiroir *cochon*. » Plongeant en avant, il ouvrit le tiroir au bas d'un meuble d'archivage. Il rangeait dans ce tiroir *cochon* ce qu'il ne souhaitait pas que les élèves de Harrow trouvent au cours de leurs occasionnelles recherches prolongées dans les coins les plus reculés du magasin. Il arrivait qu'en vidant une maison il fasse remonter à la surface une réserve de vieux magazines érotiques et parfois même homos, eux-mêmes devenus des collectors. Aux yeux de Rob, Raymond était un vrai marchand : il évaluait un vieux numéro de *Penthouse* ou de *Physique Pictorial* avec le même détachement bourru. Il sortit un volume à reliure en cuir rouge, un in-quarto assez épais, à première vue un journal ou un manuscrit, avec une tranche arrondie pour permettre de l'ouvrir à plat. Faisant pivoter son fauteuil, Raymond soupesa l'ouvrage des deux mains, comme s'il ne pouvait s'en défaire qu'au prix de plusieurs avertissements et conditions. « Que savez-vous de Harry Hewitt ?

— Absolument rien. » Rob vit que le volume possédait un fermoir : peut-être un journal qu'on pouvait fermer à clef ; sur la couverture, sous le pouce de Raymond, un H doré gravé en relief.

« Personnage intéressant. Mort dans les années 1960. Homme d'affaires, collectionneur d'art… il a légué certaines choses au Victoria and Albert. » Rob hocha la tête complaisamment. « Il vivait un peu plus haut, à Harrow Weald. Une grande demeure, Mattocks, dans le style Arts and Crafts. Jamais marié, termina Raymond.

— Je vois.

— Vivait avec sa sœur, qui est morte dans les années soixante-dix. Ensuite, Mattocks est devenu une maison de retraite. Fermée il y a quelques années : condamnée, des gamins sont entrés, un peu de vandalisme, pas trop grave. Va bientôt être démolie.

— Je suppose que Hector a vérifié… ?

— Il ne restait pas grand-chose.

— Non, hum, ces vieux, à l'époque… »

Raymond grogna. « Les voleurs ont emporté les meilleurs vitraux. Hector a récupéré une ou deux cheminées. Mais il y avait une pièce-coffre-fort dans laquelle personne n'avait pu entrer, et qui n'a pas résisté longtemps à Hector. Rien de valeur à l'intérieur, apparemment, seulement des documents de l'époque de Hewitt.

— Notamment ce que vous avez entre les mains. »

Raymond tendit le volume à Rob. La charnière du fermoir en cuivre s'ouvrit. « Nous avons dû le couper, désolé.

— Oh… » Rob trouva bizarre que quelqu'un qui pouvait forcer un coffre ait dû prendre une scie à métaux pour ouvrir un livre. C'était un bel ouvrage, bordure intérieure de la reliure traitée à l'or, or épais encore sur la tranche, pages de garde en marbré cramoisi et bordure dorée. Relié par Webster's, *By*

Appointment to Queen Alexandra. Rob grimaça devant une telle profanation, outre la diminution de la valeur commerciale de l'objet. L'intérieur : une centaine de pages couvertes d'une écriture dense, à l'encre bleu foncé passée, et une feuille de papier buvard mauve glissée à la moitié du volume marquait la page là où l'écriture s'arrêtait.

« Jetez-y un coup d'œil, dit Raymond. Une tasse de thé ? »

C'est ainsi qu'il installa Rob, après avoir poussé une grande armoire, dans un minuscule salon improvisé, comportant une chaise longue, un chevet et une lampe. Le thé fut servi dans une tasse en porcelaine. De l'autre côté de l'armoire, Rob entendit Raymond retourner à son ordinateur, alternant musique et conversations.

D'abord, Rob ne comprit pas exactement ce qu'il lisait. « 27 décembre 1911. Mon cher Harry, Je ne saurais jamais vous remercier assez pour le gramophone – ou "Sheraton Upright Grand" pour lui donner son titre officiel ! C'est le plus extraordinaire présent qu'on m'ait jamais fait, mon bon vieux Harry. Vous auriez dû voir la tête de ma sœur quand nous avons soulevé le couvercle la première fois : c'était une étude, Harry. Ma mère dit qu'il est proprement surnaturel d'entendre Mr McCormack chanter à pleins poumons dans notre humble salon ! Vous devez venir l'écouter bientôt, Harry. De simples remerciements sont insuffisants, Harry vieille branche. En toute amitié, Sincèrement vôtre, Hubert. » L'écriture était resserrée, compacte et vigoureuse. Sous un trait tiré à la règle commençait immédiatement une autre lettre : « 11 janvier 1912. Mon cher vieux Harry, Mille mercis pour les livres. La reliure seule est d'une fabuleuse beauté et Sheridan est sans conteste l'un de nos meilleurs auteurs. Ma mère dit que nous devrions lire les pièces tous ensemble, Harry, et elle insiste pour que vous jouiez un rôle ! Daphné est prête à se costumer ! Vous savez, je ne suis pas un bon acteur, mon vieux Harry. Nous vous verrons demain soir à 19 h 30. Vraiment, vous êtes trop bon envers nous tous. Des tonnes d'affection de la part de votre Hubert. »

Un volume de lettres, donc, des copies conservées, peut-être, par le reconnaissant Hubert ? Non, car il était douteux qu'il en éprouvât une telle fierté. Auquel cas, les lettres devaient avoir été retranscrites par le destinataire, également « H », pour les immortaliser, si tel était le mot ? La plupart d'entre elles étant des mots de remerciements, il semblait que l'exercice était surtout un monument élevé à la gloire du destinataire. Rob se représenta une riche et vieille folle s'écrivant des lettres de remerciements à lui-même (« "Mon cher Harry", écrivit Harry »). Rob continua de feuilleter le volume, sans trop d'espoir, vérifiant surtout les noms propres, Harrow, Mattocks, Stanmore ; tous ces noms étaient provinciaux à l'extrême, et puis Hambourg : « Quand vous reviendrez d'Allemagne, Harry. » Eh bien, on savait que Harry était un homme d'affaires. Rob sirota son thé en fronçant les sourcils. Il faisait un peu froid dans la boutique. « Je ne vous serai guère utile au bridge, Harry. Je sais tout juste jouer à la belote ! »

Sautant des pages, Rob comprit qu'il y avait autre chose de plus sombre, le côté obscur d'une lumineuse gratitude. « 4 juin 1913. Mon cher vieux Harry, Je suis navré mais vous savez que je ne suis pas démonstratif, ce n'est pas dans ma nature, Harry. » « 14 septembre 1913. Harry, Vous ne devez pas penser que je suis un ingrat, personne n'a jamais eu meilleur ami, cependant, je crains de fuir, et d'avoir une aversion pour les démonstrations d'affection physique entre hommes. Ce n'est pas mon habitude, Harry. » En fait, les deux trames se rejoignaient souvent : *merci* et *non merci*. Peut-être le monument élevé à la vanité était-il aussi le compte rendu voilé d'une mortification – ou d'un succès : Rob ignorait comment l'affaire allait finir. Il tenta de se représenter les démonstrations d'affection physique : qu'étaient-elles ? Plus que des étreintes, des baisers, qui sait, entamés avec une négligence tendue, puis devenant plus insistants et ardus. Entretemps, les cadeaux devenaient de plus en plus beaux. Mai 1913. « Le fusil est arrivé ce matin : c'est une petite merveille, Harry vieille branche. » Octobre 1913. « Harry, je ne saurais te remercier assez pour la splendide armoire. Mes pauvres vieux costumes paraissent miteux dans leur nouvelle demeure ! », ce à quoi s'ajoutait une réflexion désuète : « Le confort matériel a son importance, Harry, quoi que puissent en dire les ecclésiastiques ! » Puis, en janvier 1914 : « Mon cher vieux Harry, La petite voiture est une merveille – j'ai emmené Daphné faire un tour, nous sommes montés plusieurs fois à 30 km/heure. Elle dit que la Straker est la meilleure voiture du monde et je ne peux qu'acquiescer. Seule une grosse Wolseley nous a dépassés. » Assistait-on là à une sorte de durcissement, une note discrète de convoitise de la part du pauvre Hubert qui se serait laissé très légèrement corrompre par toute cette générosité ? Peut-être Harry lui offrirait-il ensuite une Wolseley ? Aux yeux d'un gay ardent, les innombrables « vieux » qui ponctuaient les lettres (« Mon cher vieux Harry », « Harry vieille branche »), quelque enjoués qu'ils aient été, pouvaient, par la suite, avoir lassé. « Je ne puis imaginer que tu auras trente-sept ans demain, Harry, mon vieil ami ! », en novembre 1912. Ce manuscrit était une curiosité – il avait été malin de la part de Raymond de le comprendre, et cela vaudrait le coup de le payer un peu cher en conséquence. L'un des clients de Garsaint l'achèterait sans doute, un des collectionneurs de memorabilia gay, dans lesquelles Rob s'était spécialisé. Et puis, naturellement, il y avait la date.

Il continua de feuilleter, confronté à la résistance de l'écriture, dense et exclamative, des mots mêmes. Il y avait fort peu de chose après fin 1914, quelques missives apparemment envoyées de France : BEF Rouen, des envois plus chaleureux maintenant qu'ils étaient séparés, peut-être, et la perspective n'était plus la même. Puis une lettre datée du 5 avril 1917 : « Mon cher vieux Harry, Juste un mot car nous partons bientôt, sans savoir où. En général, on ne nous prévient que peu de temps à l'avance. Journée magnifique, qui rend la vie bien plus digne d'être vécue. Nous avons eu aujourd'hui notre messe de Pâques, puisque le jour même nous aurons sans doute déjà été envoyés ailleurs, et je suis resté pour la communion ensuite. Vous vous occuperez de Hazel, n'est-ce pas, Harry vieille branche, c'est une fille charmante, et de ma mère et de Daphné aussi. Bonne nuit Harry, de tout mon cœur, Hubert. » Après quoi, Harry avait écrit : « La dernière lettre de mon garçon bien-aimé : FINIS. »

Puis, en dessous, encadré de traits tracés à la règle, une petite commémoration :

HUBERT OWEN SAWLE
1er Lieut. « The Blues »
Né à Stanmore, Middlesex, 15 janvier 1891
Tué à Ivry, 8 avril 1917
Âgé de vingt-six ans

Au comptoir, Raymond passait ses doigts dans sa barbe. « Alors, Rob… ça présente un quelconque intérêt ?

— Ce Hubert Sawle… est-il un parent de G.F. et Madeleine Sawle ?

— Bien vu, Rob… oui, Hubert était le frère de G.F.

— Totalement inconnu au bataillon.

— Jusqu'à aujourd'hui.

— Et Daphné Sawle était sa sœur. Te rends-tu compte, j'ai rencontré une femme, la semaine dernière, qui est sa petite-fille.

— Tiens…

— Je me suis un peu perdu dans son histoire à propos de la biographie de Cecil Valance. Elle a dit que sa grand-mère avait écrit ses Mémoires. Je voulais les retrouver.

— Je ne les connais pas, répondit Raymond, et comme c'était une réponse qu'il n'aimait pas donner, il se mit au travail.

— Leur maison, Deux Arpents, se trouvait dans les environs, n'est-ce pas ?

— À Stanmore, ouais.

— Quelque chose à en tirer ? »

Raymond regarda l'écran, déroula, dans un sens, puis dans l'autre, langue sur la lèvre. « Démolie il y a cinq ou six ans ; il faut dire qu'elle était en ruine. Non, Rob, personne du nom de Sawle sauf G.F. et Madeleine, qui se trouvait être sa femme, ça je le sais.

— Êtes-vous sur Abe ?

— G.F. a édité la correspondance de Valance.

— Exact », dit Rob, ressentant le plaisir des liens retrouvés, le sentiment protecteur à l'égard de sa proie qui se manifestait toujours au cours de toute recherche prolongée. « Je crois que Daphné écrivait sous le nom de Jacobs.

— Ah oui… » Les grosses mains de Raymond exécutèrent leur ballet sur le clavier.

« Elle est complètement oubliée aujourd'hui, mais elle a publié ses Mémoires il y a une trentaine d'années : elle avait été mariée à Dudley Valance, puis au peintre Revel Ralph.

— Tenez… voilà… Daphné Jacobs, *Instruments à bois assyriens*… c'est elle ?

— Je ne crois pas.

— *Ornements en bronze de la Mésopotamie ancienne*.

— Je ne crois pas qu'elle remonte si loin.

— *Corpus Mesopotamianum*… (Raymond en fut ralenti un instant.) Il y en a tout un tas dans cette veine.

— Je crois que son livre s'appelle *La Courte Galerie*.

— D'accord… alors, c'est celui-ci : *La Courte Galerie : Portraits tirés d'une vie*. Aha, sept exemplaires… Plymbridge-Press, 1979, 212 pp… Première édition. Une livre sterling. Voilà ! »

Rob fit le tour du bureau pour aller se placer derrière Raymond. « Descendez un peu. » Les habituels descriptifs – bel exemplaire dans l'ensemble, jaquette, deux livres sterling cinquante ; exemplaire de bibliothèque, sans jaquette, taches d'humidité sur la quatrième de couverture, quelques passages soulignés discrètement, £18, avec de bons arguments de vente, « "Contient des portraits pris sur le vif d'écrivains et artistes de renom, A. Huxley, Mary Gibbons, lord Berners, Revel Ralph & récit d'une liaison adolescente avec le poète de la Première Guerre mondiale Dudley Valance. "

— Faux ! s'exclama Raymond. Hein ?

— J'adore ce "Revel Ralph", dit Rob. Tenez, ça c'est amusant. Dédicacé par l'auteur "À Paul Bryant, 18 avril 1980." »

L'exemplaire était accompagné d'un catalogue de seize pages, que Garsaint avait parfois en stock, de l'exposition *Scènes et Portraits* de Revel Ralph à la galerie Michael Parkin en 1984, avec préface posthume de Daphné Jacobs, non signée (c'était rassurant), vingt-cinq livres sterling.

Le dernier exemplaire, vendu par Delirium Books, Los Angeles, flottait dans les hauteurs d'un empyrée de bibliophilie : « Exemplaire de sir Dudley Valance, avec son ex-libris dessiné par Saint John Hall, dédicacé et signé par l'auteur "De Duff à Dudley", avec de nombreux commentaires et corrections au crayon et à l'encre par Dudley Valance. Bon état. Jaquette, manques sur le haut du dos, réparation à la quatrième de couverture sur un centimètre. Étui en maroquin rouge. Exceptionnel exemplaire personnel, mille cinq cents dollars.

— Il y a l'embarras du choix, dit Raymond.

— Parfait. » Le commentaire de Jennifer Ralph qui avait qualifié le livre de « plutôt faible » remettait en question sa curiosité plus indulgente. Bien sûr, Jennifer connaissait certains personnages dont les portraits étaient dressés par Daphné, et cela faisait toute la différence. « Combien voulez-vous pour le Hewitt ?

— Cent. »

Rob leva un sourcil. « Raymond !

— Vous avez vu les lettres de Valance ?

— Pardon… ? » Rob sourcilla de nouveau et rougit légèrement.

« Ah oui. » Reprenant l'ouvrage, Raymond lui montra que, plusieurs pages après le FINIS de la première partie, se trouvait une autre section moins importante de retranscriptions de lettres, d'une teneur fort différente. « Tout l'intérêt du volume réside là-dedans, Robson, mon ami. »

« Cher Hewitt », commençait la première, en septembre 1913 ; transformé en « Cher Harry » dans la troisième lettre, envoyée de France. Cinq lettres au total, la dernière datée du 27 juin 1916, et signée : « Fidèlement vôtre, Cecil. »

« Ont-elles été publiées, je me le demande…

— Il faudra vérifier.

— Je parie que non. » Rob les parcourut aussi vite que l'écriture le permettait. L'idée que Valance pourrait avoir eu aussi une liaison avec Hewitt… Aucune allusion, ce qui, en soi, était un signe. « Pourquoi ce vieil idiot les a-t-il transcrites ? Je veux dire : qu'est-il arrivé aux originaux ?

— Ah, voyez-vous, il a oublié de se soucier des impératifs d'un libraire du XXIᵉ siècle : erreur commune dans le passé.

— Merci infiniment ! » Rob lut plus attentivement la dernière lettre :

Quelle pitié que vous n'ayez pu venir chez Stokes : vous l'auriez apprécié, je crois. Il m'est passé par l'esprit que je pourrais vous envoyer les nouveaux poèmes avant que nous soyons bloqués dans le prochain barnum – je les enverrai demain, si tout va bien, lorsque je les aurai relus une fois encore. Ils ne sont destinés qu'à vous – vous comprendrez qu'ils ne sont pas publiables de mon vivant – ou de celui de l'Angleterre ! Stokes en a vu certains (pas tous). L'un d'eux s'inspire, comme vous vous en apercevrez, de notre dernière rencontre. Prévenez-moi quand ils seront en sécurité avec vous. Toute mon affection (ou est-ce trop frais ?) à Elspeth, la vraie savante.
Fidèlement vôtre,

Cecil

« La maison a été complètement vidée, disiez-vous ?

— Ils enlèvent ce qui reste cette semaine.

— Et que reste-t-il ? » Rob eut l'impression que Raymond rougissait derrière sa barbe avant qu'il ne se retourne et fouille dans son bureau : une dérobade, que Rob prit au début pour une recherche de preuves supplémentaires.

« Je n'y suis pas allé moi-même. Je crois que Debbie y est.

— Pourquoi ne pas l'avoir dit plus tôt ? »

Le lent après-midi, la douce transe de l'automne dans les quartiers nord de Londres, les limbes aux odeurs de moisi de la boutique de Chadwick, tout cela représenta tout à coup aux yeux de Rob une désastreuse perte de temps, comme les obstacles et les digressions étouffantes d'un certain genre de rêve. « La maison est loin ?

— Comment comptez-vous y aller ? »

Il y avait une station de taxis près de l'école au bas de la rue, comme s'ils s'apprêtaient à reconduire les élèves chez eux, ou faire du shopping ou à l'aéroport… Rob se précipita sur la première voiture mais le chauffeur n'était pas là : il était au café d'en face, où il s'achetait un thé et un sandwich ; quant au taxi suivant, il n'avait pas le droit de le prendre… ah, la fastidieuse étiquette des chauffeurs de taxi. Rob comprit qu'ils étaient rebutés par sa précipitation, gage de problèmes ; il alla donc tout souriant au café et, un instant plus tard, le chauffeur traversait la chaussée avec lui. « La maison s'appelle Mattocks, c'était une maison de retraite. Vous la connaissez ?

— Oui, je la connaissais », répondit le *cabbie*, savourant sa propre ironie. « Il ne s'y passe plus grand-chose…

— Je sais.

— Les démolisseurs vont bientôt s'en donner à cœur joie. » L'homme regarda Rob dans le rétroviseur en se glissant sur son siège, manifestement tenté de faire quelque effroyable plaisanterie.

« Allons voir si nous pouvons arriver avant », dit Rob. Il se pencha vers l'avant pour l'encourager, distinguant, par la même occasion, ses yeux et son nez dans le rétroviseur, dans un cadrage surréaliste.

Ils firent demi-tour et montèrent plus au nord, passèrent les carrefours les plus encombrés de

Harrow-on-the-Hill ; la courtoisie du chauffeur s'étendit à quantité de piétons hésitants, de livreurs qui faisaient marche arrière et d'anxieux automobilistes qui débouchaient des rues adjacentes ; c'était un grand partisan du laisser-passer. Sur quoi, ils abordèrent les rues et avenues résidentielles jonchées de feuilles mortes du Weald, et l'hésitation vaguement souriante du chauffeur prêt à passer en troisième suggérait presque qu'il ne connaissait pas le chemin. Il se mit à plaisanter sur quelque chose qui avait dû échapper à Rob ; lequel demanda « Pardon ? », avant de s'apercevoir que le chauffeur parlait dans son portable, déplorant quelque chose avec un ami, la moitié de la conversation prononcée tout fort, spontanément, et au milieu de laquelle les besoins de Rob parurent diminuer davantage encore, devenus de simples tic-tac rapides du compteur. Les vénérables marronniers laissaient tomber leurs feuilles sur les trottoirs ; les chênes commençaient à peine à rouiller et à se dénuder. Tant d'anciennes demeures avaient été démolies, tant de jardins remplacés par des constructions. Rob vit un mur bas avec un chaperon pentu, les grilles arrachées, une clôture cassée, de guingois, à l'arrière. « Un instant, Andy », dit le chauffeur, qui déposa Rob avec un hochement de tête cordial lorsqu'il lui rendit la monnaie, vague suggestion rétroactive qu'ils avaient passé un bon moment ensemble.

Rob louvoya entre les flaques noires dans les ornières de l'allée. La maison était située à une cinquantaine de mètres de la rue, même si son intimité avait depuis longtemps capitulé : de part et d'autre, de nouveaux lotissements dominaient ses murs d'enceinte. C'était une grande *villa* en brique rouge, sans doute des années 1880, avec des pignons et une tourelle, de nombreux colombages et des tuiles en façade, et des pièces au rez-de-chaussée très hautes de plafond, qu'on n'avait pu meubler et chauffer qu'à grands frais du temps de leur splendeur et qui, de ce fait, avaient dû devenir très vite sinistres ensuite (Rob avait assisté à ce phénomène partout à Londres), avant d'être quasi inhabitables dans leur dernière période. Désormais, la toiture pentue en ardoise était percée, des buissons poussaient dans les gouttières, des bandes de mousse et de vase dévalaient les murs. Un JCB était garé sous les arbres, à côté d'une Focus bleue, qui appartenait sans doute à Debbie.

La porte d'entrée était condamnée ; Rob fit donc le tour. Il distingua une odeur de fumée, âcre et toxique, pas la bonne odeur des feux de feuilles à l'automne. Le terrain à l'arrière était pentu, de sorte que le sol de la véranda endommagée sur le côté de la maison se trouvait à hauteur d'épaule. Suivait une tourelle ronde, puis un haut mur percé par une porte qui donnait sur une minuscule cour, l'entrée de service, la porte, ici, grande ouverte : Rob se glissa dans la demeure à travers une arrière-cuisine caverneuse, bardée d'éviers en aluminium, une cuisine sombre avec une batterie de cuisinières, des chaises cassées, rien à récupérer. Sous ses semelles, les gravats craquaient, l'air était empli de l'odeur pénétrante d'une humidité froide. Poussant une porte coupe-feu, il arriva dans ce qui avait dû être la salle à manger de la maison de retraite, où régnait encore une odeur de fumée. Il vit l'horrible installation électrique et les coffrages : la vieille demeure avait été trop défigurée trente ans auparavant pour qu'on puisse encore y éprouver le moindre émerveillement ou sentiment de découverte. Il en fit son deuil. Il pénétra dans le hall – des portes coupe-feu dissimulant l'escalier mais de la lumière à travers des portes à battants, côté jardin. Il entendit la voix d'un enfant, la note d'insouciance avec une pointe de détermination.

« C'est vous, Debbie ? » Sur la pelouse, qui n'était qu'un enchevêtrement d'arbustes désormais piétinés, une femme aux joues rougies, en jean et T-shirt, ramassait des objets autour du feu de joie, dans lequel elle les jetait : de vieux magazines, saisis, dubitatifs, par la flamme qui en recourbait un instant les coins tandis qu'ils retombaient en ondulant.

« Ne t'approche pas trop. » Un garçon de six ou sept ans, le visage rouge aussi, dans son petit anorak, apportait des choses au hasard, une boîte en carton, une poignée d'herbe et de brindilles qui tomba sur ses souliers quand il la lança.

Debbie ne connaissait pas Rob : il vit qu'elle réfrénait sa curiosité, avec sa posture de responsable provisoire pour ce qui se passait. « C'est Raymond qui m'envoie. Je m'appelle Rob.

— Ah, bon, d'accord. J'allais justement l'appeler, nous avons presque terminé. »

Rob contempla le brasier, fourni mais déjà à moitié digéré, les couleurs encore visibles sur de vieux paillassons (s'il s'agissait bien de cela) que le feu avait renoncé à avaler, bords roses de rideaux noircis. « Depuis quand est-ce que ça brûle ?

— C'était quand, Jack, avant-hier ? »

Le garçon détala, en quête d'autres choses à brûler. Rob masqua son inquiétude, ramassa un bâton et lança des morceaux de bois dans le bûcher. Il se dit, mais c'était absurde, que d'autres objets pouvaient être restés intacts au cœur des flammes ; il s'imagina les récupérant, ressentant une excitation, une résolution plus grandes que celles qu'on éprouvait à brûler : c'était déjà l'ébauche d'une histoire. « Raymond a dit que vous aviez vidé la pièce blindée ? »

Debbie surveillait l'enfant du coin de l'œil. « Oui, tu peux faire brûler ça, mon cœur. » Mais le petit Jack avait ses propres lubies et caprices.

« Je garde celui-là, Maman.

— Bon, d'accord… » Debbie lança un regard à Rob, mima la patience. « Désolée… vous disiez ? » Il comprit qu'elle n'était ni pour ni contre lui. « Nous avons tout sorti lundi. Juste des vieux papiers, des livres de comptes. » Elle retroussa le nez en hochant la tête. « Des saletés, utiles pour personne. »

Rob se retourna vers la maison dressée dans leur dos, l'envol courbe de l'escalier endommagé qu'il venait d'emprunter pour descendre dans le jardin – que Harry Hewitt avait dû emprunter des milliers de fois, et son Hubert bien-aimé, de temps à autre peut-être, avant la Grande Guerre, venu en Straker avec sa sœur Daphné, en guise de chaperon.

« Vous permettez que je fasse un tour ?

— Je vous en prie. Mais il n'y a plus d'électricité, vous n'y verrez pas grand-chose. » Elle lui indiqua où se trouvait la pièce blindée, derrière ce qui devait avoir été la salle de télé : toutes les fonctions étaient mélangées. Il se demanda s'il avait vraiment envie d'entrer.

« Maman ? Maman ? » Jack tenait un panier en osier à bout de bras.

« Non, ça, ça peut aller… mon Dieu, c'est victorien. Ils faisaient de ces trucs ! » – dit Debbie avec un premier regard complice et amusé à l'intention de Rob. Jack gérait son stock d'objets récupérés, ceux qu'il sauvait ostensiblement des flammes, et ceux destinés à être joyeusement jetés au feu. Parfois, un objet était transféré d'une pile à l'autre avec tout l'arbitraire du destin.

Rob entra d'abord par les portes vitrées dans le salon, avec son trou sombre dans le mur, sans doute la cheminée qu'Hector avait récupérée; puis par la porte à gauche dans la salle de télé, éclairée comme un fond sous-marin par une petite fenêtre recouverte de ronces; et, plus loin, par un couloir court, plongé dans la pénombre, avec une porte peinte en blanc sur la droite, ouverte, révélant celle en métal noir, tout juste entrouverte, de la pièce blindée immédiatement derrière. Lorsqu'il posa la main sur la poignée, la curiosité de Rob concernait autant la pièce secrète que son contenu. Sans doute un collectionneur avait-il besoin d'une pièce de ce genre, peut-être Hewitt le thésauriseur éprouvait-il plus de plaisir à posséder qu'à montrer. Il avait ainsi réussi à garder son secret pendant près d'un siècle. Rob se demanda quand il avait recopié les lettres : à leur arrivée, au moment du deuil ou bien plus tard, dans une quête douloureuse des sentiments perdus ? Avec un murmure méfiant, il avança d'un pas sur le seuil de la pièce, huma son odeur, différente de celle des autres pièces de la maison : bois sec ? C'est alors qu'il pensa à son téléphone portable, l'ouvrit d'un coup et braqua la discrète torche d'espion devant lui. Le mur du fond n'était qu'à une longueur de bras, étagères en lattes de bois sur trois côtés, comme un séchoir. Un sol en pierre, une ampoule pendant au plafond. La lumière du téléphone se mit en veille et s'éteignit : Rob la ralluma et en balaya vite tout l'espace. Debbie n'avait rien laissé, hormis quelque chose de blanc par terre, sous l'étagère de gauche : une coupure de journal. Rob la ramassa, c'était une feuille du *Daily Telegraph*. Il la défroissa : 6 novembre 1948. Lorsque la lumière s'éteignit à nouveau, Rob resta là un instant, se mettant au défi, dans le noir presque complet, testant le vide et l'écho vite étouffé ; puis il ressortit. S'interrogeant vaguement sur son contenu quand il revint dans le salon relativement lumineux, il s'aperçut, aux pliures raidies de la feuille de journal, qu'elle avait servi à envelopper un objet carré : survivance totalement fortuite, d'aucun intérêt en soi. Il l'emporta pour la jeter au feu.

Lequel offrait à présent un spectacle inouï, des chaises cassées ayant été empilées au sommet : l'ensemble dégageait une chaleur dangereuse, avec craquements et étincelles, une volute de fumée noire émanait d'un coussin en mousse. Le petit Jack avait peur, en retrait, à côté de sa mère, mais son air calculateur montrait qu'il envisageait des audaces personnelles. Elles semblaient s'étirer loin devant.

« Vous avez mis la main sur quelque chose d'intéressant ? » demanda Debbie. Le fait qu'il n'eût rien trouvé était bien sûr un gage de son efficacité. Il se dit, en descendant l'allée puis en ressortant dans la rue inconnue, que Valance n'avait jamais envoyé, après tout, la lettre promise, la veille de la bataille de la Somme. S'il l'avait fait, Hewitt, le mémorialiste précis, l'aurait sûrement retranscrite elle aussi. Rob devait revenir dans le centre-ville : il avait rendez-vous à dix-neuf heures avec… l'espace d'un instant, il ne se rappela pas son nom. Il vérifia le texto sur son portable, et huma l'odeur de fumée sur ses doigts.

REMERCIEMENTS

Je suis infiniment redevable à la société littéraire belge Het Beschrijf de m'avoir accordé une résidence d'un mois à l'appartement des écrivains Passa Porta à Bruxelles, où a été écrite une partie de ce roman.

Le Livre de Poche s'engage pour
l'environnement en réduisant
l'empreinte carbone de ses livres.
Celle de cet exemplaire est de :
800 g éq. CO₂
Rendez-vous sur
www.livredepoche-durable.fr

PAPIER À BASE DE
FIBRES CERTIFIÉES

Composition réalisée par Belle Page

Achevé d'imprimer en mars 2015 en France par
CPI BRODARD ET TAUPIN
La Flèche (Sarthe)
N° d'impression : 3010147
Dépôt légal 1ʳᵉ publication : janvier 2015
Édition 08 – mars 2015
LIBRAIRIE GÉNÉRALE FRANÇAISE
31, rue de Fleurus – 75278 Paris Cedex 06

36/8895/7